MÁS
que palabras

Índice

Anexos

Introducción

Reír, llorar, sentir, vivir, aprender... Éstas son sólo algunas de las posibilidades que nos ofrece la lectura puesto que la literatura le habla a nuestro cuerpo, a nuestro espíritu, sacude nuestros sentimientos, despierta nuestros sentidos, estimula nuestra imaginación, nutre nuestro intelecto... En ella está todo: la posibilidad de entrar en un mundo conocido y nuevo a la vez, porque por un lado comparte el aspecto humano común a todos, y por otro nos conduce a mundos extraños y sugerentes.

Esto podría ser lo que todo educador que ame la literatura quisiera contagiar a sus alumnos y es también lo que las autoras de *Más que palabras* intentan llevar a cabo en esta obra que aúna criterios de análisis rigurosos junto con una metodología motivadora: el enfoque por tareas.

Fundamentos metodológicos

A menudo se ha convertido a los estudiantes en auténticos taxidermistas de la palabra que, tras años de estudios, aborrecen un maravilloso libro sólo porque su acercamiento a la literatura les ha supuesto un ejercicio de disección y clasificación carente de interés. Como educadores tampoco podemos distanciarnos de la realidad de nuestros alumnos, que se ven rodeados de posibilidades mucho más seductoras. Por ello, la literatura no puede ni debe consistir exclusivamente en rellenar una ficha de análisis de una novela.

Lo novedoso de *Más que palabras* reside en la aplicación del enfoque por tareas, que se convierte en una herramienta pedagógica ideal para animar a los estudiantes tanto al estudio como al disfrute de la literatura. Con la metodología empleada se tiene en cuenta al alumno y a sus experiencias y se realizan actividades que requieren de la implicación personal y de la cooperación con sus compañeros, convirtiendo así el aula en un espacio de aprendizaje, de reflexión y de comunicación; al final del recorrido didáctico el alumno habrá elaborado un producto que integrará todo lo que ha aprendido.

Destinatarios

Más que palabras está destinado principalmente a los estudiantes de español como lengua extranjera que, después de haber alcanzado un nivel B1 de competencia lingüística en español (según el Marco Europeo de Referencia) deseen aproximarse a su literatura y prefieran servirse de una guía rigurosa y amena para recorrer algunas de sus páginas más representativas a lo largo de este viaje.

Hemos procurado que los temas y las actividades se adecuen a los intereses de estudiantes de secundaria, así como a todas aquellas personas que, en otras áreas del aprendizaje del español y en niveles de lengua avanzados, deseen adentrarse en el estudio de los aspectos literarios.

Contenido y criterios de selección

El contenido del libro abarca la literatura española desde finales del siglo XIX hasta hoy, así como algunos de los autores más significativos de la literatura hispanoamericana de nuestros días. Queremos ofrecer retazos de estas literaturas que gusten, sean asequibles y, al mismo tiempo, ayuden a formar una idea del gran mosaico que constituye la literatura moderna y contemporánea.

¿Por qué un punto de arranque tan tardío? Sabemos sobradamente que, con frecuencia, la lengua antigua no es asequible ni siquiera a los estudiantes nativos, con lo que no resulta difícil imaginar lo que supone para un estudiante de español como lengua extranjera. Pensamos que, al tratarse de literatura, no pueden ofrecerse unos textos *adaptados* para extranjeros: el hecho literario exige una lectura en la lengua original; de otro modo se corre el riesgo de perder el placer de la lengua, el placer por la lectura de una obra íntegra.

Dentro de estos límites hemos buscado incluir textos representativos de una época, de un género o de una corriente literaria; pero junto a ellos también otros que, a pesar de proceder de autores menos "consagrados", son garantía de lecturas amenas, al mismo tiempo que permiten asegurar un alto grado de modernidad y profundidad. Desde luego no se ha buscado la exhaustividad, sino ofrecer ejemplos concretos y atractivos con los que los chicos puedan trabajar, *hacer cosas* y comunicarse entre sí.

Sin embargo, a pesar de que aquí no figuren todos los grandes autores españoles contemporáneos ni tampoco todas las literaturas en lengua española, cualquier profesor que siga las pautas metodológicas de este libro podrá construir con otras opciones su propio itinerario literario.

Asimismo, hemos querido incorporar unos poquísimos pero s ignificativos ejemplos de autores españoles cuya lengua materna no fuera la castellana, sino la gallega, la vasca o la catalana, con el fin de facilitar un mínimo acercamiento a las diferentes realidades lingüísticas y culturales que conviven en España. En Hispanoamérica, en este mismo sentido, el mestizaje nos ha dado autores que testimonian realidades tan profundas y tan ajenas al mundo europeo que nos ha parecido imprescindible incorporarlos a través de textos de escritores como César Vallejo o Nicolás Guillén.

Más que palabras, en definitiva, está lejos de ser un libro tradicional en la enseñanza de la literatura, ya que, además del rigor pedagógico presente en toda la obra, el estudiante descubrirá que la literatura no es un objeto de museo, sino algo que palpita y vive a nuestro lado.

Estructura del libro

El libro está compuesto por *dos grandes partes*: en la primera figuran el *trabajo con los textos* junto con las secciones de *reflexión teórica*, mientras que en la segunda se ofrecen una serie de *anexos de referencia y consulta.*

Primera parte: consta de *tres módulos* en cada uno de los cuales se desarrolla un *proyecto* basado en un género literario y en un tema concreto. Así, en el primer proyecto, "Amor mío", hay un acercamiento al *texto poético* a través del amor como tema; en el segundo, "Así es la vida", se trata el sentido de la vida mediante el *texto narrativo*, y en el tercero, "Viva la libertad", se refleja el tema de la libertad a través del *texto teatral*.

Dentro de cada proyecto, el alumno realizará *cuatro tareas*. En cada una de ellas, se lleva a cabo un trabajo facilitador para que, al final del proyecto, el estudiante pueda elaborar su propia creación, así como reflexionar y asentar lo que ha aprendido.

Segunda parte: en esta parte de referencia se incluyen el "Rincón de consulta", donde el estudiante encontrará la información teórica necesaria referida a cada proyecto, las fichas sobre los "Movimientos literarios", "Autores" y "Cronología", que constituyen una herramienta indispensable para que el alumno realice un trabajo de aproximación a la vida y a la obra de cada autor, así como a su marco histórico y artístico. Por último, se podrán encontrar un apartado de "Bibliografía", con las referencias de todas las obras abordadas, y otro de "Notas y soluciones" para algunas de las actividades.

Al final de esta introducción se presentan dos propuestas de trabajo que pretenden facilitar por un lado la aproximación a la obra, al periodo histórico y literario de cada autor, y, por otro, el trabajo con el léxico desconocido para los estudiantes. En el primer caso, el profesor gestionará el trabajo que los estudiantes deben trasladar a sus cuadernos.

En el segundo el alumno cuenta con una ficha fotocopiable que le permite recopilar de forma individual aquellos aspectos léxicos que le resulten problemáticos en un texto determinado.

La *estructura modular* que proporciona la división en tareas dota de *flexibilidad* a todo el itinerario y de *homogeneidad* a cada proyecto, que resulta completamente autónomo con respecto a los demás. Así, el profesor podrá elegir libremente entre *diferentes alternativas de trabajo*:

- *Seguir el orden secuencial* de los proyectos, tal como se presentan en el libro.
- *Elegir entre los proyectos* que prefiera, según un criterio de selección de acuerdo al género y/o al tema tratados, puesto que cada proyecto es un segmento autónomo, independiente de los demás. De esta forma puede pasar de una estructura secuencial a una estructura en red, adaptable a la diversidad de las exigencias y situaciones didácticas.
- *Extraer las actividades que le resulten más interesantes y útiles* para su programa.
- *Construir un itinerario literario propio* según sus gustos y exigencias siguiendo el rigor metodológico que caracteriza los módulos propuestos.

Material extra

El libro incluye un CD que contiene grabaciones de algunos de los textos con los que se trabajará a lo largo de *Más que palabras*: cinco canciones, cinco poemas, cuatro textos narrativos y un fragmento de una obra teatral.

Lo que se pretende es ofrecer un acercamiento plural al fenómeno literario como reflejo de su propia naturaleza. Poemas cantados y recitados, cuentos e historias narrados y una lectura interpretativa proporcionarán al estudiante la oportunidad de disfrutar de la literatura de una manera más amena y completa.

Ficha de acercamiento al autor

Se divide la clase en cuatro grupos (**A**, **B**, **C**, **D**) para que cada uno de ellos trabaje en un aspecto diferente: **A**, Datos biográficos; **B**, Período histórico, **C**; Poética; y **D**, Movimiento literario.

A continuación se reorganiza la clase en **nuevos grupos** de cuatro personas. En cada grupo va un componente de uno de los grupos **A**, **B**, **C** y **D** anteriores, de forma que en todos los nuevos grupos habrá un estudiante informado sobre la biografía, otro sobre el período histórico, otro sobre la poética y el último sobre el movimiento literario. Cada alumno da su información a los demás componentes del grupo, de manera que al final del trabajo todos tengan una visión completa sobre el autor. Luego cada uno puede luego consultar por su cuenta las fichas, que aparecen al final del libro.

Para cada autor, el profesor habrá de procurar que sus estudiantes se encarguen de trabajar aspectos diferentes: que un alumno se ocupe hoy del período histórico y mañana, por ejemplo, de las notas biográficas.

A. Datos biográficos

- Lugar y fecha de nacimiento.
- Experiencias vitales que puedan haber influido en su obra.
- Actividades a las que se haya dedicado además de sus creaciones literarias.
- Relaciones con otras personas que hayan marcado su existencia.

B. Período histórico

- Acontecimientos importantes del período histórico en el que vive el autor.
- Principales aspectos políticos, económicos y sociales del periodo.
- Acontecimientos históricos que puedan haber influido directamente en la vida y en la obra del autor.

C. Poética y obra

- ¿Cuándo empieza a dedicarse a la literatura?
- ¿Pertenece a alguna corriente literaria? Consideración por parte de la crítica.
- Influencias en su obra literaria.
- Géneros que cultiva.

- Temas más frecuentes en su obra.
- Evolución en su trayectoria.
- Caracterización de su estilo.
- Importancia de su obra.
- Relevancia literaria.
- Obras más destacadas.

D. Movimiento literario

- ¿Podemos encuadrar al autor dentro de un movimiento determinado?
- ¿Cómo se relaciona la corriente literaria con el período histórico?
- ¿Qué relación tiene con el movimiento que lo precede?
- ¿Cuáles son los principales temas de la corriente a la que pertenece este autor?
- ¿Cuáles son las características literarias dominantes: lengua, estructuras...?
- ¿Qué otros autores encontramos en ese mismo período?

Ficha léxica

1. Selecciona las palabras desconocidas:

_______ : ______________________________

_______ : ______________________________

_______ : ______________________________

_______ : ______________________________

_______ : ______________________________

_______ : ______________________________

_______ : ______________________________

_______ : ______________________________

_______ : ______________________________

_______ : ______________________________

2. ¿Puedes deducir su significado a partir del texto? ¿Sí? Escríbelo al lado.

3. ¿Te puede ayudar alguno de tus compañeros?

4. ¿No estás del todo seguro? Consulta el diccionario.

5. Si necesitas alguna aclaración más, consulta a tu profesor.

Poesía

La poesía, si no es humana, no es poesía.
Todo es poesía.

Vicente Aleixandre

Amor mío

Yo te enseñé a besar
con besos míos
inventados por mí, para tu boca
Gabriela Mistral (1889-1957)

Te amo tanto que hablo con los ojos abiertos
te amo tanto que hablo con los árboles
Carlos Edmundo de Ory (1923)

Escrito está en mi alma vuestro gesto
y cuanto yo escribir de vos deseo
Garcilaso de la Vega (1501?-1536)

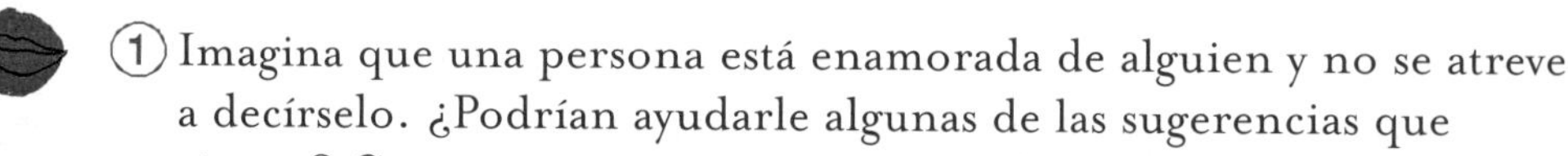

① Imagina que una persona está enamorada de alguien y no se atreve a decírselo. ¿Podrían ayudarle algunas de las sugerencias que siguen? Con tu compañero, argumentad sobre la mejor manera de declarar el amor por alguien.

- Recitar los versos de algún escritor
- Escribir unos versos para él o ella
- Escribir una carta personal
- Cantar una canción
- Decirlo espontáneamente, sin preparación
- Buscar la mediación de un amigo
- Regalar una flor

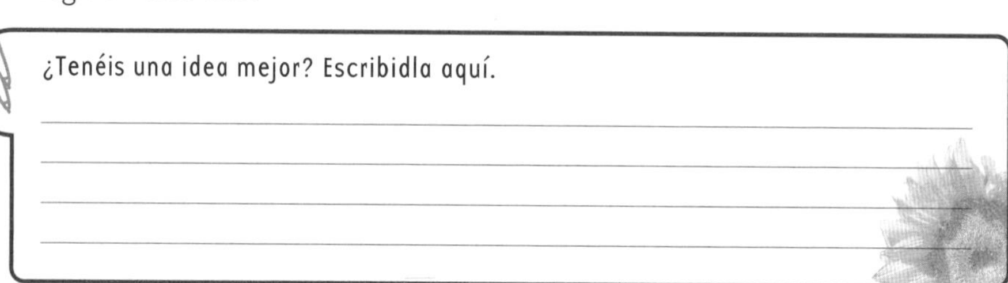

¿Tenéis una idea mejor? Escribidla aquí.

Haced una puesta en común para saber qué han elegido vuestros compañeros.

② ¿Qué tipo de declaración te gustaría recibir de alguien que te gusta?

- □ Dulce
- □ Pasional
- □ Divertida
- □ Romántica
- □ Directa
- □ Ambigua
- □ Original

Otra: ______________________

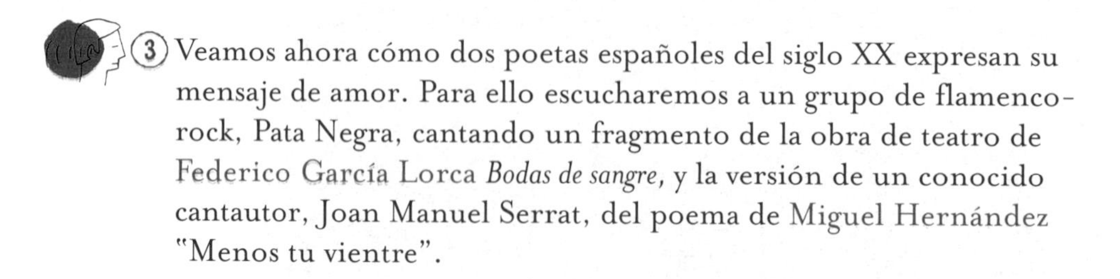

③ Veamos ahora cómo dos poetas españoles del siglo XX expresan su mensaje de amor. Para ello escucharemos a un grupo de flamenco-rock, Pata Negra, cantando un fragmento de la obra de teatro de Federico García Lorca *Bodas de sangre*, y la versión de un conocido cantautor, Joan Manuel Serrat, del poema de Miguel Hernández "Menos tu vientre".

Lee los textos mientras los escuchas. Seguro que hay palabras que no conoces, pero lo importante es que entiendas el mensaje principal.

Bodas de sangre

Que yo no tengo la culpa,
que la culpa es de la tierra
y de ese olor que te sale
de los pechos y las trenzas.

¡Ay qué sinrazón! No quiero
contigo cama ni cena,
y no hay minuto del día
que estar contigo no quiera,
porque me arrastras y voy,
y me dices que me vuelva
y te sigo por el aire
como una brizna de hierba.

Pájaros de la mañana
Por los árboles se quiebran.
La noche se está muriendo
en el filo de la piedra.
Vamos al rincón oscuro,
donde yo siempre te quiera,
que no me importa la gente,
ni el veneno que nos echa.

Que yo no tengo la culpa,
que la culpa es de la tierra
y de ese olor que te sale
de los pechos y las trenzas.

Menos tu vientre

Menos tu vientre
todo es confuso.

Menos tu vientre
todo es futuro
fugaz, pasado
baldío, turbio.

Menos tu vientre
todo es oculto,
menos tu vientre
todo inseguro,
todo postrero
polvo sin mundo.

Menos tu vientre
todo es oscuro
menos tu vientre
claro y profundo

Federico García Lorca (1898-1936)

Miguel Hernández (1910-1942)

¿Te hace falta captar mejor el significado de algunos términos? Te sugerimos trabajar con la **Ficha léxica** que encontrarás en la introducción del libro. Cada vez que encuentres un texto nuevo puedes hacer lo mismo.

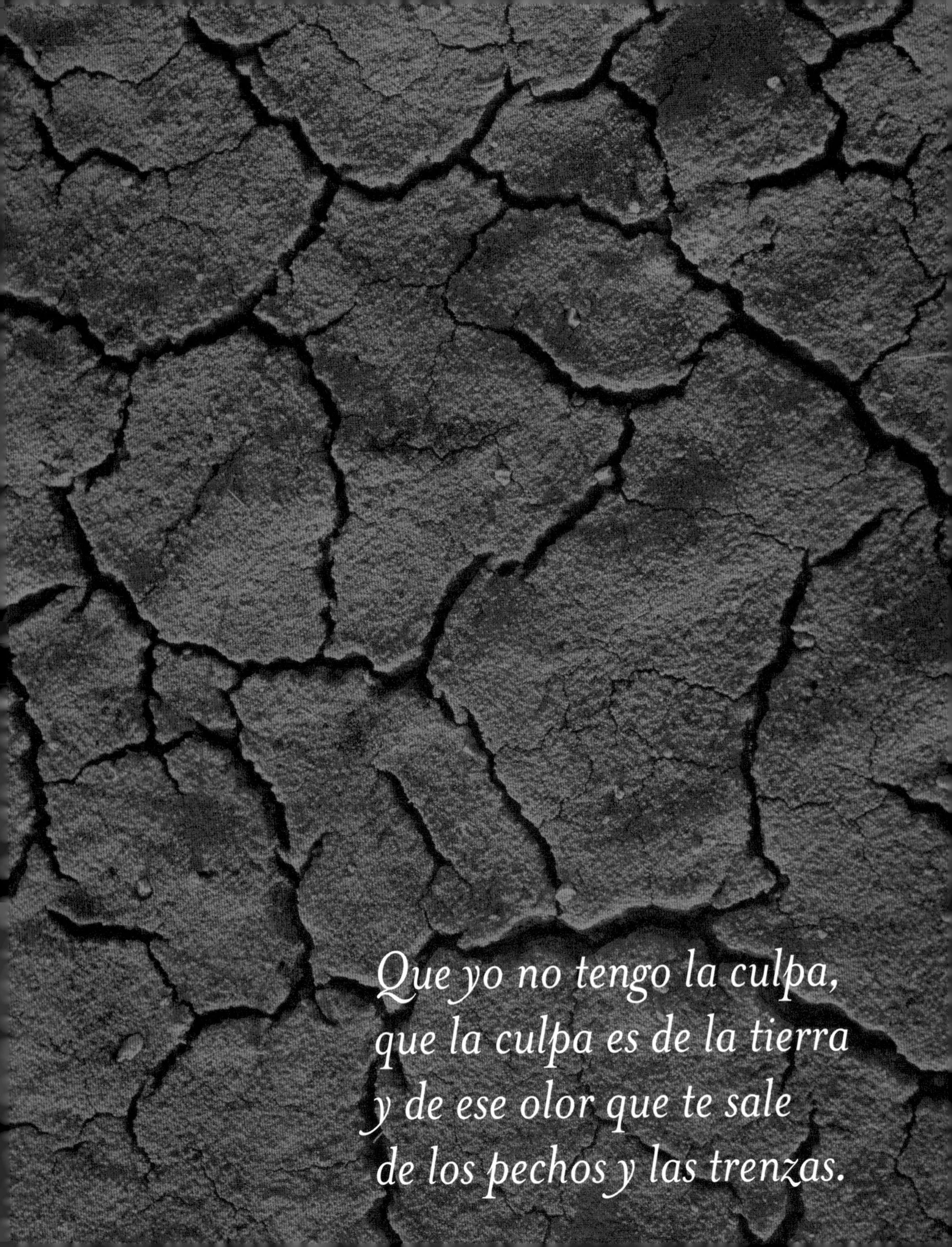

Que yo no tengo la culpa,
que la culpa es de la tierra
y de ese olor que te sale
de los pechos y las trenzas.

(4) Elige la canción que más te guste y contesta a las siguientes preguntas:

- ¿Qué te sugiere? Sin pensarlo mucho, escribe lo primero que se te ocurra.

- Relaciona el texto que has elegido con un color.

- ¿Cuáles son las palabras o versos que más te llaman la atención? Subráyalos en el texto y luego escríbelos aquí.

(5) Ahora busca a un compañero que haya elegido la misma canción. Comparad vuestras impresiones, el color que os sugiere y los versos que más os han gustado; a continuación, responded las siguientes preguntas:

¿Por qué habéis elegido esta canción?

- ☐ Porque nos ha impresionado.
- ☐ Porque la hemos entendido mejor.
- ☐ Porque la música nos gusta más.
- ☐ Porque nos gusta el mensaje que transmite.

Porque ______________________

¿De cuáles de los siguientes temas creéis que trata el poema?

Bodas de sangre

- ☐ Celos
- ☐ Pasión
- ☐ Pérdida
- ☐ Miedo
- ☐ Traición
- ☐ Locura

Menos tu vientre

- ☐ Sensualidad
- ☐ Traición
- ☐ Añoranza
- ☐ Necesidad
- ☐ Felicidad
- ☐ Exclusividad

⑥ Para terminar, dividid la clase en dos grandes grupos: los que han escogido el texto de Lorca y los que han preferido el de Hernández, y comparad los resultados.

Bodas de sangre
- Sugiere...
- Evoca el color...
- Los versos o palabras que más nos han impresionado son...
- Especialmente nos gusta...
- El tema del poema es...

Menos tu vientre
- Sugiere...
- Evoca el color...
- Los versos o palabras que más nos han impresionado son...
- Especialmente nos gusta...
- El tema del poema es...

Si sientes curiosidad por saber qué tipo de personalidad se esconde tras tu elección:

- Si has elegido el poema de Federico García Lorca...
  Probablemente eres una persona que se deja arrastrar fácilmente por las pasiones y en la mayoría de los casos echa la culpa al destino para no asumir sus responsabilidades.

- Si has elegido el poema de Miguel Hernández...
  Probablemente eres una persona muy sensual, extremadamente sensible al atractivo de tu pareja; tiendes a no pensar en el futuro para vivir el presente junto al ser amado.

No te tomes demasiado en serio estos perfiles, pero conviene no olvidar que tienen un fondo de verdad. Del texto de Lorca se desprende que *la pasión arrolladora hacia el ser amado puede hacer perder las riendas, convirtiendo el amor en algo irracional.*

Del texto de Hernández, en cambio, deducimos que *muchas veces el amor es la brújula que nos puede guiar; en un mundo confuso y oscuro, el afecto verdadero es lo único que nos alivia en los malos momentos.*

Nos hemos centrado sólo en el mensaje de los poemas, pero la disposición de las palabras, las pausas, el ritmo, la estructura y los recursos utilizados desempeñan un papel fundamental para dar fuerza al mensaje.

Fíjate

Si has escrito alguna vez un poema, verás que casi nace solo. Sin embargo, detrás de esa facilidad se esconde toda una tarea. Primero se necesita una idea, un pensamiento, algo de lo que se quiere hablar: el amor, el odio, el mar, la soledad... Esto se convierte en el tema del poema, que ahora necesita una estructura, algo así como un esquema que hay que seguir. Por ejemplo, tu idea es el amor, y decides hablar primero de cómo es la otra persona, luego de cuánto la quieres y, para terminar, de que no puedes vivir sin ella. Pero lo más importante es que tú no quieres redactar nada parecido a la noticia de un periódico, ni a las instrucciones de una lavadora. Necesitas un lenguaje especial combinado de manera original, con mucha fantasía. Esas posibles combinaciones que nos permiten jugar con las palabras constituyen lo que llamamos recursos literarios.

¿Qué vamos a hacer?

El objetivo de este proyecto es la elaboración de un producto final relacionado con el tema del amor. Para ello vas a leer muchos textos nuevos y realizarás diferentes tareas, que te facilitarán los recursos que vas a necesitar para la creación de tu *producto,* tu tarea final.

Antes de empezar, formad grupos de cinco personas y decidid qué tipo de producto final os gustaría hacer. Aquí tenéis algunas sugerencias:

- Letra de una canción.
- Poesía.
- Carta de amor.
- Diálogo teatral.

Luego podéis cotejar vuestras propuestas y disponerlas en algún sitio visible para tenerlas siempre presentes.

Por lo tanto el **objetivo de la tarea final** es

expresar y comunicar las emociones y sensaciones amorosas personales en una composición "literaria", y para ello vamos a ______________

____

Tarea 1 Lectura de poemas

Para leer un poema necesitamos:

- Identificar algunos recursos literarios.
- Reconocer la correlación entre contenido y forma.

PARA EMPEZAR

① Te proponemos el primer verso de dos breves poemas de amor de Gustavo Adolfo Bécquer. Con tu compañero, ¿podríais completarlos? Debajo encontraréis, desordenados, los versos que faltan.

Gustavo Adolfo Bécquer (1836-1870)

TEXTO A

Por una mirada, un mundo:

____

____

____

TEXTO B

Los suspiros son aire y van al aire,

____

____

____

¿sabes tú adónde va?

qué te diera por un beso!

las lágrimas son agua y van al mar.

por una sonrisa, un cielo;

por un beso...¡yo no sé

Dime, mujer: cuando el amor se olvida

PARA SEGUIR

La forma

Seguro que para reconstruirlos os han servido de ayuda algunos recursos que el autor ha utilizado.

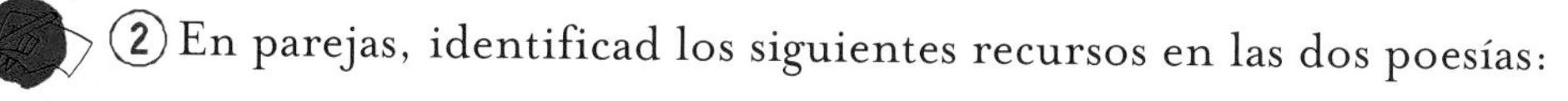

② En parejas, identificad los siguientes recursos en las dos poesías:

- Repetición de la estructura.
- Repetición de palabras.
- Palabras conceptualmente relacionadas.
- Interrogaciones.
- Exclamaciones.
- Identificaciones entre dos conceptos.

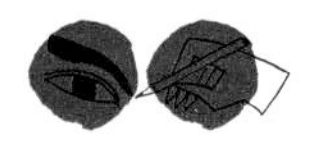

3 Ahora un esfuerzo más: de los recursos que habéis encontrado, ¿sabríais distinguir cuáles juegan con la musicalidad y el tono del poema, cuáles con la posición de las palabras en los versos, y cuáles con el léxico y el significado de las palabras? Señaladlos usando "música", "posición" o "léxico" según corresponda.

Esta distinción que acabáis de hacer se corresponde con los tres niveles de análisis de textos literarios.
Ahora podéis leerlo en el siguiente recuadro.

Para haceros una idea más amplia de los procedimientos literarios podéis acudir al **Rincón de consulta**.

Los niveles de análisis de textos

Nivel fónico

Recursos que utilizan aspectos musicales del lenguaje tales como ritmo, asonancia, etc. A veces se incide en la repetición acusada de sonidos vocálicos. Por ejemplo, repetir las vocales *o* y *u* da una sensación de oscuridad, tristeza, desgracia, mientras que *a* y *e* sugieren luminosidad, alegría, plenitud... Además de estos recursos hay que notar la división del discurso lírico en estrofas y de las estrofas en versos.

Nivel morfosintáctico

La morfosintaxis trata la forma del significado. Por lo tanto, el nivel morfosintáctico incide en aquellos recursos que se basan en el tipo de palabras que se emplean y a su posición en las frases, es decir, en los distintos tipos de palabras y en su estructura interna (morfología), en la relación y orden de las palabras en la oración y en la unión de unas oraciones con otras (sintaxis). Algunas de las figuras retóricas son: elipsis, asíndeton, anáfora, paralelismo, etc.

Nivel semántico

Aquí se trata de la sustancia del significado, el tema. Se trata de jugar con el significado de las palabras buscando otras que signifiquen lo mismo u otras, lo contrario, asociando dos que compartan algo en común, etc.[1]

Ahora podéis dar un nombre técnico a los recursos que habéis identificado en las páginas 25 y 26. Así, por ejemplo, vamos a descubrir que:

- La repetición de la misma estructura sintáctica se llama paralelismo.
- La repetición de términos al comienzo de un verso se llama anáfora.
- Las palabras conceptualmente relacionadas forman parte del mismo campo semántico. A esto se le llama isotopía.
- La identificación entre dos objetos constituye una metáfora.

(4) A continuación lee para ti los poemas de Gustavo Adolfo Bécquer. ¿Qué mensaje transmiten? ¿Cuál de los dos te gusta más?

A: Rima XXIII

Por una mirada, un mundo;
por una sonrisa, un cielo;
por un beso... ¡yo no sé
qué te diera por un beso!

B: Rima XXXVIII

Los suspiros son aire y van al aire,
las lágrimas son agua y van al mar.
Dime, mujer: cuando el amor se olvida
¿sabes tú adónde va?

La forma y el contenido

Mediante recursos como los que hemos visto, nos damos cuenta de que, aun en poemas tan breves como los de Bécquer, el autor logra condensar un concepto y darle fuerza semántica y encanto estético, lo que no sucede normalmente en el lenguaje cotidiano.
Por ello, es igualmente importante que quienes lean el poema sean capaces de identificar estos recursos.
El tipo de lectura de un poema, como la lectura de cualquier otro texto, condiciona la recepción del mensaje; por lo tanto es fundamental la forma en que el poema llega al destinatario: puede leerlo en silencio o en voz alta, escuchar a otra persona mientras lo recita e incluso verlo en los gestos de alguien que lo interprete...

(5) Ahora vais a trabajar con los poemas de Bécquer en dos grupos: el primero el texto A y el segundo el texto B.

- Leedlo con una entonación mínima, sin tener en cuenta ni la puntuación ni la estructura de la estrofa ni tampoco el significado de las palabras. ¿Qué sensación os causa? Comentadlo.
- Subrayad las palabras (sustantivos, verbos...) más significativas del poema y leed cada una de ellas intentando resaltar su significado; por ejemplo, acompañad la palabra *suspiro* con una marcada emisión de aire. Un truco que os puede ser útil es prolongar o acortar la duración de algunas vocales según el significado de la palabra.
- Señalad en el poema los puntos donde hay que hacer una pausa durante la lectura; estableced también si se trata de pausas de la misma duración o si ésta varía. La puntuación y la estructura estrófica os ayudarán. Leed el poema respetando dichas pausas.
- Intentad transmitir en vuestra lectura la estructura repetitiva y paralelística del poema.
- Al acabar, un persona del grupo lee de nuevo el poema. Debe procurar reunir las mejores interpretaciones de los diferentes aspectos trabajados. El resultado será, seguramente, un poco exagerado.
- Jugad con los sonidos intentando imitar o interpretar los elementos naturales del texto.
- Juntad los mejores resultados en una lectura que probablemente parecerá muy enfatizada.
- Ahora, teniendo en cuenta todo el trabajo hecho, volved a leer el poema reduciendo los efectos que os parezcan excesivos. ¿Cómo suena? No tiene nada que ver con la primera lectura, ¿verdad?

Si os gusta el resultado, se lo podéis presentar al otro grupo.

6. En grupos de tres vais a escribir un poema que conserve las mismas estructura y formas verbales de los dos poemas anteriores. Lo único que tenéis que hacer es cambiar los sustantivos y, por supuesto, el mensaje.

Por ______, ______:
por ______, ______;
por ______ ¡yo no sé
qué te diera por ______!

Los ______ son ______ y van ______,
las ______ son ______ y van ______.
Dime, ______: cuando ______ se olvida
¿sabes tú adónde va?

¿Os gusta el efecto logrado? ¿Por qué no presentáis vuestros poemas al resto de la clase? Podéis escribirlos en un cartel y exponerlos en el aula para que se aprecie vuestra creatividad.

(7) Lee el siguiente poema de Clara Janés, poetisa española de nuestros días. ¿Qué te parece?

¡Vamos al tenebroso bosque!

¡Vamos al tenebroso bosque!
Quiero oír el silbido del viento
entre los pinos,
entrar en la gruta
y cruzar en barca sigilosamente
el lago subterráneo
entre formas extrañas que indican
la presencia del dragón.
No tengo miedo.
Si tú me das la mano
voy flotando en el aire
y pienso: ahora sé de qué modo
se desplazan las olas.

(8) Leedlo de nuevo en grupos de tres.

- Primero, familiarizaos con el texto;
- luego, probad con otro tipo de lectura siguiendo las pautas de la actividad precedente.

(9) Ahora podéis pasar a eliminar las palabras para intentar transmitir el contenido sólo a través de la interpretación mímica. ¿Lográis transmitir todo lo que está escrito?

(10) Presentad vuestra interpretación al resto de la clase: será interesante ver si todos lo habéis hecho de la misma manera o si hay diversas formas de interpretar el poema.

Fíjate

Trabajar la forma de un poema, función estética, no es una tarea estéril: es dar belleza a una expresión, exaltar el significado de una composición poética.

Identificar recursos retóricos y reflexionar sobre su función

(11) Si te ha gustado Rima XXIII de Bécquer seguro que la siguiente poesía del mismo autor te va a encantar.
Escucha a tu profesor. Mientras escuchas puedes hacer dibujos o, si lo prefieres, escribir las sensaciones que experimentas con la audición. Luego tendrás unos cuantos minutos para volver a leer el poema y completar o modificar tu dibujo.

Colocad los dibujos en un cartel y colgadlo en la pared para crear un "telón de fondo" de la actividad final.

Rima XXIV

Dos rojas lenguas de fuego
que a un mismo tronco enlazadas
se aproximan, y al besarse
forman una sola llama;

dos notas que del laúd
a un tiempo la mano arranca,
y en el espacio se encuentran
y armoniosas se abrazan;

dos olas que vienen juntas
a morir sobre una playa
y que al romper se coronan
con un penacho de plata;

dos jirones de vapor
que del lago se levantan,
y al juntarse allá en el cielo
forman una nube blanca;

dos ideas que al par brotan,
dos besos que a un tiempo estallan,
dos ecos que se confunden:
eso son nuestras dos almas.

¿Qué esconden las palabras? Sabemos que detrás de un poema se puede esconder una gran variedad de recursos literarios; somos conscientes de que están ahí, a pesar de que no los veamos o no seamos capaces de reconocerlos a simple vista: para encontrarlos, hay que buscarlos.

(12) En parejas, ¿sois capaces de reconocer los siguientes recursos literarios en el poema de Bécquer? Para identificarlos, podéis acudir al Rincón de consulta, que encontraréis al final del libro.

- anáfora
- paralelismo
- metáfora
- antítesis
- campo semántico
- hipérbaton
- polisíndeton
- aliteración
- personificación
- sinonimia

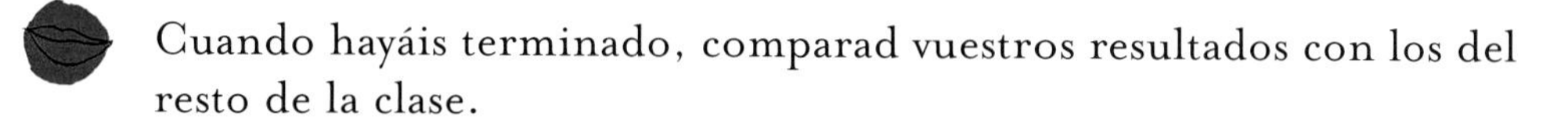

Cuando hayáis terminado, comparad vuestros resultados con los del resto de la clase.

Lo que acabáis de hacer no es más que un medio para llegar a descubrir cómo la forma exalta el contenido. ¿Un ejemplo? Lo que salta a la vista en la "Rima XXIV" de Bécquer es que se trata de un profundo amor correspondido y completo. La presencia de distintos elementos contribuye a dar la armonía que impregna todo el poema. ¿Cuáles son estos elementos?

Se trata de recursos como:

- el contraste entre dos que se transforma en uno,
- las expresiones (*a un tiempo, al par...*),
- los verbos sinónimos (*enlazarse, aproximarse, besarse, encontrarse, abrazarse, juntarse, confundirse...*),
- las metáforas o identificación entre dos objetos (*dos lenguas de fuego, dos notas, dos jirones, dos ideas, dos besos, dos ecos*), que se resuelven en el último verso de la composición (*éstas son nuestras almas*); todo ello da énfasis al concepto de unión.

El ritmo marcado por

- las anáforas y
- el paralelismo,

La musicalidad de

- la aliteración,
- las repeticiones,
- la rima,
- las asonancias, que se condensan semánticamente en el término *armoniosas* de la segunda estrofa.

Todo esto y mucho más confluye en el tema central del poema: el ansia de los amantes por fundirse en uno.

⑬ Con lo que has trabajado hasta ahora te será más fácil reconocer la belleza de la forma y el cuidado con que se construye el mensaje del siguiente poema de Octavio Paz. Escucha a tu profesor mientras lee y luego léelo para ti.

Octavio Paz (1914-1998)

Dos cuerpos

Dos cuerpos frente a frente
son a veces dos olas
y la noche es océano.

Dos cuerpos frente a frente
son a veces dos piedras
y la noche desierto.

Dos cuerpos frente a frente
son a veces raíces
en la noche enlazadas.

Dos cuerpos frente a frente
son a veces navajas
y la noche relámpago.

Dos cuerpos frente a frente
son dos astros que caen
en un cielo vacío.

⑭ En casa puedes buscar imágenes (en revistas, libros de arte, etc.) que te transmitan el mismo sentido de soledad y asociarlas al poema: podrás hacer una comparación entre la fuerza comunicativa de las imágenes visuales y de las imágenes de la palabra. ¿Por qué no lo comentáis todos juntos?

Colgad los resultados en la pared.

Si contrastamos la "Rima XXIV" de Bécquer con el poema de Octavio Paz, veremos que a pesar de la evidente analogía entre los dos poemas —ambos insisten en el dos— al final de la lectura el mensaje que recibimos es muy diferente. Mientras que en el poema de Bécquer se plantea la necesidad de que los dos amantes sean uno (fusión espiritual), en "Dos cuerpos" el poeta quiere poner de relieve cuán solos que se encuentran los que se quieren, para quienes no existe nada más (soledad cósmica).

⑮ En parejas, volved a leer el poema de Bécquer y subrayad las expresiones que transmiten el ansia de los amantes por fundirse en uno; luego escribidlas en la ficha que sigue:

- sustantivos ______________________
- adverbios ______________________
- verbos ______________________
- otros ______________________

⑯ Fijaos en el poema de Octavio Paz y anotad en vuestro cuaderno:

- las metáforas que se refieren a los dos cuerpos,
- las metáforas que se refieren a los elementos naturales,
- las palabras que se asocian con el sentido de la soledad.

⑰ Seguro que uno de los dos poemas os gusta más que el otro. ¿Cuál? Intentad argumentar las razones por las que lo preferís. Si tu pareja no tiene tus mismos gustos, busca a otro compañero que comparta tus preferencias. Para preparar vuestras argumentaciones os puede ser de ayuda organizar los resultados de este trabajo.

A continuación dividid la clase en dos grupos: los bécquerianos y los pazianos. Cada grupo organiza las argumentaciones que han surgido de los trabajos en parejas y las presenta al otro. Gana el grupo que resulte más convincente.

Contraste y parecido entre forma y contenido

⑱ ¿Cómo duermes? ¿Tienes una posición preferida?
Describe a tu compañero tu manera de dormir.
¿Crees que la manera de dormir tiene algo que ver con el amor?
A continuación te presentamos dos estrofas que corresponden a dos poemas de distintos autores.

POEMA A

Cual si muerta estuvieras,
en tu latente calma
te adoro, con mi alma
entre dos primaveras...

POEMA B

Cuando tú duermes
pones los pies muy juntos,
alta la cara y ladeada, y cruzas
y alzas las rodillas, no astutas todavía;
la mano silenciosa en la mejilla izquierda
y la mano derecha en el hombro que es puerta
y oración no maldita.

(19) En parejas, dale a tu compañero las instrucciones del poema A para que pueda representar la posición descrita.
Luego, él hará lo mismo contigo para que tú asumas la posición descrita en el poema B.

Si puedes, saca una foto o haz un dibujo de tu compañero y guárdalo para la actividad final.

(20) A continuación anotad en vuestros cuadernos las diferencias de postura:

En el POEMA A,
la persona que duerme...

En el POEMA B,
la persona que duerme...

- Luego, decidid a qué poema se refieren estas dos afirmaciones:

En el POEMA ☐ hay una descripción sobre todo física y el poeta se limita a observar a la mujer dormida.

En el POEMA ☐ el autor interviene expresando su sentimiento ante el sueño de la mujer e introduce un elemento que enfoca la atención más allá de lo puramente físico.

(21) Recordad que el último verso suele ser el remate del poema.
¿A cuál de los dos poemas crees que pertenecen estos dos finales?

Duerme, que así me abismo
en tu amor sordo, ciego,
mudo para mi ruego,
cual si fueras Dios mismo...

...Y déjame que ande
lo que estoy viendo y amo: tu manera
de dormir, casi niña,
y tu respiración tan limpia que es suspiro
y llega casi al beso.
Te estoy acompañando. Despiértate. Es de día.

22. Aquí tenéis las estrofas que completan los dos poemas: ¿podéis relacionar cada una con el suyo? Contrastad vuestros resultados y justificad la relación entre estrofas y poemas.

☐ Ahora, que estás dormida,
puedo, solo, adorarte,
sin serme, con tu parte,
mi fe correspondida.

☐ Ahora que estás durmiendo
y la mañana de la almohada,
el oleaje de las sábanas,
me dan camino a la contemplación,
no al sueño, pon, pon tus dedos
en los labios,
y el pulgar en la sien,
como ahora.

☐ ¡Qué bien, dar uno, entero
su afán, sin recompensa!
¡Ésta es la vida inmensa,
el amor verdadero!

☐ Qué cuerpo tan querido,
junto al dolor lascivo de su sueño,
con su inocencia y su libertad,
como recién llovido.

☐ ...Duerme, que yo, extasiado,
te adoro; que yo sigo,
pensándolo, contigo,
tu sueño remontado
hasta los altos fines
de esos cielos abiertos
a los que son, despiertos,
dignos de sus jardines.

☐ ¡Qué bien, ver la hermosura
que copia lo infinito
en el blancor bendito
de ésta tu ausencia pura;
seguir atentamente
esa desentendida
realidad, que es la vida,
más alta de tu frente!

23. En la página siguiente podrás comprobar a qué poema pertenecen las estrofas, así como el orden en el que aparecen:

Poema A

Ahora, que estás dormida,
puedo, sólo, adorarte,
sin serme, con tu parte,
mi fe correspondida.

¡Qué bien, dar uno, entero
su afán, sin recompensa!
¡Ésta es la vida inmensa,
el amor verdadero!

... Duerme, que yo, extasiado,
te adoro; que yo sigo,
pensándolo, contigo,
tu sueño remontado
hasta los altos fines
de esos cielos abiertos
a los que son, despiertos,
dignos de sus jardines.

¡Qué bien, ver la hermosura
que copia lo infinito
en el blancor bendito
de ésta tu ausencia pura;
seguir atentamente
esa desentendida
realidad, que es la vida,
más alta de tu frente!

Cual si muerta estuvieras,
en tu latente calma
te adoro, con mi alma
entre dos primaveras...

Duerme, que así me abismo
en tu amor sordo, ciego,
mudo para mi ruego,
cual si fueras Dios mismo...

Poema B

Cuando tú duermes
pones los pies muy juntos,
alta la cara y ladeada, y cruzas
y alzas las rodillas, no astutas todavía;
la mano silenciosa en la mejilla izquierda
y la mano derecha en el hombro que es puerta
y oración no maldita.

Qué cuerpo tan querido,
junto al dolor lascivo de su sueño,
con su inocencia y su libertad,
como recién llovido.

Ahora que estás durmiendo
y la mañana de la almohada,
el oleaje de las sábanas,
me dan camino a la contemplación,
no al sueño, pon, pon tus dedos
en los labios,
y el pulgar en la sien,
como ahora. Y déjame que ande
lo que estoy viendo y amo: tu manera
de dormir, casi niña,
y tu respiración tan limpia que es suspiro
y llega casi al beso.
Te estoy acompañando. Despiértate. Es de día.

Juan Ramón Jiménez (1881-1958)

La información sobre los autores que encontraréis en la parte final del libro os ayudará a establecer la autoría de los dos poemas.

24. ¿Queréis darles un título? Entre los cuatro que os proponemos a continuación se encuentran los títulos verdaderos: identificadlos y relacionadlos con cada poema.

- "Serenata espiritual"
- "Entre sueño y realidad"
- "Mientras tú duermes"
- "Durmiendo a tu lado"

25. ¿Y los autores? Uno es Juan Ramón Jiménez y el otro es Claudio Rodríguez. Pero..., ¿qué poema pertenece a cada cual?

26. También sería interesante reflexionar sobre los elementos que establecen la diferencia entre los dos poemas:

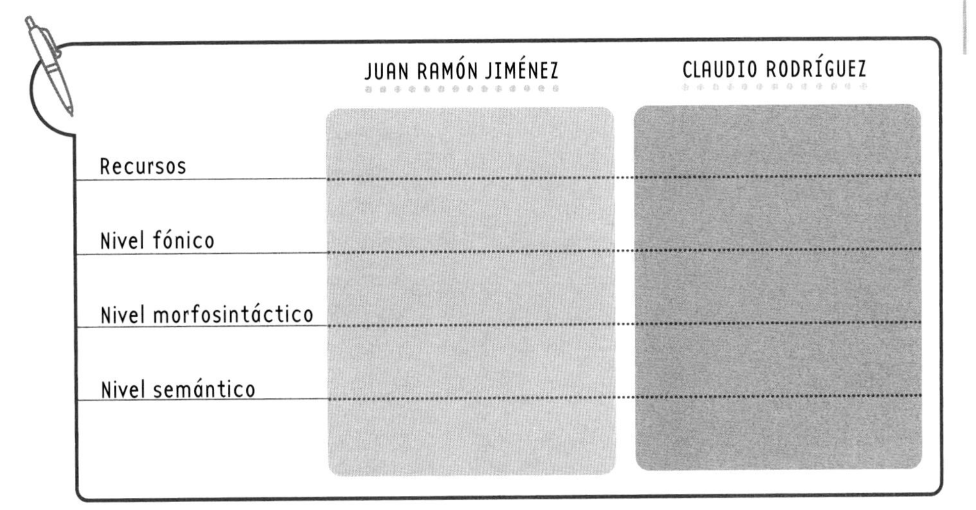

	JUAN RAMÓN JIMÉNEZ	CLAUDIO RODRÍGUEZ
Recursos		
Nivel fónico		
Nivel morfosintáctico		
Nivel semántico		

27. ¿Cuál de los dos poemas os gusta más? Haced una puesta en común con la clase. Podéis defender vuestra opinión con argumentos que hablen de la expresividad del poema, del mensaje que se transmite, etc.

Todo esto sirve para justificar el distinto plano emocional en el que se mueven los dos poetas. Mientras Claudio Rodríguez se fija especialmente en los aspectos físicos de la mujer dormida y se mantiene dentro de una esfera emocional más relacionada con la realidad, Jiménez traspasa lo físico hacia un plano más espiritual, tal como se anuncia en el título.

PARA ACABAR

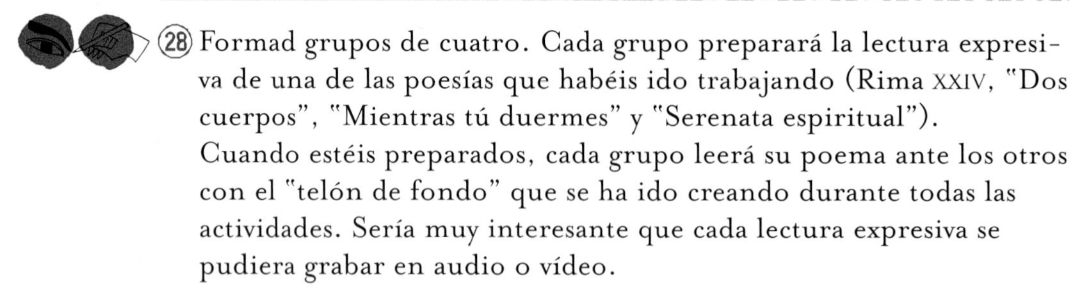

(28) Formad grupos de cuatro. Cada grupo preparará la lectura expresiva de una de las poesías que habéis ido trabajando (Rima XXIV, "Dos cuerpos", "Mientras tú duermes" y "Serenata espiritual").
Cuando estéis preparados, cada grupo leerá su poema ante los otros con el "telón de fondo" que se ha ido creando durante todas las actividades. Sería muy interesante que cada lectura expresiva se pudiera grabar en audio o vídeo.

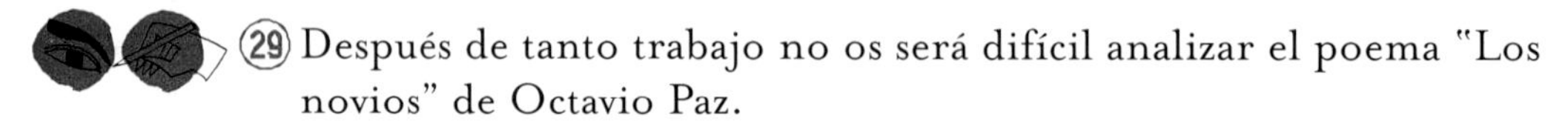

(29) Después de tanto trabajo no os será difícil analizar el poema "Los novios" de Octavio Paz.

LOS NOVIOS

Tendidos en la hierba
una muchacha y un muchacho.
Comen naranjas, cambian besos
como las olas cambian sus espumas.

Tendidos en la playa
una muchacha y un muchacho.
Comen limones, cambian besos
como las nubes cambian sus espumas.

Tendidos bajo tierra
una muchacha y un muchacho.
No dicen nada, no se besan,
cambian silencio por silencio.

La forma

- ¿A qué se debe la "musicalidad" de este poema?
- ¿Te parece que el ritmo es igual en todo el poema, o notas cambios?
- ¿Hay elementos de repetición? Identifícalos.
- ¿Hay correspondencia entre verso y sintaxis? Es decir: ¿cada verso corresponde a una frase acabada?
- De lo que acabas de señalar se deduce que las estrofas presentan una estructura sintáctica igual o parecida. Anota las similitudes y las diferencias sintácticas.

El contenido

- Señala las diferencias léxicas en cada estrofa.
- Contrasta el significado de la preposición *bajo* del noveno verso respecto a la preposición *en* de los versos 1 y 5.
- ¿Qué crees que significa ese *no* tan rotundo del verso 11?
- ¿Cuál crees que es el mensaje central del poema?

¿Cómo te ha ido?

En esta tarea he aprendido que:

- Los niveles de análisis del texto poético son ______________________
- Los recursos presentes en un texto poético pueden ser muchos, pero, lo importante es comprender que la forma ______________________; el contenido, a su vez, ______________________. En suma, la forma y el contenido ______________________
____
____

De todas las actividades, la que más me ha gustado es ______________________
Y la que menos ______________________

Nivel de interés en hacer la *tarea* (puntúa de 1 a 10)

1 2 3 4 5 6 7 8 9 10

Mis frases más...

Entre todos los textos, algunas de las frases, versos, expresiones, estrofas... que me han gustado más son ______________________
____
____
____
____
____
____

Tarea 2 Poner música a un poema

Para encontrar la música adecuada a un poema necesitamos:

- Reconocer los elementos musicales de un texto poético.
- Identificar los recursos métricos en una poesía.

PARA EMPEZAR

1. Poner música a una poesía es algo habitual. Esto se debe a la misma naturaleza de los textos poéticos, que desde sus orígenes más remotos están relacionados con la música. La letra de las canciones de algunos cantautores o grupos musicales tiene un claro parentesco con la poesía, porque música y poesía están estrechamente ligadas. ¿Cuáles crees que son los elementos comunes entre estas dos manifestaciones artísticas?

El término "lírica", por ejemplo, proviene de un antiguo instrumento musical: la lira.

- La repetición de estribillos.
- La repetición de versos.
- La rima.
- Los acentos.
- La entonación.
- Las pausas.
- Los cambios de tono.

Una de las características más comunes que sirven para reconocer la poesía es la rima: amor/dolor; corazón/pasión. Pero aunque éste es uno de los recursos más evidentes, no es el único que interviene en la construcción musical del texto.
Un elemento fundamental es el ritmo, que ahora vamos a trabajar.

Nicolás Guillén (1902-1989)

PARA SEGUIR

El ritmo

Los poemas de Nicolás Guillén, poeta cubano del siglo XX, son un buen ejemplo de la relación existente entre música y poesía. Algunas composiciones de este poeta presentan elementos sonoros tomados del ritmo de la música caribeña. De hecho, su poema "Mulata" de la página siguiente se caracteriza por la elaboración de ritmos, métrica y temas típicos de la canción afroantillana y, además, presenta rasgos peculiares del léxico y de las formas expresivas del habla afrocubana.

Algunos de los títulos de sus colecciones de poesías hacen clara alusión a esta música: "Motivos de son"(1930) "Sóngoro Cosongo" (1931)...

(2) Antes de leer la poesía, piensa un momento en cómo se suele reaccionar cuando alguien critica nuestro aspecto físico. Se suele...

- ignorar.
- responder.
- hacerle notar sus propios defectos.
- sufrir en silencio.
- otros ______________________________

El poema "Mulata" es la respuesta de un hombre a la mujer que ha despreciado su nariz.
Léelo sin dejarte impresionar por las palabras "raras". Piensa que el poeta, que también es mulato, intenta hacer una caricatura de rasgos muy cubanos a través de personajes y situaciones reales. El lenguaje reproduce la forma de hablar de estos personajes y, por lo tanto, deforma algunas palabras.

Mulata

Ya yo me enteré, mulata,
mulata, ya sé que dise
que yo tengo la narise 1
como nudo de cobbata.

Y fíjate bien que tú
no ere tan adelantá,
poqque tu boca é bien grande, 2
y tu pasa, colorá.

Tanto tren con tu cueppo,
tanto tren;
tanto tren con tu boca, 3
tanto tren;
tanto tren con tu sojo,
tanto tren.

Si tú supiera, mulata,
la veddá;
¡que yo con mi negra tengo, 4
y no te quiero pa na!

③ ¿Has tenido muchas dificultades con el léxico? Ahora, en grupos de tres, volved a escribir aquellas palabras que precisen una corrección. Luego, revisadlas en común con toda la clase.

④ ¿Con cuál de los siguientes estilos asociarías un poema cubano?

□ Flamenco
□ Pop
□ Salsa
□ Samba
□ Rock
□ Jazz

⑤ Sigamos con más ritmo. Para ello, te proponemos un juego para percusionistas: a continuación encontrarás las sílabas métricas del poema. Se trata de indicar dónde recaen los acentos más fuertes de la canción de Inti-illimani, mientras escuchas este son. (Pon los acentos sobre el circulito que corresponde a la sílaba más fuerte).

O O O O O O O O
Ya yo men te ré mu la ta
O O O O O O O O
mu la ta ya sé que di se
O O O O O O O O
que yo ten go la na ri se
O O O O O O O O
co mo nu do de co bba ta
O O O O O O O*
Y fí ja te bien que tú
O O O O O O O*
noe re tan a de lan tá
O O O O O O O O
po qque tu bo caé bien gran de
O O O O O O O*
Y tu pa sa co lo rá
O O O O O O O
Tan to tren con tu cue ppo

O O O*
tan to tren
O O O O O O O
tan to tren con tu bo ca
O O O*
tan to tren
O O O O O O O
tan to tren con tu so jo
O O O*
tan to tren
O O O O O O O O
Si tú su pie ra mu la ta
O O O*
la ve ddá
O O O O O O O O
que yo con mi ne gra ten go
O O O O O O O*
y no te quie ro pa ná

* Se trata de versos oxítonos (agudos); por lo tanto, al realizar el cómputo silábico se añade una sílaba más a las que realmente hay.

Para terminar, podéis hacer una puesta en común con la clase.

La versificación y la musicalidad

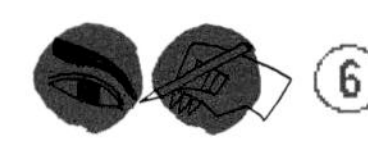

(6) Lee los siguientes poemas de Rafael Alberti, "Si me fuera, amante mía" y de Ángel González, "Calambur".

Rafael Alberti (1902-1999)

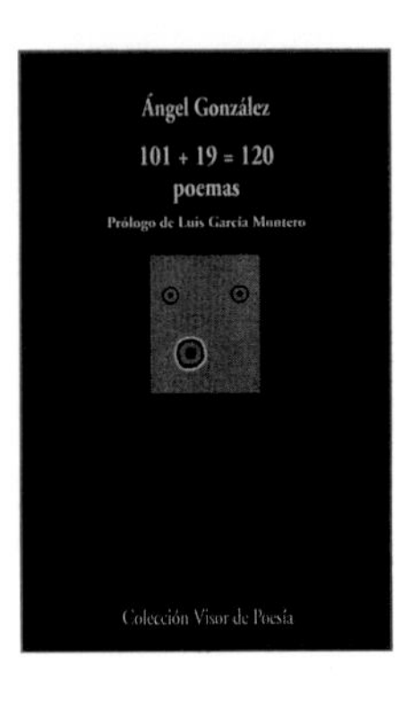

SI ME FUERA, AMANTE MÍA

Si me fuera, amante mía,
si me fuera yo,

si me fuera y no volviera,
amante mía, yo

el aire me traería,
amante mía,
a ti.

CALAMBUR

La axila vegetal, la piel de leche,
espumosa y floral, desnuda y sola,
niegas tu cuerpo al mar, ola tras ola,
y lo entregas al sol: que le aproveche.

La pupila de Dios, dulce y piadosa,
dora esta hora de otoño larga y cálida,
y bajo su mirada tu piel pálida
pasa de rosa blanca a rosa rosa.

Me siento dios por un instante: os veo
a él, a ti, al mar, la luz, la tarde.
Todo lo que contemplo vibra y arde,
y mi deseo se cumple en mi deseo:

dore mi sol así las olas y la
espuma que en tu cuerpo canta y canta
—más por tus senos que por tu garganta—
do re mi sol la si la sol la si la.

Consulta el significado de la figura literaria calambur en el Rincón de consulta para entender mejor el sentido del poema.

Tras los dos poemas se esconden dos enamorados. En parejas:

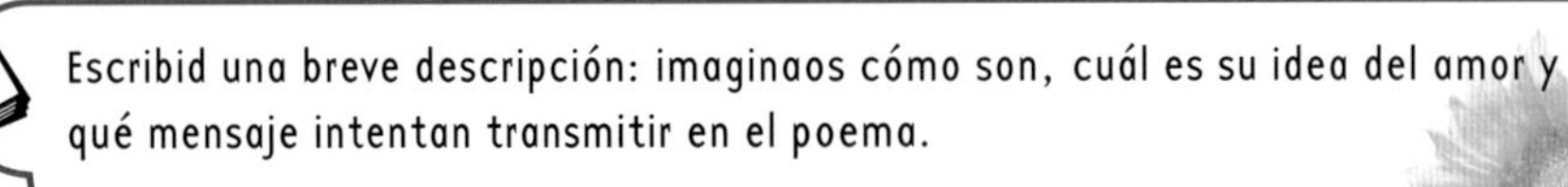

Escribid una breve descripción: imaginaos cómo son, cuál es su idea del amor y qué mensaje intentan transmitir en el poema.

(7) Haced una puesta en común. ¿Os identificáis con algún personaje?

(8) Leed la siguiente descripción de los personajes:

Si me fuera, amante mía

Se trata de un chico sencillo y tradicional; cree en fuerzas sobrenaturales y podría definirse como un tierno romántico empedernido: aunque sugiera alejarse de su amada... nunca sería capaz de hacerlo. Sólo se lo dice para confirmarle que, pase lo que pase, están hechos el uno para el otro y que nada podrá separarlos.

Calambur

> Es un chico con inquietudes musicales, tiende a complicarse la vida y tiene gustos recargados; podría definirse como un romántico imaginativo y sensual: imagina a su chica sola, desnuda, en la playa tomado el sol en una tarde de otoño. El agua del mar en esta estación del año está fresca, así que piensa que para ella es más conveniente broncear su piel muy blanca que darse un baño...

¿Se parece a vuestra forma de imaginarlos?

(9) ¿Crees que la forma ayuda a transmitir el mensaje? Comparad la forma de los dos poemas. Aquí tienes algunas pautas:

- Versos de igual o de diferente medida.
- Rima.
- Uso de juegos de palabras.

El ritmo de un poema

Los elementos que contribuyen a crear un ritmo en un poema son:

- El cómputo silábico, esto es, el número de sílabas que compone cada verso. Cuando una palabra acaba en vocal y la siguiente empieza por vocal se pueden juntar esas dos sílabas. Esta licencia se llama *sinalefa*. Si la palabra con la que termina el verso es aguda se cuenta un sílaba más; si es esdrújula, se cuenta una menos.
- La distribución de los acentos en un verso.
- La rima: es decir, la coincidencia de vocales y consonantes a partir de la última sílaba acentuada en la última palabra del verso. Se llamará asonante cuando sólo coincidan las vocales y consonante cuando coincida todo, vocales y consonantes.
- La estrofa: es decir, las agrupaciones de los versos en grupos de dos, tres, cuatro o más versos.

El procedimiento de análisis es el siguiente: las sílabas se cuentan y su número se indica al final del verso. A cada rima se le da una letra empezando por la A. Si el verso tiene menos de ocho sílabas la letra es minúscula, si tiene más, mayúscula. Por ejemplo:

Mi infancia son recuerdos de un patio de Sevilla	14 A
y un huerto claro donde madura el limonero;	14 B
mi juventud veinte años en tierra de Castilla;	14 A
mi historia, algunos casos que recordar no quiero.	14 B

⑩ En parejas, intentad identificar estos procedimientos métricos en los dos poemas anteriores. ¿Qué pareja es la más rápida?

Como ya sabéis, a cada procedimiento le corresponde un nombre: id al **Rincón de consulta**.

- Palabras que se repiten: fíjate en la posición.
- Palabras que presentan coincidencia sonora total en todos los fonemas, a partir de la última vocal acentuada en el verso.
- Palabras que presentan coincidencia sonora parcial en todos los fonemas, a partir de la última vocal acentuada en el verso.
- Versos cuya última palabra es aguda.
- Dos versos que no tienen la misma medida que los otros.
- Versos que se agrupan de formas diferentes, o sea, estrofas que tienen un número distinto de versos.
- Versos cuya última palabra es llana.
- Puede no respetarse la pausa final del verso por un problema de sintaxis.
- Estrofas que tienen el mismo número de versos.
- Versos cuya última palabra es esdrújula.
- Versos de ocho sílabas.
- Versos de once sílabas.
- Juego de palabras por el cual dos palabras iguales por su sonido presentan significados diferentes.
- En un verso, una palabra termina en vocal y la siguiente comienza por vocal, de modo que se puede leer como una sola sílaba métrica.
- Juego de palabras por el cual las sílabas de una o más palabras agrupadas diferentemente producen un sentido completamente distinto.
- Repetición de un sonido, o de una serie de sonidos acústicamente parecidos, en una palabra, en un verso o en una estrofa.

Además localizad:

- Pausas más o menos largas; comas y puntos.

Si te ha gustado el poema de Ángel González, y si sabes tocar algún instrumento, te aconsejamos imaginar el ultimo verso como si estuviera en una partitura: tócalo y si tienes habilidad para los acordes y los arreglos puedes lograr una "melodía" nueva.

Fíjate

En cada poesía hay una marcada musicalidad. En la poesía de Rafael Alberti, breve y sencilla, se forma sobre todo en la repetición y en la combinación de versos breves de diferente medida, que le dan un ritmo parecido al de antiguas composiciones tradicionales. En cambio, la construcción más compleja del poema de Ángel González —por la rígida estructura estrófica los juegos de palabras, la mención explícita de las notas en el último verso y la presencia implícita de ellas, escondidas en las palabras a lo largo de la poesía— le imprime un ritmo mucho más marcado y también más clásico gracias al uso de metáforas.

Cómo sostiene la estructura métrica el contenido del poema

1. La estructura fija

(11) Escucha ahora el poema "El poeta dice la verdad", de Federico García Lorca. Cierra los ojos y escúchalo al menos dos veces para captar el sentimiento de la interpretación. Luego léelo para ti, intentando hacer tuyo el poema y todo lo que quiere expresar.

(12) Tras la escucha y tu lectura:

¿Te sugiere algún ritmo el poema?

¿Hay alguna canción que conozcas cuyo ritmo se podría ajustar al texto de Lorca?

Si tuvieras que ponerle un fondo musical al poema recitado, ¿con qué instrumento o instrumentos musicales lo harías? Justifica tu respuesta. Comprobad con el resto de la clase los instrumentos en los que habéis pensado.

El poeta dice la verdad

Quiero llorar mi pena y te lo digo
para que tú me quieras y me llores
en un anochecer de ruiseñores
con un puñal, con besos y contigo.

Quiero matar al único testigo
para el asesinato de mis flores
y convertir mi llanto y mis sudores
en eterno montón de duro trigo.

Que no se acabe nunca la madeja
del te quiero me quieres, siempre ardida
con decrépito sol y luna vieja;

que lo que no me des y no te pida
será para la muerte, que no deja
ni sombra por la carne estremecida.

Para tener más información sobre la métrica, acude al Rincón de consulta.

Recuerda que:
- El verso está caracterizado por el número de sílabas.
- Los poemas pueden ser estróficos (estructurados en estrofas) y no estróficos.
- La forma de la estrofa (si se trata de poemas estróficos) viene determinada por el tipo de versos utilizados, por el número de versos y por la disposición de las rimas.

⑬ Vamos a reflexionar sobre el esquema estrófico regular de una poesía. Primero lee el texto para ti, en silencio, cuantas veces sea necesario para que lo asimiles y lo sientas como algo *tuyo*.

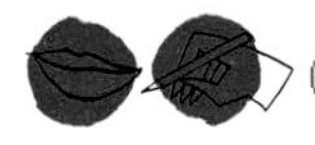

⑭ Ahora vamos a trabajar con los elementos musicales acudiendo a nuestro Rincón de consulta. En grupos de cinco dibujaréis un gráfico en vuestros cuadernos en el que marcaréis:

- El número de estrofas (cada estrofa tendrá la forma de un rectángulo más o menos grande según el número de versos).
- El número de versos en cada estrofa (cada verso estará representado por una línea recta en la estrofa).
- Las sílabas en cada verso: ¿cuántas son? Entonces el verso se llama...

¿Se trata del mismo tipo de verso en todas las estrofas?
- Escribid la última palabra de cada verso y la podéis acompañar con una letra del alfabeto: A, B, C, (a la misma rima le corresponde la misma letra). El esquema resultante es...

¡Enhorabuena! habéis dado con un soneto

Como has descubierto, este pequeño poema, el soneto, consta de catorce versos, divididos en cuatro estrofas: dos cuartetos y dos tercetos. Te interesará saber que es una forma muy antigua que procede de Italia... Dante y Petrarca componían sonetos.
Así que Lorca se apropia de una forma muy antigua y la transforma en un moderno medio de ampliación de la emoción gracias al uso de metáforas audaces.

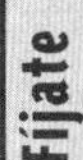

Fíjate

El verso puede considerarse una manifestación concreta de ritmo: hasta lo dice su nombre "verso", procedente de *versum*, que en latín conlleva la idea de ciclo, algo recurrente, que ocurre o se repite cada cierto tiempo; es decir, la repetición de una figura rítmica. El ritmo es movimiento.

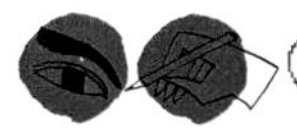

⑮ Fíjate ahora en el soneto de Lorca y reflexiona:

- ¿Qué forma textual adopta el poeta? O dicho de otro modo, ¿qué está haciendo?

  - □ Describe
  - □ Argumenta
  - □ Narra
  - □ Expone
  - □ Otros ____________________

⑯ Estarás de acuerdo con nosotros en que este texto presenta un carácter expositivo-argumentativo[2]. A continuación, reflexiona:

Primera estrofa

- ¿Qué quiere el poeta?
- ¿Para qué?
- ¿Más cosas?
- ¿Qué está haciendo: exponiendo o argumentando?

Segunda estrofa

- ¿Qué quiere el poeta?
- ¿Para qué?
- ¿Más cosas?
- ¿Qué está haciendo: exponiendo o argumentando?

Tercera estrofa

- ¿Qué propone el poeta?

Cuarta estrofa

- ¿Cómo concluye?
- ¿Cuál es la estrofa en la que se concentra el mensaje de fondo?
- ¿Por qué?
- Finalmente: ¿qué se puede deducir de todo esto?

Poned vuestras conclusiones en común.

Fíjate

Una vez más el contenido se completa y perfecciona con la forma. ¿Te ha gustado esta poesía?
¿Te gustaría leer una que no tenga las "ataduras" de la estructura métrica del poema estrófico?
Mira el ejemplo que viene a continuación y decide si prefieres la "libertad" de estructura de los poemas no estróficos o de los poemas de versos libres.

2. La estructura libre

⑰ ¿Te gusta la naturaleza? Cuando ves un paisaje natural precioso, ¿te entran ganas de sumergirte en su belleza? Piensa en un río en ambiente natural y lee la poesía de Dulce María Loynaz.

Abrazo

Hoy he sentido el río entero
en mis brazos...
Lo he sentido
en mis brazos, trémulo... Vivo
como el cuerpo de un hombre verde...
Esta mañana el río ha sido
mío: Lo levanté del viejo
cauce. ¡Y me lo eché en el pecho!
Pesaba el río... Palpitaba
el río adolorido del
desgarramiento... —¡Fiebre mía
del agua!...—.
¡Me dejó en la boca
un sabor amargo de amor y muerte!

¿Te ha gustado? ¿Por qué?

⑱ A primera vista habrás notado que hay mucha diferencia en la forma. Vuelve a leerlo y contrasta esta forma más libre con la del soneto "El poeta dice la verdad", de Lorca.

Pesaba el río... Palpitaba
el río adolorido
del desgarramiento...

(19) Si tú fueras poeta, ¿cómo preferirías dar forma a tus sentimientos? ¿A través de una estructura fija o de una forma más libre? ¿Crees que no seguir una estructura fija es más fácil para componer un poema?

(20) Con tus compañeros reflexiona un momento sobre esta poesía. En grupos de cinco:

- ¿notáis alguna relación forma-contenido?
- ¿Por qué creéis que la poetisa ha elegido una forma tan libre para expresar esta "unión" con el río?
- ¿Cómo lo interpretáis?
- ¿Qué recursos métricos descubrís?
- ¿Cómo definiríais la musicalidad de este poema: trepidante, tranquila, melodiosa...?

Poned en común vuestros resultados con los demás compañeros.

Rosalía de Castro (1837-1885)

Cómo con la música se puede interpretar el contenido de un poema

Mientras Nicolás Guillén, poeta cubano y conocedor de los ritmos de su tierra, escribe poesía como letras de sones, Amancio Prada, músico y cantautor leonés, pone música a algunas poesías de la poetisa gallega Rosalía de Castro. Te proponemos un ejemplo de la producción en lengua gallega de esta poetisa en el cual manifiesta el profundo amor hacia su tierra.

(21) Imagina que eres un joven emigrante que tiene que dejar su tierra para encontrar fortuna en otro país. ¿De qué y de quién te despedirías? ¿Cómo te despedirías de lo que/de quien amas?

Cuba era el destino preferido por los emigrantes gallegos del siglo XIX que dejaban su tierra pobre en recursos económicos para el sustento de sus hijos.

Escribe las personas y las cosas de las que te despedirías al dejar tu tierra y, al lado, escribe algunas expresiones de despedida que utilizarías.

(22) Ahora escucha la canción. La letra cantada por Amancio Prada es un fragmento de la versión original en gallego; a la izquierda encontrarás también su traducción al castellano. Las estrofas en negro son las que Amancio Prada no canta.

- ¿Te ha gustado?

Adiós ríos, adiós fontes

Adiós ríos; adiós fuentes;
adiós regatos pequeños;
adiós vista de mis ojos,
no sé cuándo nos veremos.

Tierra mía, tierra mía,
tierra donde me crié,
huertecita que amo tanto,
higueritas que planté,

prados, ríos, arboledas,
pinares que mueve el viento,
pajarillos piadores,
casita de mi contento,

molino del castañar,
noches con claro de luna,
campanitas timbradoras
de la iglesia del lugar,

moritas de los zarzales
que yo le daba a mi amor,
caminos entre maizales,
¡adiós para siempre adiós!

¡Adiós gloria! ¡Adiós contento!,
¡Dejo casa en que nací
y la aldea que conozco
por un mundo que no vi!

Dejo amigos por extraños,
y la vega por el mar,
dejo, en fin, cuanto bien quiero
¡Quién pudiera no dejar...!

Mas soy pobre y, ¡mal pecado!,
mi tierra mía no es,
que hasta le dan de prestado
la vera por que camina
al que nació desdichado

Adiós ríos, adiós fontes,
adiós regatos pequenos,
adiós, vista dos meus ollos,
non sei cándo nos veremos.

Miña terra, miña terra,
terra donde me eu criei,
hortiña que quero tanto
figueiriñas que prantey,

prados, ríos, arboredas,
pinares que move o vento,
paxariños piadores,
casiña do meu contento,

muíño dos castañares,
noites craras de luar,
campaniñas trimbadoras
da igrexiña do lugar

amoriñas das silveiras
que eu lle daba ó meu amor,
camiñiños antre o millo,
¡adiós para sempre adiós!

**¡Adiós groria! ¡Adiós contento!
¡Deixo a casa onde nacín,
deixo a aldea que conoso
por un mundo que non vin!**

**Deixo amigos por estraños,
deixo a veiga polo mar,
deixo, en fin, canto ben quero...
¡Quén pudera no o deixar...!**

**Mais, son probe e, ¡mal pecado!,
a miña terra n'é miña,
que hastra lle dan de prestado
a beira por que camiña
ó que naceu desdichado.**

Os tengo, pues, que dejar,
huerta que yo tanto amé
hoguerita de mi lar,
arbolillos que planté,
fontana del cabañar.

Adiós, adiós, que me voy,
yerbitas del camposanto
do mi padre se enterró,
yerbitas que besé tanto,
tierra que nos crió.

Adiós Virgen de Asunción
blanca como un serafín,
os llevo en el corazón;
a Dios pedidle por mí,
mi Virgen de la Asunción.

Ya se oyen lejos, muy lejos,
las campanas del Pomar;
para mí, ¡ay!, desdichado
nunca más han de tocar.

Ya se oyen lejos, más lejos...
cada toque es un dolor;
me voy solo, sin arrimo,
tierra mía, ¡adiós!, ¡adiós!

¡Adiós también, queridiña...
Adiós por siempre quizás!...
Dígote este adiós llorando
desde la orilla del mar.
No me olvides, queridiña,
si muero de soledad...
Tantas leguas mar adentro...
¡Casiña mía!... ¡Mi lar!...

Téñovos, pois, que deixar,
hortina que tanto amei,
fogueiriña do meu lar,
arboriños que prantei,
fontiña do cabañar.

Adiós, adiós, que me vou,
herbiñas do camposanto,
donde meu pay se enterróu,
herbiñas que biquei tanto,
terriña que nos criou.

Adiós Virxe da Asunción,
branca como un serafín:
lévovos no corasón;
pedídelle a Dios por min,
miña Virxe da Asunción.

Xa se oien lonxe, moi lonxe,
as campanas do Pomar;
para min, ¡ai!, coitadiño,
nunca máis han de tocar.

Xa se oien lonxe, máis lonxe..
Cada balada é un dolor;
voume soio, sin arrimo...
Miña terra, ¡adiós!, ¡adiós!

¡Adiós tamén, queridiña...
Adiós por sempre quizáis!...
Dígoche este adiós chorando
dende a beiriña do mar.
Non me olvides, queridiña,
si morro de soidás...
Tantas légoas mar adentro...
¡Miña casiña!, ¡meu lar!

- ¿Has encontrado algo de lo que tú habías escrito?
- ¿La música te ha ayudado a superar la dificultad de leer en otro idioma?

(23) Ahora volved a escuchar la canción y fijaos también en la música.

En grupos de tres:

- ¿Os gusta la música?
- ¿Cómo la definiríais?
- ¿Qué notáis?
- ¿Hay muchos cambios de ritmo?
- ¿Sabríais reconocer algún instrumento musical?
- ¿Vosotros también habríais interpretado la poesía con una música parecida?
- Si no, ¿qué cambios proponéis?
- Desde un punto de vista de interpretación histórica, ¿la música que Amancio Prada ha escrito para esta poesía se adecua a lo que imaginas que se pudiera tocar en el siglo XIX?
- Musicalmente, ¿cómo recrea Prada la atmósfera de una despedida dolorosa?

> Si la lengua ha sido un problema, antes de volver a escuchar la canción fíjate en el texto en castellano. Para entender esta poesía trabaja con tus compañeros y con un diccionario y, al final, si hace falta, pide ayuda a tu profesor.

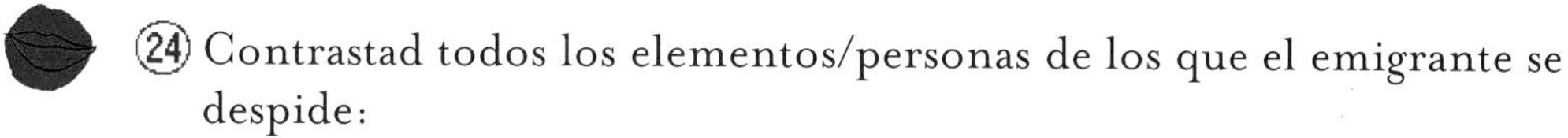

(24) Contrastad todos los elementos/personas de los que el emigrante se despide:

- ¿Qué recurso estilístico utiliza Rosalía para subrayar su afectividad hacia sus cosas amadas?
- ¿Qué recurso musical utiliza Prada para subrayar la misma afectividad?
- Cuando se menciona al padre muerto, ¿cambia la música?
- ¿Con qué recurso estrófico transforma Amancio Prada esta poesía en una canción?

> Si os ha gustado, podéis cantar esta canción como actividad final.

PARA ACABAR

(25) *Te quiero*, es la frase más universal, la más deseada por todos y a veces la más difícil de pronunciar. Muchas canciones de moda han abusado de ella, pero sin lugar a duda, a ti te gustaría que te dedicaran una poesía como ésta, donde, detrás del "Te quiero", hay un universo tan hondo y tan arrollador que te deja asombrado. Escucha el siguiente poema:

Te quiero de Luis Cernuda.

Te quiero.

Te lo he dicho con el viento,
jugueteando tal un animalillo en la arena
o iracundo como órgano tempestuoso;

te lo he dicho con el sol,
que dora desnudos cuerpos juveniles
y sonríe con todas las cosas inocentes;

te lo he dicho con las nubes,
frentes melancólicas que sostienen el cielo,
tristezas fugitivas;

te lo he dicho con las plantas,
leves caricias transparentes
que se cubren de rubor repentino;

te lo he dicho con el agua,
vida luminosa que vela un fondo de sombra;

te lo he dicho con el miedo,
te lo he dicho con la alegría,
con el hastío, con las terribles palabras.

Pero así no me basta;
más allá de la vida
quiero decírtelo con la muerte,
más allá del amor
quiero decírtelo con el olvido.

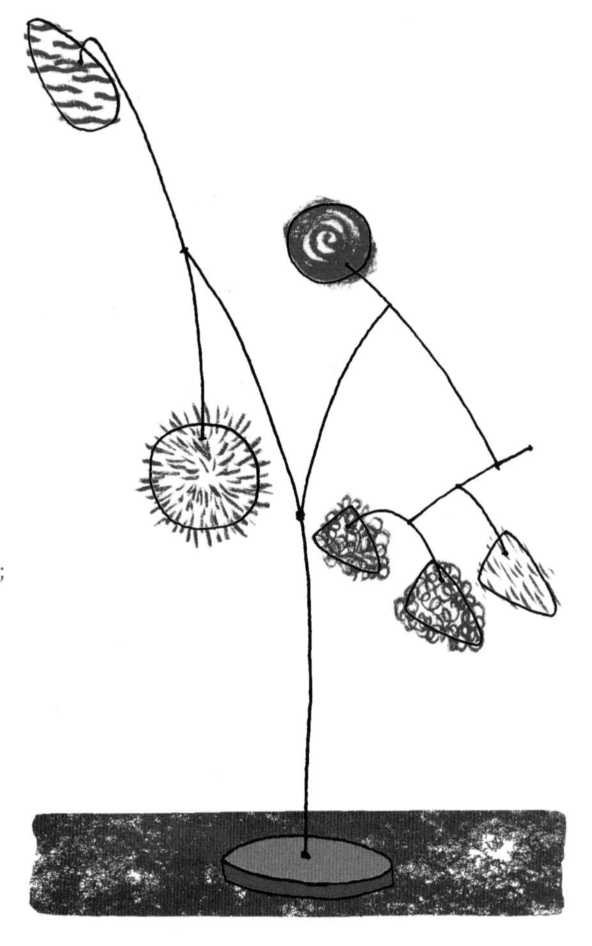

En casa, cada uno buscará una música que pueda servirle de banda sonora. (Si tienes más sentido musical busca una sobre la que se pueda cantar el poema de Cernuda o, si eres músico, ¿por qué no compones algo?) Luego, en clase:

- Dividíos en grupos: cada grupo elige la mejor música para el poema.
- Comentad los resultados de cada grupo argumentando vuestras preferencias y escuchad la banda sonora que cada grupo ha elegido.
- Votad cuál es la mejor música de la clase.
- En parejas podéis leer el poema de manera expresiva y en voz alta, con la música de fondo.

(26) Te vamos a proponer un soneto de amor de Miguel Hernández, poeta español que ya conoces.

Lo que te vamos a pedir es un comentario sobre el significado que encierran los versos del poeta teniendo en cuenta que tienen la peculiar estructura del soneto. Para hacer esto te será útil recurrir al trabajo que ya has realizado sobre el soneto, a las actividades sobre el contenido, a las fichas de consulta, a los ejemplos que te hemos proporcionado, etc., pero principalmente te guiarán tu manera de sentir, tu capacidad para captar las emociones y las sensaciones que las palabras de Miguel Hernández te suscitan.

Empecemos nuestro análisis sobre el contenido, con el primer verso de la primera estrofa: "No me conformo, no: me desespero".

Antes de leer el poema reflexiona un momento sobre este verso y piensa qué puede significar. Tratándose de un soneto ya sabes que en la primera estrofa vas a encontrar un adelanto importante sobre el contenido de toda la composición. Léela en la página siguiente (¡solo la primera estrofa!) e intenta contestar:

- ¿Con qué no se conforma el poeta?

____

____

____

____

____

____

- ¿Por qué se desespera?

____

____

____

____

____

____

____

Ahora lee el texto completo:

SONETO 20

No me conformo, no: me desespero
como si fuera un huracán de lava
en el presidio de una almendra esclava
o en el penal colgante de un jilguero.

Besarte fue besar un avispero
que me clava al tormento y me desclava
y cava un hoyo fúnebre y lo cava
dentro del corazón donde me muero.

No me conformo, no: ya es tanto y tanto
idolatrar la imagen de tu beso
y perseguir el curso de tu aroma.

Un enterrado vivo por el llanto,
una revolución dentro de un hueso,
un rayo soy sujeto a una redoma.

- ¿Confirmas o modificas tus hipótesis sobre el primer verso de la primera estrofa? Si las vas a modificar, ¿cómo lo harás?
- Subraya en cada estrofa el verso que te parece más significativo, porque es el que rige todo el significado de la estrofa.
- Expresa el significado de cada estrofa tomando como punto de partida los versos que has subrayado.
- ¿Cómo puedes resumir todo esto para determinar el mensaje de fondo?
- Ahora define la estructura estrófica de este soneto.
- Ayúdate con el Rincón de consulta y subraya los recursos métricos y retóricos más evidentes
- Tratándose de un soneto, ¿sobre qué elementos te parece importante hacer hincapié para dar más fuerza a tu análisis?
- ¿Qué has sentido al leer este poema?
- ¿Cuál es el punto que te parece más extraño? ¿Por qué?
- ¿Qué tipo de música elegirías como banda sonora de este poema? ¿Por qué?
- ¿Crees que el poeta ha encontrado la forma apropiada para expresar el mensaje que quería transmitir?

¿Te gusta?

(27) Un último esfuerzo:

Traduce a tu lengua el soneto de Miguel Hernández: verás lo difícil que es mantener elementos como la estructura, la rima o el significado.

¿CÓMO TE HA IDO?

¿Qué he aprendido?

- Sobre los recursos métricos
- Sobre la musicalidad de un texto poético
- Para llegar a una buena lectura interpretativa de un texto he hecho
- Para mejorar, podría
- Para encontrar una música adecuada para una poesía, he tenido en cuenta:

De todas las actividades, la que más me ha gustado es

Y la que menos

Nivel de interés en hacer la *tarea* (puntúa de 1 a 10)

1 2 3 4 5 6 7 8 9 10

Mis frases más...

Entre todos los textos, algunas de las frases, versos, expresiones, estrofas... que me han gustado más son

Tarea 3 Un certamen poético

Para participar en un certamen poético necesitamos:

- Conocer distintos tipos de poesía amorosa.
- Contrastar las expresiones emocionales literarias con las del lenguaje cotidiano y reflexionar sobre la función lúdica del texto poético.

PARA EMPEZAR

A menudo la composición poética procede de situaciones reales no siempre felices. De hecho, con frecuencia nos encontramos ante un "desahogo" del poeta por el dolor, la tristeza o la añoranza de algo pasado.
El amor, como muchas otras cosas en la vida, tal vez no sea eterno y pase por varias fases, más o menos felices, desde que nace hasta que termina (si termina). Vamos a comentar algunos aspectos que lo caracterizan.

① En grupos de cinco tratad los siguientes puntos y marcad con una cruz las respuestas que más reflejen vuestras opiniones.

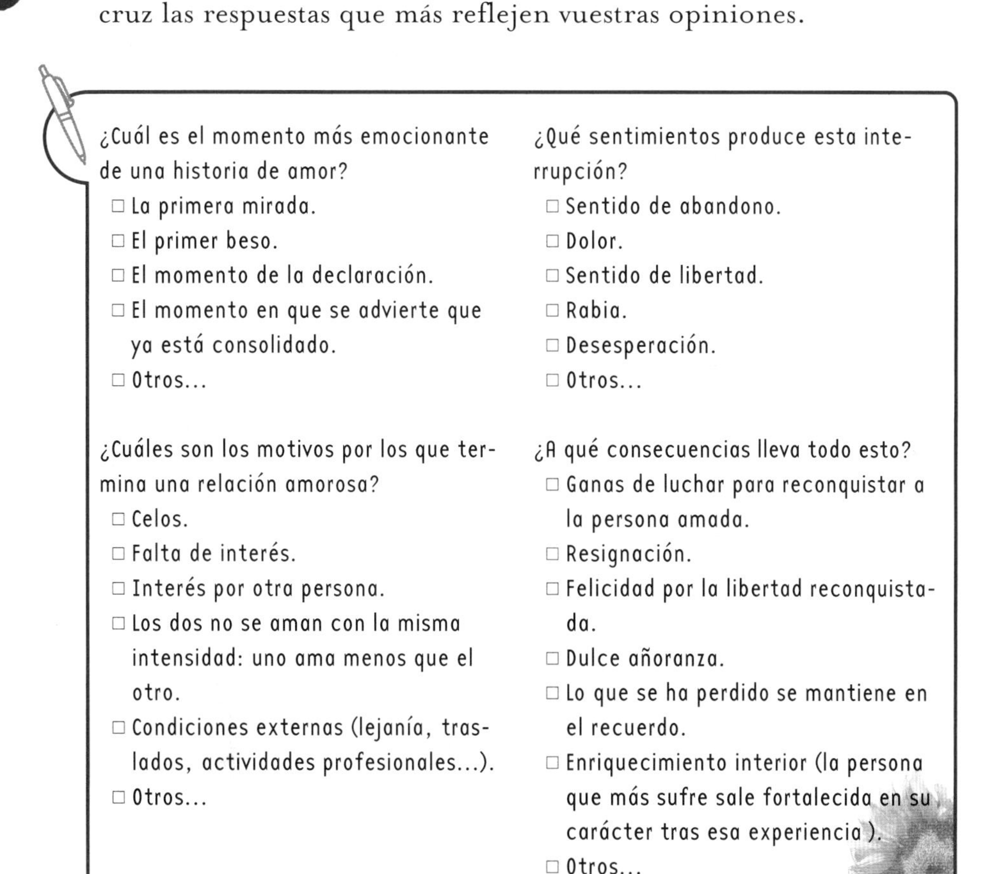

¿Cuál es el momento más emocionante de una historia de amor?
- □ La primera mirada.
- □ El primer beso.
- □ El momento de la declaración.
- □ El momento en que se advierte que ya está consolidado.
- □ Otros...

¿Cuáles son los motivos por los que termina una relación amorosa?
- □ Celos.
- □ Falta de interés.
- □ Interés por otra persona.
- □ Los dos no se aman con la misma intensidad: uno ama menos que el otro.
- □ Condiciones externas (lejanía, traslados, actividades profesionales...).
- □ Otros...

¿Qué sentimientos produce esta interrupción?
- □ Sentido de abandono.
- □ Dolor.
- □ Sentido de libertad.
- □ Rabia.
- □ Desesperación.
- □ Otros...

¿A qué consecuencias lleva todo esto?
- □ Ganas de luchar para reconquistar a la persona amada.
- □ Resignación.
- □ Felicidad por la libertad reconquistada.
- □ Dulce añoranza.
- □ Lo que se ha perdido se mantiene en el recuerdo.
- □ Enriquecimiento interior (la persona que más sufre sale fortalecida en su carácter tras esa experiencia).
- □ Otros...

Compartid vuestras opiniones con toda la clase.

PARA SEGUIR

La poesía de amor: del dolor a la exaltación

② En el poema que os proponemos a continuación veremos en qué momento de la historia de amor la poetisa ha escrito sus versos y qué sentimientos la animan.
Ahora tu profesor leerá en voz alta el siguiente poema de Rosalía de Castro:

I

Tú para mí, yo para ti, bien mío
—murmurabais los dos—.
"Es el amor la esencia de la vida,
no hay vida sin amor."

¡Qué tiempo aquel de alegres armonías!...
¡Qué albos rayos de sol!...
¡Qué tibias noches de susurros llenas,
qué horas de bendición!

¡Qué aroma, qué perfume, qué belleza
en cuanto Dios crió,
y cómo entre sonrisas murmurabais:
"No hay vida sin amor"!

II

Después, cual lampo fugitivo y leve,
como soplo veloz,
pasó el amor... la esencia de la vida...;
mas... aún vivís los dos.

"Tú de otro, y de otra yo", dijisteis luego.
¡Oh mundo engañador!
Ya no hubo noches de serena calma,
brilló enturbiado el sol...

¿Y aún, vieja encina, resististe? ¿Aún late,
mujer, tu corazón?
No es tiempo ya de delirar; no torna
lo que por siempre huyó.

No sueñes, ¡ay!, pues que llegó el invierno
frío y desolador.
Huella la nieve, valerosa, y cante
enérgica tu voz.
¡Amor, llama inmortal, rey de la Tierra,
ya para siempre ¡adiós!

- ¿Te gusta?
- ¿Qué te sugiere?
- ¿Logras imaginar en qué momento de su vida se encuentra la poetisa cuando escribe estas palabras?
- ¿A quién se lo dice?
- ¿Por qué?

③ Vuelve a leer el poema para, procurando entender el punto de vista de los personajes.

④ En parejas, fijaos en la estructura de las dos partes de la poesía y en cómo los versos van construyendo gradualmente su significado. Para eso os puede ayudar identificar las palabras clave, es decir, aquellas que son más significativas para la comprensión del mensaje en las dos partes de la poesía.

Los protagonistas,
- ¿cuántos son? ______
- ¿quiénes son? ______

Aparece un verbo que representa la causa del cambio en la relación amorosa.
- ¿Cuál es? ______

También podéis encontrar un verso que hace pensar en la consecuencia de ese cambio.
- ¿Cuál es? ______

La poesía se presenta dividida en dos partes.
- ¿Por qué? ______

En la primera parte están presentes sobre todo dos personas.
- ¿Quiénes? ______

En la segunda parte, las personas presentes sufren una especie de cambio de dirección.
- ¿Por qué? ______

Como sabéis el autor es una poetisa,
- ¿notáis en algún momento la presencia de la autora? ¿Dónde?

______

______

¿Creéis que la historia del poema también ocurre en la vida real? ¿Pensáis que lo expresaríamos de la misma forma? ¿Por qué no intentáis decir con vuestras propias palabras lo que la poetisa ha dicho en lenguaje poético?

______

______

Ahora contrastadlo con los demás compañeros.

Fíjate

Al fin y al cabo, ¿qué es lo que marca la diferencia entre el lenguaje cotidiano y la expresión literaria? Es, sin duda, la voluntad de forma, es decir, trabajar artísticamente la lengua para diferenciarla del lenguaje de cada día.

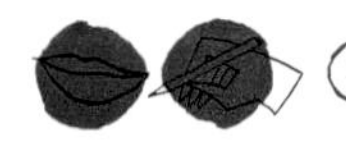

⑤ Lo que dice Rosalía es algo bastante frecuente en las historias de amor. A continuación vamos a ver cómo otro autor trata el mismo tema, pero antes, en grupos de cinco, intentad responder a las siguientes cuestiones:

- ¿Qué motivos creéis que caben en una poema cuyo tema es el amor perdido?
- ¿Qué tiempos verbales esperáis encontrar en el poema?
- ¿Qué palabras?
- ¿Qué sentimientos?
- ¿Qué entorno?

⑥ Leed ahora el Poema 20 de Pablo Neruda y comprobad si os habéis acercado con vuestras respuestas al contenido del poema.

Pablo Neruda (1904-1973)

Poema 20

Puedo escribir los versos más tristes esta noche.

Escribir, por ejemplo: "La noche está estrellada,
Y titiritan azules, los astros, a lo lejos".

El viento de la noche gira en el cielo y canta.
Puedo escribir los versos más tristes esta noche.
Yo la quise y a veces ella también me quiso.

En las noches como ésta la tuve entre mis brazos.
La besé tantas veces bajo el cielo infinito...

Ella me quiso, a veces yo también la quería.
Cómo no haber amado sus grandes ojos fijos.

Puedo escribir los versos más tristes esta noche.

Pensar que no la tengo. Sentir que la he perdido.

Oír la noche inmensa, más inmensa sin ella.
Y el verso cae al alma como al pasto el rocío.

Qué importa que mi amor no pudiera guardarla.
La noche está estrellada y ella no está conmigo.

Eso es todo. A lo lejos alguien canta. A lo lejos.
Mi alma no se contenta con haberla perdido.

Como para acercarla mi mirada la busca.
Mi corazón la busca, y ella no está conmigo.

La misma noche que hace blanquear los mismos árboles.
Nosotros, los de entonces, ya no somos los mismos.

Ya no la quiero, es cierto, pero cuánto la quise.
Mi voz buscaba el viento para tocar su oído.

De otro. Será de otro. Como antes de mis besos.
Su voz, su cuerpo claro. Sus ojos infinitos.

Ya no la quiero, es cierto, pero tal vez la quiero.
Es tan corto el amor, y es tan largo el olvido...

Porque en noches como ésta la tuve entre mis brazos,
mi alma no se contenta con haberla perdido.

Aunque éste sea el último dolor que me causa,
y éstos sean los últimos versos que yo le escribo

⑦ Aquí tenéis varios versos del poema para que, en grupos de tres, busquéis su significado. Podéis usar estas preguntas como pistas para guiar vuestras ideas: ¿el poeta la quiere todavía? ¿Se querían con la misma intensidad?¿Es responsable de la ruptura?

1. *Cómo no haber amado sus grandes ojos fijos.*
2. *Que importa que mi amor no pudiera guardarla.*
3. *Mi corazón la busca, y ella no está conmigo.*
4. *Nosotros, los de entonces, ya no somos los mismos.*
5. *Ya no la quiero, es cierto, pero cuánto la quise.*
6. *Ya no la quiero, es cierto, pero tal vez la quiero.*
7. *Es tan corto el amor, y es tan largo el olvido...*
8. *Mi alma no se contenta con haberla perdido.*

¿A qué conclusiones habéis llegado? Ponedlas en común con el resto de la clase.

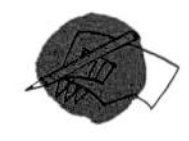

⑧ ¿Te acuerdas de los cuentos que oías cuando eras pequeño/a? Había muchos con príncipes y bellas jóvenes que, después de muchas peripecias, al fin logran realizar su sueño de amor. Contesta a estas preguntas relacionadas con los cuentos:

- ¿En cuáles de los siguientes cuentos hay una historia de amor[3]?
- ¿Cuáles tienen un desenlace feliz?

- ☐ La Bella Durmiente
- ☐ Caperucita Roja
- ☐ La Cenicienta
- ☐ Los tres cerditos
- ☐ Pulgarcito
- ☐ Blancanieves
- ☐ La Bella y la Bestia

- ¿Cuándo se puede decir que un cuento de amor tiene un desenlace feliz?

____

____

- El amor de los cuentos, ¿es duradero o efímero?

____

____

⑨ A propósito de cuentos, lee este poema de Amalia Bautista:

CUÉNTAMELO OTRA VEZ

Cuéntamelo otra vez: es tan hermoso
que no me canso nunca de escucharlo.
Repíteme otra vez que la pareja
del cuento fue feliz hasta la muerte,
que ella no le fue infiel, que a él ni siquiera
se le ocurrió engañarla. Y no te olvides
de que, a pesar del tiempo y los problemas,
se seguían besando cada noche.
Cuéntamelo mil veces, por favor:
Es la historia más bella que conozco.

- ¿Te ha gustado?
- ¿En qué has pensado al leerlo?
- ¿Qué sensaciones te ha suscitado?
- ¿Qué concepto de amor comunica?
- "Cuéntamelo otra vez": ¿por qué crees que lleva este título?
- ¿Dónde interpretas que la poetisa se está refiriendo a la eternidad?
- ¿Sobre qué valores se funda este amor?

(10) Vuelve un momento a la poesía de Rosalía de Castro "Tú para mí, yo para ti ..." y contrasta esa historia de amor con la del poema de Amalia Bautista. Señala en tu cuaderno los versos donde se evidencian las diferencias temáticas y explícalas.

(11) ¿Cómo quieres ser amado por tu pareja? ¿Por qué? ¿Para qué?

- ☐ Como eres, ni más ni menos.
- ☐ Porque eres un/una chico/a agradable.
- ☐ Por tu esencia.
- ☐ Para llegar a un enriquecimiento mutuo.
- ☐ Por tu apariencia.
- ☐ Porque eres tú.
- ☐ Para satisfacer tus necesidades afectivas.
- ☐ Otros: ______________________________

(12) Lee esta poesía de Pedro Salinas y luego contesta a las preguntas:

Para vivir no quiero

Para vivir no quiero
islas, palacios, torres.
¡Qué alegría más alta:
vivir en los pronombres!
Quítate ya los trajes,
las señas, los retratos;
yo no te quiero así,
disfrazada de otra,
hija siempre de algo.
Te quiero pura, libre,
irreductible: tú.
Sé que cuando te llame
entre todas las gentes
del mundo,
sólo tú serás tú.
Y cuando me preguntes
quién es el que te llama,
el que te quiere suya,
enterraré los nombres,
los rótulos, la historia.
Iré rompiendo todo
lo que encima me echaron
desde antes de nacer.
Y vuelto ya al anónimo
eterno del desnudo,
de la piedra, del mundo,
te diré:
"Yo te quiero, soy yo".

- ¿Has encontrado algunos de los puntos sobre los cuales has reflexionado antes?
- ¿Encuentras alguna coincidencia con el poema de Salinas en la forma en que quieres ser amado?
- ¿Eres como la persona descrita en el poema? Coméntalo con el resto de tus compañeros.

⑬ En nuestra opinión los versos "¡Qué alegría más alta:/vivir en los pronombres!" encierran el significado del poema.

- ¿Por qué el poeta utiliza el término pronombres?
- ¿Cuáles son estos pronombres dentro del poema?
- ¿Qué valor les da el poeta?

¿Estáis todos de acuerdo?

Reflexiones sobre el carácter literario

⑭ Imagina que estás hablando con tu compañero de un chico o una chica que te gusta mucho.

- ¿Qué le cuentas de esta persona?
- ¿Qué resaltas más al hablar de ella? Su físico/su carácter/su forma de hablar/su forma de ser/sus defectos/sus cualidades/su cultura/sus aficiones?

(15) Dentro nuestro recorrido por el tema del amor, vamos a descubrir los puntos en común y las diferencias de expresión entre la lengua literaria de los distintos géneros y la lengua cotidiana. Para ello, te proponemos un juego con tu compañero: uno elige ser A y el otro B.

A Imagina que eres un muchacho chileno de principios del siglo XX al que le atrae mucho el físico de una chica muy joven. Lee la siguiente poesía y prepárate, porque tendrás que responder a las preguntas un poco mojigatas de tu compañero (B). (Si eres chica no te preocupes aunque te toque representar el papel de un hombre; imagina que es un juego de roles).

POEMA 19 de Pablo Neruda.

Niña morena y ágil, el sol que hace las frutas,
el que cuaja los trigos, el que tuerce las algas,
hizo tu cuerpo alegre, tus luminosos ojos
y tu boca que tiene la sonrisa del agua.

Un sol negro y ansioso se te arrolla en las hebras
de la negra melena, cuando estiras los brazos.
Tú juegas con el sol como con un estero
y él te deja en los ojos dos oscuros remansos.

Niña morena y ágil, nada hacia ti me acerca.
Todo de ti me aleja, como del mediodía.
Eres la delirante juventud de la abeja,
la embriaguez de la ola, la fuerza de la espiga.

Mi corazón sombrío te busca, sin embargo,
y amo tu cuerpo alegre, tu voz suelta y delgada.
Mariposa morena dulce y definitiva
como el trigal y el sol, la amapola y el agua.

¿Estás preparado? Responde a las preguntas de tu compañero.

Ahora te toca preguntar a ti. Ten en cuenta la siguiente situación a la hora de realizar las preguntas: tu amigo está estudiando para ser cura y suele ser discreto y recatado. Sin embargo se ha vuelto loco por una mujer muy guapa, así que no te deberá extrañar el tono exaltado de su conversación. Pregúntale cuáles son sus intenciones futuras con respecto al *trabajo*, cómo se llama la chica, qué hace cada noche, cómo es esta muchacha, qué siente hacia ella y cualquier otra cosa que te parezca interesante con tal de cotillear.

Al final puedes leer su texto para averiguar si te ha dicho toda la verdad y si te gusta más el texto que el que te ha tocado a ti.

B Imagina que eres un joven seminarista español del siglo XIX que se debate entre su vocación religiosa y la pasión por Pepita. Lee el texto que sigue y prepárate porque tendrás que responder a las preguntas poco discretas de tu compañero (A) (Si eres chica no te preocupes aunque te toque el papel de un hombre; imagina que es un juego de roles).

PEPITA JIMÉNEZ de Juan Valera.

Ella me mira a veces con la ardiente mirada de que ya he hablado a usted. Sus ojos están dotados de una atracción magnética inexplicable. Me atrae, me seduce, y se fijan en ella los míos. Mis ojos deben arder entonces, como los suyos, con una llama funesta; [...] Al mirarnos así, hasta de Dios me olvido. La imagen de ella se levanta del fondo de mi espíritu, vencedora de todo. Su hermosura resplandece sobre toda hermosura; los deleites del cielo me parecen inferiores a su cariño; una eternidad de penas creo que no paga la bienaventuranza infinita que vierte sobre mí en un momento con una de estas miradas que pasan cual relámpago. Cuando vuelvo a casa, cuando me quedo solo en mi cuarto, en el silencio de la noche, reconozco todo el horror de mi situación y formo buenos propósitos, que luego se quebrantan.

Me prometo a mí mismo fingirme enfermo, buscar cualquier otro pretexto para no ir a la noche siguiente a casa de Pepita, y, sin embargo, voy. [...]

Al entrar, Pepita y yo nos damos la mano, y al dárnosla me hechiza. Todo mi ser se muda. Penetra hasta mi corazón un fuego devorante, y ya no pienso más que en ella. Tal vez soy yo mismo quien provoca las miradas si tardan en llegar. La miro con insano ahínco, por un estímulo irresistible, y a cada instante creo descubrir en ella nuevas perfecciones: ya los hoyuelos de sus mejillas cuando sonríe, ya la blancura sonrosada de la tez, ya la forma recta de la nariz, ya la pequeñez de la oreja, ya la suavidad de contornos y admirable modelado de la garganta. [...]

Cada vez que se encuentran nuestras miradas se lanzan en ellas nuestras almas, y en los rayos que se cruzan se me figura que se unen y compenetran. Allí se descubren mil inefables misterios de amor; allí se comunican sentimientos que por otro medio no llegarían a saberse. [...]

Preguntas para tu compañero: éste, a pesar de ser un poco huraño, tiene fama de ser mujeriego por los piropos que dice a las chicas. Ha visto a una muchacha muy joven y muy guapa y no ha podido contenerse. Sin que le parezca mal, pregúntale cómo es esa chica, qué le ha dicho, qué posibilidades tiene de entablar una relación, si siente afinidad por ella y cualquier otra cosa que te parezca interesante con tal de cotillear.

Después de haber respondido a las preguntas de tu compañero lee su texto para averiguar si te ha dicho toda la verdad y si te gusta más que el que te ha tocado a ti.

(16) Todos juntos, comentad qué texto os ha gustado más y cuál de los dos os resulta más cercano.

(17) Probablemente, si un joven de hoy tuviera que escribir una página de su diario para contar cómo conoció a la persona que le gusta (con quien todavía no ha establecido una relación "de pareja"), se expresaría como lo hace esta adolescente en la carta que envió a una revista juvenil:

[...] Me sentía demasiado sola porque no podía compartir mi dolor con nadie. En cambio, todos mis amigos acudían a mí para contarme sus problemas. Yo siempre estaba dispuesta a dar consejos a unos y caricias a otros; en definitiva, siempre fui el hombro en el que llorar de todos mis amigos. Sin embargo, nadie conocía cómo me sentía yo de verdad, lo sola que estaba. Hasta que un buen día apareció Óscar en nuestras vidas. Llegó en un momento muy difícil de mi vida. Era el chico ideal; dulce, tierno y cariñoso. De pelo largo y con unos ojos super expresivos, nos cautivó a todas. Enseguida conectamos y nos convertimos en grandes amigos. Era la persona que mejor me entendía. Por primera vez, alguien me escuchaba a mí, le importaba de verdad lo que yo pensaba y cómo me sentía. Aun así, yo nunca creí que él se pudiera enamorar de mí. [...]

Volved a los textos de Valera y de Neruda y según os haya tocado el texto A o el texto B, dividíos en parejas o pequeños grupos.
Tenéis que elaborar un breve ejemplo de cómo sería la página del diario que vuestro protagonista escribiría si fuese un joven de hoy en día.

A es el joven Pablo que cuenta a su diario la belleza de la chica morena.
B es el joven seminarista que describe su amor por Pepita.

Comentadlo en grupo y contrastad vuestros textos con los de los demás compañeros.

(18) Seguramente habéis utilizado un léxico diferente y muchos menos recursos que los de Valera y de Neruda. Volved a los dos fragmentos y, en vuestros cuadernos, anotad para cada uno:

Nivel léxico

- ¿Aparecen palabras que pertenecen al mismo campo semántico? Márcalas.
- ¿Reconoces algunos sinónimos?
- ¿Y antónimos?
- ¿Aprecias figuras retóricas presentes como: hipérbole, antítesis, comparación?
- ¿En qué rasgos físicos de la "amada" se fija el autor? ¿Cómo te los presenta? ¿Qué recursos usa?

Nivel morfosintáctico

- ¿Qué clases de palabras predominan? Localízalas y agrúpalas según la categoría (adjetivos, sustantivos, verbos...).
- ¿Te parece que hay un uso reiterado de las mismas palabras? ¿De cuáles?

Nivel fonético

- ¿Hay aliteraciones? ¿Dónde?
- Fíjate en la construcción del discurso contenido y date cuenta de cómo se organiza; probablemente una lectura en voz alta te puede ayudar a percibir el ritmo y a detectar los cambios.

Fíjate

Todos los recursos que has reconocido en el poema de Neruda y en el fragmento de Valera les confieren un carácter literario. Esto se debe a que el poeta juega con el lenguaje, lo transforma para poder dar a su idea la forma más bella posible convirtiéndola así en un texto literario.

La desviación lingüística

(19) Después de haber hablado tanto con tus compañeros, ¿qué es para ti el amor? En tu cuaderno:

- Escribe lo primero que se te ocurra: "El amor es...".
- Ahora intenta dar una definición del amor como la formularías en un examen de ciencias: "El amor es...".
- Luego procura dar una definición del amor "más poética"; algo que tenga en cuenta tus sentimientos y tu sensibilidad literaria: "El amor es...".

⑳ Ahora leed estas breves descripciones sobre el *amor*:

El amor es como una manía, pero la más terrible de todas.
El amor nace del deseo repentino de hacer eterno lo pasajero.
Amor es despertar a una mujer y que no se indigne.
El verdadero amor no tiene descuento.

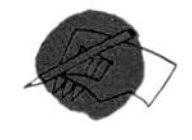

¿Os gustan? ¿Alguna se acerca a lo que habéis escrito?¿Por qué?

□ Por el tono gracioso.
□ Por el significado.
□ Por la forma.
□ Por el empleo de algún recurso.
□ Por la brevedad.
□ Por su profundidad.
□ Otros: ______________________

㉑ ¿Cómo explicaríais esas cuatro descripciones a una persona que no las entendiera?

Escribid una frase que las pueda explicar.
1. ______________________
____
2. ______________________
____
3. ______________________
____
4. ______________________
____

Después de esta explicación han perdido mucho de su encanto, ¿no os parece?

Ramón Gómez de la Serna (1888-1963)

Estas minidescripciones se llaman *greguerías*, un "género" inventado por el escritor vanguardista Ramón Gómez de la Serna.

㉒ Vamos a jugar un poco con estas greguerías aunque, para poder disfrutar plenamente de ellas, ya no elegiremos solo las de tema amoroso.
Te proponemos un juego de cartas: "La media naranja". En cada carta estará pegada la mitad de una greguería (así, con 50 cartas tendremos 25 greguerías).

Las greguerías se encuentran al final del anexo; tu profesor las preparará para el juego. ¡No las mires hasta terminar el juego!

Para determinar quién comenzará el juego se puede efectuar un sorteo o premiar al autor de la mejor definición del amor.

Al terminar, podéis ver las greguerías en la parte final del libro.

El profesor las barajará bien y luego las pondrá boca abajo desordenadas formando filas.

El primer jugador da la vuelta a una carta y dice en voz alta la mitad de la greguería que aparece escrita, de tal manera que los demás jugadores puedan ver y oír su contenido. Luego, hace lo mismo con otra carta.

Cuando el significado de las dos mitades encaja se obtiene una pareja, es decir, una greguería. Lo más probable es que se formen greguerías nuevas no escritas por el autor; pero si la greguería *funciona* se puede aceptar (aunque al finalizar el juego quede alguna mitad sin emparejarse).

El jugador que logra formar una pareja guarda las dos cartas y puede seguir jugando hasta que se equivoque (cuando las dos mitades de greguería no encajen). En ese caso, vuelve a colocar las dos cartas boca abajo en la misma posición y cede el turno al jugador que está a su izquierda.

Todos los jugadores deben intentar acordarse de dónde está la carta que puede completar la parte de greguería que aparece en la primera carta que levantan. La finalidad del juego consiste en formar el mayor número posible de greguerías.

23 Vamos a reflexionar un poco sobre algunas características de estas composiciones breves. Para ello, tomaremos las siguientes greguerías como ejemplo:

El amor es como una manía, pero la más terrible de todas.
La cabeza es la pecera de las ideas.

Las estructuras de las dos greguerías tienen algún parecido, pero no son iguales. ¿En qué se diferencian? Escríbelo en tu cuaderno.

Efectivamente, en la primera hay un elemento más (*como*), que permite comparar el *amor* con una *manía* (comparación o símil). En la segunda greguería, en cambio, este *como* no existe y se relaciona directamente la cabeza con la pecera. Es decir, hay una identificación entre el término *cabeza* y la imagen, el concepto *pecera* (metáfora).

La cabeza es
la pecera de las ideas.

(24) Ahora vas a leer lo que algunas personas, el propio Ramón Gómez de la Serna incluido, han dicho sobre las greguerías. Reflexiona sobre ello con dos compañeros más y decid si estáis de acuerdo con las diferentes definiciones. Una greguería...

- Es una asociación intelectual.
- Está relacionada con el subconsciente.
- Se da por una asociación de ideas accidental, fortuita.
- Es producto de la creación poética.
- Nace de la fuerza de la expresión creativa.
- Define lo indefinible.
- Es un cuento.
- Es un poema.
- Es una metáfora + humor = greguería.
- Son apuntes brevísimos que encierran una pirueta mental o una metáfora insólita.
- En ella se dan cita el concepto, el humor, el lirismo o el puro juego verbal.

(25) En grupos de cinco, ¿podríais asociar lo que se dice de estas minicomposiciones con las 25 greguerías? Seguro que para cada greguería vais a encontrar más de una definición. Ved quién logra acercarse más. Pero antes de empezar la *competición de ingenio*, intentad adivinar entre todos cuál es la famosa fórmula de de la Serna para definir sus composiciones. Para ayudaros, reflexionad sobre esto: "La cabeza es la pecera de las ideas".

Con la ayuda del profesor, poned en común de vuestras conclusiones.

Fíjate

Para Ramón Gómez de la Serna, entre otras definiciones, la greguería es metáfora + humor. De aquí la importancia de la metáfora en cualquier hecho poético, ya que es una violación del código del lenguaje, una desviación lingüística. Sabiendo que cada palabra tiene un doble sentido virtual: denotativo (por ejemplo, la definición que el diccionario da de ella) y connotativo (asume un valor suplementario, alusivo, evocativo, afectivo), donde uno excluye el otro, reconocemos que la metáfora poética no es un simple cambio de sentido sino el paso del sentido nocional al sentido emocional. La metáfora poética es el paso de la lengua denotativa a la lengua connotativa, o sea que la palabra pierde su sentido al nivel de la primera lengua para recobrarlo al nivel de la segunda.[4]

De la poesía y de la prosa

(26) En grupos de cinco, debatid si la forma de las greguerías hace que sean poesía o prosa. Luego, poned vuestras conclusiones en común con el resto de la clase.

(27) Para reflexionar un poco sobre las posibles diferencias entre poesía y prosa y establecer por lo tanto si la greguería es una cosa u otra, vamos a investigar un poquito más.

- Entre estos dos títulos, "Inventario de lugares propicios al amor" o "El rayo de luna", ¿cuál elegirías para un poema de amor escrito por ti?

____

- ¿Dentro de qué obra publicarías este poema de amor?
  - ☐ Leyendas.
  - ☐ Tratado de urbanismo.

Entre estos dos textos, ¿cuál elegirías para el poema de amor escrito por ti?

A

Las ordenanzas, además, proscriben la caricia
(con exenciones para determinadas zonas epidérmicas
—sin interés alguno— en niños, perros y otros animales).

B

¡Amar!
Había nacido para soñar el amor,
no para sentirlo.
(...)

El rayo de luna de G. A. Bécquer.

¡Amar! Había nacido para soñar el amor, no para sentirlo. Amaba a todas las mujeres un instante: a ésta porque era rubia, a aquélla porque tenía los labios rojos, a la otra porque se cimbreaba, al andar, como un junco.

Algunas veces llevaba su delirio hasta el punto de quedarse una noche entera mirando a la luna, que flotaba en el cielo entre un vapor de plata, o las estrellas, que temblaban a lo lejos como los cambiantes de las piedras preciosas.

Inventario de lugares propicios al amor de Ángel González.

Son pocos.
La primavera está muy prestigiada, pero
es mejor el verano.
Y también esas grietas que el otoño
forma al interceder con los domingos
en algunas ciudades
ya de por sí amarillas como plátanos.
El invierno elimina muchos sitios:
quicios de puertas orientadas al norte,
orillas de los ríos,
bancos públicos.
Los contrafuertes exteriores
de las viejas iglesias
dejan a veces huecos
utilizables aunque caiga nieve.
Pero desengañémonos: las bajas
temperaturas y los vientos húmedos
lo dificultan todo.
Las ordenanzas, además, proscriben
la caricia (con exenciones
para determinadas zonas epidérmicas
—sin interés alguno—
en niños, perros y otros animales)
y el "no tocar, peligro de ignominia"
puede leerse en miles de miradas.
¿A dónde huir, entonces?
Por todas partes ojos bizcos,
córneas torturadas,
implacables pupilas,
retinas reticentes,
vigilan, desconfían, amenazan.
Queda quizá el recurso de andar solo,
de vaciar el alma de ternura
y llenarla de hastío e indiferencia,
en este tiempo hostil, propicio al odio.

¿Os habéis llevado alguna sorpresa? ¿Dónde? ¿Por qué?

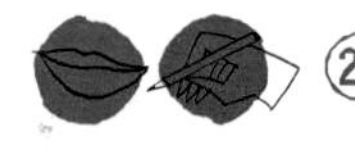

(28) En grupos de cinco, volved a escribir la poesía como si fuera una prosa y la prosa como si fuera poesía. Luego, contrastad los resultados con los demás grupos. ¿Qué efectos habéis logrado?

- ¿Qué es lo que más salta a la vista para diferenciar uno del otro?

  - ☐ El verso.
  - ☐ La musicalidad.
  - ☐ Los recursos retóricos.
  - ☐ Su composición tipográfica.
  - ☐ Otros ______________

Poned en común vuestras conclusiones.

Fíjate

Podemos decir que a primera vista una página en verso se distingue de una página en prosa por su composición tipográfica, donde el blanco es el signo gráfico de la pausa o silencio (o, lo que es lo mismo, donde cada verso ocupa una línea). Pero también hay poesías que parecen prosa y hay textos en prosa que parecen poesías.... Incluso hay poetas que escriben poemas en prosa, al igual que existen composiciones en prosa que son prosa poética.[4]
La poesía es lenguaje artístico. Las figuras constituyen la esencia misma del arte poético.[5]
Todo esto, al fin y al cabo, vale para todo texto literario ya que éste se centra en la forma, en la función poética, para producir un efecto determinado. Hay que tener presente no sólo el qué se dice sino el cómo se dice.
El lenguaje literario tiene, además de las posibles funciones del lenguaje cotidiano, la de asombrar, extrañar, impactar al lector. De aquí el placer, el gusto de disfrutar de un texto literario.

(29) Tras todo este itinerario, ¿qué entendéis por greguerías?

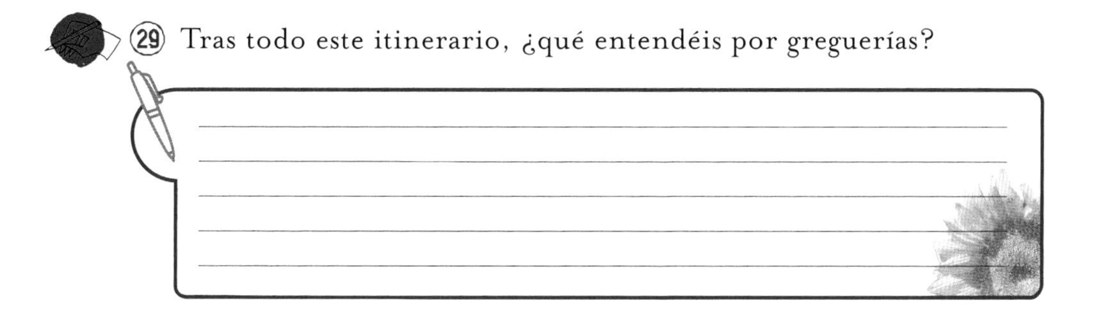

Para comprobar vuestras conclusiones podéis acudir a las secciones de autores y movimientos literarios que encontraréis al final del libro (Gómez de la Serna y los movimientos de vanguardia).

(30) Como desenlace feliz de tu trabajo piensa en una persona que te gusta y dedícale esta greguería de Ramón Gómez de la Serna:

Se miraron de ventanilla a ventanilla en dos trenes que iban en dirección contraria; pero la fuerza del amor es tanta que de pronto los dos trenes comenzaron a correr en el mismo sentido.

Comenta con un compañero a qué lugar propicio al amor llevarías a la persona a la que le has dedicado la greguería.

Para acabar

(31) Vais a poner en marcha un minitaller de escritura creativa.

Podéis realizar una de las actividades (A o B), o bien las dos.

A) A continuación encontraréis unas greguerías que han sido escritas por estudiantes como vosotros mezcladas con verdaderas. ¿Sabríais distinguirlas?

1. Las espigas hacen cosquillas al viento.
2. La luna y la arena se aman con frenesí.
3. El arco iris es el tobogán de los ángeles.
4. La arquitectura de la nieve es siempre de estilo gótico.
5. El racismo no afecta a los daltónicos.
6. La caricia es el traje de seda del cariño.
7. El rocío es una lágrima que se queda sobre la mejilla de una rosa.
8. El lago, de noche, es un maravilloso espejo de plata.
9. El arco iris es la bufanda del cielo.
10. En los gallineros hay nevada de plumas.
11. La lluvia es el llanto de los ángeles.
12. Comió tanto arroz que aprendió a hablar chino.
13. El alma en el cuerpo: un pie en un zapato demasiado estrecho.
14. Los pingüinos son los camareros del restaurante Polo Norte.
15. Los tomillos son gusanos de hierro.
16. El café con leche es una bebida mulata.
17. Las arañas son los artistas del aire y del agua.
18. En el Polo Norte está el gorro de dormir de la Tierra.
19. La boda es un error que empieza en una zapatería.
20. Psicoanalista: sacacorchos del inconsciente.
21. Las nubes son el azúcar glass de los ángeles.
22. Los aseos son los límites de la lucha contra la discriminación.
23. Las estrellas nacen del llanto de la luna melancólica.
24. La estrella parpadea porque tiene sueño.
25. El colchón está lleno de ombligos.
26. El niño es el que mira las cosas desde el lado equivocado del catalejo.
27. La luna está llena de objetos perdidos.
28. Los sueños que están en el mar salen cuando el balón de ámbar se cae.
29. Yo... un error de amor.
30. Lo mejor del cielo es que no puede inundarse de hormigas.

Ahora os toca a vosotros: lejos de miradas indiscretas, escribid una greguería y entregadla al profesor, que se las llevará y la próxima clase las traerá mezcladas con auténticas greguerías de Gómez de la Serna.

Con las greguerías delante (todas: verdaderas y apócrifas), poned una cruz solamente al lado de las que consideréis verdaderas. Vuestro profesor recogerá las hojas y detectará qué greguerías falsas han sido tomadas por verdaderas, así como quién es el que tiene el mayor número de aciertos.

Al final, para los tres primeros habrá premio; ¿por qué no les rotuláis una camiseta con su greguería?

B) Como material de trabajo emplearéis todos los versos sobre "amor triste", "amor feliz" y "descripción de la persona amada" que cuelgan de la pared del aula. En grupos de cinco, cread un poema eligiendo libremente entre los versos y los distintos "tipos de amor".

Podéis añadir pequeñas modificaciones para que los versos rimen unos con otros.

Al final, presentad vuestro poema a los demás grupos.

32 Vuelve al "Poema 19" de Pablo Neruda y contesta en tu cuaderno:

- ¿Qué dice el poeta?
- ¿Cómo lo dice?
- ¿Qué es lo que más te gusta del lenguaje poético de Neruda?
- ¿Qué te ha impactado más?
- ¿En qué puntos te provoca asombro?
- Señala las metáforas más significativas.
- ¿Cuál crees que es su función?

㉝ Reflexiona sobre algunos poemas con los que hemos trabajado durante nuestro recorrido sobre el amor y marca con una cruz qué tipo de expresión de amor predomina en cada uno.

	Momentos felices	Descripción del amado/a	Momento después del abandono	Soledad después del amor	Desespera-ción	Desamor
"Tú para mí yo para ti..."						
"Poema 20"						
"Poema 19"						
"Cuéntamelo otra vez"						
"Para vivir no quiero..."						
"Menos tu vientre"						
"Rima XXXVIII"						
"Por una mirada..."						
Rima XXIV						
"Serenata espiritual"						
"Cuando tú duermes"						
"El poeta dice la verdad"						
"Te quiero"						

Contrastad los resultados entre todos.

¿Cómo te ha ido?

En esta tarea he aprendido que

- Las diferencias entre las expresiones emocionales del lenguaje cotidiano y las literarias son ____

- La eficacia expresiva de un texto literario radica en ____

De todas las actividades, la que más me ha gustado es ____________________
Y la que menos ____________________

- Nivel de interés en hacer la *tarea* (puntúa de 1 a 10)

1 2 3 4 5 6 7 8 9 10

Mis frases más...

Entre todos los textos, algunas de las frases, versos, expresiones, estrofas... que me han gustado más son ____

Tarea 4 Reescribir un poema

Para reescribir un poema necesitamos:

- Percibir la emoción que cada fragmento literario encierra.
- Reconocer la expresión del yo lírico a través de las palabras poéticas.

PARA EMPEZAR

① ¿Has escrito alguna vez algo "tuyo"?

- ¿Qué?
- ¿Cuándo?
- ¿Por qué? ____________________
  - □ Para desahogarte.
  - □ Para plasmar un momento de tu vida.
  - □ Para comunicarte.
  - □ Para expresar mejor un sentimiento, una emoción o un punto de vista.
  - □ Para publicarlo.
  - □ Porque te gustaría llegar a ser escritor/poeta/dramaturgo.
  - □ Porque
- ¿Has dejado que alguien lo leyera?
- ¿Has dirigido a alguien "querido" algo que hayas escrito? ¿Por qué razón?

PARA SEGUIR

Al escribir no siempre logramos transmitir lo que sentimos: dotar de palabras a nuestras emociones y sensaciones no es tan fácil. Por eso, cuando en alguna obra encontramos aquello que nosotros habríamos querido decir, nos damos cuenta mucho más de la intensidad de nuestro "sentir": sabemos que formamos parte de la misma "Humanidad".

Si me quieres... dímelo en versos

② Termina una frase que comience con "Si me quieres...":

Si me quieres ____________________

____

____

____

____

③ Lee ahora este poema de Dulce María Loynaz:

Quiéreme entera

Si me quieres, quiéreme entera,
no por zonas de luz o sombra...
si me quieres, quiéreme negra
y blanca. Y gris, y verde, y rubia,
quiéreme día,
quiéreme noche...
¡Y madrugada en la ventana abierta!
Si me quieres, no me recortes:
¡quiéreme toda.... o no me quieras!

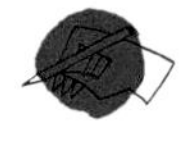

En tu cuaderno, escribe un breve texto que exprese lo que crees que significa este poema.

En mi opinión...

¿Compartes el punto de vista de la poetisa en relación con el tema? Comenta tus ideas con tus compañeros.

4) Ahora, para ver el contraste entre poesía y prosa a la hora de expresar emociones y sensaciones, te proponemos leer un fragmento de una novela de otra autora hispanoamericana. En su novela *Como agua para chocolate*, Laura Esquivel presenta uno de los momentos más emocionantes de una relación amorosa: la declaración. Tu profesor leerá el fragmento donde Pedro declara su amor a Tita: procura adentrarte poco a poco en la atmósfera que se va construyendo línea tras línea.

Como agua para chocolate

Mamá Elena le ordenó a Tita que fuera a la cocina por unos bocadillos para repartir entre todos los presentes. Pedro, que en ese momento pasaba por ahí, no por casualidad, se ofreció a ayudarla. Tita caminaba apresuradamente hacia la cocina, sin pronunciar una sola palabra. La cercanía de Pedro la ponía muy nerviosa. Entró y se dirigió con rapidez a tomar una de las charolas con deliciosos bocadillos que esperaban pacientemente en la mesa de la cocina.

Nunca olvidaría el roce accidental de sus manos cuando ambos trataron torpemente de tomar la misma charola al mismo tiempo.

Fue entonces cuando Pedro le confesó su amor.

—Señorita Tita, quisiera aprovechar la oportunidad de poder hablarle a solas para decirle que estoy profundamente enamorado de usted. Sé que esta declaración es atrevida y precipitada, pero es tan difícil acercársele, que tomé la decisión de hacerlo esta misma noche. Sólo le pido que me diga si puedo aspirar a su amor.

—No sé qué responderle; deme tiempo para pensar.

—No, no podría, necesito una respuesta en este momento: el amor no se piensa, se siente o no se siente. Yo soy hombre de pocas, pero muy firmes palabras. Le juro que tendrá mi amor por siempre. ¿Qué hay del suyo? ¿Usted también lo siente por mí?

—¡Sí!

Sí, sí y mil veces sí. Lo amó desde esta noche para siempre.

[...]

Con tu compañero, volved a leer el fragmento para reconocer el momento en el que el joven enamorado se declara. Subrayadlo.

(5) Como sucede en la realidad, lo que envuelve este momento en una atmósfera mágica es lo que precede a la declaración en sí; las palabras de Pedro, aisladas, perderían gran parte de su carga emocional. ¿Podéis señalar en el texto las frases o expresiones fundamentales que van construyendo gradualmente la situación hasta llegar al momento culminante de la declaración?[6]

Comentadlo con el resto de los compañeros.

(6) Pedro, el protagonista de la novela de L. Esquivel, le dice a Tita unas frases muy significativas de forma directa: "[...] *el amor no se piensa, se siente o no se siente. Yo soy hombre de pocas, pero muy firmes palabras. Le juro que tendrá mi amor por siempre. ¿Qué hay del suyo? ¿Usted también lo siente por mí?*". ¿Cómo podrías expresar estos conceptos en un breve poema que empezase por "Si me quieres..."? Escríbelo en tu cuaderno.

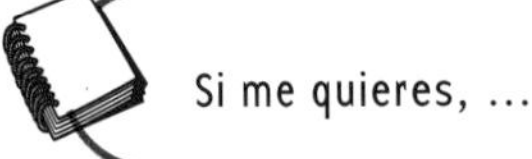

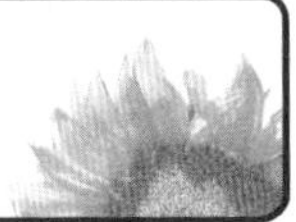

Ahora presenta tu composición al resto de la clase.

¡Qué emoción, qué sentimientos, qué estados de ánimo!

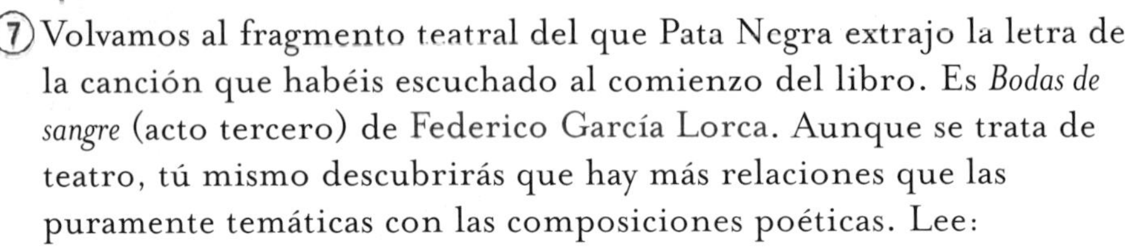

⑦ Volvamos al fragmento teatral del que Pata Negra extrajo la letra de la canción que habéis escuchado al comienzo del libro. Es *Bodas de sangre* (acto tercero) de Federico García Lorca. Aunque se trata de teatro, tú mismo descubrirás que hay más relaciones que las puramente temáticas con las composiciones poéticas. Lee:

Leonardo, antiguo enamorado de la Novia, se presenta el día de la boda de ella y, después de la ceremonia nupcial, los dos huyen suscitando la reacción violenta del Novio y de sus familiares. La acción se desarrolla en un bosque adonde han huido los dos protagonistas perseguidos.

Ahora cierra los ojos, deja que la atmósfera nocturna de un bosque te envuelva. Los dos amantes perseguidos pasan sus últimos minutos juntos. Escucha a tu profesor:

BODAS DE SANGRE

Novia

¡Ay qué sinrazón! No quiero
contigo cama ni cena,
y no hay minuto del día
que estar contigo no quiera,
porque me arrastras y voy,
y me dices que me vuelva
y te sigo por el aire
como una brizna de hierba.
He dejado a un hombre duro
y a toda su descendencia
en la mitad de la boda
y con la corona puesta.
Para ti será el castigo
y no quiero que lo sea.

¡Déjame sola! ¡Huye tú!
No hay nadie que te defienda.

Leonardo
Pájaros de la mañana
por los árboles se quiebran.
La noche se está muriendo
en el filo de la piedra.
Vamos al rincón oscuro,
donde yo siempre te quiera,
que no me importa la gente,
ni el veneno que nos echa.
(*La abraza fuertemente.*)

Novia
Yo dormiré a tus pies
para guardar lo que sueñas.
Desnuda, mirando al campo,
(*dramática.*)

Como si fuera una perra,
¡porque eso soy! Que te miro
y tu hermosura me quema.

Leonardo
Se abraza lumbre con lumbre.
La misma llama pequeña
mata dos espigas juntas.
¡Vamos!

(*La arrastra.*)

Teatro en verso

¿No has notado algo un poco raro en este fragmento?
Tratándose de una obra dramática está claro que predomina el diálogo.
Pero... ¿cómo se expresan la Novia y Leonardo?
Con tu compañero volved a leer los diálogos en voz alta y ya veréis que el ritmo se va evidenciando. ¿Por qué?
¿Te has dado cuenta de que están hablando en verso?
¿Es el mismo tipo de verso en todo el fragmento? Puedes averiguarlo contando las sílabas. ¿Hay asonancia? ¿Dónde?
Es decir, que son versos ______________________.
Todo esto significa que en las obras escritas para ser representadas también se puede emplear la poesía. Se trata de teatro en verso.

8. ¿Qué versos te parecen más conmovedores en el texto de Lorca? ¿Por qué? Comparte tus preferencias y tus motivos con la clase.

9. Vamos a conocer mejor a nuestros dos protagonistas, Leonardo y la Novia: para ello nos adentraremos un poco más en los estados de ánimo que los mueven.

En parejas, marcad con una cruz, en la ficha que sigue, los sentimientos y estados de ánimo que están más relacionados con Leonardo o con la Novia y, al lado, los versos que les corresponden. Cuidado: no todos los términos referidos a los sentimientos y a los estados de ánimo están presentes en el texto.

No olvidéis que, aunque escrito en verso, éste es un fragmento de teatro, destinado a ser interpretado, así que imaginad el tono con el que los dos amantes se expresan. La actividad precedente os puede ayudar a reflexionar sobre este aspecto, puesto que los sentimientos y los estados de ánimo determinan el tono.

	Leonardo	versos	Novia	versos
Pasión				
Dulzura				
Amargura				
Dolor				
Desesperación				
Preocupación				
Conciencia				
Añoranza				
Asombro				
Enfado				

	Leonardo	versos	Novia	versos
Tristeza				
Ternura				
Remordimiento				
Aflicción				
Pena				
Resignación				
Odio				
Miedo				
Determinación				
Admiración				
Otros:				

⑩ En la ficha que sigue, elegid los adjetivos que se ajusten más a los estados de ánimo según se trate de Leonardo (L) o de la Novia (N) y marcadlos con una cruz:

- □ Calmado
- □ Enfadado
- □ Dramático
- □ Afligido
- □ Firme
- □ Resignado
- □ Apasionado
- □ Sarcástico
- □ Irónico
- □ Dulce
- □ Otros: ______________

⑪ Finalmente, podemos decir que:

Leonardo se muestra ______________________________ y ______________________________. Se expresa con tono ______________________________. A la Novia la mueven distintos sentimientos y estados de ánimo como ______________ ______________, por lo tanto se expresa con tonos que van del ______________________________ al ______________________________
____
____

Comentad vuestras conclusiones.

Hasta este momento hemos trabajado con textos literarios que expresaban emociones, estados de ánimo y sentimientos relacionados con diferentes tipos de amor, pero siempre entre enamorados. Sin embargo, *amor* es una palabra que abarca mucho más y se extiende a una gran variedad de relaciones.

⑫ ¿Conoces el refrán "Quien encuentra a un amigo encuentra un tesoro"? Di si estás de acuerdo o no y justifica el porqué.

⑬ Con un compañero, ¿os parece difícil encontrar a un amigo verdadero? ¿Qué sentimientos relacionáis con la palabra amistad? ¿Qué cosas se hacen por amistad? ¿Es importante la amistad para vosotros?

⑭ Leed ahora el siguiente poema que el poeta español Jaime Gil de Biedma dedica a la amistad:

AMISTAD A LO LARGO

Jaime Gil de Biedma (1929-1990)

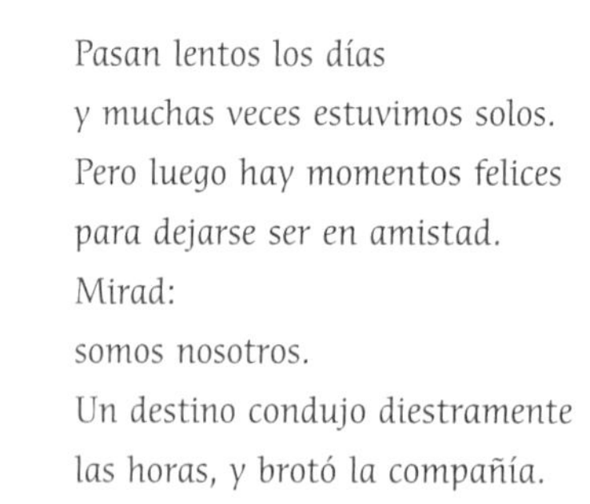

Pasan lentos los días
y muchas veces estuvimos solos.
Pero luego hay momentos felices
para dejarse ser en amistad.
Mirad:
somos nosotros.
Un destino condujo diestramente
las horas, y brotó la compañía.

Llegaban noches. Al amor de ellas
nosotros encendíamos palabras,
las palabras que luego abandonamos
para subir a más
empezamos a ser los compañeros
que se conocen
por encima de la voz o seña.

Ahora sí. Pueden alzarse
las gentiles palabras
—esas que ya no dicen cosas—,
porque estamos nosotros enzarzados
en mundo, sarmentoso

de historia acumulada,
y está la compañía que formamos plena,
frondosa de presencias.
Detrás de cada uno
vela su casa, el campo, la distancia.

Pero callad.
Quiero deciros algo.
Sólo quiero deciros que estamos todos juntos.
A veces, al hablar, alguno olvida
su brazo sobre el mío,
y yo aunque esté callado doy las gracias
porque hay paz en nosotros.

Quiero deciros cómo todos trajimos
nuestras vidas aquí para contarlas.
Largamente, los unos a los otros
en el rincón hablamos, tantos meses
que nos sabemos bien, y en el recuerdo
el júbilo es igual a la tristeza.
Para nosotros el dolor es tierno.
¡Ay el tiempo! Ya todo se comprende.

¿Os ha gustado? ¿El poema refleja algunas de las ideas sobre las que habéis hablado antes?

(15) Ahora en grupos de tres volved a leer el poema y reflexionad sobre el mensaje que comunica:

- ¿Pensáis que el poeta cree en la amistad? ¿Por qué?
- ¿En qué momentos de la vida del poeta la amistad tiene mucha más fuerza?
- ¿En qué versos se nota más el sentido de la amistad?

- El poeta relaciona la amistad con un gesto: identifícalo en el poema y luego repítelo con tu compañero.
- ¿Dedicaríais unos de estos versos, o todo el poema, a un amigo?
- En caso afirmativo, ¿a quién? ¿Qué versos?
- En caso negativo, ¿por qué no?

Ahora, con el resto de compañeros, comentad los resultados.

⑯ Para seguir ofreciendo una visión diferente del amor, te proponemos un poema de César Vallejo, titulado "Masa". En grupos de cuatro, formulad hipótesis sobre el poema (recordad lo que hemos dicho sobre la existencia de diferentes tipos de amor).

- Con un título como "Masa", ¿qué mensaje puede contener el poema?
- "No mueras, te amo tanto" es uno de los versos. ¿Te ayuda a resolver tus hipótesis?
- Aquí tenéis unos cuantos versos más:

> *[...] vino hacia él un hombre [...]*
> *Se le acercaron dos [...]*
> *Acudieron a él veinte, cien, mil, quinientos mil, [...]*
> *Le rodearon millones de individuos, [...]*
> *Entonces todos los hombres de la tierra*
> *le rodearon; [...]*

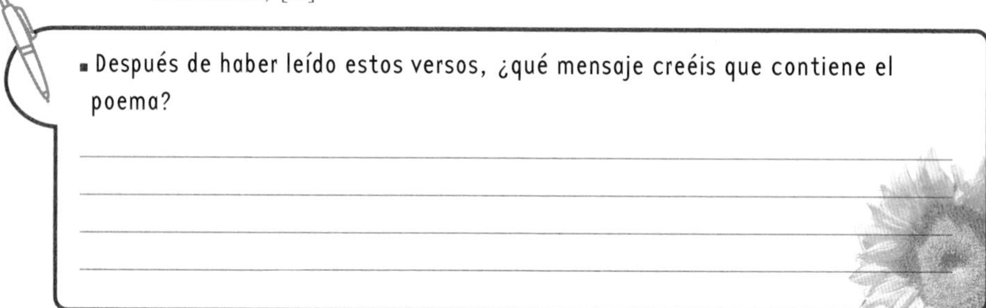

- Después de haber leído estos versos, ¿qué mensaje creéis que contiene el poema?

⑰ Escuchad el poema leído por vuestro profesor:

MASA

Al fin de la batalla,
y muerto el combatiente, vino hacia él un hombre
y le dijo: "¡No mueras! ¡te amo tanto!".
Pero el cadáver ¡ay! siguió muriendo.

Se le acercaron dos y repitiéronle:
"¡No nos dejes! ¡Valor! ¡Vuelve a la vida!".
Pero el cadáver ¡ay! siguió muriendo.

Acudieron a él veinte, cien, mil, quinientos mil,
clamando: "¡Tanto amor, y no poder nada contra la muerte!".
Pero el cadáver ¡ay! siguió muriendo.

Le rodearon millones de individuos,
con un ruego común: "¡Quédate hermano!".
Pero el cadáver ¡ay! siguió muriendo.

Entonces, todos los hombres de la tierra
le rodearon; les vio el cadáver triste, emocionado;
incorporóse lentamente,
abrazó al primer hombre; echóse a andar...

10 de noviembre de 1937

En vuestros cuadernos, contestad ahora a las siguientes preguntas:

- ¿Cómo se relacionan título y contenido?
- ¿Por qué el hombre de la primera estrofa no consigue resucitar al combatiente muerto?
- ¿Qué fuerza logra devolverle la vida?
- ¿Cómo podríamos definir este tipo de amor?
- ¿Qué sentimiento se desprende del verso final?

Como habéis podido ver, el poema está estructurado para llegar al clímax final, donde el mensaje de solidaridad, hermandad y de amor hacia los otros hombres se exalta gracias a la imagen emotiva del hombre resucitado por el amor de toda la humanidad.

⑱ Reflexiona sobre las siguientes cuestiones y anota en tu cuaderno:

- **¿Qué es para ti emocionarse con la lectura de un poema?**
- **¿Qué esperas al leer un poema?**

⑲ ¿Quieres seguir estudiando la emoción que puede proporcionar la poesía? Volvamos al amor tradicional con el siguiente poema de Pedro Salinas, **de su libro de poemas *La voz a ti debida*. Primero escucha a tu profesor y luego léelo para ti.**

LA FORMA DE QUERER TÚ

La forma de querer tú
es dejarme que te quiera.
El sí con que te me rindes
es el silencio. Tus besos
son ofrecerme los labios
para que los bese yo.
Jamás palabras, abrazos,
me dirán que tú existías,
que me quisiste: jamás.
Me lo dicen hojas blancas,
mapas, augurios, teléfonos;
tú, no.
Y estoy abrazado a ti
sin preguntarte, de miedo
a que no sea verdad
que tú vives y me quieres.
Y estoy abrazado a ti
sin mirar y sin tocarte.
No vaya a ser que descubra
con preguntas, con caricias,
esa soledad inmensa
de quererte sólo yo.

- ¿Cuáles son para ti los versos de este poema que transmiten más emoción ?
- Teniendo en cuenta la importancia del léxico, señala los términos que crees más importantes para la comprensión del mensaje.
- ¿Hay un momento culminante (clímax)? ¿Dónde?
- ¿Cómo llega el poeta al clímax?
  - ¿Hay unos versos de introducción?
  - ¿Hay un desarrollo del tema?
  - ¿Hay unos versos finales donde se condensa el temor del poeta?
- ¿Cuál es el significado global del poema?
- ¿Encuentras otras interpretaciones menos evidentes?
- ¿Cuáles son tus conclusiones?

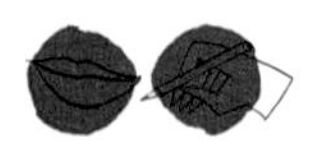

(20) Después de negociar quiénes integran cada grupo, elaborad un breve informe que contenga vuestras conclusiones. Situad vuestros trabajos en la pared.

Vuelve a leer el poema para ti. Hay todo un mundo más allá de las palabras, ¿no crees?

Fíjate

Son muchos los elementos que producen emoción en una obra de arte debido a la estrecha relación entre la forma y el contenido. En el contenido confluyen también elementos de carácter más subjetivo, como la situación que el poeta vive, su experiencia, sus sentimientos más íntimos...

Disfruta

㉑ Habla con tu compañero: ¿qué es para vosotros disfrutar? ¿Qué asociáis con este verbo? ¿Qué esperáis de un poema para que os guste?

㉒ Como disfrutar implica algo muy subjetivo, puedes acercarte a los poemas que te proponemos de forma más directa, sin basar tu lectura en un análisis guiado. Pero antes, hablando de disfrutar...

- Y hablando de pasarlo bien, ¿adónde sueles ir para divertirte? ¿Hay un lugar que prefieras más que otro?
  - Bar
  - Pub
  - Cine
  - Discoteca
  - Playa
  - Tren
  - Calle
  - Otros...
- ¿Crees que éstos pueden ser lugares propicios para el primer encuentro? ¿Cuáles crees que son los más propicios?
- En algunos de estos sitios, ¿has visto alguna vez a a alguien que te gustara, pero no pudiste establecer el contacto que hubieras querido?

㉓ Lee ahora este poema de Felipe Benítez Reyes:

La desconocida

En aquel tren, camino de Lisboa,
en el asiento contiguo, sin hablarte
—luego me arrepentí.
En Málaga, en un antro con luces
del color del crepúsculo, y los dos muy fumados,
y tú no me miraste.
De nuevo en aquel bar de Malasaña,
vestida de blanco, diosa de no sé
qué vicio o qué virtud..
En Sevilla, fascinado por tus ojos celestes
y tu melena negra, apoyada en la barra
de aquel sitio siniestro,
mirando fijamente —estarías bebida— el fondo
de tu copa.
En Granada tus ojos eran grises
y me pediste fuego, y ya no te vi más,
y te estuve buscando.
O a la entrada del cine, en no sé dónde,
rodeada de gente que reía.
Y otra vez en Madrid, muy de noche,
cada cual esperando que pasase algún taxi
sin dirigirte incluso
ni una frase cortés, un inocente comentario...
En Córdoba, camino del hotel, cuando me preguntaste
por no sé qué lugar en yo no sé qué idioma,
y vi que te alejabas, y maldije a la vida.
Innumerables veces, también,
en la imaginación, donde caminas
a veces junto a mí, sin saber qué decirnos.
Y sí, de pronto en algún bar
o llamando a mi puerta, confundida de piso,
apareces fugaz y cada vez distinta,
camino de tus mundos, donde yo no podré
tener memoria.

¿Qué te parece?

- ¡Cuántos encuentros! ¡Cuántas mujeres! ¡Cuántos lugares! ¡Y con qué resultado! ¿Qué haces tú si por la noche, en un bar, te encuentras con la persona que te enamora?

(24) **¿Sabías que incluso hay poetas que componen versos de brujería para enamorar a alguien? Lee este poema de** Luis García Montero:

Canción de brujería

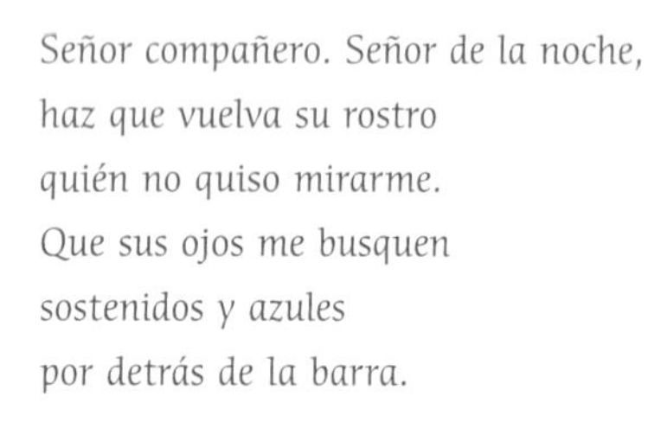

Señor compañero. Señor de la noche,
haz que vuelva su rostro
quién no quiso mirarme.
Que sus ojos me busquen
sostenidos y azules
por detrás de la barra.

Que pregunte mi nombre
y se acerque despacio
a pedirme tabaco.

Si prefiere quedarse,
haz que todos se vayan
y este bar se despueble
para dejarnos solos
con la canción más lenta.

Si decide marcharse,
que la luna disponga
su luz en nuestro beso
y que las calles sepan
también dejarnos solos.

Señor compañero, Señor de la noche,
haz que no cante el gallo
sobre los edificios
que se retrase el día
y que duren tus sombras
el tiempo necesario.
El tiempo que ella tarde en decidirse.

¿Te ha intrigado? ¿Por qué?

(25) De los dos poemas anteriores, ¿cuál te ha gustado más? ¿Por qué? Como hemos dicho, la emoción que una obra puede transmitir es directa e inmediata, no necesita de manipulaciones o explicaciones: **llega o no llega.**

(26) **A continuación tu profesor te leerá este poema de** Luis Cernuda:

SI EL HOMBRE PUDIERA DECIR

Si el hombre pudiera decir lo que ama,
si el hombre pudiera levantar su amor por el cielo
como una nube en la luz;
si como muros que se derrumban,
para saludar la verdad erguida en medio,
pudiera derrumbar su cuerpo, dejando sólo la verdad de su amor,
la verdad de sí mismo,
que no se llama gloria, fortuna o ambición,
sino amor o deseo,
yo sería aquel que imaginaba;
aquel que con su lengua, sus ojos y sus manos
proclama ante los hombres la verdad ignorada,
la verdad de su amor verdadero.

Libertad no conozco sino la libertad de estar preso en alguien
cuyo nombre no puedo oír sin escalofrío;
alguien por quien me olvido de esta existencia mezquina,
por quien el día y la noche son para mí lo que quiera,
y mi cuerpo y espíritu flotan en su cuerpo y espíritu
como leños perdidos que el mar anega o levanta
libremente, con la libertad del amor,
la única libertad que me exalta,
la única libertad por que muero.

Tú justificas mi existencia:
si no te conozco, no he vivido;
si muero sin conocerte, no muero, porque no he vivido.

Ahora, aléjate por un momento de la realidad que te rodea y léelo haciendo tuyas las palabras de Luis Cernuda. ¿Te has sentido identificado de alguna manera?

Fíjate

Una poesía (igual que una novela o una obra teatral) es algo vivo y hay que dejar que el texto desarrolle su función poética. Por eso lo que te sugerimos es gozar, disfrutar del texto para que las palabras produzcan la magia que te involucre: hay que dejarse asombrar.
El texto por sí solo es capaz de impactar: las reflexiones, el análisis o los comentarios vienen después.
"[...] lo importante, en cuanto a las figuras retóricas, es descubrir si aparecen y valorar su función. No interesa hacer un repertorio de figuras, preocupados exclusivamente por clasificarlas y darles el nombre exacto".[7]

Poetas somos todos

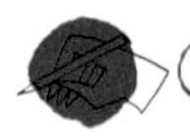

(27) ¿Te gustaría ser poeta? Ésta es tu oportunidad:

- Con dos compañeros, redactad un breve poema de amor que contenga, entre otros, los siguientes términos: *hallarte, esperanza, verte, radiante, ganas, miedo, oírte.*
- ¿Qué estado de ánimo predomina?
- ¿Cómo tituláis vuestra composición?

(28) Ahora escuchad a vuestro profesor, que leerá un poema de Mario Benedetti titulado "Viceversa".

Mario Benedetti (1920)

VICEVERSA

Tengo miedo de verte
necesidad de verte
esperanza de verte
desazones de verte
tengo ganas de hallarte
preocupación de hallarte
certidumbre de hallarte
pobres dudas de hallarte
tengo urgencia de oírte
alegría de oírte
buena suerte de oírte
y temores de oirte
o sea
resumiendo
estoy jodido
y radiante
quizá más lo primero
que lo segundo
y también
viceversa.

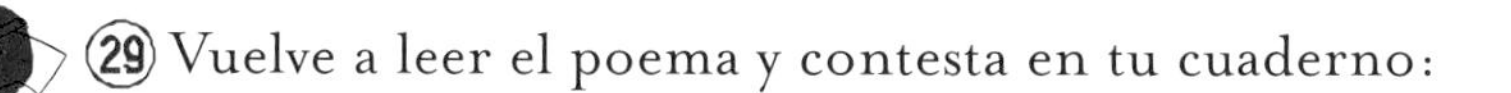

29 Vuelve a leer el poema y contesta en tu cuaderno:

- ¿Cuál es el verso que más te sorprende?
- ¿Por qué?
- ¿Qué significado tiene la palabra *radiante*?
- ¿Y la palabra *viceversa*?

30 Con tu grupo, volved a leer el poema que habéis escrito para comprobar si os habéis acercado al tema de Mario Benedetti. Luego comparad el significado de las dos composiciones, la vuestra y "Viceversa", y observad los puntos en común y las diferencias.

Mostrad ahora vuestros poemas al resto de la clase y exponed las consideraciones que acabáis de hacer. ¿Quién se ha acercado más al poema original?

31 El poema que vamos a leer ahora es de Nicolás Guillén y se titula "Un poema de amor". Lee los siguientes versos para hacerte una idea del contenido:

UN POEMA DE AMOR

Desconozco todo el tiempo que anduve
sin encontrarla nuevamente.

Saber de pronto
que iba a verla otra vez,

Un roce apenas, un contacto eléctrico,

Es un amor así,
es un amor de abismo en primavera,

La despedida, luego,

Verla partir y amarla como nunca;

¿Te has dado cuenta? Es una historia de amor. ¿Sabrías reconstruirla? Escríbela en tu cuaderno.

Se trata de...

Ahora escúchala leída por tu profesor.

UN POEMA DE AMOR

No sé. Lo ignoro.
Desconozco todo el tiempo que anduve
sin encontrarla nuevamente.
¿Tal vez un siglo? Acaso.
Acaso un poco menos: noventa y nueve años.
¿O un mes? Pudiera ser. En cualquier forma,
un tiempo enorme, enorme, enorme.
Al fin, como una rosa súbita,
repentina campánula temblando,
la noticia.
Saber de pronto
que iba a verla otra vez, que la tendría
cerca, tangible, real, como en los sueños.
¡Qué explosión contenida!
¡Qué trueno sordo
rodándome en las venas,
estallando allá arriba
bajo mi sangre, en una
nocturna tempestad!
¿Y el hallazgo, en seguida? ¿Y la manera
de saludarnos, de manera
que nadie comprendiera
que ésa es nuestra propia manera?
Un roce apenas, un contacto eléctrico,
un apretón conspirativo, una mirada,
un palpitar del corazón
gritando, aullando con silenciosa voz.

Después
(ya lo sabéis desde los quince años)
ese aletear de las palabras presas,
palabras de ojos bajos,
penitenciales,
entre testigos enemigos.
Todavía
un amor de "lo amo",
de "usted", de "bien quisiera,
pero es imposible"... De "no podemos,
no, piénselo usted mejor"...
Es un amor así,
es un amor de abismo en primavera,
cortés, cordial, feliz, fatal.
La despedida, luego,
genérica,
en el turbión de los amigos.
Verla partir y amarla como nunca;
seguirla con los ojos,
y ya sin ojos seguir viéndola lejos,
allá lejos, y aún seguirla
más lejos todavía,
hecha de noche,
de mordedura, beso, insomnio,
veneno, éxtasis, convulsión,
suspiro, sangre, muerte...
Hecha
de esa sustancia conocida
con que amasamos una estrella.

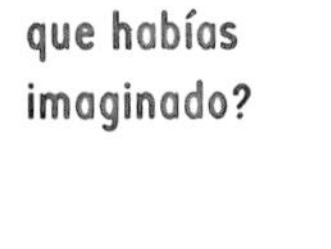

¿Es la historia que habías imaginado?

32 Vamos a reflexionar un poco más sobre el contenido del poema. Piensa en las cuestiones que te proponemos a continuación y escribe en tu cuaderno un texto en el que organices todos los puntos:

- ¿Dónde crees que reside la fuerza de este poema?
  - ☐ En el léxico.
  - ☐ En la historia.
  - ☐ En la tensión emotiva.
  - ☐ En los recursos.
  - ☐ En el ritmo.
  - ☐ Otros ____________________
- ¿En qué punto la emoción del poeta podría ser la tuya?
- ¿Cómo llega el poeta a cargar de tanta emoción los versos de este punto?
- ¿En cuántas partes dividirías el poema?
- ¿Con qué criterio efectúas esta división?
- ¿Qué sentimientos se reconocen en cada segmento?
- ¿Cuál es el tema de fondo?

Comparte tus resultados con tres o cuatro compañeros.

(33) En grupos de cuatro, escribid otro poema siguiendo estas instrucciones:

Vuestra composición nacerá partir de los versos originales del poema de Nicolás Guillén. Para hacer esto podéis:

- cambiar el orden de los versos,
- anular los versos que queráis.

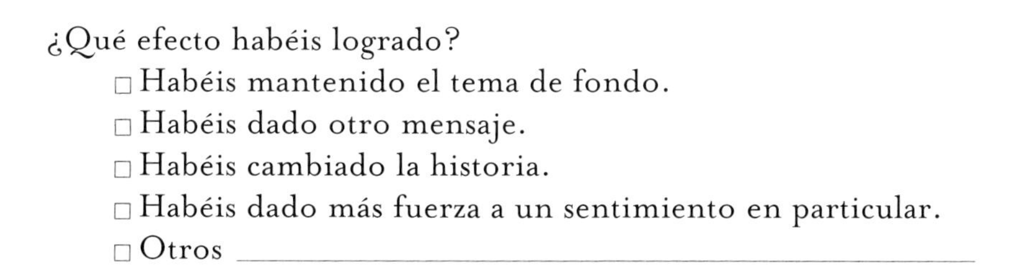

¿Qué efecto habéis logrado?

- ☐ Habéis mantenido el tema de fondo.
- ☐ Habéis dado otro mensaje.
- ☐ Habéis cambiado la historia.
- ☐ Habéis dado más fuerza a un sentimiento en particular.
- ☐ Otros ____________________

Colgad de la pared vuestro poema junto con los de los demás grupos para que podáis leerlos todos.

(34) Ahora tú solo, subraya cinco o seis versos sueltos o una estrofa, y en tu cuaderno:

Vuelve a escribirlos en un papel y utilízalos, con otros tuyos, para crear otro poema de unos 10 versos. Luego, ponlo en la pared del aula.

El profesor lo pondrá en la pared con los de los demás compañeros, para que todos podáis leerlo.

PARA ACABAR

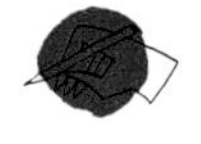

(35) Como conclusión de nuestro taller creativo te proponemos trabajar sobre un poema titulado "Al cabo" de la poetisa Amalia Bautista. Antes de leerlo, reflexiona un poco sobre lo que te sugiere el título y anota en tu cuaderno:

- ¿Podrías dar una expresión con el mismo significado?
- ¿Cómo suena en tu lengua?
- Si el primer verso de un poema tuyo empezara por "Al cabo...", ¿cómo lo continuarías?

(36) Ahora tienes que contestar de forma espontánea y auténtica a las siguientes preguntas. ¡Sé sincero! Estamos probando tus capacidades para expresar tu yo lírico.

- ¿Cuáles son las palabras dichas por otros que de verdad te duelen?
- Y en cambio, ¿cuáles consiguen alegrar tu alma?
- ¿Cuántas personas "mueven" tu corazón?
- ¿Quiénes son?
- ¿Son muchas o pocas las cosas que importan en tu vida?
- ¿Cuáles son?

(37) Lee el poema de Amalia Bautista:

AL CABO

Al cabo, son muy pocas las palabras
que de verdad nos duelen, y muy pocas
las que consiguen alegrar el alma.
Y son también muy pocas las personas
que mueven nuestro corazón, y menos
aún las que lo mueven mucho tiempo.
Al cabo, son poquísimas las cosas
que de verdad importan en la vida:
poder querer a alguien, que nos quieran
y no morir después que nuestros hijos.

¿Te ha gustado?

Aunque el punto de vista de la poetisa tal vez no coincida con el tuyo, vuelve a tus respuestas de la actividad precedente y organízalas dándoles una forma poética. Considera que tienes que transmitir tu mensaje en un poema de unos 10 versos. No hace falta que sean todos endecasílabos como los de la poetisa, pero intenta dar a tu composición un ritmo propio.

Antes de empezar te sugerimos reflexionar sobre el uso que la autora hace de un recurso que consiste en no respetar la pausa al final del verso y pasar al siguiente, produciéndose así un desajuste entre el verso y la estructura sintáctica. A esto se le llama encabalgamiento.

- ¿Dónde se produce este fenómeno en el poema de Amalia Bautista?

- ¿Qué importancia tienen en el poema las palabras que encabalgan con las que siguen?

(38) Te proponemos un trabajo sobre cuatro poemas que puedes escoger entre todos los que hemos estudiado en la sección de poesía.
Tendrás que tratar cada poema desde el punto de vista del contenido; luego vas a contrastar el significado de fondo y el mensaje de los cuatro poemas que has elegido. Deberás resaltar cómo el yo lírico se expresa y pretende emocionar al lector. Para ello te serán útiles las fichas de consulta, todo el trabajo con textos que has realizado y, sobre todo, tu *sensibilidad* y *originalidad*. En tu cuaderno:

- Escribe los títulos de los cuatro poemas que prefieres tratar junto con el porqué de tu elección.
- Ahora argumenta sobre el significado de cada uno para llegar a definir el mensaje de fondo que lo caracteriza y que lo diferencia de los otros tres.
- Por último, organiza un comentario donde contrastarás los contenidos de todos los textos elegidos. Al final de tus argumentaciones expresarás tus opiniones personales sobre los textos que has escogido.

Si te apetece que otras personas lean tu creación poética, puedes pegarla en un cartel con tu firma, junto con las de tus compañeros. Luego colgad el cartel de la pared: será la prueba de vuestra evolución poética.

¿Cómo te ha ido?

¿Qué he aprendido? ______

¿Sé percibir la emoción de un fragmento literario? ______

¿Sé reconocer la expresión del yo lírico a través de las palabras poéticas? ______

¿Sé reconocer el mensaje de fondo de una poesía? ______

¿Qué factores debo tener en cuenta para llegar a estos objetivos? ______

Para llegar a reescribir un texto poético
- está bien lo que he hecho ______
- podría mejorar alguna cosa ______

De todas las actividades, la que más me ha gustado es ______
Y la que menos: ______

Nivel de interés en hacer la *tarea* (puntúa de 1 a 10)

1 2 3 4 5 6 7 8 9 10

Mis frases más...

Entre todos los textos, algunas de las frases, versos, expresiones, estrofas que me han gustado más son: ______

"Es el amor la esencia de la vida,
no hay vida sin amor".

Por fin hemos llegado a nuestra **tarea final** ¿Os acordáis de lo que decidisteis en la fase de la negociación de la tarea final?

Expresar y comunicar las emociones y sensaciones amorosas personales en una creación "literaria".

¿Todavía estáis de acuerdo? ¿O después de todo lo que hemos dicho y hecho preferís modificar algo? En cualquier caso, el recorrido que habéis seguido a través de las tareas intermedias os será útil para vuestros fines. ¡Que lo paséis bien al realizar vuestra tarea final!

Evaluación global del proyecto

- Cumplimiento de la tarea final.
- Realización de los trabajos programados.
- Fichas de autoevaluación al final de cada tarea.

Narrativa
La novela es un saco donde cabe todo.
Pío Baroja, Memorias

Así es la vida

A mí no me extraña. Es que todo es muy raro, en cuanto te fijas un poco. Lo raro es vivir. Que estemos aquí sentados, que hablemos y se nos oiga, poner una frase detrás de otra sin mirar ningún libro, que no nos duela nada, que lo que bebemos entre por el camino que es y sepa cuándo tiene que torcer, que nos alimente el aire y a otros ya no, que según el antojo de las vísceras nos den ganas de hacer una cosa o la contraria y que de esas ganas dependa a lo mejor el destino, es mucho a la vez, tú, nos abarca, y lo más raro es que lo encontramos normal.

Carmen Martín Gaite,

escritora española de nuestros días, pone estas consideraciones sobre la vida en boca de uno de los personajes de su novela *Lo raro es vivir*. Y tú, ¿has pensado alguna vez sobre el sentido de la existencia?

1. ¿Conoces a algún cantautor o grupo musical que en sus canciones trate el tema de la vida? Coméntalo con tu compañero. ¿Hay algunos temas que os parezcan recurrentes?

2. Ahora leeremos una mezcla de algunos cantares de Antonio Machado y un poema de Miguel Hernández que fueron musicados por el cantautor catalán Joan Manuel Serrat, exponente de la nueva sensibilidad musical de España de los años sesenta y setenta. Este cantautor, además de escribir sus propias letras, extrae de las obras de los grandes poetas los textos de algunas de sus canciones más famosas. En negro encontrarás los versos que más nos interesan para introducirnos en el tema. Seguramente hay palabras nuevas, pero no importa: lo bonito es dejar que el texto nos hable; ya verás que de este modo también se resuelven problemas de significado.

TODO PASA Y TODO QUEDA

Antonio Machado (1875-1939)

Todo pasa y todo queda,
pero lo nuestro es pasar,
pasar haciendo caminos,
caminos sobre la mar.
Nunca perseguí la gloria
ni dejar en la memoria
de los hombres mi canción;
yo amo los mundos sutiles,
ingrávidos y gentiles
como pompas de jabón.
Me gusta verlos pintarse
de sol y grana, volar
bajo el cielo azul, temblar
súbitamente y quebrarse
Caminante, son tus huellas
el camino, y nada más;
caminante, no hay camino,
se hace camino al andar.
Al andar se hace camino,
y al volver la vista atrás
se ve la senda que nunca
se ha de volver a pisar.
Caminante, no hay camino,
sino estelas en la mar.
Hace algún tiempo en ese lugar,
donde los bosques se visten de espinos,
se oyó la voz de un poeta gritar:
"Caminante no hay camino
se hace camino al andar".
Golpe a golpe, verso a verso.
Murió el poeta lejos del hogar,
recubre el polvo de un país vecino,
al alejarse le vieron llorar:
"Caminante no hay camino
se hace camino al andar".
Golpe a golpe, verso a verso.
Cuando el jilguero no puede cantar,
cuando el poeta es un peregrino,
cuando de nada nos sirve rezar:
"Caminante no hay camino
se hace camino al andar".
Golpe a golpe, verso a verso,
golpe a golpe, verso a verso,
golpe a golpe, verso a verso.

Llegó con tres heridas

Miguel Hernández
(1910-1942)

Llegó con tres heridas:
la del amor,
la de la muerte,
la de la vida.

Con tres heridas viene:
la de la vida,
la del amor,
la de la muerte.

Con tres heridas yo:
la de la vida,
la de la muerte,
la del amor.

Os ofrecemos una lista de motivos relacionados con los temas de los dos textos anteriores; clasifícalos según pertenezcan a la poesía de Machado (M) o a la de Hernández (H).

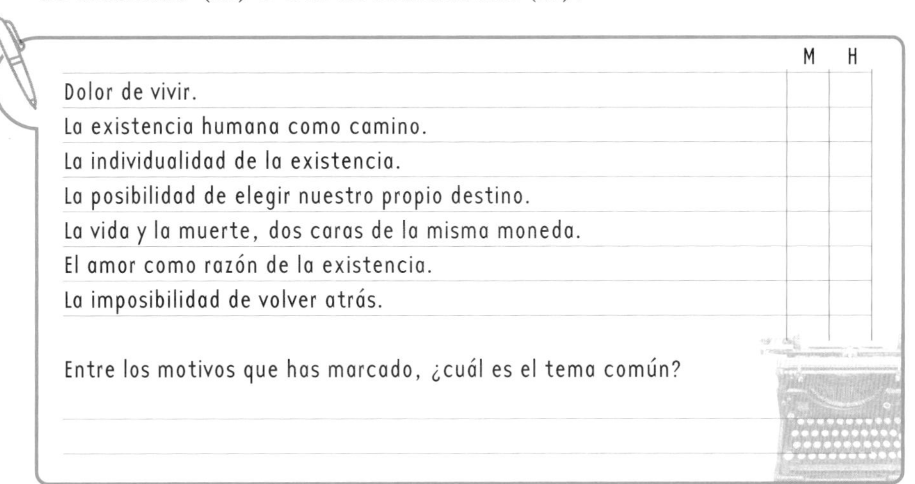

	M	H
Dolor de vivir.		
La existencia humana como camino.		
La individualidad de la existencia.		
La posibilidad de elegir nuestro propio destino.		
La vida y la muerte, dos caras de la misma moneda.		
El amor como razón de la existencia.		
La imposibilidad de volver atrás.		

Entre los motivos que has marcado, ¿cuál es el tema común?

(3) La vida, la existencia humana. Desde los orígenes de la humanidad o desde la propia experiencia individual de la vida se intenta explicar el misterio y el significado de la existencia. En relación con todo esto probablemente te vengan a la memoria algunas páginas de famosos filósofos, textos de célebres autores de la literatura mundial o simplemente tus pequeñas acciones de cada día.

¿Podrías indicar seis motivos que den importancia a tu existencia? Esto te puede ayudar a realizar la tarea final.

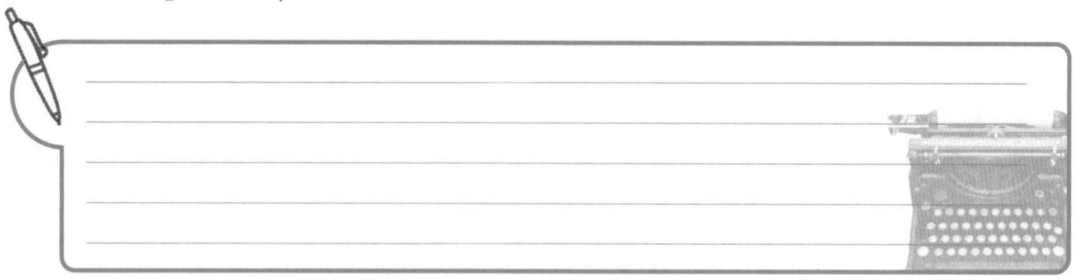

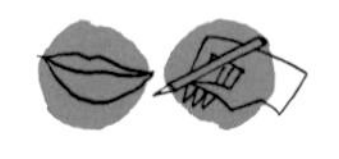

Ahora formad grupos de cinco personas; cada grupo elegirá los seis motivos más relevantes, extrayéndolos de las listas que cada uno haya realizado y justificando y argumentando las elecciones conjuntas.

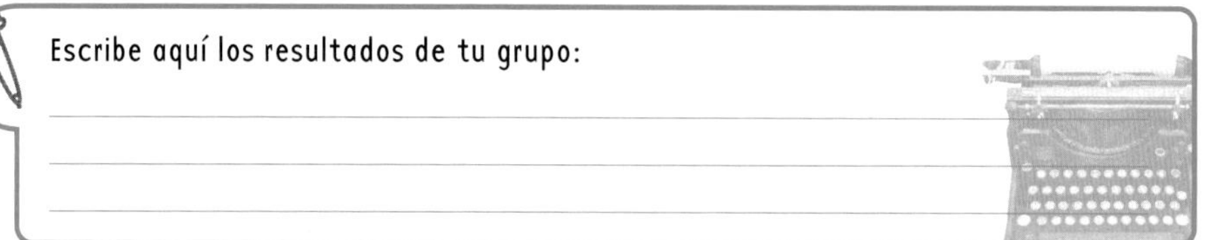

Contrastadlo con todos los grupos para establecer una única lista, a partir de la cual se elaborará un cartel con los seis términos escritos en mayúsculas y en varios colores para colgarlo de la pared.

4. Ahora te sugerimos un ejercicio que puedes hacer en casa: después de leer para ti los dos poemas, haz un dibujo que represente una de las dos composiciones. No firmes tu obra (más adelante la recuperaremos para realizar otra actividad).

Consejos para realizar el dibujo:
- intenta representar el mensaje de fondo,
- utiliza el medio que prefieras: lápices de colores, rotuladores...
- si no se te da muy bien dibujar, puedes interpretar el texto sólo con colores;
- también puedes utilizar otras técnicas como el collage, etc...

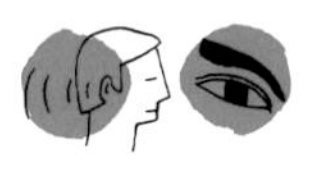

5. Además de los grandes poetas, filósofos, novelistas o ensayistas, también cantautores como la chilena Violeta Parra[1] han compuesto bellas palabras para hablar de la existencia. Violeta escribió y cantó una entrañable canción en la que da las gracias a la vida. A pesar de no ser poeta, con la letra de "Gracias a la vida" alcanza un grado de

belleza y profundidad que está a la altura de cualquier autor literario reconocido. Te proponemos ahora la audición y lectura de ese texto.

Si después de haber escuchado la canción varias veces todavía tienes problemas de léxico, consulta a tu profesor.

Gracias a la vida

Gracias a la vida que me ha dado tanto;
me dio dos luceros que cuando los abro
perfecto distingo lo negro del blanco,
y en el alto cielo su fondo estrellado,
y en las multitudes al hombre que yo amo.

Gracias a la vida que me ha dado tanto;
me ha dado el oído que en todo su ancho
graba noche y día grillos y canarios,
martillos, turbinas, ladridos, chubascos
y la voz tan tierna de mi bienamado.

Gracias a la vida que me ha dado tanto;
me ha dado el sonido y el abecedario.
Con él, las palabras que pienso y declaro:
"madre", "amigo", "hermano", y "luz", alumbrando
la ruta del alma del que estoy amando.

Gracias a la vida que me ha dado tanto;
me ha dado la marcha de mis pies cansados.
con ellos anduve ciudades y charcos,
playas y desiertos, montañas y llanos,
y la casa tuya, tu calle y tu patio.

Gracias a la vida que me ha dado tanto;
me dio el corazón que agita su marco
cuando miro el fruto del cerebro humano,
cuando miro al bueno tan lejos del malo,
cuando miro el fondo de tus ojos claros.

Gracias a la vida que me ha dado tanto;
me ha dado la risa y me ha dado el llanto.
Así yo distingo dicha de quebranto,
los dos materiales que forman mi canto
y el canto de ustedes que es el mismo canto
y el canto de todos que es mi propio canto.
Gracias a la vida que me ha dado tanto.

Identificad los seis motivos por los que la cantautora da gracias a la vida. ¿Hay muchas diferencias entre los motivos de Violeta Parra y los vuestros? ¿A qué creéis que pueden deberse estas diferencias?

¿QUÉ VAMOS A HACER?

El objetivo final de este módulo es elaborar un *producto* cuyo contenido temático tenga alguna relación con la existencia humana, vista bajo los distintos aspectos que la vida, en su complejidad, nos ofrece. Tu recorrido pasará por fases, o tareas, cada una de las cuales te permitirá adquirir una competencia útil a la hora de elaborar tu *producto*, tu tarea final.

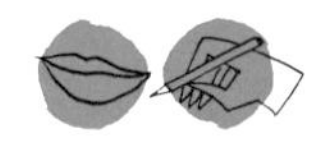

Antes de empezar, formad grupos de cinco personas y decidid qué tipo de producto final os gustaría crear en relación con el tema de la existencia. Os sugerimos producir algo "literario" que tenga en cuenta los aspectos relacionados con la existencia (que vais a tratar a lo largo de nuestro itinerario). Para hacerlo podéis:

- Escribir un cuento breve.
- Reescribir el final de un cuento o de una novela que conozcáis.
- Presentar artísticamente los fragmentos literarios que más os hayan impactado (lectura dramatizada, elección de una música de fondo adecuada...).
- Otro: ______________________________

- A continuación, contrastad vuestra elección con los demás grupos y anotad la tarea definitiva que habéis acordado realizar en común.

Por lo tanto el objetivo de la tarea final es expresar sensaciones frente a momentos de la vida o transmitir una visión del mundo y de la vida, en una creación "literaria", es decir:

____

____

Tarea 1 Un minicuento

Para escribir un minicuento necesitamos:

- Reconocer la diferencia entre *historia* y *discurso.*
- Reconocer la estructura externa del texto narrativo
- Identificar la organización del discurso narrativo.

descubre

lee

explora

experimenta

Para empezar

Todo escritor quiere comunicar algo, pero para que el texto transmita este algo, para que tanto los contenidos como los materiales se ordenen, se dividan y relacionen alrededor de un núcleo temático, tiene que organizarlos y darles una estructura. En este proyecto encontrarás cuentos o fragmentos de novelas que abordan aspectos diferentes relacionados con la vida humana y en todos observarás cómo la estructura logra dar cauce al tema.

1. Cuando cuentas algo, tú también organizas tus ideas. ¿Has contado alguna vez una película que te haya gustado o impactado mucho? Ahora, en unos tres minutos, cuéntale a tu compañero el argumento de una película que no conozca y que creas que le pueda interesar.

Reflexiona con él/ella sobre cómo has organizado tu narración:

- Has seguido la sucesión de los acontecimientos tal como aparecen en la película.
- Has cambiado el orden de estos acontecimientos siguiendo otro criterio.
- Has descrito a un personaje o una escena en particular.
- Has contado acciones.
- Has añadido algunas reflexiones tuyas.

Como ves, siempre que queremos contar algo organizamos de alguna manera nuestra *historia*. Vamos a profundizar un poco más en este aspecto.

Para seguir

La narración

2. ¿Has leído alguna vez novelas o cuentos policíacos? Te proponemos un cuento breve de Ramón Gómez de la Serna titulado "La mano". Para hacerte reflexionar sobre diversos elementos, vamos a intercalar algunas preguntas a lo largo de la lectura. Sin embargo, si no te gusta interrumpir el hilo narrativo, puedes leer el cuento entero y luego volver a leer cada parte con sus preguntas. Aunque ya sepas las respuestas, aquéllas te ayudarán a reflexionar sobre algunos "instrumentos" importantes para construir textos narrativos.

La mano

Ramón Gómez de la Serna (1888-1963)

El doctor Alejo murió asesinado. Indudablemente murió estrangulado.

Nadie había entrado en la casa, indudablemente nadie, y aunque el doctor dormía con el balcón abierto, por higiene, era tan alto su piso que no era de suponer que por allí hubiese entrado el asesino.

La policía no encontraba la pista de aquel crimen, y ya iba a abandonar el asunto, cuando la esposa y la criada del muerto acudieron despavoridas a la Jefatura.

¿Por qué van a la Jefatura las dos mujeres?
¿Crees que han visto algo o a alguien?
¿Cómo crees que sigue el cuento?

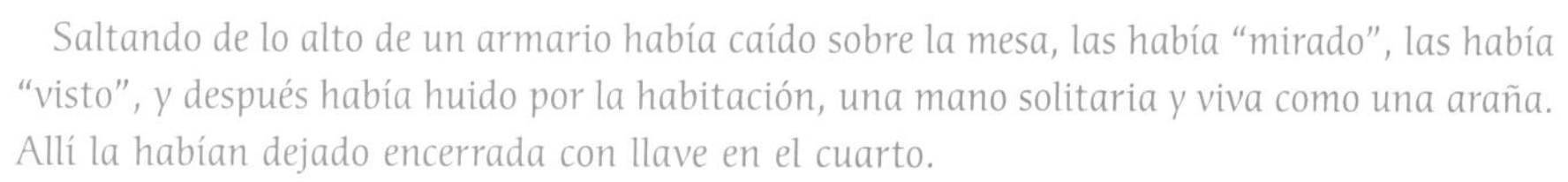

Saltando de lo alto de un armario había caído sobre la mesa, las había "mirado", las había "visto", y después había huido por la habitación, una mano solitaria y viva como una araña. Allí la habían dejado encerrada con llave en el cuarto.

Llena de terror, acudió la policía y el juez. Era su deber. Trabajo les costó cazar la mano, pero la cazaron y todos le agarraron un dedo, porque era vigorosa como si en ella radicase junta toda la fuerza de un hombre fuerte.

¿Qué hacer con ella? ¿Qué luz iba a arrojar sobre el suceso? ¿Cómo sentenciarla? ¿De quién era aquella mano?

¿Podrías responder a las preguntas planteadas en el texto?
¿Cómo crees que termina el cuento?

Después de una larga pausa, al juez se le ocurrió darle la pluma para que declarase por escrito. La mano entonces escribió: "Soy la mano de Ramiro Ruiz, asesinado vilmente por el doctor en el hospital y destrozado con ensañamiento en la sala de disección. He hecho justicia".

Así que éste es el desenlace del cuento:

¿Te ha causado sorpresa?
¿Te hubieras esperado un final tan fantástico y grotesco?
¿Te ha sorprendido? ¿Te ha decepcionado?

Vamos a trabajar un poco sobre este texto. Antes de empezar te recomendamos que vuelvas a leer todo el cuento seguido.

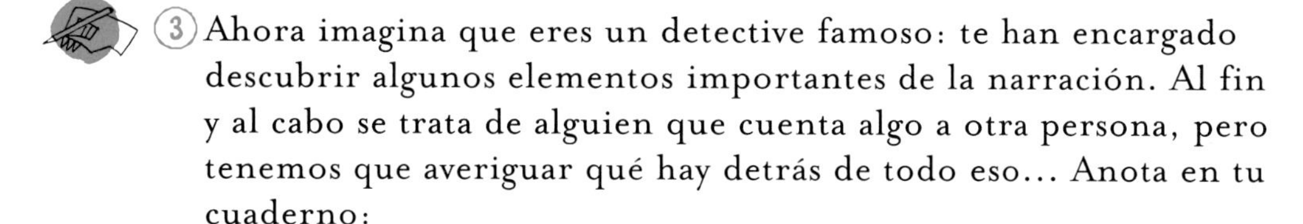

3. Ahora imagina que eres un detective famoso: te han encargado descubrir algunos elementos importantes de la narración. Al fin y al cabo se trata de alguien que cuenta algo a otra persona, pero tenemos que averiguar qué hay detrás de todo eso... Anota en tu cuaderno:

- ¿Cuál es la situación inicial?
- ¿Cuáles son las transformaciones? (de la situación inicial a la final)
- ¿Cuál es la situación final?
- ¿Existe un momento culminante?
- ¿Los acontecimientos se relatan según suceden o existen saltos en el tiempo?

Te servirá de ayuda trazar una línea recta, en cuyo centro colocarás el acontecimiento con el que empieza el cuento: la muerte del doctor Alejo. Luego situarás, por orden cronológico, los hechos precedentes a la izquierda y los acontecimientos posteriores a la muerte a la derecha.

① ② ③ ④ Muerte del doctor Alejo. ① ② ③ 

¿La historia (lo que se cuenta) coincide con el discurso (la forma de contar)?

Con toda la clase, contrastad los resultados.

El texto narrativo

El texto narrativo se caracteriza porque en su contenido encontraremos casi siempre tres bloques:

1. Un conjunto de acciones que plantean un problema, un hecho que es el punto de partida, una situación inicial.
2. Una serie de acciones, en relación con ese problema que hemos planteado, que sirven para desarrollarlo.
3. Una solución a ese problema que hemos planteado al principio, un desenlace.

Esto no se presenta en solitario, sino mezclado con otros datos que necesitamos para entender nuestra historia:

- Marcas que señalen el espacio (dónde transcurre la historia) y el tiempo (cuándo).
- Secuencias descriptivas: comentarios sobre los personajes que participan en ella, cómo son y cómo visten. Ten en cuenta que el texto no es una película: no podemos ver la cara de los protagonistas ni cómo es su casa. Hay que contarlo todo.
- Reflexiones del propio autor sobre las cosas que está contando o sobre sus personajes.

Pero el esquema narrativo permanece y nos ha de servir tanto para contar la fiesta a la que fuimos el sábado como la historia de la vida de Julio César.

La situación inicial es la introducción o exposición que nos sitúa en el umbral del cuento propiamente dicho: personajes, ambiente, sucesos previos, etc.; nos da los elementos necesarios para comprender el relato.
El desarrollo presenta el problema que hay que resolver. Incluye la acción ascendente, el clímax o punto culminante (máxima tensión) y la acción descendente.
La situación final es el desenlace (positivo, negativo) que resuelve el conflicto planteado.[2]

Fíjate

La historia es el conjunto de los acontecimientos que se disponen en sucesión lógico-temporal, "la sucesión lógica de acontecimientos que han tenido lugar en una época determinada y durante un tiempo determinado"[9], mientras que en el discurso, es decir, en la representación narrativa tal como la ha presentado el autor, los mismos acontecimientos pueden tener varias manipulaciones (desplazamientos temporales, anticipaciones o prolepsis, saltos cronológicos o analepsis o flashback etc.): "el discurso manipula y altera el tiempo de la historia creando una nueva dimensión temporal"[3].
Con bastante frecuencia el tiempo de la historia no coincide con el tiempo del discurso.
En cualquier cuento o novela siempre se reconoce el tema, la intención del autor, el mensaje de fondo que el escritor quiere dar (aunque a veces también caben diferentes interpretaciones).

4. Reflexionemos un poco sobre el tema del cuento que acabamos de leer. Con tu compañero, intenta descubrir qué ha empujado a la mano a asesinar al doctor Alejo.

- El deseo de gastar una broma de mal gusto a su víctima.
- El deseo de hacer justicia.
- El odio injustificado hacia la víctima.
- La maldad intrínseca a su naturaleza.
- El deseo de vengarse.
- La envidia por la posición social del doctor Alejo.

Contrastad con el resto de la clase vuestras conclusiones.

¿No os parece que aunque el protagonista, es decir, la mano del señor Ramiro Ruiz, justifica su acción como un acto de justicia, también se trata de un acto de venganza? Ésta podría ser una buena definición del tema del cuento. Por *tema* entendemos la "palabra abstracta que sintetiza la intención primaria del escritor, sin incluir los rasgos episódicos que pertenecen al asunto"[4].

⑤ Para seguir con nuestras consideraciones sobre el tema, ahora te proponemos un cuento breve de Jorge Luis Borges titulado "Los dos reyes y los dos laberintos".

Jorge Luis Borges (1899-1986)

LOS DOS REYES Y LOS DOS LABERINTOS

Cuentan los hombres dignos de fe (pero Alá sabe más) que en los primeros días hubo un rey de las islas de Babilonia que congregó a sus arquitectos y magos y les mandó construir un laberinto tan perplejo y sutil que los varones más prudentes no se aventuraban a entrar, y los que entraban se perdían. Esa obra era un escándalo, porque la confusión y la maravilla son operaciones propias de Dios y no de los hombres. Con el andar del tiempo vino a su corte un rey de los árabes, y el rey de Babilonia (para hacer burla de la simplicidad de su huésped) lo hizo penetrar en el laberinto, donde vagó afrentado y confundido hasta la declinación de la tarde. Entonces imploró socorro divino y dio con la puerta. Sus labios no profirieron queja ninguna, pero le dijo al rey de Babilonia que él en Arabia tenía un laberinto mejor y que, si Dios era servido, se lo daría a conocer algún día. Luego regresó a Arabia, juntó sus capitanes y sus alcaldes y estragó los reinos de Babilonia con tan venturosa fortuna que derribó sus castillos, rompió sus gentes e hizo cautivo al mismo rey. Lo amarró encima de un camello veloz y lo llevó al desierto. Cabalgaron tres días, y le dijo: "¡Oh, rey del tiempo y substancia y cifra del siglo!, en Babilonia me quisiste perder en un laberinto de bronce con muchas escaleras, puertas y muros; ahora el Poderoso ha tenido a bien que te muestre el mío, donde no hay escaleras que subir, ni puertas que forzar, ni fatigosas galerías que recorrer, ni muros que te veden el paso".

Luego le desató las ligaduras y lo abandonó en mitad del desierto, donde murió de hambre y de sed. La gloria sea con Aquel que no muere.

Después de leerlo para ti, reúnete con un compañero para identificar las distintas fases del comportamiento del rey de Arabia.

- ¿Cuál es el hecho que lo origina todo?
- ¿Qué sentimiento nace de este hecho?
- Este sentimiento origina un deseo. ¿Cuál es?
- ¿A qué consecuencias lleva este deseo?

(6) Estableced ahora las diferencias y analogías entre el cuento de Borges y el de Gómez de la Serna. Luego, decidid cuál os gusta más y por qué. Por último contrastadlo con toda la clase.

(7) Los sentimientos humanos, tales como el deseo de venganza, son temas frecuentes en la literatura. En el texto que sigue, veremos cuáles son los sentimientos que mueven a los personajes y que dan inicio a la historia. Se trata de un largo fragmento extraído del cuento "Cita de amor en un país en guerra", de L. Sepúlveda. Léelo para ti.

Cita de amor en un país en guerra

El sol seguía pegando con fuerza. A ratos pensaba en el prisionero que se cocinaba allí dentro y de inmediato desviaba mis pensamientos. No era asunto mío y no me gustaba estar allí. Maldecía esa guerra en la que estaba voluntariamente envuelto, esa condenada guerra que se prolongaba más y más de lo pensado. Terminé hablándole.

—¿Quieres fumar?

—Si tú me convidas a uno, hermano.

—Te he dicho que no me digas hermano.

Encendí dos y le pasé uno por debajo de la puerta.

—Gracias, hermano.

Me dio risa.

—Está bien, hermano. Toma. —Metí la botella por el espacio de luz que había entre la puerta y el suelo—. Bebe un trago, pero no todo.

—Gracias, hermano. Pero no bebo.

—¿Y se puede saber por qué no, hermano?

—Porque soy evangélico, hermano.

—¡A la mierda contigo!

La camisa se me pegaba al cuerpo y las botas me torturaban como siempre. Trataba de pensar en otras cosas, en otros lugares para no sentir el castigo del sol.

[...]

—Hermano...

—¿Qué quieres?

—¿Cuándo van a fusilarme?

—No lo sé. ¿No te lo han dicho?

—No me han dicho nada, hermano. Pero no importa. Yo sé que van a fusilarme muy pronto, y lo merezco.

—Coño. Si quieres un confesor puedo hacer que te llamen a un cura.

—No, hermano, gracias. Ya te dije que soy evangélico.

El tipo debía de estar medio loco. Tal vez se había cocinado el cerebro. No lo había visto nunca, pero el timbre de su voz delataba a un hombre joven.

—¿Sabes por qué me tienen aquí, hermano?

—Porque eres un oreja.

—Es cierto. Pero todo lo hice por amor.

—¿Por amor? ¿Por amor delataste y mandaste a la muerte a docenas de personas? Es bastante extraño tu concepto del amor.

—A veces el amor se confunde con el odio y no hay nadie que pueda enseñarnos la diferencia. No me odies, hermano.

—Yo no te odio. Y por todos los diablos no vuelvas a llamarme hermano.

La conversación con el prisionero me puso de mal humor y, para colmo, la botella se había vaciado. El atardecer llegó trayendo un poco de brisa desde el lago y, a mí, el reemplazo

—¿Novedades?

—Ninguna.

—Si te das prisa, alcanzas a comer un poco de puerco.

Y vaya si me apresuré. Hacía semanas que no probaba un bocado de carne. Comía cuando un hombre con distintivo de comandante se sentó a mi lado.

—¿Está bueno?

—Pasable. Seguro que en el Intercontinental se come mejor.

—Seguro. A ver si lo comprobamos cuando lleguemos a Managua.

—A ver.

—¿Estabas de guardia con el prisionero?

—Sí, toda la tarde.

—¿Habló algo?

—Ni media palabra.

—Es un hijo de puta, te lo aseguro, hermano.

—Seguro, hermano.

Terminada la cena, procuré conseguir algunos cigarrillos y tuve suerte. El quiosco de la plaza estaba abierto e iluminado como si la guerra transcurriera en un lugar muy distante, y me vendieron no sólo cigarrillos, sino también una botella de ron y un tarro de jugo de mango.

(...)

La oscuridad me decidió a encaminarme a la casa de las viejas. Una de ellas me recibió con una pícara risita.

—Ha vuelto el compita del sur.

—Sí. He vuelto.

—Pase, pase, que lo están esperando.

La vieja se esfumó sin abandonar su risita. Dentro, la mujer colgaba un mosquitero sobre la hamaca.

—¿Cómo estuvo la tarde? —preguntó.

En un mueble encontré dos vasos y preparé un trago de ron con jugo de mango.

—Mal. Estuve de guardia junto al prisionero.

—Ah.

—¿Lo conoces? Me han dicho que es de aquí también.

—Prefiero no hablar de eso.

—Tienes razón. No hablemos de él. Toma. Se puede decir que es un cóctel ecuatoriano. ¿Te gustan los cócteles? Si llegamos vivos a Managua, te invitaré a un martini seco y te dejaré comer mi aceituna, te lo prometo.

Al pasarle el vaso la tomé por la cintura y al intentar besarla, descubrí que lloraba.

—¿Me quieres decir qué demonios pasa?

—Nada. No pasa nada.

—¿Nada? Mira. Aclaremos las cosas. Yo quiero estar contigo, ¿lo entiendes? Me gustas y quiero estar contigo esta noche. Ni tú ni yo sabemos lo que nos pasará mañana, ¿lo entiendes? La única persona que conoce su futuro en esta maldita ciudad es el prisionero, sabe que lo matarán antes de que salga el sol. Estoy harto de esta maldita guerra y no tengo otro deseo que el de estar contigo, pero bien, y si es posible con una pizca de alegría. ¿Puedes entenderlo? Ahora, si quieres que me largue, pues dilo y aquí no ha pasado nada.

Sentí ganas de marcharme, pero la mujer me contuvo.

—Está bien. Siéntate aquí, a mi lado. Tú también me gustas. Me gustas desde el día de nuestro primer encuentro, a pesar de no habernos dicho nada. También estoy cansada y no me importa lo que me pueda pasar mañana. También quiero estar contigo esta noche, pero antes tengo que hablar, tengo que hablar con alguien, perdóname que te utilice, pero es como un vómito, lo que voy a decirte será como un vómito, pero a veces es necesario vomitar lo que nos pudre por dentro. Escúchame sin interrumpirme. Te repito que es un vómito. Ese hombre, el prisionero, es mi esposo. Es todavía mi esposo. No lo amo, no lo amé nunca. Es un pobre diablo que ni siquiera tiene la inteligencia necesaria para ser un hombre malo. Hace cuatro años lo abandoné. Me incorporé a la lucha y me fui con el compañero que conociste en Panamá. Cuando lo hice, el prisionero, mi marido, se volvió loco y empezó a delatar a todo aquel que se le antojó colaborador del Frente. Hoy le vi por primera vez luego de cuatro años, y ¿sabes lo que me dijo? que todo lo había hecho por amor, por su amor por mí. ¿Te das cuenta? ¿Entiendes lo que siento?

—A mí me dijo lo mismo —alcancé a decir cuando sonaron los disparos y la mujer me miró con enrojecidos ojos de viuda.

Sin pensarlo mucho, ¿qué impresión te ha causado? ¿Por qué?

8 Con tu compañero, volved a leerlo y contestad a las siguientes preguntas:

- ¿En qué situación transcurren los hechos? (el título os puede dar pistas útiles).
- ¿Qué significado tiene la presencia del prisionero en la historia?
- ¿Qué sentimientos han animado al prisionero?
- ¿Cuál creéis que es la frase que mejor representa el eje de la situación?
- ¿Encuentras puntos en común con los dos cuentos leídos antes?
- A raíz de todas estas consideraciones, ¿podéis llegar a determinar el tema?

Todos juntos, comentad los resultados.

Estructura externa

Pasamos ahora a un texto muy diferente por tema y situación. En este caso se trata de considerar cómo el progreso "se mete" en la vida de nuestros días. La tecnología nos permite alcanzar cosas hasta hace poco imposibles, nos facilita la existencia, en teoría nos permite una calidad de vida mejor; sin embargo, a veces...

⑨ ¿Tenéis móvil? En grupos de cinco, debatid la importancia o no de tener uno.

- ¿Por qué la gente se compra un móvil?
- ¿En qué situaciones resulta verdaderamente útil?
- ¿Pensáis que ahora se podría prescindir del móvil? ¿Por qué?
- ¿En qué momentos hay que tenerlo apagado?
- Cuando una persona habla de sus asuntos en voz alta con su móvil cerca de vosotros, ¿qué impresión os produce?

Ahora, contrastad con el resto de compañeros vuestros resultados.

⑩ Por suerte, en los últimos años han prohibido el uso del móvil en los aviones y no sólo por motivos de seguridad. Lee el cuento "Están locos" de Juan José Millás para saber qué puede pasar cuando a tu lado está sentado un pasajero "enganchado" al móvil. Fíjate que las palabras del autor tienen un doble sentido gracias a la ironía.

Están locos

En el avión, a mi lado, iba un sujeto joven con traje azul, corbata amarilla, mandíbula cuadrada y un teléfono móvil a través del que daba órdenes compulsivamente. Eran las ocho de la mañana y antes de que el aparato despegara había sacado de la cama a medio Madrid. No contento con eso, una vez que alcanzamos la altura de crucero comenzó a despertar a Barcelona, a donde nos dirigíamos. Cuando la azafata nos ofreció un café, yo ya estaba hecho polvo, a pesar de haber tomado un Pharmaton Complex antes de ir al aeropuerto. Él, sin embargo, continuaba despertando gente con un entusiasmo que resultaba aterrador.

A las ocho y media, telefoneó a casa y preguntó si su hijo seguía con fiebre. Debieron de decirle que sí porque ordenó que le pusieran al pequeño un supositorio y a él un fax (no aclaró si por el mismo sitio) con las instrucciones del médico. Después de esta llamada se quedó mustio y dejó de telefonear. De todos modos, permaneció con el aparato en la mano derecha, cerca de las ingles, manoseándolo con el gesto distraído con el que los niños se tocan el sexo recién descubierto. En esto, se dio cuenta de que le miraba y se puso rojo, como si le hubiera sorprendido haciendo algo feo. Me concentré en el periódico, para disimular.

Cuando llegamos a Barcelona y se vio en los pasillos del terminal volvió a excitarse con la visión de las instalaciones aeroportuarias y recuperó la rigidez vertebral anterior. Antes de alcanzar la salida había realizado tres llamadas amenazadoras comunicando que acababa de aterrizar y que se dirigía al lugar de la reunión. Por mi parte, no llegué a pisar la calle: tomé el primer avión de vuelta y regresé al lado de un ejecutivo catalán que se disponía a conquistar Madrid con un móvil oscuro colocado entre las ingles, a modo de sexo inalámbrico. Cuando llegué a casa, me metí en la cama con una novela y hasta hoy. Están todos locos.

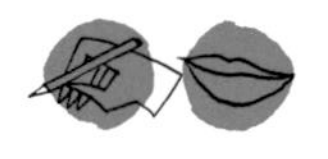

¿Te ha gustado? ¿Te has reído en algún momento? Subraya las frases más divertidas y contrástalas con las que han señalado tus compañeros.

⑪ En tu cuaderno, contesta a las siguientes preguntas:

- ¿Te parece que los motivos por los cuales el hombre del avión está colgado de su móvil son todos importantes?
- Entre todas las llamadas que ha hecho, ¿cuáles te parecen indispensables?
- ¿Qué opina el narrador? Busca en el texto la frase que contiene la reflexión del narrador sobre el uso del móvil.

La frase que contiene la reflexión del narrador tiene una clara connotación negativa, es decir, él no está en absoluto de acuerdo con lo que pasa, como se ve desde el comienzo del texto tanto en la descripción como en la narración.

- ¿Hay alguna parte en la que el narrador haga una descripción del protagonista? ¿Y la narración? ¿En qué partes la encuentras?

Por lo tanto la reflexión "Están todos locos" es la meta final donde confluyen descripción y narración.

Según has podido notar, resulta claro que, con respecto al contenido, un texto puede estar estructurado en secuencias, cada una de las cuales puede tener una función diferente: *narrativa*, *descriptiva* y *reflexiva*.

⑫ ¿Podrías dividir el texto en secuencias? Para ayudarte, consulta el apartado que encontrarás en la página siguiente, que trata el tema de las secuencias.

Secuencias narrativas

____

____

Descriptivas

____

____

Reflexivas

____

____

Las secuencias

En cuanto al contenido, el cuento está estructurado en una serie de partes que, dotadas de una autonomía sintáctica, también presentan cierta autonomía de contenido puesto que contienen un núcleo de significado completo, aunque adquieren su verdadero significado sólo en el conjunto del texto del que forman parte.
Estas partes del cuento constituyen las unidades narrativas y se llaman secuencias.
Según el significado que encierran, estas secuencias se clasifican en:

- Secuencias narrativas: son las partes del cuento que contienen los elementos narrativos, es decir, aquellas que, al presentar las acciones de los personajes y los acontecimientos en los cuales están involucrados, determinan el desarrollo del cuento.
- Secuencias descriptivas: son las partes del cuento que sirven para perfilar a los personajes en su aspecto físico o en su carácter y personalidad y para describir las escenas y los lugares donde se desarrollan las acciones.
- Secuencias reflexivas: son las partes del cuento que contienen las consideraciones –opiniones, juicios, comentarios– de los personajes o del autor, sobre el acontecimiento.[5]

La mayor o menor extensión de cada una de estas partes, que reconocemos también en la novela, depende de la importancia concreta que tengan en el relato.

Además de estas consideraciones sobre la estructura interna de la narración, hay que tener en cuenta que hay textos en prosa de diferente extensión.
Como sabrás, hoy en día se considera novela una narración larga, mientras que con el término cuento se indica generalmente un texto narrativo más breve. Hay teorías sobre el diferente alcance del cuento, del relato, de la novela, que remontan tanto a los orígenes de los textos narrativos como a su estructura.
Sin embargo no hay que ocultar la evidente dificultad para definir del género, ya que hay novelistas que no quieren "encasillar" la novela bajo una única etiqueta, sino más bien defienden la facultad de escribir sus obras de narrativa con la mayor libertad posible, dándoles así estructuras nuevas y originales.

⑬ Camilo José Cela fue uno de estos novelistas que se caracterizó por buscar nuevos cauces para sus obras de narrativa. Es interesante ver cómo Pascual Duarte, protagonista de una de sus novelas, nos comunica la dificultad que implica la tarea de escribir una narración larga.
En este fragmento (comienzo del capítulo 4) Pascual Duarte, mientras sigue contando su triste y terrible existencia, da importancia a un determinado elemento para llevar a cabo la tarea de escribir una novela. ¿Cuál es?

Camilo José Cela
(1916-2002)

Usted sabrá disculpar el poco orden que llevo en el relato, que por eso de seguir en la persona y no por el tiempo me hace saltar andando del principio al fin y del fin a los principios como langosta vareada, pero resulta que de manera alguna, que ésta no sea, podría llevarlo, ya que lo suelto como me sale y a las mientes me viene, sin pararme a construirlo como una novela, ya que, a más de que probablemente no me saldría, siempre estaría a pique del peligro que me daría el empezar a hablar para quedarme de pronto tan ahogado y tan parado que no supiera por dónde salir.

Los años pasaban sobre nosotros como sobre todo el mundo, la vida en mi casa discurría por las mismas sendas de siempre, y si no he de querer inventar, pocas noticias que usted no se figure puedo darle entonces. [...]

¿Habéis identificado el citado elemento? ¿Estáis todos de acuerdo?

Como habréis notado, se ha mencionado un capítulo para ubicar el fragmento en la novela. De hecho, en el caso de la novela hay que tener presente también la división en capítulos, como forma característica de organizar el texto.

⑭ ¿Te acuerdas de alguna novela dividida en capítulos? ¿Cuál?
¿Cada capítulo tenía un título o un número, o ambas cosas a la vez?
Y tú, ¿qué prefieres?
¿Por qué?
¿Te acuerdas, en cambio, de alguna novela que no presente ninguna división en capítulos? ¿Cuál?
¿Crees que la falta de estructuración en capítulos corresponde a una presentación caótica del tema?

⑮ Julio Cortázar, en su novela *Rayuela*, da una gran importancia a la estructura en capítulos de su obra; tanto que inicia el libro de la siguiente manera:

Julio Cortázar
(1914-1984)

Tablero de dirección

A su manera este libro es muchos libros, pero sobre todo es dos libros.

El primero se deja leer en la forma corriente, y termina en el capítulo 56, al pie del cual hay tres vistosas estrellitas que equivalen a la palabra Fin.

Por consiguiente, el lector prescindirá sin remordimientos de lo que sigue.

El segundo se deja leer empezando por el capítulo 73 y siguiendo luego en el orden que se indica al pie de cada capítulo. En caso de confusión u olvido, bastará consultar la lista siguiente:

73 · 1 - 2 - 116 - 3 - 84 · 4 · 71 - 5 · 81 - 74 - 6 - 7
8 - 93 - 68 . 9 · 104 - 10 - 65 - 11 - 136 - 12 · 106 · 13
115 - 14 - 114 · 117 - 15 - 120 - 16 · 137 - 17 - 97 - 18
153 · 19 - 90 · 20 - 126 - 21 · 79 - 22 - 62 - 23 · 124
128 · 24 · 134 · 25 · 141 . 60 - 26 · 109 - 27 · 28 · 130
151 - 152 - 143 - 100 - 76 · 101 - 144 · 92 - 103 - 108
64 - 155 - 123 · 145 · 122 - 112 · 154 . 85 - 150 - 95
146 - 29 - 107 . 113 · 30 . 57 · 70 - 147 - 31 - 32 . 132
61 . 33 - 67 - 83 - 142 · 34 - 87 - 105 - 96 - 94 - 91
82 - 99 · 35 - 121 - 36 - 37 - 98 - 38 - 39 - 86 - 78 - 40
59 · 41 · 148 · 42 · 75 · 43 - 125 - 44 - 102 - 45 - 80
46 - 47 - 110 - 48 - 111 - 49 - 118 - 50 · 119 - 51 - 69
52 - 89 - 53 - 66 149 - 54 . 129 - 139 - 133 - 140 - 138
127 · 56 - 135 · 63 . 88 - 72 · 77 · 131 . 58 - 131 -

Con objeto de facilitar la rápida ubicación de los capítulos, la numeración se va repitiendo en lo alto de las páginas correspondientes a cada uno de ellos.

¿Qué te parece? ¿No te entran ganas de leer la novela después de conocer este planteamiento? ¿Por qué? Si ha despertado tu interés, pídele a tu profesor que te traiga el libro a clase para poder echarle un vistazo.

⑯ Julio Cortázar no es el único autor que nos da un ejemplo extraño de cómo considerar la división en capítulos de una novela, de cómo organizar un cuento en secuencias o de qué criterios hay que utilizar para determinar su extensión. De hecho, Augusto Monterroso nos brinda un ejemplo muy especial en cuanto a su concepto de extensión. Lee su cuento titulado "El dinosaurio".

Cuando despertó, el dinosaurio todavía estaba allí.

¿Qué reacción te provoca? ¿Por qué? ¿Crees que Monterroso ha querido gastar una broma a sus lectores? ¿En qué sentido "El dinosaurio" es un cuento?
Con tu compañero, reflexionad sobre este cuento y luego compartid vuestras consideraciones con el resto de la clase.

Augusto Monterroso (1921-2003)

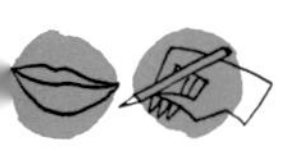

17 En grupos de tres, contestad a las siguientes preguntas:

- ¿Quién es el protagonista?
- ¿Es el mismo que se despierta?
- ¿Es posible dividir el cuento en secuencias?
- ¿Qué implica el verbo "despertó"?
- ¿Qué impresión pudo tener el protagonista antes de dormirse?
- ¿Qué significado asume el adverbio "todavía"?
- ¿Cómo podría continuar el cuento?

Reconstruid un cuento breve (de unas 15 líneas) alrededor de la frase "Cuando despertó, el dinosaurio todavía estaba allí". Al hacerlo, tened presente la organización en secuencias.

Luego escuchad los cuentos de los demás grupos. ¿Se parecen?

Fíjate

"Un texto literario no es un caos. El autor, al escribir, va componiendo. Componer es colocar las partes de un todo en un orden tal que puedan constituir ese todo."[6] Que esté presente o no la estructuración en capítulos, no compromete la percepción de cada narración como un todo.
"La novela se caracteriza frente al cuento y los relatos cortos, por su extensión y complejidad."[7]. De hecho, los cuentos breves, aunque no tienen una división en capítulos, sí poseen una unidad narrativa. Las partes que componen la unidad narrativa de la novela y del cuento, son sobre todo tres: la introducción o exposición, el desarrollo y el desenlace.[8]

18 Antes de leer los fragmentos que os ofrecemos a continuación, reflexionad en parejas sobre las siguientes cuestiones:

¿Hasta qué punto es justo que los adultos intervengan en las decisiones de los jóvenes? ¿Cuándo está dispuesto un joven a aceptar el consejo de un adulto? ¿Prefieres pedir consejo a tus padres o a un/a amigo/a? ¿En qué situaciones? ¿Por qué?

(19) Veremos cómo dos autores muy distintos, tanto por la época en que vivieron como por el género que practicaron, trataron el mismo tema. Los textos que encontraréis a continuación son respectivamente un fragmento teatral de José Luis Alonso de Santos, de su obra *Bajarse al moro* y el otro es un fragmento de la novela de Benito Pérez Galdós *Tristana*. Dividid la clase en grupos de cuatro o cinco personas. Primero leed los dos textos y luego reflexionad para llegar a establecer relaciones y contrastes entre ellos según las pautas que siguen.

Leed el fragmento de Alonso de Santos e intentad averiguar en qué sentido la persona mayor intenta inmiscuirse en la vida de la joven.

BAJARSE AL MORO

DOÑA ANTONIA: Y cualquiera que tenga buen corazón. Es que eso de las drogas es terrible, hija. Tú ten mucho cuidado. Tú ni porros ni nada, que todos empiezan por poco y fíjate cómo terminan.[...]

Le he dicho yo mil veces que no esté con esta gentuza, pero ya ves, les tiene cariño. A ver si tú lo consigues. Hazme caso, estudia, cásate y forma una familia como Dios manda. Si no queréis casaros por la Iglesia, pues os casáis por lo civil, como dice mi marido, que en eso es muy moderno. A tu madre, Alberto le cayó de maravilla. Tenías que haberlos visto hablando como si fueran suegra y yerno. Qué casa, cómo la tiene puesta de bien. De mucho gusto todo, hija. También yo iba a estar viviendo aquí si tuviera esa casa. Con esta mugre.

¿Le pediríais consejo a doña Antonia? ¿Por qué?

El matrimonio es otro tema bastante frecuente no sólo en la vida, sino también en la literatura. Y tú, ¿qué piensas del matrimonio? ¿Crees que casarse es perder la libertad? ¿Puede uno decidir no casarse? ¿Qué conlleva esta decisión para una mujer? ¿Y para un hombre?

Benito Pérez Galdós (1843-1920)

Con respecto a la decisión de casarse o no casarse, contrastad las posibilidades que tiene una mujer de nuestros días con las de la mujer del siglo XIX.

Ahora pasemos al fragmento narrativo de Galdós:

Tristana

La señorita y la criada hacían muy buenas migas. [...] Charlaban trabajando, y en los descansos charlaban más todavía. Refería la criada sucesos de su vida, pintándole el mundo y los hombres con sincero realismo, sin ennegrecer ni poetizar los cuadros; y la señorita, que apenas tenía pasado que contar, lanzábase a los espacios del suponer y del presumir, armando castilletes de la vida futura, como los juegos constructivos de la infancia con cuatro tejuelos y algunos montoncitos de tierra. Era la historia y la poesía asociadas en feliz maridaje. Saturna enseñaba, la niña de don Lope creaba, fundando sus atrevidos ideales en los hechos de la otra.

—Mira, tú —decía Tristana a la que, más que sirvienta, era para ella una fiel amiga—, no todo lo que este hombre perverso nos enseña es disparatado, y algo de lo que habla tiene mucho intríngulis... Porque lo que es talento, no se puede negar que le sobra. ¿No te parece a ti que lo que dice del matrimonio es la pura razón? Yo..., te lo confieso, aunque me riñas, creo como él que eso de encadenarse a otra persona por toda la vida es invención del diablo... ¿No lo crees tú? Te reirás cuando te diga que no quisiera casarme nunca, que me gustaría vivir siempre libre. Ya, ya sé lo que estás pensando: que me curo en salud, porque después de lo que me ha pasado con este hombre, y siendo pobre como soy, nadie querrá cargar conmigo. ¿No es eso, mujer, no es eso?

—¡Ay, no, señorita, no pensaba tal cosa! —replicó la doméstica prontamente—. Siempre se encuentran unos pantalones para todo, inclusive para casarse. Yo me casé una vez, y no me pesó; pero no volveré por agua a la fuente de la Vicaría. Libertad, tiene razón la señorita; libertad, aunque esta palabra no suena bien en boca de mujeres. ¿Sabe la señorita cómo llaman a las que sacan los pies del plato? Pues las llaman, por buen nombre, libres. De consiguiente, si ha de haber un poco de reputación, es preciso que haya dos pocos de esclavitud. Si tuviéramos oficios y carreras las mujeres, como los tienen esos bergantes de hombres, anda con Dios. Pero, fíjese, sólo tres carreras pueden seguir las que visten faldas: a casarse, que carrera es, o el teatro..., vamos, ser cómica, que es buen modo de vivir, o... no quiero nombrar lo otro. Figúreselo.

¿Pensabais que una mujer del siglo XIX pudiera tener estas ideas sobre el matrimonio? Vamos a investigar un poco más sobre este asunto.

- En el diálogo entre Tristana y Saturnia aparece también la figura de un hombre. ¿Qué tipo de persona es?
- ¿Cómo puede haberse portado con Tristana?
- ¿Qué ideas tiene sobre el matrimonio?
- ¿Por qué pensáis que Tristana se apropia de la opinión que el hombre tiene sobre el matrimonio?
- Entre otras cosas Tristana dice: "Ya, ya sé lo que estás pensando: que me curo en salud"; ¿qué significa esto?
- ¿Cómo justifica Saturnia su afirmación: "...libertad, aunque esta palabra no suena bien en boca de mujeres"?
- ¿En qué sentido se puede considerar a Tristana como una mujer de su tiempo?
- Ahora tratad de reconstruir:
  - La personalidad de Tristana y la del hombre.
  - El tipo de relación que los une.
  - El problema existencial que aflige a la mujer.

Dentro de cada grupo contrastad a continuación, el tipo de intervención de las dos personas mayores que dan consejos: doña Antonia y Saturnia.

Con el profesor y los demás grupos, exponed vuestras conclusiones.

Organización del discurso narrativo

(20) Los recuerdos forman parte de la vida del ser humano y constituyen las raíces de su ser. El tiempo pasa, nosotros cambiamos, pero, gracias a los recuerdos, no perdemos lo vivido. Os proponemos que, en grupos de tres, cada uno reconstruya un recuerdo, eligiendo entre estas tres posibilidades, y se lo cuente a sus compañeros:

- ☐ El primer día de colegio.
- ☐ El juguete más bonito de tu infancia.
- ☐ Tu primer/a amigo/a.

Observa si en la forma de contar los recuerdos de tus compañeros predomina la narración, la descripción o la reflexión. ¿Hay algún recuerdo bonito o curioso que merezca la pena ser contado a toda la clase?

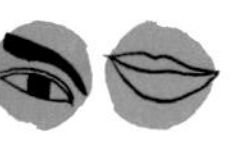

(21) Ahora vamos a leer tres fragmentos de novelas. En cada uno se habla de un *recuerdo*.

- Cada componente del grupo anterior elegirá un fragmento diferente (entre A, B, C) y lo leerá fijándose en el contenido.
- Luego presentará el recuerdo que acaba de leer a los otros dos compañeros.
- A continuación los demás compararán el contenido del texto original para comprobar si la presentación del recuerdo ha sido clara y si el compañero ha logrado transmitir el mensaje.

A. Fragmento de la novela de Ramón J. Sender *Réquiem por un campesino español*: el cura Mosén Millán es quien se abandona a los recuerdos mientras está esperando la llegada de los feligreses para celebrar la misa por el alma de Paco, a quien lo ligaban lazos de cariño. Así evoca la breve vida del joven protagonista, desde su nacimiento hasta su trágica muerte.

Puede ser interesante ver la película homónima de Francesc Betriu (1984), en la que un joven Antonio Banderas es Paco.

RÉQUIEM POR UN CAMPESINO ESPAÑOL

Entraba y salía el monaguillo con la pértiga de encender los cirios, las vinajeras y el misal.

—¿Hay gente en la iglesia? —preguntaba otra vez el cura.

—No, señor.

Mosén Millán se decía: es pronto. Además, los campesinos no han acabado las faenas de la trilla. Pero la familia del difunto no podía faltar. Seguían sonando las campanas que en los funerales eran lentas, espaciadas y graves. Mosén Millán alargaba las piernas. Las puntas de sus zapatos asomaban debajo del alba y encima de la estera de esparto. El alba estaba deshilándose por el remate. Los zapatos tenían el cuero rajado por el lugar donde se doblaban al andar, y el cura pensó: tendré que enviarlos a componer. El zapatero era nuevo en la aldea. El anterior no iba a misa, pero trabajaba para el cura con el mayor esmero, y le cobraba menos. Aquel zapatero y Paco el del Molino habían sido muy amigos.

Recordaba Mosén Millán el día que bautizó a Paco en aquella misma iglesia. La mañana del bautizo se presentó fría y dorada, una de esas mañanitas en que la grava del río que habían puesto en la plaza durante el Corpus, crujía de frío bajo los pies. Iba el niño en brazos de la madrina, envuelto en ricas mantillas, y cubierto por un manto de raso blanco, bordado en sedas blancas, también. Los lujos de los campesinos son para los actos sacramentales. Cuando el bautizo entraba en la iglesia, las campanitas menores tocaban alegremente. Se podía saber si el que iban a bautizar era niño o niña. Si era niño, las campanas —una en tono más alto que la otra— decían: *no és nena que és nen; no és nena que és nen*. Si era niña cambiaban un poco, y decían: *no és nen que és nena; no és nen que és nena*. [...] Al llegar el bautizo se oyó en la plaza vocerío de niños, como siempre. El padrino llevaba una bolsa de papel de la que sacaba puñados de peladillas y caramelos. Sabía que, de no hacerlo, los chicos recibirían al bautizo gritando a coro frases desairadas para el recién nacido, aludiendo a sus pañales y a si estaban secos o mojados.

B. Fragmento extraído de la novela de Ángeles Mastretta *Arráncame la vida*: Catalina, personaje protagonista de la novela, recuerda en primera persona el período de su adolescencia cuando, a la edad de 15 años conoce a su futuro marido, el general Andrés. La dulzura del recuerdo de su padre, contrasta con la brutalidad del recuerdo de su marido.

Arráncame la vida

Engañaba a las jovencitas, era un criminal, estaba loco, nos íbamos a arrepentir.

Nos arrepentimos, pero años después. Entonces mi papá hacía bromas sobre mis ojeras y yo me ponía a darle besos.

Me gustaba besar a mi papá y sentir que tenía ocho años, un agujero en el calcetín, zapatos rojos y un moño en cada trenza los domingos. Me gustaba pensar que era domingo y que aún era posible subirse en el burro que ese día no cargaba leche, caminar hasta el campo sembrado de alfalfa para quedar bien escondida y desde ahí gritar: "A que no me encuentras, papá". Oír sus pasos cerca y su voz: "¿Dónde estará esta niña? ¿Dónde estará esta niña?", hasta fingir que se tropezaba conmigo, aquí está la niña, y tirarse cerca de mí, abrazarme las piernas y reírse:

—Ya no se puede ir la niña, la tiene atrapada un sapo que quiere que le dé un beso.

Y de veras me atrapó un sapo. Tenía quince años y muchas ganas de que me pasaran cosas. Por eso acepté cuando Andrés me propuso que fuera con él unos días a Tecolutla. Yo no conocía el mar, él me contó que se ponía negro en las noches y transparente al mediodía. Quise ir a verlo. Nada más dejé un recado diciendo: "Queridos papás, no se preocupen, fui a conocer el mar".

En realidad, fui a pegarme la espantada de mi vida.

Miguel de Unamuno
(1864-1936)

C. Fragmento de la novela de Miguel de Unamuno *San Manuel Bueno, mártir*: Ángela, la narradora de la historia de don Manuel Bueno, párroco de la aldea donde ella vive, recuerda su primer encuentro con el protagonista de esta breve novela. A través de la admiración de sus ojos de niña, transmite todo el carisma de don Manuel.

De nuestro don Manuel me acuerdo como si fuese de cosa de ayer, siendo yo niña, a mis diez años, antes de que me llevaran al colegio de religiosas de la ciudad catedralicia de Renada. Tendría él, nuestro santo, entonces unos treinta y siete años. Era alto, delgado, *erguido, llevaba la cabeza como nuestra Peña del Buitre lleva su cresta, y había en sus ojos toda la hondura azul de nuestro lago. Se llevaba las miradas de todos, y tras ellas los corazones, y él al mirarnos parecía, traspasando la carne como un cristal, mirarnos al corazón. Todos le queríamos, pero sobre todo los niños. ¡Qué cosas nos decía! Eran cosas, no palabras. Empezaba el pueblo a olerle la santidad; se sentía lleno y embriagado de su aroma.*

Entonces fue cuando mi hermano Lázaro, que estaba en América, de donde nos mandaba regularmente dinero con que vivíamos en decorosa holgura, hizo que mi madre me mandase al colegio de religiosas, a que se completara fuera de la aldea mi educación, y esto aunque a él, a Lázaro, no le hiciesen mucha gracia las monjas. "Pero como ahí —nos escribía— no hay hasta ahora, que yo sepa, colegios laicos y progresivos, y menos para señoritas, hay que atenerse a lo que haya. Lo importante es que Angelita se pula y que no siga entre esas zafias aldeanas." Y entré en el colegio pensando en un principio hacerme en él maestra; pero luego se me atragantó la pedagogía.

En el colegio conocí a niñas de la ciudad e intimé con alguna de ellas. Pero seguía atenta a las cosas y a las gentes de nuestra aldea, de la que recibía frecuentes noticias y tal vez alguna visita. Y hasta al colegio llegaba la fama de nuestro párroco, de quien empezaba a hablarse en la ciudad episcopal. Las monjas no hacían sino interrogarme respecto a él.

¿Qué texto os ha gustado más?

> Además del tema, lo interesante de estos tres fragmentos es que los autores utilizan técnicas diferentes para organizar el discurso narrativo. En relación con esto, reiteramos lo dicho al comienzo de esta tarea: recordarás que hicimos hincapié en el discurso, que es la representación narrativa tal como la ha querido el autor, ya que los mismos acontecimientos pueden ser objeto de diferentes manipulaciones como desplazamientos temporales, anticipaciones o prolepsis, saltos cronológicos o analepsis o flashback, etc...

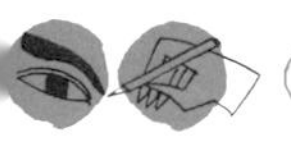

㉒ Ahora lee para ti los otros dos textos para reconocer cuál es el orden de los acontecimientos relatados. Verás que el discurso narrativo es diferente en cada uno. Marca con una cruz cuál es el orden de los acontecimientos que se cuentan (si tienes dudas, puedes consultar el apartado de soluciones[9]).

	Orden lineal	Analepsis o flashback (salto cronológico hacia atrás)	Prolepsis o anticipaciones (salto cronológico hacia adelante)
A			
B			
C			

Acercamiento al tema "lo raro es vivir"

Cada uno de los personajes de los tres fragmentos que acabamos de trabajar evoca el momento en el que conoció a una persona que luego será importante en su vida. Se trata de encuentros especiales. De hecho, cada encuentro origina un tipo distinto de relación humana que, de alguna manera, condicionará la vida del o de los protagonistas. Vamos a investigar cómo.

(23) Sigamos trabajando con los tres fragmentos anteriores. Dividid la clase en tres grupos y sortead la letra correspondiente al texto que cada grupo trabajará. Volved a leer el texto para establecer:

- Quién es la persona que recuerda.
- A quién recuerda.
- En qué situación se plantea el recuerdo: lugar, tiempo, período de la vida...
- Qué tipo de relación une a los dos personajes:
  - En el momento del encuentro.
  - En el momento del recuerdo.
- Qué postura tiene la persona que recuerda frente a la otra.
- Qué tipo de persona sale del recuerdo.
- Qué tipo de relación humana sale a la luz.

Preparad un informe escrito que refleje toda esta información. Tras contrastar vuestros trabajos, podéis debatir sobre el tema: "las relaciones humanas".

(24) Como hemos visto, y también gracias a nuestras experiencias en la vida, podemos decir que las relaciones humanas no son nada fáciles. A veces, sin quererlo, nos comportamos de manera poco amable con los demás o bien son los otros quienes nos ponen en situaciones poco agradables... ¿Te ha ocurrido alguna vez que un adulto te haya hecho sentir más pequeño de lo que en aquel momento te sentías? ¿Te han hecho notar que todavía te consideraban un niño/a, cuando tú ya te sentías mayor? ¿Cómo te sentiste? ¿Cómo reaccionaste? Cuéntaselo a tu compañero.

(25) Lee el fragmento de *La tía Julia y el escribidor*, de Mario Vargas Llosa. Comprueba si el recuerdo del protagonista tiene algún punto en común con el tuyo.

La tía Julia y el escribidor

Mario Vargas Llosa (1936)

Recuerdo muy bien el día que me habló del fenómeno radiofónico porque ese mismo día, a la hora del almuerzo vi a la tía Julia por primera vez. Era hermana de la mujer de mi tío Lucho y había llegado la noche anterior de Bolivia. Recién divorciada, venía a descansar y a recuperarse de su fracaso matrimonial. "En realidad, a buscarse otro marido", había dictaminado, en una reunión de familia, la más lenguaraz de mis parientes, la tía Hortensia. Yo almorzaba todos los jueves donde el tío Lucho y la tía Olga y ese mediodía encontré a la familia todavía en pijama, cortando la mala noche con chorizos picantes y cerveza fría. Se habían quedado hasta el amanecer chismeando con la recién llegada y despachado entre los tres una botella de whisky. Les dolía la cabeza, mi tío Lucho se quejaba de que su oficina andaría patas arriba, mi tía Olga decía que era una vergüenza trasnochar fuera de sábados, y la recién llegada, en bata, sin zapatos y con ruleros, vaciaba una maleta. No le incomodó que yo la viera en esa facha en la que nadie la hubiera tomado por una reina de belleza.

—Así que tú eres el hijo de Dorita —me dijo, estampándome un beso en la mejilla— ¿Ya terminaste el colegio, no?

La odié a muerte. Mis leves choques con la familia en ese entonces, se debían a que todos se empeñaban a tratarme todavía como un niño y no como lo que era, un hombre completo de dieciocho años. Nada me irritaba tanto como el *Marito*; tenía la sensación de que el diminutivo me regresaba al pantalón corto.

—Ya está en tercero de Derecho y trabaja como periodista —le explicó mi tío Lucho, alcanzándome un vaso de cerveza.

La verdad —me dio el puntillazo la tía Julia— es que pareces todavía una guagua, Marito.

Durante el almuerzo, con ese aire cariñoso que adoptan los adultos cuando se dirigen a los idiotas y a los niños, me preguntó si tenía enamorada, si iba a fiestas, qué deporte practicaba y me aconsejó, con una perversidad que no descubría si era deliberada o inocente pero que igual me llegó al alma, que *apenas pudiera* dejara crecer el bigote. A los morenos les sentaba y me facilitaría las cosas con las chicas.

—Él no piensa en faldas ni en jaranas —le explicó tío Lucho—. Es un intelectual. Ha publicado un cuento en el Dominical de "El Comercio".

—Cuidado que el hijo de Dorita nos vaya a salir otro lado —se rió la tía Julia y yo sentí un arrebato de solidaridad con su ex-marido. Pero sonreí y le llevé la cuerda.

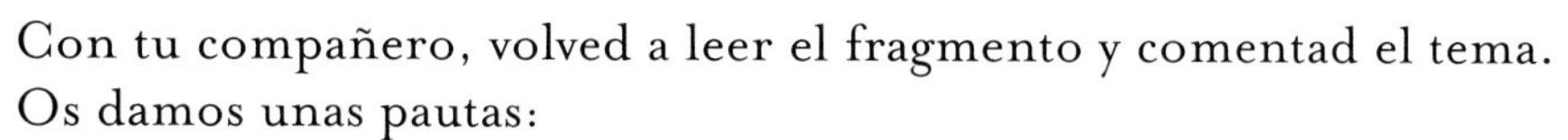

Con tu compañero, volved a leer el fragmento y comentad el tema. Os damos unas pautas:

- Empezad vuestras reflexiones por la frase "La odié a muerte...".
- Considerad qué irrita a Mario del comportamiento de la familia y de la tía Julia.
- "...con ese aire cariñoso que adoptan los adultos cuando se dirigen a los idiotas y a los niños, me preguntó si tenía enamorada, si iba a fiestas, qué deporte practicaba...". A partir de estas líneas, uno de vosotros elaborará las preguntas que la tía Julia le hace a Mario y luego se las formulará directamente al otro. Procurará hacerlo interpretándolo según las indicaciones que el mismo autor nos da.

- De la misma forma, tu compañero te dará un consejo siguiendo el contenido de lo siguiente: "...me aconsejó, con una perversidad que no descubría si era deliberada o inocente pero que igual me llegó al alma, que *apenas pudiera* dejara crecer el bigote. A los morenos les sentaba y me facilitaría las cosas con las chicas".

¿Os parece que Mario tiene razón al sentirse irritado por todo esto? ¿Por qué?

Escribid en vuestros cuadernos un comentario sobre los motivos que tiene Mario para sentirse irritado.

(26) "Si la envidia fuera tiña, cuántos tiñosos habría". ¿En qué te hace pensar este refrán? ¿Recuerdas alguna anécdota con la que puedas asociarlo? Coméntalo con tu compañero.

(27) Ahora lee el texto que sigue, y averigua hasta qué punto tiene algo que ver con dicho refrán. Se trata de un fragmento de la novela *Queda la noche*, de Soledad Puértolas.

QUEDA LA NOCHE

Así que la situación parecía haberse invertido y ahora era Raquel quien me envidiaba a mí y recordaba mis lejanas enfermedades, mis visitas al médico y los cuidados de mi madre, rememorándolas como privilegios. Y pensaba que mi vida era más interesante que la suya, porque yo no estaba atrapada, yo siempre tenía un novio, según su terminología, distinto.

Bien sabía yo cómo acababan esas experiencias y qué cúmulo de desencanto iban dejando en mí, qué significaba volver a casa después de un rato de amor sin encontrar nada nuevo en mí, sólo una sensación de vacío, y la remota conciencia de que alguien había sido engañado, porque nunca se alcanzaba la igualdad, porque ni siquiera yo era capaz de ofrecer lo que hubiera pedido siempre del otro, sea lo que fuere. Un juego de malentendidos y de desconcierto que trataba de apartar de mi mente al cabo de unas horas o unos días, para tratar de vivir sin analizar mis sentimientos, sin dejarme hundir por ellos, porque sabía que era mejor seguir buscando, sin esperanza alguna, pero seguir buscando, o vivir como si siguiera buscando, de forma que todavía no estaba a salvo de nada, porque la única conclusión a la que había llegado es que la desesperación no puede combatirse, al menos, esa clase de desesperación y esa clase de combate, que nacen de saber que, por debajo del vacío que se siente en cada regreso a casa después de un rato de amor, está el vacío del que nunca se puede marchar, del que nunca consigue avanzar hacia el otro, del que avanza más por huir que por convicción. Pero, seguramente, en la imaginación de Raquel, mis aventuras o mi sucesión de novios debían de obedecer a un sentido feliz de la vida, una capacidad para enredarme en la vida de los demás y compartir con ellos el placer, obtener y ofrecer comprensión, apoyo y estímulos.

Y, sin embargo, en un nuevo zig-zag de la envidia, después de dejarla aquel atardecer, rodeada de las bolsas de sus compras, la volví a envidiar, porque su vida, que a ella le pare-

cía triste, sin sentido y sin esperanzas, según hubiera definido un novelista ruso, había dado paso, repentinamente, a ese momento que había evocado en la cafetería: cuando había contemplado los tejados de Madrid con la Casa de Campo al fondo, bañados en la luz dorada de la tarde, y había sentido nostalgia por todas las cosas perdidas.

¿Has encontrado algún punto en común con el refrán o tu anécdota?

(28) Veamos qué problemas angustian a la protagonista del anterior fragmento. Como habéis comprobado, este texto de Soledad Puértolas trata la relación entre dos mujeres: Aurora (así se llama la protagonista de la novela), que habla en primera persona, y su hermana Raquel. El recuerdo de Aurora evoca un sentimiento, la envidia, que cada una de las dos hermanas siente hacia la otra. En grupos de cuatro volved a leer el texto para establecer:

- Los motivos por los cuales Raquel envidia a Aurora.
- Cómo justifica Aurora la envidia de su hermana.
- Las reflexiones de Aurora.
- Los motivos de la envidia de Aurora por Raquel.
- Qué tipo de relación con la vida pueden tener las dos mujeres.
- De dónde sacáis esta conclusión.
- Qué mensaje nos comunica la autora sobre la vida.

Haced un debate para contrastar el punto de vista que muestra el texto de Soledad Puértolas sobre la vida con vuestras propias opiniones.

(29) Como conclusión de esta primera tarea os proponemos volver a leer el texto de Carmen Martín Gaite que hemos leído al inicio del proyecto:

- Antes de volver a leerlo, reflexiona con tus compañeros sobre qué puede significar la frase "Lo raro es vivir...".
- Y para vosotros, ¿es raro vivir?
- Tras la lectura del texto, reflexionad sobre qué es lo que le parece raro a la autora. Contrastadlo con vuestras consideraciones.
- Hay un punto en que ella hace hincapié en el asombro que siente diciendo "... y lo más raro es que lo encontramos normal". ¿Estáis de acuerdo con esta afirmación?
- Ahora volved a los textos con que hemos trabajado en esta primera tarea e intentad encontrar en ellos justificaciones para una declaración como "Lo raro es vivir...". Podéis escoger los que os parezcan más adecuados para vuestras argumentaciones.

Al final podéis compartir vuestros resultados con toda la clase.

(30) Nos parece que ahora ya tienes suficientes conocimientos como para intentar escribir un cuento, aunque sea breve. Pero antes queremos ayudarte un poco más y por eso te proponemos las sugerencias del escritor vasco Bernardo Atxaga, en su narración breve "Para escribir un cuento en cinco minutos". Encontrarás la versión íntegra en castellano seguida por el primer párrafo de la versión original en euskera. ¿Te atreves a descubrir esta lengua?

Para escribir un cuento en cinco minutos

La traducción al castellano es obra del propio Bernardo Atxaga.

Para escribir un cuento en sólo cinco minutos es necesario que consiga —además de la tradicional pluma y del papel blanco, naturalmente— un diminuto reloj de arena, el cual le dará cumplida información tanto del paso del tiempo como de la vanidad e inutilidad de las cosas de esta vida; del concreto esfuerzo, por ende, que en ese instante está usted realizando. No se le ocurra ponerse delante de una de esas monótonas y monocolores paredes modernas, de ninguna manera; que su mirada se pierda en ese paisaje abierto que se extiende más allá de su ventana, en ese cielo donde las gaviotas y otras aves de mediano peso van dibujando la geometría de su satisfacción voladora. Es también necesario, aunque en un grado menor, que escuche música, cualquier canción de texto incomprensible para usted; una canción, por ejemplo, rusa. Una vez hecho esto, gire hacia dentro, muérdase la cola, mire con su telescopio particular hacia donde sus vísceras trabajan silenciosamente, pregúntele a su cuerpo si tiene frío, si tiene sed, frío-sed cualquier otro tipo de angustia. En caso de que la respuesta fuera afirmativa, si, por ejemplo, siente un cosquilleo general, evite cualquier forma de preocupación pues sería muy extraño que pudiera encaminar su trabajo ya en el primer intento. Contemple el reloj de arena, aún casi vacío en su compartimiento inferior, compruebe que todavía no ha pasado ni medio minuto. No se ponga nervioso, vaya tranquilamente hasta la cocina, a pasitos cortos, arrastrando los pies si eso es lo que le apetece. Beba un poco de agua —si viene helada no desaproveche la ocasión de mojarse el cuello— y antes de volver a sentarse ante la mesa eche una meada suave (en el retrete, se entiende, porque mearse en el pasillo no es, en principio, un atributo de lo literario).

Ahí siguen las gaviotas, ahí siguen los gorriones, y ahí sigue también —en la estantería que está a su izquierda— el grueso diccionario. Tómelo con sumo cuidado, como si tuviera electricidad, como si fuera una rubia platino. Escriba entonces —y no deje de escuchar con atención el sonido que produce la plumilla al raspar el papel— esta frase: Para escribir un cuento en sólo cinco minutos es necesario que consiga.

Ya tiene el comienzo, que no es poco, y apenas si han transcurrido dos minutos desde que se puso a trabajar. Y no sólo tiene la primera frase; tiene también, en ese grueso diccionario que sostiene con su mano izquierda, todo lo que le hace falta. Dentro de ese libro está todo, absolutamente todo; el poder de esas palabras, créame, es infinito.

Déjese llevar por el instinto, e imagine que usted, precisamente usted, es el Golem, un hombre o mujer hecho de letras, o mejor dicho, construido por signos. Que esas letras que le componen salgan al encuentro —como los cartuchos de dinamita que explotan por simpatía— de sus hermanas, esas hermanas dormilonas que descansan en el diccionario.

Ha pasado ya algún tiempo, pero una ojeada al reloj le demuestra que ni siquiera ha transcurrido aún la mitad del que tiene a su disposición.

Y de pronto, como si fuera una estrella errante, la primera hermana se despierta y viene donde usted, entra dentro de su cabeza y se tumba, humildemente, en su cerebro. Debe transcribir inmediatamente esa palabra, y transcribirla en mayúsculas, pues ha crecido durante el viaje. Es una palabra corta, ágil y veloz; es la palabra RED.

Y es esa palabra la que pone en guardia a todas las demás, y un rumor, como el que se escucharía al abrir las puertas de una clase de dibujo, se apodera de toda la habitación. Al poco rato, otra palabra surge en su mano derecha; ay, amigo, se ha convertido usted en un prestidigitador involuntario. La segunda palabra desciende de la pluma deslizándose a dos manos para luego saltar a la plumilla y hacerse con la tinta un garabato. Este garabato dice: MANOS.

Como si abriera un sobre sorpresa; tira de la punta de ese hilo (perdóneme el tuteo, al fin y al cabo somos compañeros de viaje), tira de la punta de ese hilo, decía, como si abrieras un sobre sorpresa. Saluda a ese nuevo paisaje, a esa nueva frase que viene empaquetada en un paréntesis: (Sí, me cubrí el rostro con esta tupida red el día en que se me quemaron las manos).

Ahora mismo se han cumplido los tres minutos. Pero he aquí que no has hecho sino escribir lo anterior cuando ya te vienen muchas oraciones más, muchísimas más, como mariposas nocturnas atraídas por una lámpara de gas. Tienes que elegir, es doloroso, pero tienes que elegir. Así pues, piénsatelo bien y abre el nuevo paréntesis: (La gente sentía piedad por mí. Sentía piedad, sobre todo, porque pensaba que también mi cara había resultado quemada; y yo estaba segura de que el secreto me hacía superior a todos ellos, de que así burlaba su morbosidad).

Todavía te quedan dos minutos. Ya no necesitas el diccionario, no te entretengas con él. Atiende sólo a tu fisión, a tu contagiosa enfermedad verbal que crece y crece sin parar. Por favor, no te demores en transcribir la tercera oración: (Saben que yo era una mujer hermosa y que doce hombres me enviaban flores cada día).

Transcribe también la cuarta, que viene pisando los talones a la anterior, y que dice: (Uno de esos hombres se quemó la cara pensando que así ambos estaríamos en las mismas condiciones, en idéntica y doloroso situación. Me escribió una carta diciéndome, ahora somos iguales, toma mi actitud como una prueba de amor).

Y el último minuto comienza a vaciarse cuando tú vas ya por la penúltima frase: (Lloré amargamente durante muchas noches. Lloré por mi orgullo y por la humildad de mi amante; pensé que, en justa correspondencia, yo debía hacer lo mismo que él: quemarme la cara).

Tienes que escribir la última nota en menos de cuarenta segundos, el tiempo se acaba: (Si dejé de hacerlo no fue por el sufrimiento físico ni por ningún otro temor, sino porque comprendí que una relación amorosa que empezara con esa fuerza habría de tener, necesariamente, una continuación mucho más prosaica. Por otro lado, no podía permitir que él conociera mi secreto, hubiera sido demasiado cruel. Por eso he ido esta noche a su casa. También él se cubría con un velo. Le he ofrecido mis pechos y nos hemos amado en silencio; era feliz cuando le clavé este cuchillo en el corazón. Y ahora sólo me queda llorar por mi mala suerte).

Y cierra el paréntesis —dando así por terminado el cuento— en el mismo instante en que el último grano de arena cae en el reloj.

IPUI BAT BOST MINUTUTAN IZKRIBATZEKO

Ipui bat bost minututan izkribatzeko beharrezkoa zaizu -ohizko luma eta papei: zuria ez ezik, hareazko erluju ñimiño bat ere, zeinek, iragan denboraren berri ematen dizunarekin batera, bizitzaren eta —ondorioz— zeure aktibitate horren berberaren alfertasuna ere irakatsiko dizun, eta une oro salatuko. Eta ez eseri gero oraingo orma monotono horietako bati begira; zure begirada gal dadila leihotik haruntz hedatzen den ikusmira zabal horretan, non kaio eta uxoak, eta baita zenbait txori ezdeusagoak ere, beren bozkarioaren geometria marraztuz doazen. Komeni zaizu, gaipera -derrigorrezkoa ez izan arren- edozein musika arr6tz entzutea, ulertzen ez duzun kanta errusiarren bat edo.

PARA ACABAR

(31) En grupos de tres, vais a convertiros en los autores de un mini cuento y a comprobar si tenéis madera de escritores. Para ello deberéis tener en cuenta los siguientes puntos, dentro de los cuales escogeréis una sola opción:

- el contenido trata el recuerdo de:
  - un encuentro especial,
  - un día cualquiera,
  - un problema bastante serio.

- el narrador es:
  - una joven mujer,
  - un chico adolescente,
  - una persona adulta.

- el período es
  - el año pasado,
  - los años noventa,
  - una época pasada.

- el orden del discurso es:
  - lineal,
  - con retrocesos (flashback),
  - con anticipaciones.

- en la estructura tiene mayor extensión:
  - la situación inicial,,
  - el momento culminante
  - la situación final (desenlace).

- predominan las secuencias:
  - narrativas,
  - descriptivas,
  - reflexivas.

- el título es:
  - un resumen del contenido,
  - una reflexión del protagonista,
  - el nombre o un atributo del protagonista.

Al terminar vuestra obra, reuníos con los otros grupos e intercambiad los cuentos. ¿Qué grupo ha cautivado más a sus lectores?

(32) Lee el cuento que viene a continuación y reflexiona sobre su estructura. En tu cuaderno:

- marca la diferencia entre historia y discurso,
- señala cómo está organizado el discurso narrativo,
- identifica las secuencias narrativas.

SOÑÓ QUE ESTABA PRESO de Mario Benedetti.

Mario Benedetti (1920)

Aquel preso soñó que estaba preso. Con matices, claro, con diferencias. Por ejemplo, en la pared del sueño había un afiche de París; en la pared real sólo había una oscura mancha de humedad. En el piso del sueño corría una lagartija; desde el suelo verdadero lo miraba una rata. El preso soñó que estaba preso. Alguien le daba masajes en la espalda y él empezaba a sentirse mejor. No podía ver quién era, pero estaba seguro de que se trataba de su madre, que en eso era una experta. Por el amplio ventanal entraba el sol mañanero y él lo recibía como una señal de libertad. Cuando abrió los ojos, no había sol. El ventanuco con barrotes (tres palmos por dos) daba a un pozo de aire, a otro muro de sombra. El preso soñó que estaba preso. Que tenía sed y bebía abundante agua helada. Y el agua le brotaba de inmediato por los ojos en forma de llanto. Tenía conciencia de por qué lloraba, pero no se lo confesaba ni siquiera a sí mismo. Se miraba las manos ociosas, las que antes construyeron torsos, rostros de yeso, piernas, cuerpos enlazados, mujeres de mármol. Cuando despertó, los ojos estaban secos, las manos sucias, las bisagras oxidadas, el pulso galopante, los bronquios sin aire, el techo con goteras. A esa altura, el preso decidió que era mejor soñar que estaba preso. Cerró los ojos y se vio con un retrato de Milagros entre las manos. Pero él no se conformaba con la foto. Quería a Milagros en persona, y ella compareció, con una amplia sonrisa y un camisón celeste. Se arrimó para que él se lo quitara y él, no faltaba más, se lo quitó. La desnudez de Milagros era por supuesto milagrosa y él la fue recorriendo con toda su memoria, con todo su disfrute. No quería despertarse, pero

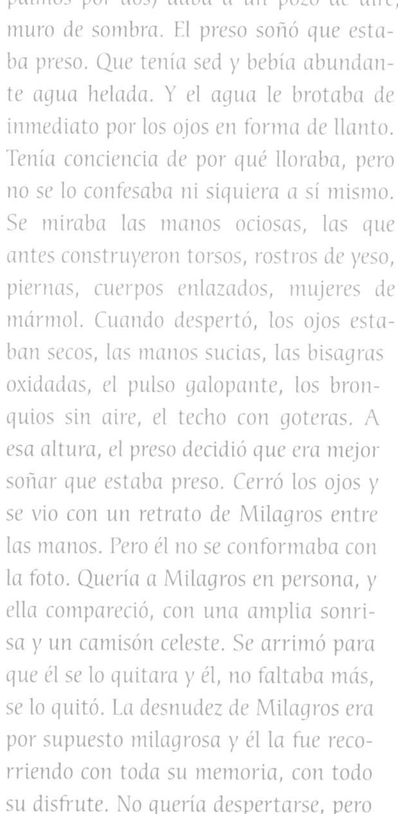

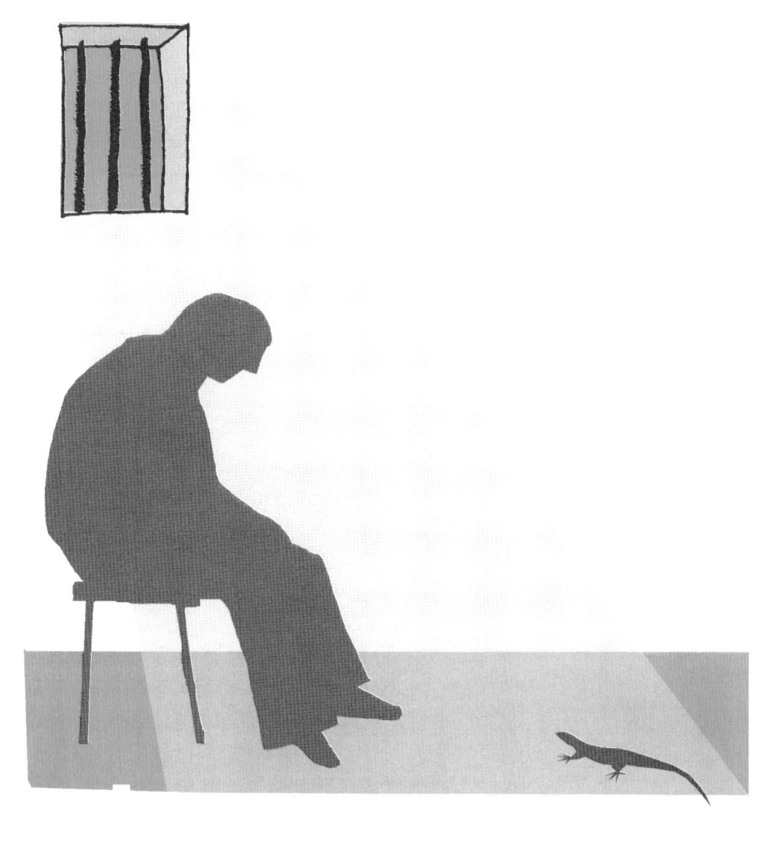

se despertó, unos segundos antes del orgasmo onírico y virtual. Y no había nadie. Ni foto ni Milagros ni camisón celeste. Admitió que la soledad podía ser insoportable. El preso soñó que estaba preso. Su madre había cesado los masajes, entre otras cosas porque hacía años que había muerto. A él le invadió la nostalgia de su mirada, de su canto, de su regazo, de sus caricias, de sus reproches, de sus perdones. Se abrazó a sí mismo, pero así no valía. Milagros le hacía adiós, desde muy lejos. A él le pareció que desde un cementerio. Pero no podía ser. Era desde un parque. Pero en la celda no había parque, de modo que, aun dentro del sueño, tuvo conciencia de que era eso: un sueño. Alzó su brazo para también él brindar su adiós. Pero su mano era sólo un puño, y, como es sabido, los puños apretados no han aprendido a decir adiós. Cuando abrió los ojos, el camastro de siempre le trasmitió un frío impertinente. Tembloroso, entumecido, trató de calentar sus manos con el aliento. Pero no podía respirar. Allá, en el rincón, la rata lo seguía mirando, tan congelada como él. Él movió la mano y la rata adelantó una pata. Eran viejos conocidos. A veces él le arrojaba un trozo de su horrible, despreciable menú. La rata era agradecida. Así y todo, el preso echó de menos a la verde, agilísima lagartija de sus sueños y se durmió para recuperarla. Se encontró con que la lagartija había perdido la cola. Un sueño así, ya no valía la pena de ser soñado. Y sin embargo. Sin embargo empezó a contar con los dedos los años que le faltaban. Uno dos tres cuatro y despertó. En total eran seis y había cumplido tres. Los contó de nuevo, pero ahora con los dedos despiertos. No tenía radio ni reloj ni libros ni lápiz ni cuaderno. A veces cantaba bajito para llenar precariamente el vacío. Pero cada vez recordaba menos canciones. De niño también había aprendido algunas oraciones que le había enseñado la abuela. ¿Pero ahora a quién le iba a rezar?s Se sentía estafado por Dios, pero tampoco él quería estafar a Dios. El preso soñó que estaba preso y que llegaba Dios y le confesaba que se sentía cansado, que padecía insomnio y eso lo agotaba, y que a veces, cuando por fin lograba conciliar el sueño, tenía pesadillas, en las que Jesús le pedía auxilio desde la cruz, pero él estaba encaprichado y no se lo daba. Lo peor de todo, le decía Dios, es que Yo no tengo Dios a quien encomendarme. Soy como un Huérfano con mayúscula. El preso sintió lástima por ese Dios tan solo y abandonado. Entendió que, en todo caso, la enfermedad de Dios era la soledad, ya que su fama de supremo, inmarcesible y perpetuo espantaba a los santos, tanto a los titulares como a los suplentes. Cuando despertó y recordó que era ateo, se le acabó la lástima hacia Dios, más bien sintió lástima de sí mismo, que se hallaba enclaustrado, solitario, sumido en la mugre y en el tedio. Después de incontables sueños y vigilias llegó una tarde en que dormía y fue sacudido sin la brusquedad habitual, y un guardia le dijo que se levantara porque le habían concedido la libertad. El preso sólo se convenció de que no soñaba cuando sintió el frío del camastro y verificó la presencia eterna de la rata. La saludó con pena y luego se fue con el guardia para que le dieran la ropa, algún dinero, el reloj, el bolígrafo, una cartera de cuero, lo poco que le habían quitado cuando fue encarcelado. A la salida no lo esperaba nadie. Empezó a caminar. Caminó como dos días, durmiendo al borde del camino o entre los árboles. En un bar de suburbio comió dos sandwiches y tomó una cerveza en la que reconoció un sabor antiguo. Cuando por fin llegó a casa de su hermana, ella casi se desmayó por la sorpresa. Estuvieron abrazados como diez minutos. Después de llorar un rato ella le preguntó qué pensaba hacer. Por ahora, una ducha y dormir, estoy francamente reventado. Después de la ducha, ella lo llevó hasta un altillo, donde había una cama. No un camastro inmundo, sino una cama limpia, blanda y decente. Durmió más de doce horas de un tirón. Curiosamente, durante ese largo descanso, el ex preso soñó que estaba preso. Con lagartija y todo.

¿Cómo te ha ido?

En esta tarea he aprendido que:

En la estructura del texto narrativo

- La historia es ______
- El discurso es ______
- Las secuencias pueden ser ______

El discurso narrativo tiene un orden que puede ser ______

De todas las actividades, la que más me ha gustado es ______

Y la que menos ______

Nivel de interés en hacer la *tarea* (puntúa de 1 a 10)

1 2 3 4 5 6 7 8 9 10

Mis frases más...

Entre todos los textos, algunas de las frases, versos, discursos, expresiones, estrofas... que me han gustado más son:

de lee experimenta

Tarea 2 Una fotonovela

Para escribir una fotonovela necesitamos:

- Reflexionar sobre el tiempo y el espacio.
- Contar lo que ha pasado.
- Reconocer los papeles que desempeñan los personajes y cómo están descritos.

PARA EMPEZAR

1. En la vida diaria hablamos muchas veces de nuestras cosas con otras personas: algo que nos ha pasado, nuestras preocupaciones... Pero nuestras historias no tienen por qué acercarse a los textos literarios. Compruébalo leyendo esta historia contada por una chica en una revista para jóvenes:

UNA LECCIÓN DE AMOR

[...] Me llamo Iona y me encanta tener 16 años. [...] Hasta hace muy poco era una chica normal, con una vida tranquila y feliz. Pero un día me dí cuenta del daño que hice a una persona muy especial y esto ha cambiado mi mundo. [...]

Bruno iba al mismo instituto que yo. No era amigo de nadie y siempre iba solo por todos lados. La gente le llamaba el "freakie" (yo incluida). Además, vestía de una manera muy rara, con un estilo muy especial. No hablaba con nadie. En mi pandilla estábamos siempre de cachondeo. Yo soy la más loca de todos y no entendíamos que alguien pudiera malgastar su juventud sin tener amigos ni divertirse. No sabíamos por qué Bruno se comportaba así, y decidimos que simplemente era un chico "distinto", extravagante, sin lugar duda. El curso pasó y cuando llegamos al final decidimos planear un viaje al río para celebrarlo. Contrariamente a lo que todos pensábamos, Bruno también se apuntó y vino con nosotros. Los tres primeros días no salía del albergue y se quedaba solo todo el día. Claro está, nosotros no hacíamos más que burlarnos de él. A pesar del tono inocente de nuestras bromas, le hacíamos mucho daño y no nos dábamos cuenta. Para él era una tortura; para nosotros un juego.

Pepe era el más "bromista" de todos. Era el chico con el que yo salía y las bromas que hacía a Bruno eran, la mayoría de las veces, de mal gusto. Las burlas del resto de la pandilla no dejaban de ser inocentes, pero Pepe se pasaba bastante. A mí me gustaba porque era alocado y muy guapo, y es ahora cuando me doy cuenta de que era un "chulito" sin sentimientos. Una tarde hablábamos de Bruno y decidimos hacerle una broma. La idea fue de Pepe y parecía divertido. El plan era fingir que uno de nosotros se estuviera ahogando cuando estuviésemos en el río. Bruno saldría a rescatar al ahogado y entonces todos nos reiríamos. A mí no me gustó mucho la idea, pero como Pepe insistió tanto e iba de "líder", todos le hicimos caso como borregos. Llegó el día; hacía una mañana muy bonita y fui a ver a Bruno. Le convencí para que viniera con nosotros por el bosque a dar una vuelta. Al principio no quería, pero supongo que en el fondo deseaba que dejáramos de burlarnos de él, y al final decidió venir con la pandilla. Íbamos por la orilla del río cuando, de repente, un chico de la pandilla se tiró al agua y simuló que se ahogaba. Bruno no se lo pensó y se lanzó al agua enseguida para salvarlo. Al llegar a él, todos empezaron a reírse y a Bruno se le quedó una cara... Sólo quería ayudarnos y nosotros nos habíamos portado muy mal con él. Salió del río y se fue corriendo. A mí, al ver la escena, se me partió el corazón y salí detrás de él mientras les decía a todos lo críos que podían llegar a ser.

Tuve tan mala suerte que tropecé y me caí por un pequeño terraplén. Mis amigos volvían por el camino cuando me encontraron. El primero en asomarse fue Pepe. Se detuvo, me miró y les dijo a todos que se fueran. Él también se marchó. Por suerte para mí, cuando Bruno pasó por allí no se lo pensó dos veces y bajó a ayudarme.

Como has podido notar en lo que acabas de leer, nuestros relatos normalmente se articulan alrededor de unos personajes que hacen algo empujados por un motivo y con un objetivo determinado.

Ahora tú: intenta recordar la última vez que contaste algo de tu vida a alguien o, al revés, lo que una persona te contó. ¿Puedes reconstruir el relato y contárselo a tu compañero?

2 Reflexiona sobre las siguientes cuestiones y anota en tu cuaderno:

- Quién actúa en tu relato.
- Por qué hace lo que hace.
- Para qué lo hace.
- Si hay otras personas que forman parte del relato.
- Qué relación tienen con el personaje principal.

PARA SEGUIR

El tiempo y el espacio

3 ¿Has regresado alguna vez a algún lugar de tu infancia y has tenido la sensación de volver atrás en el tiempo? Si te ha sucedido, cuéntaselo a los demás compañeros. Averigua cuántos de vosotros habéis experimentado una situación tan especial.

4 Lee los textos que van a continuación. Tratan sobre una experiencia de este tipo, aunque cada uno lo hace de manera distinta.

Antonio Muñoz Molina (1956)

A. EL JINETE POLACO de Antonio Muñoz Molina.

Me acerco a la ciudad desde muy lejos, desde arriba, como si soñara que viajo silenciosamente en un planeador, como cuando es muy tarde y hay que abrocharse el cinturón de seguridad y se descubren en un extremo de la noche las luces de un aeropuerto, y el tiempo retrocede ante mí en ondulaciones circulares, cambia a la misma velocidad que un paisaje tras la ventanilla del tren, y esa figura rezagada a la que he visto subir por el camino de Mágina es ahora mi abuelo Manuel que vuelve después de un año de cautiverio en un campo de concentración, lo veo de espaldas, anhelante, rendido, ha caminado durante dos días sin parar y ahora teme caer al suelo como un caballo reventado cuando está a punto de llegar a su casa, voy más aprisa, asciendo, lo adelanto, llego a la plaza de San Lorenzo mucho antes de que él aparezca junto a la primera esquina iluminada, veo el rectángulo de la plaza, más íntima de noche, los tres álamos que todavía no han cortado para hacer sitio a los automóviles, oigo una voz de mujer que llama a gritos a un niño, mi abuela Leonor, que llama desde el balcón a mi tío Luis, que no tiene miedo de las vacas ni de los ciegos ni de los aparecidos y se queda jugando en la calle aun después de que se haga de noche, veo la puerta entornada y la raya de luz que se extiende sobre el suelo de tierra apisonada y fría de humedad, y la mirada desciende y progresa sin obstáculo hasta el portal donde hay un arco encalado y sobre él una rueda de espigas secas cuya mágica finalidad de propiciar una buena cosecha me hace acordarme de las palmas amarillas que se cuelgan el domingo de ramos en los balcones para preservar a la casa del rayo. Pero sigo avanzando, nadie, ni yo mismo, me ve, reconozco en la sombra la disposición del segundo portal, la puerta de la cuadra, la puerta, muy pequeña, de la alacena con celosía que hay bajo el hueco de la escalera, y a la que tanto miedo me daba entrar, porque una vez vimos allí una culebra deslizándose alrededor de La gran tinaja hundida hasta la mitad en el suelo cuya boca se abría a una hondura de pozo donde brillaba y olía densamente el aceite. Empujo con suavidad y sigilo la tercera puerta, pero tal vez no es necesario, sin que yo la toque retrocede ante mí y el tiempo se bifurca como el agua de un lago, como en cortinajes sucesivos de niebla, veo la cocina, empedrada, con las paredes desnudas, tal vez con fotografías enmarcadas de muertos que sonríen tan rígidos como muertos etruscos, con las vigas pintadas de negro de las que penden racimos de uvas secas, y a un lado, casi de espaldas a mí, frente al fuego, hay un hombre de pelo blanco que acaricia el lomo de un perro cobijado entre sus piernas, mi bisabuelo Pedro Expósito, que murió antes de que yo naciera, que fue recogido de la inclusa por un hortelano muy pobre y se negó siempre a conocer a la familia que lo había abandonado cuando nació, que combatió en la guerra de Cuba y sobrevivió al naufragio en el Caribe del vapor donde volvía a España, que sólo fue fotografiado una vez, sin que él lo supiera, desde lejos, mientras estaba sentado en el escalón de la puerta, desde la ventana de la casa de enfrente, donde Ramiro Retratista había ocultado su cámara, a regañadientes, inducido, casi obligado por mi abuelo Manuel, que necesitaba una foto de todos los suyos para que le concedieran el carnet de familia numerosa y no podía obtenerla porque a mi bisabuelo, su suegro, no le daba la gana que lo retrataran. [...]

Ellos me hicieron, me engendraron, me lo legaron todo, lo que poseían y lo que nunca tuvieron, las palabras, el miedo, la ternura, los nombres, el dolor, la forma de mi cara, el color de mis ojos, la sensación de no haberme ido nunca de Mágina y de verla perderse muy lejos y muy al fondo de la extensión de la noche, contra un cielo que todavía es rojizo y morado en sus límites, no una ciudad y ni siquiera una patética conmoción de nostalgia que se dispersará tan rápidamente como el humo de una hoguera encendida una ventosa mañana de lluvia entre los olivos, sino una geografía de luces que tiemblan en la distancia como mariposas de aceite y se van quedando rezagadas en el horizonte del sur a medida que avanzo sin poder detenerme hacia la serranía horadada de túneles y de barrancos por donde cruza un expreso en dirección a Madrid, un tiempo que posee sus propias leyes tan ajenas a las del tiempo exterior como un país inaccesible a todos los extranjeros e invasores. Igual que en un avión cuando ha terminado el despegue y se oyen mecheros que encienden cigarrillos y cinturones de seguridad que se sueltan, cuando vuelvo la cara y miro por la ventanilla hacia el lugar donde estuvieron las luces de la ciudad que he abandonado y ya no veo nada más que la noche, también así, algunas veces, de pronto, ya no estoy en Mágina ni sé dónde encontrarla, pienso en mi abuelo Manuel y en mi abuela Leonor y sólo sé imaginarlos aniquilados por la vejez y derribados el uno contra el otro en un sofá tapizado de plástico y dormitando sin dignidad ni recuerdos frente a un televisor, se extinguen los nombres que fueron la savia de mi vida, se convierten en palabras inertes, sin sonoridad ni volumen, como trozos de plomo, y me invaden y me poseen las otras palabras, las mentirosas, las triviales, las palabras tortuosas y enfáticas que escucho en otro idioma por los auriculares de una cabina de traducción simultánea y repito tan velozmente en el mío que un instante después no me acuerdo de haberlas pronunciado y aturden mi oído y mi conciencia como un estrépito de motores o un zumbido de cables de alta tensión.

¿Qué sensación te ha producido?

B. Pedro Páramo de Juan Rulfo.

Vine a Cómala porque me dijeron que acá vivía mi padre, un tal Pedro Páramo. Mi madre me lo dijo. Y yo le prometí que vendría a verlo en cuanto ella muriera. Le apreté sus manos en señal de que lo haría; pues ella estaba por morirse y yo en un plan de prometerlo todo. "No dejes de ir a visitarlo —me recomendó—. Se llama de este modo y de este otro. Estoy segura de que le dará gusto conocerte." Entonces no pude hacer otra cosa sino decirle que así lo haría, y de tanto decírselo se lo seguí diciendo aun después que a mis manos les costó trabajo zafarse de sus manos muertas.

Todavía antes me había dicho:

—No vayas a pedirle nada. Exígele lo nuestro. Lo que estuvo obligado a darme y nunca me dio... El olvido en que nos tuvo, mi hijo, cóbraselo caro.

—Así lo haré, madre.

Pero no pensé cumplir mi promesa. Hasta ahora pronto que comencé a llenarme de sueños, a darle vuelo a las ilusiones. Y de este modo se me fue formando un mundo alrededor de la esperanza que era aquel señor llamado Pedro Páramo, el marido de mi madre. Por eso vine a Cómala.

Era ese tiempo de la canícula, cuando el aire de agosto sopla caliente, envenenado por el olor podrido de las saponarias.

El camino subía y bajaba; "sube o baja según se va o se viene. Para el que va, sube; para el que viene, baja".

—¿Cómo dice usted que se llama el pueblo que se ve allá abajo?

—Cómala, señor.

—¿Está seguro de que ya es Cómala?

—Seguro, señor.

—¿Y por qué se ve esto tan triste?

—Son los tiempos, señor.

Yo imaginaba ver aquello a través de los recuerdos de mi madre; de su nostalgia, entre retazos de suspiros. Siempre vivió ella suspirando por Cómala, por el retorno; pero jamás volvió. Ahora yo vengo en su lugar. Traigo los ojos con que ella miró estas cosas, porque me dio sus ojos para ver: "Hay allí, pasando el puerto de Los Colimotes, la vista muy hermosa de una llanura verde, algo amarilla por el maíz maduro. Desde ese lugar se ve Cómala, blanqueando la tierra, iluminándola durante la noche". Y su voz era secreta, casi apagada, como si hablara consigo misma... Mi madre.

—¿Y a qué va usted a Cómala, si se puede saber? —oí que me preguntaban.

—Voy a ver a mi padre —contesté.

—¡Ah! —dijo él.

Y volvimos al silencio.

[...]

En la reverberación del sol, la llanura parecía una laguna transparente deshecha en vapores por donde se traslucía un horizonte ETÍS. Y más allá, una línea de montañas. Y todavía más allá, la más remota lejanía.

—¿Y qué trazas tiene su padre, si se puede saber?

—No lo conozco —le dije—. Sólo sé que se llama Pedro Páramo.

—¡Ah!, vaya.

—Sí, así me dijeron que se llamaba.

Oí otra vez el "¡ah!" del arriero. [...]

—¿Conoce usted a Pedro Páramo? —le pregunté.

Me atreví a hacerlo porque vi en sus ojos una gota de confianza.

—¿Quién es? —volví a preguntar.

—Un rencor vivo —me contestó él.

Y dio un pajuelazo contra los burros, sin necesidad, ya que los burros iban mucho más adelante de nosotros, encarrerados por la bajada.

Sentí el retrato de mi madre guardado en la bolsa de la camisa, calentándome el corazón, como si ella también sudara. Era un retrato viejo, carcomido en los bordes; pero fue el único que conocí de ella. Me lo había encontrado en el armario de la cocina, dentro de una cazuela llena de yerbas, hojas de toronjil, flores de castilla, ramas de ruda. Desde entonces lo guardé. Era el único. Mi madre siempre fue enemiga de retratarse. Decía que los retratos eran cosa de brujería. Y así parecía ser; porque el suyo estaba lleno de agujeros como de aguja, y en dirección del corazón tenía uno muy grande donde bien podía caber el dedo del corazón.

Es el mismo que traigo aquí, pensando que podría dar buen resultado para que mi padre me reconociera.

—Mire usted —me dijo el arriero, deteniéndose—: ¿Ve aquella loma que parece vejiga de puerco? Pues detrasito de ella está la Media Luna. [...] Y es de él todo ese terrenal. El caso es que nuestras madres nos malparieron en un petate aunque éramos hijos de Pedro Páramo, Y lo más chistoso es que él nos llevó a bautizar. Con usted debe haber pasado lo mismo ¿no?

—No me acuerdo.

—¡Váyase mucho al carajo!

—¿Qué dice usted?

—Que ya estamos llegando, señor.

—Sí, ya lo veo. ¿Qué pasó por aquí?

—Un correcaminos, señor. Así les nombran a esos pájaros.

—No, yo preguntaba por el pueblo, que se ve tan solo, como si estuviera abandonado. Parece que no lo habitara nadie.

—No es que lo parezca. Así es. Aquí no vive nadie.

—¿Y Pedro Páramo?

—Pedro Páramo murió hace muchos años.

¿Qué sensación te ha producido?

Con un compañero, volved a leer los dos textos para establecer:

- Qué elementos se evocan durante los dos viajes al pasado.
- De qué manera se reconstruyen los distintos mundos de los dos personajes.
- En qué momento se encuentra el protagonista, con qué momento de su pasado se va a reencontrar y cómo lo hace.
- Si tuvierais que pasar unos días en una de las dos ciudades, ¿cuál escogeríais? ¿Por qué?

Comentad los resultados.

Después de todo esto, ¿cuál de los dos fragmentos os gusta más? ¿Por qué?

(5) Seguro que conoces a muchas personas mayores. ¿Por qué no hablas con una de ellas para saber algo sobre el entorno en el que vivía cuando era joven? Pídele si puede darte las siguientes informaciones y anótalas en tu cuaderno:

- Dónde estaba ubicada su primera casa.
- Cómo era.
- Qué le gustaba de aquella casa.
- Si le gustaría volver a vivir allí y por qué.

En grupos de cinco exponed los resultados de vuestras entrevistas. Seguro que habéis notado diferencias entre los aspectos relativos al espacio interno y externo.

El espacio en la estructura narrativa

Ya hemos visto que el texto narrativo necesita de un marco en el espacio y en el tiempo, es decir, tenemos que explicar cuándo y dónde transcurre nuestra historia. Ese "dónde", el espacio, tendrá naturalmente dos ejes en los que moverse: el espacio externo de nuestra historia: el país, la ciudad, el pueblo o la calle donde sucede y el espacio interno: el recinto donde se mueven los personajes: su casa, su habitación...

(6) Vamos a tratar ahora los aspectos del espacio externo e interno de la narración. Para hacer esto te proponemos la lectura de un relato de Julio Cortázar, "Casa tomada".

- ¿Qué te sugiere el título?
- ¿Cómo interpretas el significado de *tomada*?
- ¿Quién puede vivir allí?
- ¿Qué rasgos piensas que pueden predominar en este relato?
  - □ Cómicos
  - □ Policíacos
  - □ Fantásticos
  - □ Dramáticos
  - □ De misterio
  - □ De aventura
  - □ De lo cotidiano
  - □ De lo absurdo

¿Cuáles de éstos te gustaría encontrar?

Lee el texto:

CASA TOMADA

Nos gustaba la casa porque aparte de espaciosa y antigua (hoy que las casas antiguas sucumben a la más ventajosa liquidación de sus materiales) guardaba los recuerdos de nuestros bisabuelos, el abuelo paterno, nuestros padres y toda la infancia.

Nos habituamos Irene y yo a persistir solos en ella, lo que era una locura pues en esa casa podían vivir ocho personas sin estorbarse. Hacíamos la limpieza por la mañana, levantándonos a las siete, y a eso de las once yo le dejaba a Irene las últimas habitaciones por repasar y me iba a la cocina. Almorzábamos a mediodía, siempre puntuales; ya no quedaba nada por hacer fuera de unos pocos platos sucios. Nos resultaba grato almorzar pensando en la casa profunda y silenciosa y cómo nos bastábamos para mantenerla limpia. A veces llegamos a creer que era ella la que no nos dejó casarnos. Irene rechazó dos pretendientes sin mayor motivo, a mí se me murió María Esther antes que llegáramos a comprometernos. Entramos en los cuarenta años con la inexpresada idea de que el nuestro, simple y silencioso matrimonio de hermanos, era necesaria clausura de la genealogía asentada por los bisabuelos en nuestra casa.

Nos moriríamos allí algún día, vagos y esquivos primos se quedarían con la casa y la echarían al suelo para enriquecerse con el terreno y los ladrillos; o mejor, nosotros mismos la voltearíamos justicieramente antes de que fuese demasiado tarde.

Irene era una chica nacida para no molestar a nadie. Aparte de su actividad matinal se pasaba el resto del día tejiendo en el sofá de su dormitorio. No sé por qué tejía tanto, yo creo que las mujeres tejen cuando han encontrado en esa labor el gran pretexto para no hacer nada. Irene no era así, tejía cosas siempre necesarias, tricotas para el invierno, medias para mí, mañanitas y chalecos para ella. A veces tejía un chaleco y después lo destejía en un momento porque algo no le agradaba; era gracioso ver en la canastilla el montón de lana encrespada resistiéndose a perder su forma de algunas horas. Los sábados iba yo al centro a comprarle lana; Irene tenía fe en mi gusto, se complacía con los colores y nunca tuve que devolver madejas. Yo aprovechaba esas salidas para dar una vuelta por las librerías y preguntar vanamente si había novedades en literatura francesa. Desde 1959 no llegaba nada valioso a la Argentina.

Pero es de la casa que me interesa hablar, de la casa y de Irene, porque yo no tengo importancia. Me pregunto qué hubiera hecho Irene sin el tejido. Uno puede releer un libro, pero cuando un pulóver está terminado no se puede repetirlo sin escándalo. Un día encontré el cajón de abajo de la cómoda de alcanfor lleno de pañoletas blancas, verdes, lila. Estaban con naftalina, apiladas como en una mercería; no tuve valor de preguntarle a Irene qué pensaba hacer con ellas. No necesitábamos ganarnos la vida, todos los meses llegaba la plata de los campos y el dinero aumentaba. Pero a Irene solamente la entretenía el tejido, mostraba una destreza maravillosa y a mí se me iban las horas viéndole las manos como erizos plateados, agujas yendo y viniendo y una o dos canastillas en el suelo donde se agitaban constantemente los ovillos. Era hermoso.

Cómo no acordarme de la distribución de la casa. El comedor, una sala con gobelinos, la biblioteca y tres dormitorios grandes quedaban en la parte más retirada, la que mira hacia Rodríguez Peña. Solamente un pasillo con su maciza puerta de roble aislaba esa parte del ala delantera donde había un baño, la cocina, nuestros dormitorios y el living central, al cual comunicaban los dormitorios y el pasillo. Se entraba a la casa por un zaguán con mayólica, y la puerta cancel daba al living. De manera que uno entraba por el zaguán, abría la cancel y pasaba al living, tenía a los lados las puertas de nuestros dormitorios, y al frente el pasillo que conducía a la parte más retirada; avanzando por el pasillo se franqueaba la puerta de roble y más allá empezaba el otro lado de la casa, o bien se podía girar a la izquierda justamente antes de la puerta y seguir por un pasillo más estrecho que llevaba a la cocina y al baño. Cuando la puerta estaba abierta advertía uno que la casa era muy grande; si no, daba la impresión de un departamento de los que se edifican ahora, apenas para moverse; Irene y yo vivíamos siempre en esta parte de la casa, casi nunca íbamos más allá de la puerta de roble, salvo para hacer la limpieza, pues es increíble cómo se junta tierra en los muebles. Buenos Aires era una ciudad limpia, pero eso lo debe a sus habitantes y no a otra cosa. Hay demasiada tierra en el aire, apenas sopla una ráfaga se palpa el polvo en los mármoles de las consolas y entre los rombos de las carpetas de macramé; da trabajo sacarlo bien con plumero, vuela y se suspende en el aire, un momento después se deposita de nuevo en los muebles y los pianos.

Lo recordaré siempre con claridad porque fue simple y sin circunstancias inútiles. Irene estaba tejiendo en su dormitorio, eran las ocho de la noche y de repente se me ocurrió poner al fuego la pavita del mate. Fui por el pasillo hasta enfrentar la entornada puerta de roble, y daba la vuelta al codo que llevaba a la cocina cuando escuché algo en el comedor o la biblioteca. El sonido venia impreciso y sordo, como un volcarse de silla sobre la alfombra o un ahogado susurro de conversación. También lo oí, al mismo tiempo o un segundo después, en el fondo del pasillo que traía desde aquellas piezas hasta la puerta. Me tiré contra la puerta antes de que fuera demasiado tarde, la cerré de golpe apoyando el cuerpo; felizmente la llave estaba puesta de nuestro lado y además corrí el gran cerrojo para más seguridad.

Fui a la cocina, calenté la pavita, y cuando estuve de vuelta con la bandeja del mate le dije a Irene:

—Tuve que cerrar la puerta del pasillo. Han tomado la parte del fondo.

Dejó caer el tejido y me miró con sus graves ojos cansados.

—¿Estás seguro?

Asentí.

—Entonces —dijo recogiendo las agujas— tendremos que vivir en este lado.

Yo cebaba el mate con mucho cuidado, pero ella tardó un rato en reanudar su labor. Me acuerdo que tejía un chaleco gris; a mí me gustaba ese chaleco.

Los primeros días nos pareció penoso porque ambos habíamos dejado en la parte tomada muchas cosas que queríamos. Mis libros de literatura francesa, por ejemplo, estaban todos en la biblioteca. Irene extrañaba unas carpetas, un par de pantuflas que tanto la abrigaban en invierno. Yo sentía mi pipa de enebro y creo que Irene pensó en una botella de Hesperidina de muchos años. Con frecuencia (pero esto solamente sucedió los primeros días) cerrábamos algún cajón de las cómodas y nos mirábamos con tristeza.

—No está aquí.

Y era una cosa más de todo lo que habíamos perdido al otro lado de la casa.

Pero también tuvimos ventajas. La limpieza se simplificó tanto que aun levantándose tardísimo, a las nueve y media por ejemplo, no daban las once y ya estábamos de brazos cruzados, Irene se acostumbró a ir conmigo a la cocina y ayudarme a preparar el almuerzo. Lo pensamos bien y se decidió esto: mientras yo preparaba el almuerzo, Irene cocinaría platos para comer fríos de noche.Nos alegramos porque siempre resulta molesto tener que abandonar los dormitorios al atardecer y ponerse a cocinar.

Ahora nos bastaba con la mesa en el dormitorio de Irene y las fuentes de comida fiambre.

Irene estaba contenta porque le quedaba más tiempo para tejer. Yo andaba un poco perdido a causa de los libros, pero por no afligir a mi hermana me puse a revisar la colección de estampillas de papá, y eso me sirvió para matar el tiempo. Nos divertíamos mucho, cada uno en sus cosas, casi siempre reunidos en el dormitorio de Irene que era más cómodo. A veces Irene decía:

—Fíjate este punto que se me ha ocurrido. ¿No da un dibujo de trébol?

Un rato después era yo el que le ponía antes los ojos un cuadradito de papel para que viese el mérito de algún sello de Eupen y Malmédy. Estábamos bien, y poco a poco empezábamos a no pensar. Se puede vivir sin pensar.

(Cuando Irene soñaba en alta voz yo me desvelaba en seguida. Nunca pude habituarme a esa voz de estatua o papagayo, voz que viene de los sueños y no de la garganta. Irene decía que mis sueños consistían en grandes sacudones que a veces hacían caer el cobertor. Nuestros dormitorios tenían el living de por medio, pero de noche se escuchaba cualquier cosa en la casa. Nos oíamos respirar, toser, presentíamos el ademán que conduce a la llave del velador, los mutuos y frecuentes insomnios.

Aparte de eso todo estaba callado en la casa. De día eran los rumores domésticos, el roce metálico de las agujas de tejer, un crujido al pasar las hojas del álbum filatélico. La puerta de roble, creo haberlo dicho, era maciza. En la cocina y el baño, que quedaban tocando la parte tomada, nos poníamos a hablar en voz más alta o Irene cantaba canciones de cuna. En una cocina hay demasiado ruido de loza y vidrios para que otros sonidos irrumpan en ella. Muy pocas veces permitíamos allí el silencio, pero cuando tornábamos a los dormitorios y al living, entonces la casa se ponía callada y a media luz, hasta pisábamos más despacio para no molestarnos. Yo creo que era por eso que de noche, cuando Irene empezaba a soñar en alta voz, me desvelaba, en seguida.)

Es casi repetir lo mismo salvo las consecuencias. De noche siento sed, y antes de acostarnos le dije a Irene que iba hasta la cocina a servirme un vaso de agua. Desde la puerta del dormitorio (ella tejía) oí ruido en la cocina; tal vez en la cocina o tal vez en el baño porque el codo del pasillo apagaba el sonido. A Irene le llamó la atención mi brusca manera de detenerme, y vino a mi lado sin decir palabra. Nos quedamos escuchando los ruidos, notando claramente que eran de este lado de la puerta de roble, en la cocina y el baño, o en el pasillo mismo donde empezaba el codo casi al lado nuestro.

No nos miramos siquiera. Apreté el brazo de Irene y la hice correr conmigo hasta la puerta cancel, sin volvernos hacia atrás. Los ruidos se oían más fuerte pero siempre sordos, a espaldas nuestras. Cerré de un golpe la cancel y nos quedamos en el zaguán. Ahora no se oía nada.

—Han tomado esta parte —dijo Irene. El tejido le colgaba de las manos y las hebras iban hasta la cancel y se perdían debajo. Cuando vio que los ovillos habían quedado del otro lado, soltó el tejido sin mirarlo.

—¿Tuviste tiempo de traer alguna cosa? —le pregunté inútilmente.

—No, nada.

Estábamos con lo puesto. Me acordé de los quince mil pesos en el armario de mi dormitorio. Ya era tarde ahora.

Como me quedaba el reloj pulsera, vi que eran las once de la noche. Rodeé con mi brazo la cintura de Irene (yo creo que ella estaba llorando) y salimos así a la calle. Antes de alejarnos tuve lástima, cerré bien la puerta de entrada y tiré la llave a la alcantarilla. No fuese que a algún pobre diablo se le ocurriera robar y se metiera en la casa, a esa hora y con la casa tomada.

¿Te has sentido involucrado? ¿Qué has encontrado de lo que te esperabas?

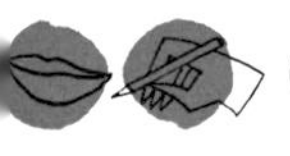

7 Vamos a trabajar el espacio en el relato de Cortázar:

Espacio interno

- Vuelve a fijarte en la secuencia que va desde "Cómo no acordarme", hasta "tierra en los muebles".
- Coge un lápiz, una goma de borrar, una regla y una hoja cuadriculada.
- Reconstruye el plano de la casa siguiendo las "instrucciones" que el mismo texto te proporciona. Ved quién termina antes.
- Seguramente no todos habréis llegado a la misma solución; eso es normal, lo importante es justificar las diferencias entre vuestros planos.
- Todos los planos se pegan en un cartel como ejemplo de espacio interno.

Espacio externo

- Busca en el texto todos los puntos donde se hace referencia a la localización geográfica externa de la casa.
- Subráyalos.
- Contrástalos con tu compañero.

Lugares emblemáticos

- ¿En qué relación están los personajes con la casa?
- Para ti, ¿qué representa la casa?
- Contrástalo con tu compañero.

Al reflexionar sobre el significado del relato, vemos cómo la casa se transforma en un espacio agobiante que casi impide la comunicación con el mundo exterior. Los personajes que viven allí están encerrados en su mundo, aislados del exterior, sintiéndose amenazados por algo que no existe, que ellos mismos han creado en su imaginación.

8 A propósito del espacio externo, vamos a ver cómo Leopoldo Alas, "Clarín" describe, en la primera página del libro, el ambiente donde se desarrollará la acción: la ciudad. Se trata de *La Regenta* y de la célebre visión de Vetusta y de su catedral.

La Regenta

La heroica ciudad dormía la siesta. El viento Sur, caliente y perezoso, empujaba las nubes blanquecinas que se rasgaban al correr hacia el Norte. En las calles no había más ruido que el rumor estridente de los remolinos de polvo, trapos, pajas y papeles que iban de arroyo en arroyo, de acera en acera, de esquina en esquina revolando y persiguiéndose, como mariposas que se buscan y huyen y que el aire envuelve en sus pliegues invisibles. Cual turbas de pilluelos, aquellas migajas de la basura, aquellas sobras de todo se juntaban en un montón, parábanse como dormidas un momento y brincaban de nuevo sobresaltadas, dispersándose, trepando unas por las paredes hasta los cristales temblorosos de los faroles, otras hasta los carteles de papel mal pegado a las esquinas, y había pluma que llegaba a un tercer piso, y arenilla que se incrustaba para días, o para años, en la vidriera de un escaparate, agarrada a un plomo.

Vetusta, la muy noble y leal ciudad, corte en lejano siglo, hacía la digestión del cocido y de la olla podrida, y descansaba oyendo entre sueños el monótono y familiar zumbido de la campana de coro, que retumbaba allá en lo alto de la esbelta torre en la Santa Basílica. La torre de la catedral, poema romántico de piedra, delicado himno, de dulces líneas de belleza muda y perenne, era obra del siglo XVI, aunque antes comenzada, de estilo gótico, pero, cabe decir, moderado por un instinto de prudencia y armonía que modificaba las vulgares exageraciones de esta arquitectura. La vista no se fatigaba contemplando horas y horas aquel índice de piedra que señalaba al cielo; no era una de esas torres cuya aguja se quiebra de sutil, más flacas que esbeltas, amaneradas, como señoritas cursis que aprietan demasiado el corsé; era maciza sin perder nada de su espiritual grandeza, y hasta sus segundos corredores, elegante balaustrada, subía como fuerte castillo, lanzándose desde allí en pirámide de ángulo gracioso, inimitable en sus medidas y proporciones. Como haz de músculos y nervios la piedra enroscándose en la piedra trepaba a la altura, haciendo equilibrios de acróbata en el aire; y como prodigio de juegos malabares, en una punta de caliza se mantenía, cual imantada, una bola grande de bronce dorado, y encima otra más pequeña, y sobre ésta una cruz de hierro que acababa en pararrayos.

Cuando en las grandes solemnidades el cabildo mandaba iluminar la torre con faroles de papel y vasos de colores, parecía bien, destacándose en las tinieblas, aquella romántica mole; pero perdía con estas galas la inefable elegancia de su perfil y tomaba los contornos de una enorme botella de champaña. Mejor era contemplarla en clara noche de luna, resaltando en un cielo puro, rodeada de estrellas que parecían su aureola, doblándose en pliegues de luz y sombra, fantasma gigante que velaba por la ciudad pequeña y negruzca que dormía a sus pies.

¿Te ha gustado? ¿En qué pone más interés "Clarín" a la hora de describir?

(9) ¿Qué tipo de historia imaginas que va a desarrollarse en este ambiente? Formula hipótesis con tu compañero, compártelas con el resto de la clase y verifícalas con tu profesor.

⑩ Imaginad que vais a pasar unos días en Vetusta. ¿Qué postal de la catedral enviaríais a vuestros amigos? Escribidla en grupos de cuatro utilizando los medios que prefiráis (dibujo, collage, ordenador...).

Cada grupo presentará su postal pegada en un cartel, como ejemplo de espacio externo.

> **Fíjate**
>
> Por lo que se refiere al espacio nos parece importante tener presente que la acción puede desenvolverse en lugares internos o externos. Muchas veces las coordenadas espaciales no están presentes de forma explícita en un texto, pero podemos deducirlas igualmente gracias a la presencia de algunos elementos narrativos.
> Otras veces los lugares mencionados en un texto literario se cargan de significado y asumen un valor emblemático. De hecho también tenemos que considerar las especiales relaciones que se establecen entre los lugares y los personajes.

Contar el pasado y marcar las etapas de la vida

Normalmente cuando contamos acontecimientos pasados acudimos a nuestros recuerdos. Pero... ¿qué mecanismos los desencadenan?

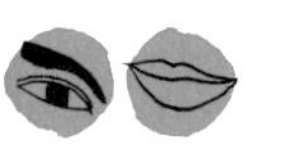

⑪ Tu compañero y tú vais a colaborar para llegar al mismo objetivo: averiguar qué mecanismo empuja a recordar, por qué asaltan los recuerdos a los protagonistas de los dos textos que os proponemos a continuación. Se trata de un fragmento de una novela de Juan José Millás y de un poema de Antonio Machado.

Primero vais a trabajar por separado (seréis A y B). A trabajará con el texto narrativo (I) y B con el texto poético (II). Mediante un interrogatorio, cada uno tiene que averiguar el motivo y las circunstancias que desencadenan la evocación del texto que ha leído su compañero. Tras realizar la lectura de los textos, A formulará el interrogatorio de la ficha I a su compañero, y viceversa.

> Si lo necesitáis, podéis utilizar todos los instrumentos y recursos necesarios para agilizar vuestra comprensión. El profesor también os puede ayudar.

1. EL DESORDEN DE TU NOMBRE de Juan José Millás.

Lo peor, con todo, había sucedido el jueves a la hora de comer: su madre se había sentado a los pies de la cama tras colocar frente a él la bandeja de la comida, que consistía en una taza de caldo y una pieza de merluza hervida. Al llevarse la taza a los labios percibió un olor antiguo, íntimamente ligado a su existencia y enquistado sin duda en lo más profundo de su memoria olfativa, como a la espera de que una provocación exterior le permitiera romper la cápsula fibrosa en la que había permanecido y expandirse de nuevo a través de la sangre impregnando con su sabor cada uno de los tejidos blandos de su cuerpo. Entonces hizo un gesto de rechazo, al que su madre respondió velozmente:

—Has de comer, aunque no tengas ganas, hijo.

—Está un poco soso —se defendió él.

—Las medicinas, que te han quitado el paladar. Lleva una punta de jamón, un muslo de gallina, que es mucho más sabrosa que el pollo, y zanahorias, puerro, cebolla...

La enumeración de los componentes no hizo sino aumentar el rechazo de Julio, que comenzó a beberlo a sorbos con la impresión de que la mano de su madre había disuelto en él la esencia misma de toda la historia familiar; el olor evocaba algo cercano, pero oculto; se abría como una flor maligna en la superficie de la conciencia e inundaba el ambiente de vapores de cuarto de estar con mesa camilla, sillas de tapicería desflecada y televisor en blanco y negro sobre estantería vulgar de escasos volúmenes encuadernados en piel.

Julio supo que estaba viviendo uno de esos instantes en los que los objetos menos dignos de atención adquieren una relevancia inusitada; uno de esos instantes en los que las propias manos y su prolongación, los dedos, se perciben como tallados en durísima piedra; uno de esos instantes, en fin, en los que las cosas todas manifiestan una autonomía feroz, que las transforma en unidades independientes, y con la que no consiguen ocultar, sin embargo, su condición fragmentaria, sobrevenida por la explosión de una realidad incompleta, por el estallido de un pensamiento lastimado. Pensó que no podría soportar durante mucho tiempo ese modo de percibir las cosas, porque el movimiento más automático de su cuerpo, como era el de cerrar los párpados, se había convertido de súbito en un suceso que parecía exigir cierto aporte de voluntad. Y se cerraban de forma metálica y ruidosa, como las persianas rizadas de las tiendas antiguas. Las propias palabras habían adquirido una solidez de esfera y, de este modo, cargadas hasta el borde de sentido, penetraban por los oídos una tras otra, y cada una distinta, pero unidas entre sí como los vagones de un largo tren, también antiguo.

Con semejante fuerza surgió en él la evocación de lo familiar al oler el caldo. Pero la evocación ya no era protectora ni adaptable a su estado de ánimo; por el contrario, presentaba signos de enemistad al aparecer convertida en el depósito de aquella arqueología personal, cuya sustancia había actuado con mayor eficacia en la desertización de su dañada inteligencia.

Ficha I

Estás investigando el "caso del Limonadicto", que tiene buena memoria y puede recordar mucho de su infancia. Tu compañero es el mayor sospechoso. Averigua cómo se han producido los recuerdos en el texto que ha leído tu compañero. Para ello pregúntale:

- **dónde transcurre el recuerdo,**
- **cuándo sucedió lo que se recuerda,**

- con quién estaba el autor cuando pasó,
- qué hacía,
- si le gustó ese episodio de su pasado,
- por qué.

2. EL LIMONERO de Antonio Machado.

El limonero lánguido suspende
una pálida rama polvorienta
sobre el encanto de la fuente limpia,
y allá en el fondo sueñan
los frutos de oro...
Es una tarde clara,
casi de primavera,
tibia tarde de marzo,
que el hálito de abril cercano lleva;
y estoy solo, en el patio silencioso,
buscando una ilusión cálida y vieja:
alguna sombra sobre el blanco muro,
algún recuerdo, en el pretil de piedra
de la fuente dormido, o, en el aire,
algún vagar de túnica ligera.

En el ambiente de la tarde flota
ese aroma de ausencia,
que dice al alma luminosa: nunca,
y al corazón: espera.
Ese aroma que evoca los fantasmas
de las fragancias vírgenes y muertas.
Sí, te recuerdo, tarde alegre y clara,
casi de primavera,
tarde sin flores, cuando me traías
el buen perfume de la hierbabuena,
y de la buena albahaca,
que tenía mi madre en sus macetas.
Que tú me viste hundir mis manos puras
en el agua serena,
para alcanzar los frutos encantados
que hoy en el fondo de la fuente sueñan...
Sí, te conozco, tarde alegre y clara,
casi de primavera.

Ficha II

Estás investigando el "caso del Caldófobo", que tiene buena memoria y puede recordar mucho de su infancia. Tu compañero es el mayor sospechoso. Averigua cómo se han producido los recuerdos en el texto que éste ha leído. Para ello pregúntale:

- dónde transcurre su recuerdo,
- cuándo sucedió lo que se recuerda,
- con quién estaba el autor cuando pasó,
- qué hacía,
- si le gustó ese episodio de su pasado,
- por qué.

Ahora, A lee el texto de B, y viceversa, para comprobar que las deducciones de su compañero han sido las correctas.

⑫ Vamos a sacar las conclusiones obtenidas en el interrogatorio. En tu cuaderno, completa las siguientes informaciones:

Lo que provoca que aparezca el recuerdo en el texto I es...
Lo que provoca que aparezca el recuerdo en el texto II es...
En los dos textos el protagonista empieza a recordar por...
En el texto I la postura del protagonista frente al recuerdo es...
En el texto II la postura del protagonista frente al recuerdo es...

⑬ ¿Qué podría abrir la caja de tus recuerdos? ¿Una melodía, un olor...?

Escribe un pequeño texto en tu cuaderno sobre un recuerdo y aquello que te lo trae a la memoria.

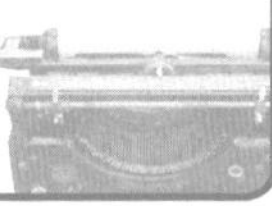

¿Te gustaría leer más textos evocadores? Si es así, búscalos (tu profesor te ayudará) y compáralos con los de Machado y Millás. Seguro que no podrás prescindir de las magdalenas de Proust.

El Tiempo en la narración

El recuerdo sólo puede existir porque pasa el tiempo. Gracias al paso del tiempo se producen las etapas que forman parte de nuestra vida. Muchas citas filosóficas o de sabiduría popular que a menudo oímos como, por ejemplo, carpe diem o el tiempo lo cura todo, tienen que ver con el paso del tiempo, con los cambios que inexorablemente afectan y modifican nuestro ser.

⑭ ¿Te acuerdas de la persona mayor a la que hiciste las preguntas sobre el ambiente donde vivía? También sería interesante saber algo más sobre su niñez, los cambios importantes en su vida, sus recuerdos sobre la aparición de las innovaciones más significativas... Pregúntale y escucha; ¡verás cuánta información te dará! Luego, en clase, cuéntaselo todo a tu compañero y compartid los resultados de vuestras entrevistas con el resto del grupo: ¿encontráis puntos en común entre los relatos?

⑮ Te proponemos a continuación dos ejemplos del arte de contar en pasado: ¿de qué período de su vida están hablando los protagonistas de cada uno de estos dos fragmentos?

1. La lluvia amarilla de Julio Llamazares.

El tiempo fluye siempre igual que fluye el río: melancólico y equívoco al principio, precipitándose a sí mismo a medida que los años van pasando. Como el río, se enreda entre las ovas tiernas y el musgo de la infancia. Como él, se despeña por los desfiladeros y los saltos que marcan el inicio de su aceleración.

Hasta los veinte o treinta años, uno cree que el tiempo es un río infinito, una sustancia extraña que se alimenta de sí misma y nunca se consume. Pero llega un momento en que el hombre descubre la traición de los años. Llega siempre un momento —el mío coincidió con la muerte de mi madre— en el que, de repente, la juventud se acaba y el tiempo se deshiela como un montón de nieve atravesado por un rayo. A partir de ese instante, ya nada vuelve a ser igual que antes. A partir de ese instante, los días y los años empiezan a acortarse y el tiempo se convierte en un vapor efímero —igual que el que la nieve desprende al derretirse— que envuelve poco a poco el corazón, adormeciéndolo. Y, así, cuando queremos darnos cuenta, es tarde ya para intentar siquiera rebelarse.

2. Malena es un nombre de tango de Almudena Grandes.

Nadie podría exigir al niño oculto que yo deseaba ser lo que todos esperaban de mí por ser una niña. Porque los niños pueden desplomarse pesadamente sobre los sofás, en lugar de controlar sus movimientos al sentarse, y pueden llevar la camisa por fuera del pantalón sin que la gente piense por eso que están sucios. Los niños pueden ser torpes, porque la torpeza es casi una cualidad varonil, y ser desordenados, y carecer de oído para aprender solfeo, y hablar a gritos, y gesticular violentamente con las manos, y eso no les hace poco masculinos. Los niños detestan los lazos, y todo el mundo sabe que esta repulsión nace con ellos en el exacto centro de su cerebro, en el primer rincón de donde brotan las ideas y las palabras, y por eso no les obligan a llevar lazos en la cabeza. A los niños les dejan escoger su ropa y no les ponen uniforme para mandarlos al colegio, y cuando tienen un hermano mellizo, sus madres no se preocupan tanto por vestirlos siempre igual. Los niños tienen que ser listos, listos y buenos, con eso basta, y si son un poco brutos, sus abuelos sonríen y piensan que tanto mejor. Yo en realidad no quería ser un niño, no me consideraba ni siquiera apta para conquistar un objetivo tan fácil como ése, pero no encontraba otra salida, otra puerta por donde

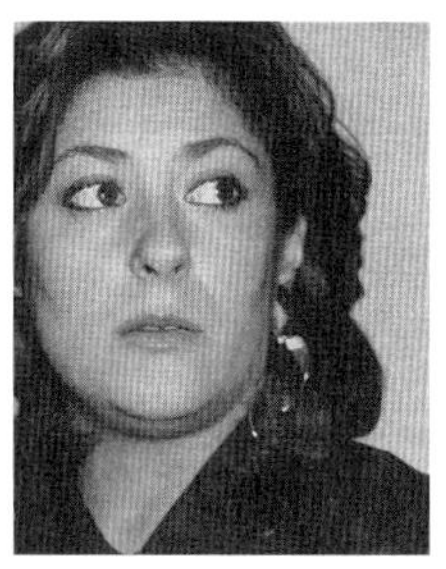

Almudena Grandes (1960)

escapar de la maldita naturaleza que me había tocado en suerte, y me sentía como una tortuga coja y sin olfato mientras renquea en pos de una liebre que corre sin dejar rastro. Jamás alcanzaría a mi hermana, así que no me quedaba otro remedio que volverme niño.

El mundo era de Reina, crecía tan despacio como ella, y la favorecía con su color, con su textura y con su tamaño, como un escenario diseñado con mimo para una sola diva por un anónimo carpintero enamorado. Reina reinaba sobre el mundo, y lo hacía con la sencilla naturalidad que distingue a los monarcas auténticos de los bastardos usurpadores. Era buena, graciosa, dulce, pálida y armoniosa como una miniatura, suave e inocente como las niñas de las ilustraciones de los cuentos de Andersen.

No siempre hacía las cosas bien, por supuesto, pero hasta cuando fallaba, sus fallos estaban de acuerdo con las eternas leyes no escritas que gobiernan el movimiento del planeta que nos acoge, así que todos los aceptaban como un ingrediente ineludible de la normalidad. Y cuando se proponía ser mala, Reina era malvada con la más sutil alevosía. Yo, que sólo sé embestir de frente, la admiraba también por eso.

Éramos tan diferentes que el abismo que separaba nuestros rostros, nuestros cuerpos, llegó a parecerme lo menos importante de todo, y cuando la gente correspondía con una mirada de asombro a la confidencia de que ambas éramos mellizas, yo pensaba, ya está, ya se han dado cuenta de que ella es una niña y yo soy otra cosa. Muchas veces pensé que si las dos hubiéramos sido tan parecidas como para resultar idénticas a los ojos de los demás, todo habría sido distinto, y tal vez habría tenido acceso a esos enigmáticos fenómenos de identidad que otros gemelos juran haber compartido, pero lo cierto es que mi conciencia no llegó a registrar nunca una zona común con la conciencia de mi hermana, y estoy segura de que a ella tampoco le dolían mis golpes, ni le estremecían mis miedos, ni le trepaban mis risas por la garganta, y ya entonces, cuando lo compartíamos todo, desde las tostadas del desayuno hasta la bañera de por las noches, a veces me asaltaba la sospecha de que Reina estaba lejos, mucho más lejos de mí que el resto de las personas que conocía, y la sensación de que las tostadas que yo me comía eran sus tostadas, y la bañera donde yo me sumergía era su bañera, porque todo lo que yo poseía no era más que un indeseable duplicado de las cosas que ella parecía haber elegido libremente poseer, contribuía a incrementar esa distancia. El mundo, el pequeño mundo donde vivíamos entonces, no era otra cosa que el exacto lugar que Reina habría escogido para vivir, y los resultados de esa misteriosa armonía se manifestaban hasta en el más pequeño de sus gestos, que siempre resultaba ser el gesto que los demás habían intuido que debería producirse, la marca de una criatura perfecta, la niña total.

A mí nadie me había dado la oportunidad de elegir, y no me encontraba con fuerzas bastantes como para intentar cambiar el entorno donde me veía obligada a crecer, una proeza que por otro lado nunca imaginé siquiera, porque estaba convencida de que aquel escenario era el justo y yo la cantante afónica, el prestidigitador manco, el fotógrafo ciego, la diminuta tuerca defectuosa que bloquea de manera incomprensible el funcionamiento de una máquina gigantesca y carísima. Intentaba mejorar, me esforzaba por aprender de memoria cada palabra, cada gesto, cada reacción de Reina, y todas las noches me dormía planificando el día siguiente, y todas las mañanas saltaba de la cama dispuesta a no cometer ningún error, pero hasta cuando lo conseguía, cuando me miraba en el espejo antes de salir de casa, e incluso, raras veces, al volver del colegio por las tardes, y me encontraba normal, correcta, previsible, no podía ignorar que la niña a la que contemplaba no era yo, sino una voluntariosa, apenas pasable doble de mi hermana.

¿Te ha gustado más la prosa moderna y desenfadada de Almudena Grandes o la prosa poética de Julio Llamazares? ¿Por qué? Poned en común los resultados.

16 Como conclusión de lo que has leído en este segmento, "Contar el pasado y marcar las etapas de la vida", te proponemos la lectura de un artículo literario de Maruja Torres. ¿Te parece adecuado proponerlo como conclusión de este segmento? ¿Por qué? Háblalo con tu compañero y compartidlo con el resto de la clase; el título puede daros una pista.

Maruja Torres (1943)

Una, dos, tres, cuatro, una

Era un mediodía de sábado. Un poco frío. Amansado por el sol justo a la hora en que los habituales leen el periódico en la terraza del café situado frente a mi casa, en la plaza de árboles todavía jóvenes.

Yo alcanzaba resoplando el portal de mi edificio. De mis manos colgaban bolsas llenas de cajas de plástico con las que pensaba ordenar mi siempre caótico cuarto de baño. Pesaban lo suyo. Yo refunfuñaba, a sabiendas de que en cuanto dejara mi mercancía en el recibidor tendría que tumbarme para que mi pierna sin rótula se recuperara del esfuerzo. Mi amigo el periodista y escritor libertario Víctor Alba suele decir que la vejez es un colonizador del cuerpo. Oscar Wilde dejó escrito que lo malo de envejecer no es que uno sea viejo, sino que uno es joven. Sólo el cuerpo se marchita.

Bueno, yo pensaba en todo eso mientras dejaba las bolsas en el suelo y buscaba en mi bolsillo la llave del portal. De pronto miré a mi alrededor y abandoné todo movimiento. "Hay que reivindicar a Jacques Tati", me dijo en cierta ocasión el gran cineasta José Luis Guerin, "al hombre que pasea, observando y silbando".

No sé silbar, de modo que, en bien de la humanidad, permanecí silenciosa, pero observar forma parte de mi vida y de mi oficio. Miré a las azoteas y comprobé, con disgusto, que ha desaparecido el árbol que algunos ricachones con estilo solían mantener en una de ellas. Me percaté de que las cotorras que con el buen tiempo suelen anidar en las palmeras han desaparecido, en busca de un clima mejor. Y contemplé a la mujer que avanzaba hacia el centro de la plaza, en una silla de ruedas empujada por un familiar. Debía de tener más de noventa años y se hallaba completamente impedida: excepto los ojos, vivaces, sorprendidos quizá todavía por la avasalladora terrible colonización de la vejez, sonrientes también, quizá por la bendición del sol invernal. La suya es una presencia habitual en la plaza, pero ese día fue particular.

En la terraza del café, entre los grupos familiares, los padres con sus hijos y los hijos con sus perros, había una mujer de poco más de treinta años, con un libro abierto sobre la mesa, una cajetilla de cigarrillos y el rostro dirigido también al sol, los ojos cerrados y una sonrisa breve y profunda. Sonreía con la piel, no sé si me entiendes, y con las entrañas. A fondo.

Para entonces, una muchacha de menos de veinte llegó a la plaza corriendo rítmicamente, con el pelo sujeto por una banda elástica y un chándal precioso. No me gustan los chándales de colores mezclados, fantasiosos, pero la chica se cubría con uno gris discreto que, no sé por qué, me recordó Nueva York, y tal vez a Meg Ryan vestida de estar por casa en una comedia de amor. La joven se detuvo ante uno de esos bancos fijos de diseño que los viernes por la noche las pandillas de chavales bebedores cubren de grafitos. Hizo unas cuantas flexiones, con el rostro levantado también, ofrecido al sol.

Y fue en ese momento cuando nos vi a las cuatro, la chica que empezaba a vivir, la mujer que interrumpía su lectura para sumergirse en la luz de la mañana, la cincuentona que soy y que olvidaba el peso de las bolsas y de mi propio cuerpo, la anciana asediada por su cuerpo que aún aspiraba a recibir los dones cada vez más restringidos y preciados de la existencia. Cuatro mujeres y la misma mujer, pensé.

Alcé la cara y también me entregué al disfrute del sol. Cómo galopa el tiempo, me dije. Bajo el mismo sol, para gente que somos en cierto modo la misma, que cargamos con el mismo fardo esencial. Cuatro mujeres solas, una mujer sola en cuatro episodios que se resumen, se detienen en el aire puro y frío de una mañana de invierno.

Poco después, la mujer abrió el libro y siguió leyendo después de encender un cigarrillo, la muchacha reemprendió su jogging, yo empujé la puerta de la calle y presioné el botón del ascensor. Sólo la anciana permaneció quieta en su posición final, como si estuviera ensayando una benévola forma de despedida de este mundo que compartimos. Bañada por el sol y tal vez por los recuerdos.

(17) De todos los textos que hemos leído hasta aquí, ¿cuál te ha gustado más? ¿Cuál te transmite más emoción? ¿En cuál reconoces algo tuyo? ¿Y tu profesor que opina?

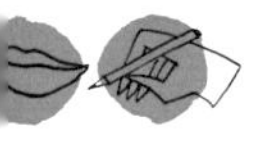

(18) Dejemos por un momento las cuestiones existenciales y volvamos al fragmento de *Malena es un nombre de tango* para concentrarnos en el tiempo. Pero ahora vamos a hablar del tiempo verbal, que es la forma más importante para designar la temporalidad dentro de la narración. Lee de nuevo el texto e intenta reconocer e identificar cuáles son los tiempos verbales más utilizados.

1. Presente. ☐
2. Imperfecto. ☐
3. Pretérito Perfecto. ☐
4. Pretérito Indefinido. ☐
5. Futuro. ☐
6. Condicional. ☐

Fíjate

El tiempo característico para indicar la separación entre la narración y los hechos recordados es el pasado.
Si la historia es "la sucesión lógica de acontecimientos que han tenido lugar en una época determinada y durante un tiempo determinado", en ella hay que tener en cuenta siempre el orden en que se han ido sucediendo los acontecimientos y la duración. El tiempo de la historia es el tiempo externo y responde a tres cuestiones:

- cuándo se desarrolla la historia,
- durante cuánto tiempo,
- en qué orden se suceden los acontecimientos.

En cambio, si "el discurso manipula y altera el tiempo de la historia creando una nueva dimensión temporal", el tiempo del discurso es el tiempo interno que, a menudo, rompe el orden de los acontecimientos y la duración de los mismos.
En todo relato el tiempo de la historia se transforma en el tiempo del discurso, el único textualmente importante.

Igual que hemos analizado cómo aparece retratado el espacio en un texto narrativo, tenemos que pararnos a pensar en cómo se refleja el tiempo. A este respecto hay que tener en cuenta tres cuestiones:

- El tiempo que dura el relato: si la historia que se cuenta transcurre en unas horas, en un día, en años...
- El tiempo en el que está enmarcada la historia: la época histórica, la estación del año...
- El tiempo "interno" de nuestro relato: si contamos lo que pasa en el presente, si damos un "salto" hacia el pasado, si suponemos lo que va a pasar en el futuro...

Los personajes en las dinámicas de la narración y en la descripción

En cada momento de la vida, en nuestro contacto con los demás se producen dinámicas que nos empujan en nuestras acciones, es decir, fuerzas y circunstancias que nos llevan a relacionarnos con los demás. Estas mismas dinámicas se activan en los relatos literarios. Vamos a acercarnos ahora a aquellas dinámicas que dan vida a un cuento, puesto que cualquier relato se articula alrededor de una acción y hay alguien que mueve esta acción por una causa y con un fin.

(19) ¿Quieres asomarte con nosotros a una ventana un poco especial? Nuestra ventana da al pasado: se abre a un mundo de hace quinientos años. Deja que la historia vuelva a tomar vida en los ambientes, los personajes y los acontecimientos de entonces:

Es el año 1501. Estamos en España, en la corte de los Reyes Católicos, Isabel de Castilla y Fernando de Aragón. La Reina Isabel está muy enferma y todo hace prever que pronto morirá; su hija y heredera, Juana, vive en Flandes con su esposo, Felipe de Austria y cuando recibe la noticia del estado de salud de su ilustre madre, parte para España con Don Felipe para ser proclamada heredera al trono.

Hasta aquí para Juana todo parece un sueño dorado: las riquezas, el amor de un hombre hermoso y poderoso, el futuro como Reina de un vasto imperio, pero...

Rosa Montero (1951)

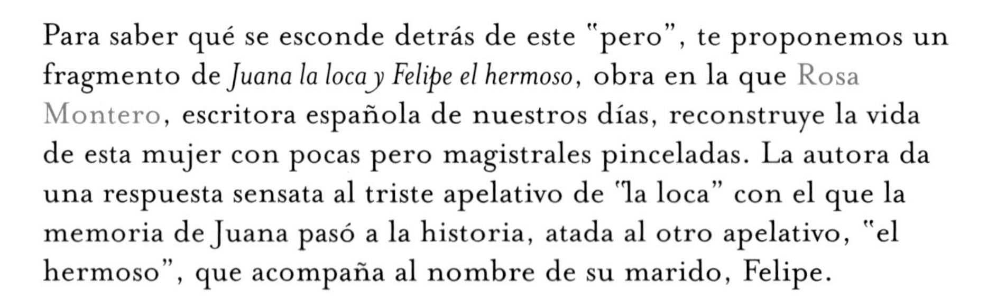

Para saber qué se esconde detrás de este "pero", te proponemos un fragmento de *Juana la loca y Felipe el hermoso*, obra en la que Rosa Montero, escritora española de nuestros días, reconstruye la vida de esta mujer con pocas pero magistrales pinceladas. La autora da una respuesta sensata al triste apelativo de "la loca" con el que la memoria de Juana pasó a la historia, atada al otro apelativo, "el hermoso", que acompaña al nombre de su marido, Felipe.

Juana la loca y Felipe el hermoso

La catástrofe comenzó en 1501, cuando Juana y Felipe viajaron a España para ser proclamados herederos al trono. Al principio todo fue aparentemente como la seda: los Reyes Católicos saludaron y mimaron a su hijo político como si fueran los suegros más encantadores e inofensivos. Pero enseguida intentaron atraer a Felipe a su bando y obligarle a tomar posición en contra de Francia. Sintiéndose sitiado, el archiduque echó de su séquito a los partidarios de los Reyes Católicos y cerró filas con el obispo Besançon, fiel defensor de Luis XII. Pero el obispo enfermó inopinadamente y murió de la noche a la mañana. Felipe, que asistió a su agonía, quedó convencido de que lo habían envenenado, y temiendo por su propia vida decidió salir de España cuanto antes.

Entonces a la reina Isabel se le ocurrió la idea de utilizar a Juana contra su marido. Como la infanta estaba embarazada de siete meses, prohibió que se pusiera de viaje, pretextando el cuidado por su salud; y malmetió con su hija para que insistiera en que Felipe no se marchase. Pero el archiduque estaba espantado y decidido: si Juana no podía venir, la dejaría atrás hasta que diera a luz. De hecho, y después de despedirse con una bronca fenomenal de su mujer, a Felipe aún le costó dos meses poder salir (o más bien escapar) de este país, porque Fernando ordenó que no le dieran ni un solo caballo.

La princesa se había quedado desconsolada. Cayó en su primera gran depresión, una melancolía que la dejaba muda y como ausente. En marzo llegó el parto, que fue, como todos los suyos, facilísimo, y entonces empezó a mostrarse más animada: la pobre se había creído la excusa de su madre y pensaba que ahora, una vez recuperada, le pondrían unos barcos para llevarla a Flandes, puesto que no se podía hacer el viaje por tierra a través de la enemiga Francia.

Pero los días pasaban y pasaban; nadie le hablaba claramente, todos la trataban como si fuera idiota. Transcurrió así el verano de un modo angustioso, porque esos meses de buen tiempo eran los únicos en los que se podía navegar, y al fin llegó el otoño. A esas alturas Juana estaba por completo fuera de sí: pensaba que la habían secuestrado con la complicidad de su marido, al que imaginaba en Bruselas acostándose a diestro y siniestro con todas las damas. Un ataque de paranoia que era en gran parte muy atinado, porque en efecto estaba secuestrada, sólo que no por su marido sino por sus padres, que estaban decididos a no permitirle volver a Flandes.

De hecho, Juana estaba internada en el castillo de la Mota, virtualmente prisionera. No comía, no dormía, no se lavaba. [...] Ésa fue la pauta de Juana durante toda su desgraciada vida: la forzaron, la maltrataron, la manipularon hasta extremos inconcebibles, y frente a toda esa violencia ella sólo pudo enfrentarse hiriéndose a sí misma, dejándose morir. Claro que era tan robusta que no se moría, y eso prolongó de manera indecible su tortura.

Encerrada en el castillo de la Mota le llega una carta de Felipe con la que el archiduque le pide que vuelva de una vez. ¡Entonces su marido no estaba en la conjura! Feliz y llena de energía, Juana ordena prepararlo todo para salir de viaje. El obispo Fonseca la detiene en nombre de la reina Isabel: tiene que recurrir a la fuerza, quitarle los caballos, alzar el puente levadizo y cerrar las puertas, porque Juana está dispuesta a irse aunque sea andando. [...] (Juana) llora, grita, araña, insulta a Fonseca, se niega a regresar a su habitación. Es el mes de noviembre y se pasa toda la noche en el gélido patio sin abrigo. Es la única medida de protesta que está a su alcance. Por todos esos actos de desesperación, tan naturales, la consideran loca.

Y de nuevo la depresión, los raptos de ausencia. Al fin, y tras varios meses de agonía, llegó un enviado de Felipe con el firme encargo de llevarla con él. Los Reyes Católicos no tuvieron más remedio que dejarle partir. Hacía año y medio que Juana se había separado de su marido.

Pero...

Intentemos determinar el tema en el fragmento de Rosa Montero. En grupos de cinco, volved a leer el fragmento para trabajar los puntos que os proponemos a continuación:

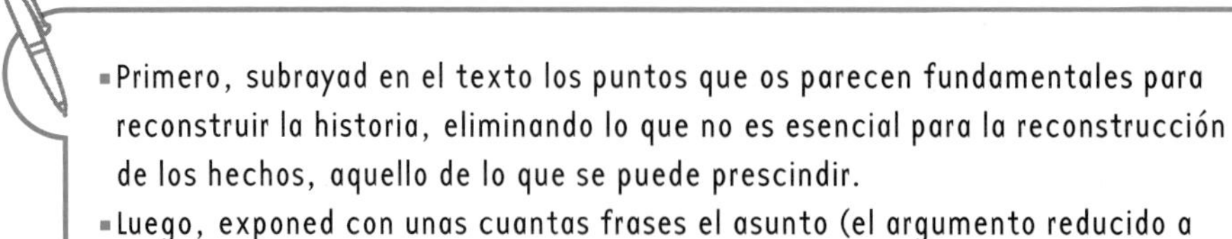

- Primero, subrayad en el texto los puntos que os parecen fundamentales para reconstruir la historia, eliminando lo que no es esencial para la reconstrucción de los hechos, aquello de lo que se puede prescindir.
- Luego, exponed con unas cuantas frases el asunto (el argumento reducido a los detalles esenciales, es decir, los puntos que antes habéis encontrado.

- Eliminad ahora todos los detalles, reduciendo el asunto a unas pocas palabras que encierren el tema.

Poned en común vuestros resultados.

El asunto es:

El tema es:

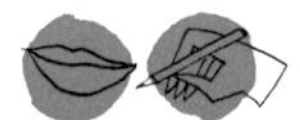

⑳ Volvamos a nuestras consideraciones iniciales sobre el juego de fuerzas, es decir, las funciones que los actores o personajes desempeñan en el relato de Rosa Montero. Con tu compañero, trabajad en los siguientes puntos y anotad en vuestros cuadernos:

- Fijaos en la frase que abre nuestro fragmento, "La catástrofe comenzó en 1501", y determinad a qué se refiere la palabra *catástrofe*.
- ¿A qué se debe la acción de rebeldía de doña Juana?
- ¿Qué quiere reconquistar doña Juana?
- ¿Quién se opone a su libertad?
- ¿Quién se beneficia de la acción de rebeldía?
- ¿Quién la ayuda a reconquistar su libertad?

Las funciones dentro de la narración

Seguramente has comprobado que la catástrofe que se va preparando inexorablemente se refiere a doña Juana, ya que es ella la que desempeña el papel de sujeto. Es decir, el personaje sobre quien se fija la atención de la autora y que, a raíz de los acontecimientos que se suceden, va madurando el deseo de rebelión que, a su vez, se concreta en actos con los que intenta reconquistar su

libertad. Con su reacción unas veces violenta, otras resignada o llena de esperanza, Juana intenta aspirar a un futuro de felicidad que el destino parece negarle.
Si sigues indagando, también verás que la acción de rebeldía de doña Juana nace de la imposición que sufre al tener que quedarse en España contra su voluntad, y lo que ella quiere (el objeto) es reconquistar su libertad frente al designio de sus padres, los Reyes Católicos (que en este caso son sus oponentes). Por ser ella misma la que se beneficia de la acción de reconquistar la libertad, es la beneficiaria; por fin don Felipe la ayuda enviando a su mensajero a la corte de España. Por tanto, su ayudante es el mismo don Felipe. Al retener a Juana como chantaje a su marido, la voluntad de los Reyes Católicos es lo que ha dado origen a toda la acción, así que ellos son el destinador, los que determinan qué va a pasar con el sujeto.

21 A raíz de lo que acabamos de indicar, intenta dar las definiciones de los términos que van a continuación sin mirar las respuestas en el cuadro que aparece después. Para facilitarte el trabajo, te damos la primera:

Sujeto: el que desea o necesita algo.
Objeto: ______
Destinador: ______
Destinatario: ______
Oponente: ______
Ayudante: ______

Comprueba tus respuestas:

Fíjate

"La acción de un relato, cuento o novela, puede ser considerada como un juego de fuerzas o funciones que se relacionan entre sí. Estas funciones reciben el nombre de actantes y son desempeñadas por los actores, que pueden ser personas, ideas, cosas o cosas personificadas. En ocasiones es posible que un mismo actor (personaje) desempeñe más de una función o que, por el contrario, no desempeñe ninguna. sujeto: el que desea o necesita algo; objeto: lo que el sujeto desea, necesita, teme,...; destinador: lo que empuja al sujeto a realizar su acción; destinatario: el que se beneficia de la acción del sujeto; ayudante: el que ayuda al sujeto en su acción; oponente: lo que crea obstáculos a la acción del sujeto."[10]

Por cierto, ¿quieres saber cuál es el título completo del relato de Rosa Montero?:

Juana la loca y Felipe el hermoso. Ni loca ni hermoso

(22) Imagina que tu compañero te está pidiendo información sobre una persona que a ti te interesa mucho y él no conoce. Descríbesela. ¿Qué vas a tener en cuenta en tu descripción?

- ☐ Aspecto físico
- ☐ Ropa
- ☐ Acciones
- ☐ Ideas
- ☐ Otros ______________________

(23) A continuación veréis cómo lo hacen algunos escritores. Contrastad vuestras descripciones con las que se dan en los textos que os ofrecemos.

Malena es un nombre de tango de Almudena Grandes.

Para ir a aquella boda me puse las primeras medias transparentes que usé en mi vida. Tenía catorce años, y mi cuerpo había cambiado mucho, pero yo no me di cuenta del todo de aquel fenómeno hasta que me sorprendió el hallazgo de mis propias piernas, desnudas y enteras bajo una funda de nailon que emitía destellos plateados al chocar con la luz, enmascarando con milagrosa eficacia la cicatriz alargada, como un hilo grueso de piel más clara, que siempre intentaba esconder estirándome la falda en esa dirección. Me miré en el espejo y me descubrí, fundamentalmente redonda, bajo la funda de punto amarillo claro que tantos disgustos me había costado, y me sonrojé por dentro al comprobar que yo tenía razón, porque aquel vestido sería italiano y una monada, como dijo mamá en el probador, pero me prestaba un indeseable aire de familia con las vacas lecheras de origen suizo que criaba Marciano en los establos de la Finca del Indio, y no sólo a la altura del pecho, sino en las direcciones más insospechadas. Mi cuerpo entero se había llenado de bultos en los brazos, en las caderas, en los muslos, y hasta en el mismísimo culo, que de repente, había dado en crecer hacia fuera sin el menor respeto por los cánones estéticos vigentes, y el acentuado estrangulamiento de mi cintura no hacía otra cosa que empeorar una imagen que, exagerando muy poco, podría haberse calcado de un cartel de propaganda de cualquier película italiana de los años cincuenta, aquellas rollizas tetonas que se arremangaban la falda hasta la cintura nada más y nada menos que para cosechar cereales. Con un poco de buena voluntad, mis últimas costillas podían detectarse a simple vista, pero aparte de eso, sólo se me notaban los huesos en los tobillos, en las rodillas, en las muñecas, en los codos y en la clavícula. Todo lo demás, súbitamente, se había hecho carne. Basta, ordinaria, morena y vulgar carne humana que ya no me abandonaría jamás.

El contraste de mi aspecto con el de mi hermana, que iba vestida con un conjunto austríaco de loden verde y leotardos grises de lana calada, porque mamá había claudicado ya ante la evidencia, al menos provisional, de que, a aquellas alturas, yo habría resultado tan ridícula vestida de niña como Reina hubiera conseguido parecer vestida de jovencita, agigantó en un segundo mi conciencia de una metamorfosis que en ella no llegaría nunca a consumarse del todo. Durante muchos años envidié sus huesos, las escuetas líneas de su silueta evanescente, su incorpórea elegancia de ninfa aplazada, su no cuerpo, su no carne, y esperé, pero mis bultos no la informaron nunca, una ausencia tanto más sorprendente en cuanto que ella se mostraba decididamente más audaz que yo, y con más razones, en sus contactos con ese conjunto de criaturas a las que ya entonces, por un prejuicio estético tan invencible como a la larga fatal, yo prefería llamar hombres.

El tremendo éxito que mi hermana cosechaba entre las filas del enemigo me desazonaba por varios motivos, entre los cuales el principal, por más que me hubiera atrevido a cortarme la mano derecha con un cuchillo manejado por mi mano izquierda, antes que a admitirlo en el más secreto de los íntimos coloquios que hubiera podido llegar a sostener conmigo misma, era una envidia tan pura, tan simple, tan insana y tan elemental, que llegó a encarnarse en el primer factor eficaz entre los que me permitirían superar la extraña angustia derivada de mi fantasmagórico crimen prenatal, porque si no dejaba de ser cierto que yo seguía siendo la culpable última de la fragilidad física de Reina, no era menos cierto que ella conseguía sacarle a su aparente debilidad mucho más partido del que yo podía soñar con extraer jamás de mi saludable y vigoroso aspecto, que si bien inspiraba en la tata Juana la legítima satisfacción precisa para exclamar, cuando había visitas y sólo después de darme un cachete en el culo, que daba gusto verme de lo hermosa que me había criado, operaba a cambio el milagro de hacerme invisible a los muchos pares de ojos que, cada fin de semana, recogían ansiosamente hasta el más pequeño de los gestos de mi hermana, con el tibio brillo intermitente que traicionaría la uniforme mirada de un ejército de suicidas frustrados si no se hubieran decidido a escoger aún entre la muerte acogedora y el insoportable desgaste diario de una esperanza crónicamente enferma. Porque Reina, que era tan buena con todo el mundo, nunca se portaba bien con ellos.

ARRÁNCAME LA VIDA de Ángeles Mastretta.

Ese año pasaron muchas cosas en este país. Entre otras, Andrés y yo nos casamos.

Lo conocí en un café de los portales. En qué otra parte iba a ser si en Puebla todo pasaba en los portales: desde los noviazgos hasta los asesinatos, como si no hubiera otro lugar.

Entonces él tenía más de treinta años y yo menos de quince. Estaba con mis hermanas y sus novios cuando lo vimos acercarse. Dijo su nombre y se sentó a conversar entre nosotros. Me gustó. Tenía las manos grandes y unos labios que apretados daban miedo y, riéndose, confianza. Como si tuviera dos bocas. El pelo después de un rato de hablar se le alborotaba y le caía sobre la frente con la misma insistencia con que él lo empujaba hacia atrás en un hábito de toda la vida. No era lo que se dice un hombre guapo. Tenía los ojos demasiado chicos y la nariz demasiado grande, pero yo nunca había visto unos ojos tan vivos y no conocía a nadie con su expresión de certidumbre.?

Manuel Vázquez Montalbán (1939-2003)

Los mares del Sur de Manuel Vázquez Montalbán.

Abrió la puerta Carvalho. Una cintura con estrechez subrayada por un cinturón rojo dividía el dorso de la mujer. Las nalgas forradas de tejano reposaban su juventud redonda y tensa sobre el taburete. La espalda crecía desde el vértice de la cintura con una delicadeza construida hasta llegar a la melena rubia con mechas que caía desde la cúspide de una cabeza echada hacia atrás para seguir más lejos el viaje de las notas. Carraspeó el mayordomo. Preguntó la muchacha sin volverse y sin dejar de tocar.

—¿Qué quiere, Joanet?

—Lo siento, señorita Yes, pero este señor quiere hablar con usted.

Se volvió rápidamente auxiliada por el giro del taburete. Tenía los ojos grises, tez de esquiadora, una boca grande y tierna, pómulos de muchacha diseñada, unos brazos de mujer hecha sin prisas y sin pausas; quizá exageraban las cejas, demasiado pobladas, pero acentuaban su carácter fundamental de chica para anuncio americano de la chispa de la vida. Carvalho también se sintió estudiado, pero no porción a porción como él había hecho, sino globalmente. Pon un Gary Cooper en tu vida, chica, pensó Carvalho y le estrechó la mano que ella le tendió como sin querer.[...]

Jésica... Nadie me había llamado así nunca. Casi todos me llaman Yes. Algunos Yésica. Pero Jésica nadie. Suena muy bien. Mira. Mi padre esquiando en Saint—Moritz. Aquí está entregando un premio a alguien. Oye, ¿sabes que se te parece?

Carvalho borró con un gesto cualquier posibilidad de parecido. Cansado de la peregrinación sentimental por el álbum, se dejó caer en un sofá capitoné de cuero negro, donde quedó semihundido, en un forzado relax que le permitió contemplar tranquilamente a la muchacha afanada sobre el álbum. Los pantalones tejanos no podían ocultar las piernas rectas y fuertes de una deportista, ni el jersey de lanilla de manga corta impedía la evidencia de los pechos breves con pezones inacabados. El cuello le servía de larga columna flexible para los continuados movimientos de la cabeza a derecha e izquierda, como si quisiera agitar continuamente la bandera de su melena rubia y espesa como una mermelada derramada lentamente desde un tarro prodigioso. Se contuvo la melena con una mano y volvió el rostro hacia Carvalho adivinando la contemplación. No retiró él la mirada.

¿Cuál te ha gustado más? ¿Qué descripción se acerca más a la que has hecho a tu compañero? ¿Qué elementos son descritos con más interés: los lugares, las personas, los sentimientos?

> Habrás notado que las descripciones de los personajes son muy eficaces, pues, además de retratarlos física y psicológicamente, nos sirven para hacernos "vivir" lo que sienten los tres observadores.

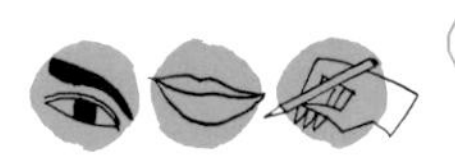

24 Ahora os proponemos un juego de detectives. Dividid la clase en cuatro grupos. Cada grupo se centrará en un personaje (Malena, Reina, Andrés y Yes) y, a partir de las secuencias descriptivas, extraerá:

I. Las indicaciones para hacer el retrato robot (si no os apetece dibujar, podéis buscar los modelos en una revista).

2. Las indicaciones sobre la ropa que llevan (o cómo creéis que vestirían).
3. Los rasgos que os puedan ayudar a reconstruir el carácter de los protagonistas. Anotad el perfil psicológico que obtengáis.

Comentad los resultados con los demás grupos y pegad vuestras creaciones en un cartel.

Fíjate

Para llegar a "conocer" a un personaje de una narración tenemos que reflexionar sobre las descripciones físicas y psicológicas (directas e indirectas), sobre la función que desempeña en la novela... En suma, sobre todo lo que contribuye a transformarlo en una criatura literaria.

Acercamiento al tema: el destino

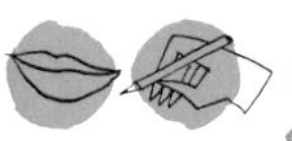

(25) Trabaja con tu compañero:

- ¿Creéis que el hombre es dueño de su propio destino?
- Escribid cinco palabras que asociáis espontáneamente al término "destino". Luego ordénalas según estén más o menos cerca del significado de la palabra base (1 = más cerca; 5 = menos cerca).

1. ______
2. ______
3. ______
4. ______
5. ______

Contrastad vuestros resultados con los de los demás compañeros.

(26) Vamos a ver cómo tratan este tema Gabriel García Márquez y Federico García Lorca.

RELATO DE UN NÁUFRAGO de Gabriel García Márquez.

El 22 de febrero se nos anunció que regresaríamos a Colombia. Teníamos ocho meses de estar en Mobile, Alabama, Estados Unidos, donde el A. R. C. "Caldas" fue sometido a reparaciones electrónicas y de sus armamentos. [...] En los días de franquicia hacíamos lo que hacen todos los marineros en tierra: íbamos al cine con la novia y nos reuníamos después en "Joe Palooka", una taberna del puerto, donde tomábamos whisky y armábamos una bronca de vez en cuando.

Mi novia se llamaba Mary Address, la conocí dos meses después de estar en Mobile.
(...)

Se trata del comienzo del capítulo 1, titulado "Cómo eran mis compañeros muertos en el mar".

Sólo una vez fui al cine con Mary: la noche que vimos *El motín del Caine*. A un grupo de mis compañeros le habían dicho que era una buena película sobre la vida en un barreminas. Por eso fuimos a verla. Pero lo mejor de la película no era el barreminas sino la tempestad. Todos estuvimos de acuerdo en que lo indicado en un caso como el de esa tempestad era modificar el rumbo del buque, como lo hicieron los amotinados. Pero ni yo ni ninguno de mis compañeros había estado nunca en una tempestad como aquella, de manera que nada en la película nos impresionó tanto como la tempestad. Cuando regresamos a dormir, el marino Diego Velázquez, que estaba muy impresionado con la película, pensando que dentro de pocos días estaríamos en el mar, nos dijo: "¿Qué tal si nos sucediese una cosa como ésa?".

Confieso que yo también estaba impresionado. En ocho meses había perdido la costumbre del mar. No sentía miedo, pues el instructor nos había enseñado a defendernos en un naufragio. Sin embargo, no era normal la in "El motín del Caine".

No quiero decir que desde ese instante empecé a presentir la catástrofe. Pero la verdad es que nunca había sentido tanto temor frente a la posibilidad de un viaje.

Pero no me avergüenzo de confesar que sentí algo muy parecido al miedo después que vi "El motín del Caine". Tendido boca arriba en mi litera —la más alta de todas— pensaba en mi familia y en la travesía que debíamos efectuar antes de llegar a Cartagena. No podía dormir. Con la cabeza apoyada en las manos oía el suave batir del agua contra el muelle, y la respiración tranquila de los cuarenta marinos que dormían en el mismo salón. Debajo de mi litera, el marinero primero Luis Rengifo roncaba como un trombón. No sé qué soñaba, pero seguramente no habría podido dormir tranquilo si hubiera sabido que ocho días después estaría muerto en el fondo del mar. (...)

¿Os ha impactado? ¿Por qué?

Pasad ahora a leer el poema

CANCIÓN DE JINETE de Federico García Lorca.

Córdoba.
Lejana y sola.

Jaca negra, luna grande,
y aceitunas en mi alforja.
Aunque sepa los caminos
yo nunca llegaré a Córdoba.

Por el llano, por el viento.
Jaca negra, luna roja.
La muerte me está mirando
desde las torres de Córdoba.

¡Ay, qué camino tan largo!
¡Ay mi jaca valerosa!
¡Ay que la muerte me espera,
antes de llegar a Córdoba!

Córdoba.
Lejana y sola.

¿Os ha impactado? ¿Por qué?

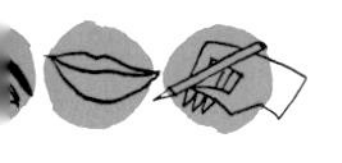

Volved a leer los dos textos y luego comentadlos con ayuda de los puntos siguientes:

- ¿Cuál os gusta más? ¿Por qué?
- En los dos textos (o sólo en uno), ¿aparece algún término que hayáis señalado en la actividad 25? ¿Cuál?
- ¿De qué manera se llega al clímax en cada uno de los dos textos?
- ¿En cuál de los dos sentís que es más fuerte la presencia del destino? ¿Por qué?
- En el texto de Gabriel García Márquez, ¿puede el hombre evitar su destino? ¿Y en el de F. G. Lorca? Justifica tus respuestas.
- Volvamos a la pregunta inicial: ¿el hombre es dueño de su propio destino?
  - según los dos textos Sí □ No □,
  - según vuestra opinión (¿habéis confirmado vuestra opinión inicial o no?).

Recoged todas vuestras respuestas y organizadlas en un informe para presentarlo ante el resto de la clase.

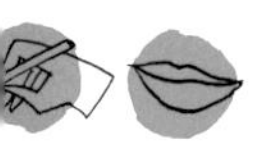

Si os parece interesante, podéis organizar una mesa redonda sobre el tema.

PARA ACABAR

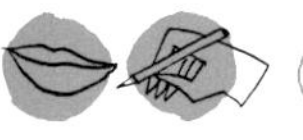

(27) *Todo, culpa del destino* es el título de la fotonovela que saldrá en el próximo número de la revista *Sueños*. En grupos de cuatro, vais a encargaros de la producción y de las tomas fotográficas. El editor os ha dado las siguientes consignas:

- Los personajes son cuatro y cada uno desempeña un papel diferente según la dinámica de la acción: sujeto, oponente, ayudante o beneficiario.
- Los cuatro están fuertemente caracterizados física y psicológicamente (hay que explicar con claridad cuál es su aspecto físico y qué piensan) y son muy distintos entre sí.
- Cada personaje vive la situación desde su perspectiva.
- El resultado final será una fotonovela real con fotos y texto que los autores deberán representar (como si fuera una pequeña obra de teatro).

28 Lee el siguiente cuento de Augusto Monterroso y fíjate en las secuencias donde el autor define el tiempo y el espacio (subráyalas con colores diferentes para uno y otro). Luego, intenta reconocer los papeles de los personajes en las dinámicas de la narración.

EL ECLIPSE

Cuando fray Bartolomé Arrazola se sintió perdido aceptó que ya nada podría salvarlo. La selva poderosa de Guatemala lo había apresado, implacable y definitiva. Ante su ignorancia topográfica se sentó con tranquilidad a esperar la muerte. Quiso morir allí, sin ninguna esperanza, aislado, con el pensamiento fijo en la España distante, particularmente en el convento de Los Abrojos, donde Carlos Quinto condescendiera una vez a bajar de su eminencia para decirle que confiaba en el celo religioso de su labor redentora.

Al despertar se encontró rodeado por un grupo de indígenas de rostro impasible que se disponían a sacrificarlo ante un altar, un altar que a Bartolomé le pareció como el lecho en que descansaría, al fin, de sus temores, de su destino, de sí mismo.

Tres años en el país le habían conferido un mediano dominio de las lenguas nativas. Intentó algo. Dijo algunas palabras que fueron comprendidas.

Entonces floreció en él una idea que tuvo por digna de su talento y de su cultura universal y de su arduo conocimiento de Aristóteles. Recordó que para ese día se esperaba un eclipse total de sol. Y dispuso, en lo más íntimo, valerse de aquel conocimiento para engañar a sus opresores y salvar la vida.

—Si me matáis —les dijo— puedo hacer que el sol se oscurezca en su altura.

Los indígenas lo miraron fijamente y Bartolomé sorprendió la incredulidad en sus ojos. Vio que se produjo un pequeño consejo, y esperó confiado, no sin cierto desdén.

Dos horas después el corazón de fray Bartolomé Arrazola chorreaba su sangre vehemente sobre la piedra de los sacrificios (brillante bajo la opaca luz de un sol eclipsado), mientras uno de los indígenas recitaba sin ninguna inflexión de voz, sin prisa, una por una, las infinitas fechas en que se producirían eclipses solares y lunares, que los astrónomos de la comunidad maya habían previsto y anotado en sus códices sin la valiosa ayuda de Aristóteles.

¿Cómo te ha ido?

En esta tarea he aprendido que:

En el texto narrativo tienen una importancia fundamental también el ESPACIO y el TIEMPO.

- Con respecto al espacio hay que tener presente que ____________________

- Con respecto al tiempo hay que tener presente que ____________________

Los distintos papeles que tienen los personajes según las dinámicas internas del cuento son ____________________

La descripción del personaje puede ser ____________________

De todas las actividades, la que más me ha gustado es ____________________

Y la que menos ____________________

Nivel de interés en hacer la *tarea* (puntúa de 1 a 10)

1 2 3 4 5 6 7 8 9 10

Mis frases más...

Entre todos los textos, algunas de las frases, versos, discursos, expresiones, estrofas... que me han gustado más son:

____

Tarea 3 Ejercicios de estilo

Para aprender a hacer ejercicios de estilo necesitamos:

- Valorar la correlación entre contenido y forma.
- Identificar el punto de vista.

Para empezar

De la misma forma que algunas de las mejores páginas de la literatura giran en torno a las preguntas sobre el destino del hombre, la existencia o lo efímero de la vida, ahora veremos también cómo los hombres son capaces de disfrutar de lo bueno que la vida les ofrece sin preocupaciones trascendentales. Todas las obras que encontramos en la literatura que quieren provocar la risa y que contemplan la vida bajo la perspectiva del humor son, asimismo, muestras de la expresión artística del hombre.

(1) Las cosas de todos los días pueden pasar desapercibidas a nuestros ojos; sin embargo, piensa que si se cambia el punto de vista con el que se contemplan, hasta lo más trivial y normal puede parecer absolutamente absurdo. En grupos de cuatro o cinco, en vuestros cuadernos:

Imaginad qué pensarían de nosotros unas hormigas mientras estamos haciendo un picnic en el campo y cómo lo comentarían.

Contrastad vuestros textos con toda la clase. ¿Tenéis puntos en común?

Para seguir

La lengua

(2) En relación con lo que has hecho en la actividad anterior, te proponemos las cinco primeras páginas de la novela de Eduardo Mendoza, *Sin noticias de Gurb*. Seguro que te van a gustar mucho.

Sin noticias de Gurb

Día 9

0.01 (hora local). Aterrizaje efectuado sin dificultad. Propulsión convencional (ampliada). Velocidad de aterrizaje: 6.30 de la escala convencional (restringida). Velocidad en el momento del amaraje: 4 de la escala Bajo-U 1 o 9 de la escala Molina-Clavo. Cubicaje: AZ-0.3.

Lugar de aterrizaje: 63Ω (IIB) 28476394783639473937492749.

Denominación local del lugar de aterrizaje: Sardanyola.

07.00 Cumpliendo órdenes (mías) Gurb se prepara para tomar contacto con las formas de vida (reales y potenciales) de la zona. Como viajamos bajo forma acorpórea (inteligencia pura-factor analítico 4800), dispongo que adopte cuerpo análogo al de los habitantes de la zona. Objetivo: no llamar la atención de la fauna autóctona (real y potencial). Consultado el Catálogo Astral Terrestre Indicativo de Formas Asimilables (CATIFA) elijo para Gurb la apariencia del ser humano denominado Marta Sánchez.

07.15 Gurb abandona la nave por escotilla 4. Tiempo despejado con ligeros vientos de componente sur; temperatura, 15 grados centígrados; humedad relativa, 56 por ciento; estado de la mar, llana.

07 21 Primer contacto con habitante de la zona. Datos recibidos de Gurb: tamaño del ente individualizado, 170 centímetros; perímetro craneal, 57 centímetros; número de ojos, dos; longitud del rabo, 0.00 centímetros (carece de él). El ente se comunica mediante un lenguaje de gran simplicidad estructural, pero de muy compleja sonorización, pues debe articularse *mediante el uso de órganos internos*. Conceptualización escasísima. Denominación del ente, Lluc Puig i Roig (probable recepción defectuosa o incompleta). Función biológica del ente: profesor encargado de cátedra (dedicación exclusiva) en la Universidad Autónoma de Bellaterra. Nivel de mansedumbre, bajo. Dispone de medio de transporte de gran simplicidad estructural, pero de muy complicado manejo denominado Ford Fiesta.

07.23 Gurb es invitado por el ente a subir a su medio de transporte. Pide instrucciones. Le ordeno que acepte el ofrecimiento. Objetivo fundamental: no llamar la atención de la fauna autóctona (real y potencial).

07.30 Sin noticias de Gurb.
08.00 Sin noticias de Gurb.
09.00 Sin noticias de Gurb.
12.30 Sin noticias de Gurb.

Sin noticias de Gurb.

Día 10

07.00 Decido salir en busca de Gurb.
[...]
08.00 Me naturalizo en lugar denominado Diagonal-Paseo de Gracia. Soy arrollado por autobús número 17 Barceloneta-Vall d'Hebron. Debo recuperar la cabeza, que ha salido rodando de resultas de la colisión. Operación dificultosa por la afluencia de vehículos.
[...]
08.15 Debido a la alta densidad de entes individualizados, tal vez resulte algo difícil localizar a Gurb a simple vista, pero me resisto a establecer contacto sensorial, porque ignoro las consecuencias que ello podría tener para el equilibrio ecológico de la zona y, en consecuencia, para sus habitantes.

Los seres humanos son cosas de tamaño variable. Los más pequeños de entre ellos lo son tanto, que si otros seres humanos más altos no los llevaran en un cochecito, no tardarían en ser pisados (y tal vez perderían la cabeza) por los de mayor estatura. Los más altos raramente sobrepasan los 200 centímetros de longitud. Un dato sorprendente es que cuando yacen estirados *continúan midiendo exactamente lo mismo*. Algunos llevan bigote; otros barba y bigote. Casi todos tienen dos ojos, que pueden estar situados en la parte anterior o posterior de la cara, según se les mire. Al andar se desplazan de atrás a delante, para lo cual deben contrarrestar el movimiento de las piernas *con un vigoroso braceo*. Los más apremiados refuerzan el braceo por mediación de carteras de piel o plástico o de unos maletines denominados Samsonite, hechos de un material procedente de otro planeta. El sistema de desplazamiento de los automóviles (cuatro ruedas pareadas rellenas de aire fétido) es más racional, y permite alcanzar mayores velocidades. No debo volar ni andar sobre la coronilla si no quiero ser tenido por excéntrico. Nota: mantener siempre en contacto con el suelo un pie –cualquiera de los dos sirve– o el órgano externo denominado culo.

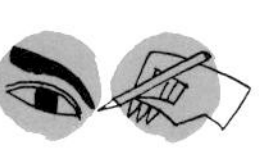

Como ves, basta con cambiar la perspectiva de quien ve las cosas para que los seres humanos parezcamos así de raros. Seguro que te resulta evidente que quien escribe el diario es un alienígena. Señala los elementos que lo indican.

¿Te ha resultado gracioso el texto? ¿Por qué? Comparte los resultados con tus compañeros.

 (3) A continuación vamos a hacer hincapié en la lengua. Observa el fragmento de *Sin noticias de Gurb* y sigue las pautas de la ficha que va a continuación. Señala con una cruz la respuesta adecuada:

Si necesitas alguna aclaración de los términos que aparecen en esta actividad puedes usar el diccionario o preguntar a tu profesor.

Para reflexionar sobre la función de la lengua en el texto

Te parece que éste es un texto:

- ☐ Donde los hechos y las circunstancias están presentados con fidelidad documental.
- ☐ Donde el autor "descarga"sus sentimientos.
- ☐ Publicitario, una proclama... que pretende establecer un contacto con alguien.
- ☐ Poético.
- ☐ Que utiliza un código como objeto del mensaje.

Para identificar el tipo de lengua utilizada

Te parece que la lengua utilizada en este texto presenta rasgos de:

- ☐ Dialecto.
- ☐ Jerga.
- ☐ Tecnicismos.
- ☐ Registros especializados.
- ☐ Idiomas extranjeros.

Para reflexionar sobre el léxico:

Te parece que en este texto existe:

- ☐ Un uso de palabras de difícil descodificación, rebuscadas, cultismos o arcaísmos.
- ☐ Un uso reiterativo de determinadas partes del discurso: adjetivos, adverbios, verbos.
- ☐ Un uso reiterativo de uno o más términos; el uso de palabras escritas con caracteres tipográficos particulares.

Para analizar la sintaxis:

Te parece que este texto presenta:

- ☐ Frases y sintagmas breves o, por el contrario, extensos.
- ☐ Un uso preponderante de coordinadas o subordinadas.
- ☐ Una puntuación que te llama la atención.

Para reconocer la presencia de figuras retóricas:

¿Te parece que hay un uso evidente de algunas figuras retóricas?

Para definir el registro lingüístico:

Te parece que en este texto el tono preponderante es:

□ Formal.

□ Coloquial.

Ahora poned en común los resultados del análisis.

Las figuras retóricas puedes encontrarlas en el Rincón de consulta de "Amor mío".

Las funciones de la lengua

- Cuando en un texto los hechos y las circunstancias están presentados con fidelidad documental, la función de la lengua es referencial.
- Cuando en un texto el autor descarga sus sentimientos, la función de la lengua es expresiva o emotiva.
- Cuando un texto intenta llamar la atención del receptor y conseguir algo de él como animarlo, pedirle, ordenarle (por ej. un texto publicitario o una proclama) la función de la lengua es apelativa o conativa.
- Cuando tiene como objetivo responder a la necesidad de seguir manteniendo contacto con el destinatario (por ej. en una conversación: "¿Sí?", "Vale"...) la función de la lengua es fática o de contacto.
- La función de la lengua poética o estética domina en los textos literarios, pero también la podemos encontrar en la publicidad o en cualquier texto (jurídico, científico...) que presente un cierto nivel de exigencia estilística.
- Cuando un texto utiliza un código como objeto del mensaje (por ejemplo la palabra "rápidamente" es un adverbio), la función de la lengua es metalingüística.

Para obtener más detalles acude al Rincón de consulta en el apéndice de la sección de narrativa.

(4) Imagina que el extraterrestre del libro de Eduardo Mendoza entra en tu clase. Escribe esa página de su diario intentando adoptar el mismo punto de vista extrañado y maravillado. Anota en tu cuaderno:

- Qué es lo primero en lo que se fija
- Cómo describe el lugar: los muebles, etc.
- Cómo describe las personas
- Qué suposiciones hace sobre lo que están haciendo

⑤ ¿Qué características presenta tu texto si aplicas la ficha que te hemos proporcionado para la actividad 3?

Sin duda algunos de los elementos que acabas de señalar ya los habías detectado antes al definir lo que te causaba risa y ahora los has utilizado apara escribir la página del diario del extraterrestre. Con ello queremos que seas consciente de cuáles son los recursos que se utilizan al producir un texto sorprendente, un texto cuya finalidad primaria es la de asombrar al lector...

⑥ Lee el siguiente texto de Julio Cortázar, "Instrucciones para llorar", y comprueba qué efecto te produce.

Instrucciones para llorar

Dejando de lado los motivos, atengámonos a la manera correcta de llorar, entendiendo por esto un llanto que no ingrese en el escándalo, ni que insulte a la sonrisa con su paralela y torpe semejanza. El llanto medio u ordinario consiste en una contracción general del rostro y un sonido espasmódico acompañado de lágrimas y mocos, estos últimos al final, pues el llanto se acaba en el momento en que uno se suena enérgicamente.

Para llorar, dirija la imaginación hacia usted mismo, y si esto le resulta imposible por haber contraído el hábito de creer en el mundo exterior, piense en un pato cubierto de hormigas o en esos golfos del estrecho de Magallanes en los que no entra nadie, nunca.

Llegado el llanto, se tapará con decoro el rostro usando ambas manos con la palma hacia adentro. Los niños llorarán con la manga del saco contra la cara, y de preferencia en un rincón del cuarto. Duración media del llanto, tres minutos.

Sin pensarlo mucho, escribe tres adjetivos que te haya sugerido el texto.

Intercambia ideas con tu compañero. ¿Qué es lo que más os llama la atención?

7 En las funciones de la lengua dentro del texto encontramos el primer desajuste que confiere el lenguaje literario. ¿Por qué? Marca lo que te parezca más adecuado:

- □ Se trata de un texto con función expresiva porque manifiesta los sentimientos del autor.
- □ Se trata de un texto que puede parecer que tiene la función apelativa, y en cambio es un texto "poético" que fija la atención en la forma del mensaje.
- □ Es un texto con función referencial que sirve para expresar las ideas del autor.
- □ Es un texto con función fática en cuanto quiere mantener la comunicación con el lector.

Fíjate

Lo que resulta más chocante es el hecho de que, a pesar de tratarse de un texto literario, tiene una función referencial; de ahí la sorpresa del lector al leer unas instrucciones "literarias".

8 Tomando como modelo las instrucciones que acabáis de leer de Cortázar, en grupos de tres o cuatro personas escribid las "Instrucciones para reír" y colgadlas en el aula: los otros grupos pueden leer vuestras instrucciones e intentar seguirlas al pie de la letra. ¿Qué grupo lo ha hecho mejor?

La opinión de los adultos

9 ¿Crees que es fácil para un hombre elegir un regalo para su mujer después de muchos años de matrimonio? Lee este cuento de Mercè Rodoreda extraído de *Mi Cristina y otros cuentos*.

Amor

Mercé Rodoreda (1909-1983)

Me pesa hacerle abrir la puerta cuando terminaba de cerrar, pero es que su mercería es la única que me coge de paso al salir de la obra. Ya hace unos cuantos días que miro el escaparate... Dará risa el que un hombre de mi edad, sucio de cemento y cansado de trajinar por los andamios... Permítame que me seque el sudor del cuello; el polvo del cemento se me mete en las grietas de la piel y con el sudor me escuecen. Bueno, yo quería... En su escaparate hay de todo menos de lo que yo quisiera..., pero quizá no lo tiene usted puesto porque no está bonito ponerlo. Tiene usted collares, alfileres, hilos de todas clases. Se nota que esto de los hilos es una cosa que a las mujeres las vuelve locas... Cuando era pequeño andaba en el canasto de la costura de mi madre y ensartaba los ovillos en una aguja de hacer punto y me entretenía dándoles vueltas. Da risa el que un grandullón como yo era se divirtiese de esa manera, pero, ya se sabe, cosas de la vida. Hoy es el día de mi mujer y seguro que se cree que no voy a regalarle nada, que no me acuerdo. Lo que yo quisiera, en las mercerías a veces lo tienen dentro de unas cajas grandes de cartón. ¿Qué le parece a usted si le regalase un collarcito? Pero no; no le gustan. Cuando nos casamos le compré uno con las cuentas de cristal color vino de Málaga; le pregunté si le gustaba y me dijo; sí, me gusta mucho. Pero no se lo puso ni una sola vez. Y cuando le preguntaba, de vez en cuando para no cansarla: ¿no te pones el collar? decía que era de mucho vestir para ella, y que si se lo ponía le parecía que parecía una vitrina. Y no hubo manera, no señor, de sacarla de ahí. Rafaelito, nuestro primer nieto, que nació con un montón de pelos y seis dedos en cada pie, utilizó el collar para jugar a las bolas. Bueno, veo que la estoy entreteniendo, pero es que hay cosas difíciles para un hombre. A mí, mándeme usted a comprar lo que sea de cosas de comer, no soy de ésos a los que avergüenza ir con el cesto; al contrario, me gusta escoger la carne; el carnicero y yo somos amigos desde el nacimiento; y también escoger el pescado. La pescadera, bueno, sus padres, ya le vendían pescado a los míos. Pero cuando se trata de comprar cosas que no sean de comer... ya me tiene usted más perdido que un mochuelo en pleno día. Aconséjeme usted. ¿Qué cree usted que puedo regalarle?... ¿Dos docenas de ovillos de hilo?... de diferentes colores, pero sobre todo blanco y negro, que son los colores que siempre hacen falta. A lo mejor le acertaba el gusto, pero ¡vaya usted a saber! A lo mejor me los tiraba a la cabeza. Según como esté; a veces, si está de mal humor, me trata como si fuese un chiquillo... Después de treinta años de matrimonio, un hombre y una mujer... La culpa de todo la tiene el exceso de confianza. Yo siempre lo digo. Pero, claro, tanto sueño dormido junto, tantas muertes, tantos nacimientos y tanto pan nuestro de cada día... ¿Y unas cuantas piezas de cintas? No, claro que no... ¿Un cuello de ganchillo?... A ver, un cuello de ganchillo. Me parece que nos vamos acercando..., un cuello de ganchillo. Ella tuvo uno de rosas, con capullos y hojas. Sólo te faltan las espinas, le decía yo para reírme siempre que se lo cosía a un vestido. Pero ahora ya apenas se arregla, sólo vive para la casa. Es una mujer de su casa. Si viese usted cómo lo tiene todo de brillante... Las copas del aparador, ¡madre mía!, creo que las limpia tres veces al día, y con un paño de hilo. Las coge de una manera que parece que no las toca, las pone todas encima de la mesa, y dale, que te pego, venga darle vueltas al paño por dentro. Y luego vuelve a ponerlas en su sitio, unas junto a otras, como si fuesen soldados con un gorro muy grande. ¡Y el culo de las cacerolas!... No parece sino que la comida en lugar de cocerla dentro tuviera que cocerla fuera... En casa todo huele a limpio. ¿Qué se cree usted que hago yo en cuanto llego? ¿Coger el periódico o escuchar el parte?... Sí, sí; ya me encontraré preparado un baño de agua soleada en la galería; me obliga a enjabonarme de la cabeza a los pies y ella misma me enjuaga con una regadera. Ha hecho una cortina a la medida, de rayas verdes y blancas, para que los vecinos no me vean.

Y en invierno tengo que lavarme en la cocina. Y el trabajo que le queda luego, recogiendo el agua que se derrama por el suelo. Y si llevo el pelo un poco largo, me riñe. Y todas las semanas ella misma me corta las uñas... Bueno, sí, esto que hablábamos del cuello de ganchillo, pues no sé... ¿Y unas madejas de lana para un jersey?... Claro que no sé las que necesitaría... Y también comprar lana con este calor y regalarle una cosa que le dará más trabajo... Permítame que lea lo que dice que hay dentro de las cajas. Botones dorados, botones de plata, botones de hueso, botones mate. Encajes de bolillo. Camisetas para niño. Calcetines de fantasía. Patrones. Peines. Mantillas. Ya, ya veo que tendré que decidirme porque si no me decido usted terminará por echarme a empujones. Bueno, ahora que ya hemos hablado un rato y que he cogido un poco más de confianza, ¿sabe usted lo que de verdad de verdad me gustaría? Unos calzones de señora... larguitos. Con una puntilla rizada abajo que haga como un volante y una cinta antes del volante pasada por los agujeros con las puntas atadas en un lazo. ¿Tiene usted?... Y tanto, que me ha costado decírselo. Se volverá loca de alegría. Se los pondré encima de la cama sin que se dé cuenta y se pegará la gran sorpresa. Le diré: ve a cambiar las sábanas, y se extrañará mucho; irá a cambiarlas y se encontrará con los calzones. ¡Ay!, se le ha atascado la tapa. Estas cajas tan grandes son dificultosas para abrir y cerrar. Ya está. Tanto sufrir por nada. Los que me gustan son estos que tienen la puntilla más rizada porque parecen como de espuma... La cinta, ¿azul? No, no. El rosa es más alegre. ¿No se le romperán en seguida, verdad?... Como es tan hacendosa y no se está un momento quieta..., por lo menos que estén reforzados. A mí me parece que son fuertes, y si además usted lo dice... Y el tejido, ¿es de algodón? Parecen bien hechos. Ya se fijará ella, ya. Y no se lo callará, no. Me gustan, dirá. Y basta. Porque es de pocas palabras, pero dice todas las necesarias. ¿De qué medida?... Madre mía, ahora sí que estoy perdido. A ver, extiéndalos... Ella, ¿sabe usted?, está redonda como una calabacita. Por el pernil necesita por lo menos lo que tienen de cintura. ¿Y dice usted que ésta es la medida mayor que tiene? Si parecen de muñeca. Cuando tenía veinte años le hubieran sentado como un guante... pero nos hemos hecho viejos. Claro, ¿qué le va usted a hacer? Tampoco yo puedo hacer nada. Lo que pasa es que no veo ninguna otra cosa que pueda gustarle. Ella siempre ha querido cosas que sirvan. Y ahora, ¿qué hago, dígame? No voy a presentarme con las manos vacías. Como no sea que compre algo en la pastelería de la esquina... Pero, claro, no es eso. Un hombre que trabaja tiene tan poco tiempo para las cosas de cumplido...

Lee ahora el comienzo del cuento en catalán:

Em sap greu fer-li obrir la porta que acabava de tancar, però la seva merceria és l´única que em ve de pas quan surto de l'obra. Ja fa uns quants dies que miro l'aparador... Fa riure, em penso, que un home de la meva edat, brut de ciment i cansat de córrer per la bastida... Deixi'm eixugar la suor del coll: la pols del ciment se'm fica a les clivelles de la pell i amb la suor se m'escalden. Voldria... En el seu aparador hi té de tot menys el que jo voldria... però potser és perquè no està bé posar-ho a l'aparador. Hi té collarets, agulles, fils de tota mena. Es veu que això dels fils és una cosa que fa tornar les dones mig boges...

¿Qué te ha parecido?

(10) Vamos a reflexionar un momento sobre el narrador:

- Hay un narrador explícito
  - ☐ Sí ☐ No
- El narrador
  - ☐ Es el autor.
  - ☐ Es un personaje del cuento.
- El narrador habla en
  - ☐ Primera persona.
  - ☐ Tercera persona.
- El narrador adopta el punto de vista:
  - ☐ De la dependienta de la mercería.
  - ☐ Del hombre.
- De todas estas consideraciones hemos llegado a reconocer que:
  - ☐ El narrador es explícito y coincide con el protagonista del cuento.
  - ☐ Habla en primera persona.
  - ☐ Adopta el punto de vista del hombre.

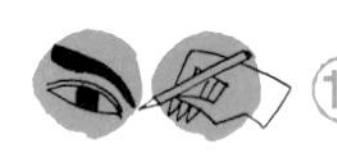

(11) Localiza en las tareas anteriores los fragmentos de *Malena es un nombre de tango, Réquiem por un campesino español, Juana la loca y Felipe el hermoso* y el cuento"Casa tomada". Vuelve a leerlos y fíjate en quién es el narrador y en el punto de vista con el que cuenta los hechos: ¿cuenta el narrador su propia historia o bien una historia de la que ha sido testigo? ¿En algún caso ésta está completamente fuera de lo que narra? En la ficha siguiente[11] encontrarás los distintos puntos de vista que pueda adoptar el narrador. Marca en cada caso el tipo de narrador que corresponde a cada texto[12].

Aunque todas estas posibilidades no se encuentran en los textos narrativos que hemos leído, esta clasificación puede serte útil como ficha de consulta.

Fíjate

1. Narrador externo que nunca adopta el punto de vista de los personajes y sabe menos que ellos: focalización externa.
2. Narrador externo que adopta el punto de vista de un personaje: focalización interna.
3. Narrador externo que adopta el punto de vista de varios personajes y sabe más que ellos: focalización Ø (= narrador omnisciente externo).
4. Narrador interno: adopta su propio punto de vista y nunca el de otros personajes.
5. Narrador omnisciente interno: adopta su punto de vista, pero, al mismo tiempo, también el de otros personajes.

	1	2	3	4	5
Malena es un nombre de tango					
Réquiem por un campesino español					
Juana la loca y Felipe el hermoso					
Casa tomada					

Narrador, autor y narratario

No hay que confundir el narrador con el autor, ni mucho menos con el narratario:

- el narrador es el personaje que dice "yo" en la narración, o bien quien es responsable del acto de enunciación de un relato en tercera persona,
- el autor es la persona histórica del escritor,
- el narratario es el personaje que puede aparecer en el texto como destinatario del narrador[13].

Las consideraciones que acabamos de hacer sirven para llevar a cabo un análisis del texto literario en sentido técnico, pero normalmente, cuando hablamos del punto de vista en el lenguaje coloquial nos referimos a la opinión que se tiene de algo, a la óptica por la que percibimos la realidad que nos rodea.

(12) Un buen café, bien preparado, ¿te sabe igual siempre, o el estado de ánimo en el que te encuentras mientras lo bebes puede influir en su sabor? Lee y sabrás a qué sabe el café del cuento de Luis Sepúlveda, "Café".

CAFÉ

Ella está bajo la ducha. El agua cae sobre su cuerpo y se detiene en la formación de repentinas estalactitas en el abismo de esos senos que has besado durante tantas horas. Colocas café en el filtro, calculas la cantidad de agua para cuatro tazas y oprimes el botón rojo.

Escuchas el sonido del agua que hierve eléctricamente y gota a gota va cayendo sobre el café, formando ese lodo aromático. Argamasa que une los adoquines de la mañana.

Ella aparece con su salida de baño anudada con descuido. Puedes ver sus muslos relucientes, húmedos aún. Retiras la cafetera, la llevas a la mesa, dispones las tazas, compruebas que los claveles persisten en su agónica estatura rosada. No son tan puramente perecederos como las rosas de mayo.

Aparece ahora con una toalla anudada a manera de turbante, puedes ver su nuca, el cuello liso y fresco, que huele a talco. Bajo el turbante un diminuto mechón escapa a las intenciones del secado y se adhiere a la piel con esa extraña presencia de rubia petrificación. Ella se sienta, tú también lo haces, y, frente a ustedes, el silencio de siempre ocupa su lugar.

Sirves el café lentamente, alargas la mano hacia ella con la taza servida, llenas la tuya, con la mirada le ofreces las cosas que hay sobre la mesa. Pan, mantequilla, mermelada y otros alimentos que a esas horas y en esas circunstancias se te antojan absolutamente insípidos. Compruebas que ella no acepta, que simplemente enciende un cigarrillo y derrama unas gotas de leche en su taza de café.

Con la cuchara realizas breves movimientos giratorios que van formando espirales, hasta que compruebas la total disolución del azúcar que se ha hundido como polvo de espejos en un pozo, silenciosamente, respetando el carácter intocable de esta mañana-silencio que se inicia.

Ella es finalmente la primera en probar el café y su primera idea es que tal vez la taza estaba sucia. Levanta los ojos, te mira sin recriminaciones en el mismo instante en que tú bebes el primer sorbo y piensas que puede ser el cigarrillo el responsable de este sabor por el momento incalificable, pero es ella quien lo dice:

—Este café tiene sabor a fracaso.

Entonces te levantas, le arrebatas la taza de la mano, tomas la cafetera y vuelcas todo el líquido en el lavaplatos.

El café desaparece entre burbujas calientes y no queda más que una oscura presencia que bordea el desagüe. Abres un nuevo paquete, calculas agua para cuatro tazas y estás de pie esperando que, gota a gota, se vaya formando nuevamente esa porción de lodo matinal.

Sirves. Ella prueba. Te mira con tristeza. No dice nada. Bebes de tu taza y la miras. Ahora eres tú el que exclama:

—Cierto. Tiene sabor a fracaso.

Ella dice benevolente que puede ser cosa del azúcar o de la leche y tú gritas que no has puesto ni leche ni azúcar en tu taza.

Enciende otro cigarrillo y aleja su taza hasta el centro de la mesa mientras tú sacas todos los paquetes de café que guardas en la alacena y con la punta de un cuchillo los vas abriendo, frenético vas palpando con tus dedos su textura fina, pruebas, escupes, maldices, compruebas que todo el café de la casa tiene el mismo inevitable sabor a fracaso.

Ella no ha probado de ninguno y también lo sabe.

Te lo dice sin palabras. Te lo dice con la mirada perdida en los dibujos poliédricos del mantel. Te lo dice con el humo que escapa de sus labios.

Regresas a tu silla sintiendo algo así como un ladrillo en la garganta. Quieres hablar.

Quieres decir que juntos habéis tomado muchos cafés con sabor a olvido, con sabor a desprecio, con sabor a odio amable y monótono. Quieres decir que ésta es la primera vez que el café tiene este desesperante sabor a fracaso. Pero no logras articular ni una palabra.

Ella se levanta de la mesa. Va al cuarto contiguo. Se viste lentamente y hasta tus oídos llega el clic de su pulsera. Avanza hasta la puerta, coge las llaves, el bolso, el pequeño libro de viajes, piensa algo antes de abrir la puerta y retrocede hasta tu puesto para estampar en tus labios un beso frío que, aunque no lo creas, tiene el mismo sabor a fracaso que el café.

Con tu compañero, reflexionad:

- ¿Qué impresión os ha causado? ¿Por qué?
- "Este café tiene sabor a fracaso". ¿Es posible que un café sepa a fracaso? ¿Qué hay de raro en esta frase?
- Asociad a la palabra *fracaso* otros términos y expresiones que el autor utiliza en el cuento. ¿Qué notáis?
- ¿Cuál es el color del fracaso para vosotros?
- Y si tuviera un sabor, ¿cuál sería?

Compartid vuestras opiniones con los demás compañeros.

La opinión de los niños

A veces a los niños les pasa lo mismo que al alienígena del cuento de Eduardo Mendoza: interpretan la realidad a su modo y son capaces de decir las frases más increíbles. Así que, para seguir con la vena humorística, te proponemos un fragmento sacado de uno de los libros "superventas" de Manolito Gafotas, pequeño héroe moderno de los niños (y no sólo españoles) creado por la escritora Elvira Lindo. Seguro que te vas a reír. Pero antes...

(13) En grupos de tres, imaginad qué piensa:

- La supermodelo del momento cuando se mira al espejo antes de desfilar.
- El chico o la chica más guapos del instituto, cuando advierten las miradas de los otros dirigidas hacia ellos.
- La actriz mejor pagada del cine americano, cuando se mira al espejo recién levantada sin maquillaje, después de una noche de insomnio.

(14) Manolito García Moreno, al que por sus gafas todos llaman "Manolito Gafotas", es un niño que vive en Madrid en el barrio de Carabanchel. A su hermano pequeño le llama el Imbécil. Sus amigos del barrio y del colegio son el Orejones, Yihad y Susana. Es verano y Manolito está a punto de ir a la piscina:

¡Cómo molo! (otra de Manolito Gafotas)

Elvira Lindo (1962)

Cuando ayer por la mañana me miraba en el espejo de mi madre con el bañador nuevo, pensaba:

—Cómo molo.

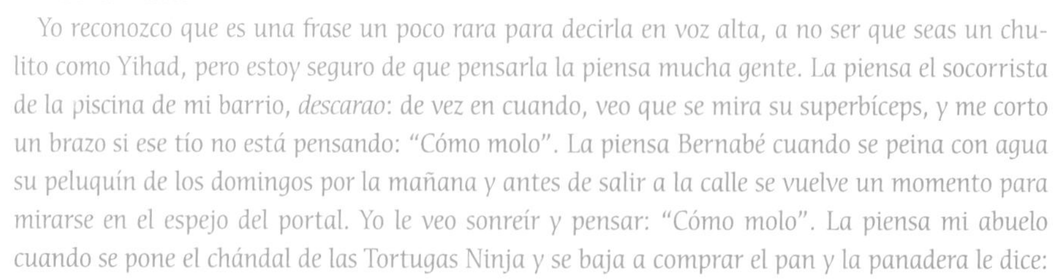

Yo reconozco que es una frase un poco rara para decirla en voz alta, a no ser que seas un chulito como Yihad, pero estoy seguro de que pensarla la piensa mucha gente. La piensa el socorrista de la piscina de mi barrio, *descarao*: de vez en cuando, veo que se mira su superbíceps, y me corto un brazo si ese tío no está pensando: "Cómo molo". La piensa Bernabé cuando se peina con agua su peluquín de los domingos por la mañana y antes de salir a la calle se vuelve un momento para mirarse en el espejo del portal. Yo le veo sonreír y pensar: "Cómo molo". La piensa mi abuelo cuando se pone el chándal de las Tortugas Ninja y se baja a comprar el pan y la panadera le dice:

—Hay que ver lo bien que le pinta a usted ese chándal de las Tortugas Ninja. Le hace cincuenta años más joven.

Que me cuelguen del Árbol del Ahorcado si mi abuelo no piensa en esos precisos instantes:

—Cómo molo.

Lo piensa la Susana cuando pasa delante del banco del parque del Ahorcado donde estamos sentados Yihad, yo y el Orejones, y dejamos por un momento de insultarnos y de aburrirnos para mirarla cómo se va sin decirnos ni ahí os quedáis. Seguro que en el interior de su mente enigmática hay una frase con dos palabras que dice:

—Cómo molo.

Así que no es de extrañar que cuando yo me vi con aquel bañador de palmeras salvajes, hinchara el pecho, me diera dos o tres puñetazos mortales en las costillas y después de toser un rato (es que me di un poco fuerte) pensara lo mismo que pensaban las personas que acabo de nombrar. Yo también soy humano.

Lancé delante del espejo un grito que hubiera dejado sorda a la mismísima mona de Tarzán, al tiempo que pensaba para mis adentros y con todas mis fuerzas:

—¡Cómo mooooooolooooooooo!

Nos íbamos a la piscina pero eso no era lo mejor: lo mejor era que nos íbamos a la piscina sin mi madre. Yo a mi madre la quiero hasta la muerte mortal pero en la piscina tenemos nuestras pequeñas diferencias: a ella no le gusta que hagamos gárgaras espectaculares, pedorretas acuáticas, que la salpiquemos, que nos tiremos a estilo bomba o que nos hagamos los pobres niños ahogados cuando pasa por nuestro lado. No entiende ese tipo de bromitas.

A mí no me gusta que me embadurne cada cinco minutos de crema, que me haga guardar dos horas de digestión y que me haga vestirme con ella en los vestuarios de chicas para tenerme controlado. Compréndelo, es un cortazo, te ves en unas situaciones prohibidas para menores de dieciocho años. Las chicas se desnudan delante de ti y encima luego se molestan si las miras a esas zonas del cuerpo humano donde se te van los ojos. A mí me dijo una el año pasado:

—Eh, chaval, mira para otro lado que te estás quedando *pasmao*.

Yo es que no entiendo ese tipo de reacciones, te lo juro.

Menos mal que esta vez nos llevaba mi abuelo, que aunque ha afirmado en varias ocasiones que le gustaría pasar también al vestuario de señoras, se tiene que conformar con el de caballeros.

En la puerta de la piscina habíamos quedado en que nos encontraríamos con el Orejones. Iba a ser un día total de la muerte. Iba a ser un día para recordarlo el resto de mi vida, fijo que sí.

La verdad es que nos costó mucho arrancar, porque mi madre se empeñó en vaciarnos el contenido de la nevera en la mochila. Iba ya por el décimo yogur cuando mi abuelo se interpuso entre la mochila y ella, y gritó:

—¡Catalina, por Dios, que no nos vamos a escalar el Aconcagua!

Mi madre, que jamás se da por vencida, pasó a la acción con otro tipo de cosas: nos metió la crema de protección 18 para el Imbécil, y las palas y los cubitos y el flotador, y dos bañadores de repuesto y dos albornoces, y unas tiritas y mercromina por si pisábamos unos cristales de una litrona que acabaran de romper unos macarras. Ella siempre se pone en lo más trágico. Así estoy yo, completamente enfermo de los nervios. Muchas veces me da por pensar en qué programa de sucesos de la tele me gustaría salir si me ocurriera una desgracia terrible. Mi señorita dice que tengo el cerebro destrozado de imaginar barbaridades terribles que salen por la televisión. Se equivoca. A mí me basta con las que se le ocurren a mi madre [...]

En parejas, contestad a las siguientes preguntas referidas al fragmento que acabáis de leer:

- ¿Os ha parecido fácil la lectura?
- ¿Dónde habéis encontrado más dificultad?
- ¿En qué partes os habéis reído más?
- ¿Por qué?
- ¿Qué tipo de lengua caracteriza este texto?

Examinad los resultados con los demás compañeros y todos juntos:

- Determinad quién es el narrador y el punto de vista con el que cuenta los hechos (seguid las pautas de la ficha de la página 196).

- ¿Cómo creéis que termina esta excursión a la piscina? Intentad formular algunas hipótesis.[14]

15. A veces los niños, con sus preguntas embarazosas e inocentes pueden sacar de sus casillas a los mayores. ¿Recuerdas algún episodio parecido de tu infancia? Cuéntaselo a tu compañero.

16. Veamos si te gusta este fragmento de una novela que tiene como protagonista a otro niño: Quico.

EL PRÍNCIPE DESTRONADO de Miguel Delibes.

Las 2.

Papá entró en el cuarto de baño amarillo y entornó la puerta con el pie. Apenas había comenzado cuando sintió a Quico detrás que pugnaba por asomarse:

—¡Quita! —le dijo.

Pero el niño insistía en meter la cabeza y Papá culeaba de un lado a otro para impedirlo. Quico se agarraba a la trasera de sus pantalones y decía:

—¿Tienes pito, papá?

—Vamos, ¿quieres marchar de ahí? —voceó Papá.

Pero Quico porfiaba en su inspección y los movimientos de cintura de Papá eran cada vez más rápidos y dislocados a fin de impedir el acceso del pequeño y su voz, en un principio reservadamente autoritaria, era ahora dura y contundente como la de un general:

—¡Vamos, aparta! ¿No me oyes? ¡Lárgate!

Quico, ante el fracaso de sus propósitos, intentó asomarse por entre las piernas de Papá y entonces Papá las cerró de las rodillas a los muslos y quedó en una actitud ridícula como de querer bailar el charlestón sin bailarlo, mientras chillaba: "¡Marcha!, ¿no me has oído?" y, al cabo, volvió a culear sin separar las piernas, cada vez más frenéticamente, porque Quico, ante el nuevo obstáculo, trataba ahora de quebrantar su resistencia atacando por los flancos. Finalmente pudo abotonarse y se volvió y le dijo a Quico:

—Eso no se mira, ¿sabes?

Quico levantó sus ojos azules, empañados por la decepción.

—¿No tienes pito? —inquirió.

—Eso no les importa a los niños —dijo Papá.

—Mamá dice que tú no tienes pito —añadió Quico.

—¿Eh? ¿Qué es lo que dices?

Mamá atravesaba el pasillo llamando a comer. Papá levantó la voz:

—¿Qué tonterías le dices al niño de si yo tengo pito o no tengo pito?

Mamá se detuvo un momento. Dijo:

—Si cerraras la puerta del baño no te ocurrirían estas cosas.

Papá caminaba tras ella a lo largo del pasillo rezongando:

—Mira qué cosas se le va a ocurrir decirle al niño. Habráse visto disparate semejante.

Y Quico, que penetró en el comedor tras él, divisó la mesa puesta con el mantel azul bordado y los siete platos, y los siete vasos, y las siete cucharas, y los siete tenedores, y los siete cuchillos, y los siete pedazos de pan y palmoteo jubilosamente y dijo:

— La mesa de los enanitos.

—Anda, trae el cojín —le dijo Mamá.

Y Papá, al sentarse y desdoblar la servilleta sobre los muslos, aún murmuró, haciendo un gesto de asombro con los labios:

—No me cabe en la cabeza; no lo comprendo, la verdad.

¿Te ha gustado?

En grupos de cinco, contestad a las siguientes preguntas:

- ¿Quién es el narrador en este fragmento?
- ¿Cuál es el punto de vista con el que cuenta los hechos?
- Entre el fragmento de Elvira Lindo y el de Miguel Delibes, ¿cuál preferís?¿Por qué?
- ¿Qué tipo de lengua os gusta más?

(17) Para terminar, aquí tienes relatado un encuentro entre padre e hija. Es Alba, una de las protagonistas femeninas de la novela de Isabel Allende *La casa de los espíritus*, que conoce a Pedro Tercero sin saber que es su padre:

La casa de los espíritus

Lo vio acercarse antes que su madre se lo señalara. Llevaba un mameluco de mecánico, una enorme barba negra que le llegaba a la mitad del pecho, el pelo revuelto, sandalias de franciscano sin calcetines y una amplia, brillante y maravillosa sonrisa que lo colocó de inmediato en la categoría de los seres que merecían ser pintados en el fresco gigantesco de su habitación.

El hombre y la niña se miraron y ambos se reconocieron en los ojos del otro.

¿Qué te parece? Como ves se trata de otra manera diferente de escribir. ¿Qué papel tiene aquí la lengua?
¿Qué diferencias has notado entre este fragmento y los de Elvira Lindo y Miguel Delibes?
Comparte con los demás compañeros tus resultados.

El punto de vista de la narración es el *punto óptico* en el que se sitúa un narrador para contar su historia.

(18) Agrupaos en parejas: pensad en un acontecimiento que tu compañero y tú hayáis vivido juntos (podría ser un hecho que sucedió a toda la clase). Cada uno escribirá la situación desde su punto de vista, intentando expresar todas las dinámicas, las implicaciones posibles y sus propias impresiones. Luego, cada uno leerá su relato para observar si entre hay diferencias más o menos marcadas.

Acercamiento al tema "malabarismos existenciales"

"Yo también soy humano", dice Manolito Gafotas. Creemos que esta afirmación, que aquí aparece en un texto humorístico, condensa algo intrínsecamente compartido por muchos de nosotros en esos momentos en los que nos paramos a pensar sobre la vida. Al fin y al cabo contiene la misma esencia que encontramos en hondas composiciones poéticas o en otro tipo de obras: todos nos preguntamos el valor de nuestra "humanidad" y damos diferentes respuestas a los porqués de nuestra vida según nuestra ideología, nuestros valores, nuestros sentimientos, nuestras creencias y, si la tenemos, nuestra fe. ¿A que tú también te has sentido filósofo alguna vez?

(19) A continuación te proponemos dos fragmentos narrativos, A y B, de Carmen Martín Gaite (de la novela *Lo raro es vivir*) y de Pío Baroja (de la novela *El árbol de la ciencia*) respectivamente. Dividid la clase en cuatro grupos; dos trabajan con el texto A y dos con el B.

A. Leed el fragmento que encontraréis en la página siguiente. Si lo necesitáis, podéis pedir ayuda al profesor:

Lo raro es vivir

VII. Cuatro gotas de existencialismo

[...]

Vaya —pensé—, se quiere lucir o desahogar el tedio de una tarde interminable sirviendo copas, y lo entendí; a mí los camareros me parecen heroicos, siempre lo digo, no entiendo cómo pueden ser amables con los pelmazos que vamos allí a beber. Me confesó que nunca había abandonado la idea de escribir un libro donde se enfocara la filosofía existencialista desde hoy, una idea ya acariciada en los primeros años de facultad y que había ido cambiando, porque también el "hoy" es distinto a cada poco, ¿no encontraba yo que la gente joven se había vuelto mucho más nihilista?, cuando acabó la carrera tenía mucho material para el libro, pero era otro el cariz de los pasotas, empieza porque ni se llamaban pasotas todavía, luego la vida te lleva a donde no quieres, él había tenido que ponerse a trabajar pronto en lo que le fue saliendo, qué remedio, eran muchos hermanos en una familia de pocos recursos y encima retrógrada, "a mi padre", dijo, "lo sacudes y caen bellotas, mejor no discutir con él ni pedirle nada", ahora llevaba un año que había vuelto con el proyecto del libro, madrugaba y se iba todas las mañanas un par de horas a la Biblioteca Nacional, el mejor rato del día, en casa te distraes, y además él tenía poca fuerza de voluntad, quería partir de *El concepto de la angustia* de Kierkegaard y bajarlo a la calle, que es donde se palpa la angustia. "Bueno, en casa también se palpa", dije yo; pero no lo tuvo en cuenta, él seguía con sus apuntes. La angustia nace de la conciencia de mortalidad —dijo—, todo viene de ahí, de que nos vamos a morir, y cuando lo pensamos siempre nos extraña, es como apearse de las nubes. Se ha escrito mucho sobre el tema, eso desde luego —remató mientras se oían los últimos acordes de "Fiebre de ti"—, pero siempre se puede dar una versión original y llamativa, ¿no te parece?, y me miró por primera vez como esperando una opinión. Dejé asentarse un poco la pausa.

—Yo creo —dije— que lo más llamativo sería escuchar el testimonio de alguien que ya se hubiera muerto, a ver qué decía, pero es difícil porque no vuelven, sólo alguna vez en sueños y no siempre da tiempo a apuntar sus palabras, porque hablan, claro, pero se olvida, se dice "era un sueño" y en cambio no se te olvida que tienes que pagar la factura del teléfono. Ellos son los únicos que saben lo raro que era vivir, lo han entendido cuando ya no pueden contarlo en ningún libro.

Moisés se quedó silencioso y se fue a la barra a servirse otro trago. La cinta de Benny Moré ya se había consumido y yo me empezaba a aburrir un poco, miré la hora, me voy a ir yendo, ¿sabes?, no, mujer, con lo bien que estamos hablando ahora, ¿qué prisa tienes?, toma una copa, no me apetece, pero quédate mientras yo me la tomo, bueno, un ratito más. [...]

¿Quiénes son los protagonistas? ¿Dónde están?
¿Cuál es la causa del dolor humano según Moisés?
¿Te parece importante la réplica de la mujer? ¿Por qué?
¿Qué reflexiones sugiere lo que dice la protagonista femenina a propósito de la frase que remite al título de la novela?

Subrayad las ideas principales quitando todo lo secundario; quedaos solamente con lo imprescindible.

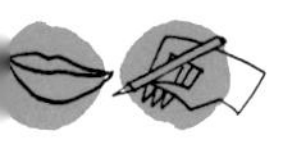

Elaborad un informe con todo lo que acabáis de comentar y presentádselo al otro grupo que ha elegido el mismo fragmento. A continuación reuníos los dos grupos A para compartir los resultados y llegar a un informe común. Intentad hacer propias las ideas filosóficas expresadas por los personajes de Carmen Martín Gaite con el fin de poderlas presentar al grupo de los barojianos. Elegid al portavoz de los gaitianos para que exponga, ayudado por los demás, las reflexiones del grupo.

Si os ha interesado la filosofía presentada por el otro grupo podéis leer el fragmento de Pío Baroja.

B. Leed el fragmento:

Si lo necesitáis podéis pedir ayuda al profesor.

El árbol de la ciencia

(Segunda parte. Las carnarias)
IX. La crueldad universal

Poco después salió Iturrioz a la azotea.

—Qué, ¿te pasa algo? —le dijo a su sobrino al verle.

—Nada; venía a charlar un rato con usted.

—Muy bien, siéntate; yo voy a regar mis tiestos.

Iturrioz abrió la fuente que tenía en un ángulo de la terraza, llenó una cuba y comenzó con un cacharro a echar agua en las plantas.

Andrés habló de la gente de la vecindad de Lulú, de las escenas del hospital, como casos extraños, dignos de un comentario; de Manolo el Chafandín, del tío Miserias, de don Cleto, de doña Virginia...

—¿Qué consecuencias pueden sacarse de todas esas vidas? —preguntó Andrés al final.

—Para mí la consecuencia es fácil —contestó Iturrioz, con el bote de agua en la mano—. Que la vida es una lucha constante, una cacería cruel en que nos vamos devorando los unos a los otros. Plantas, microbios, animales.

—Sí, yo también he pensado en eso —repuso Andrés—; pero voy abandonando la idea. Primeramente el concepto de la lucha por la vida llevada así a los animales, a las plantas y hasta los minerales, como se hace muchas veces, no es más que un concepto antropomórfico; después, ¿qué lucha por la vida es la de ese hombre don Cleto, que se abstiene de combatir, o la de ese hermano Juan, que da su dinero a los enfermos?

—Te contestaré por partes —repuso Iturrioz, dejando el bote para regar; porque esas discusiones le apasionaban—. Tú me dices, este concepto de la lucha es un concepto antropomórfico. Claro, llamamos a todos los conflictos luchas, porque es la idea humana que más se aproxima a esa relación que para nosotros produce un vencedor y un vencido. Si no tuviéramos este concepto en el fondo, no hablaríamos de lucha. La hiena que monda los huesos de un cadáver, la araña que sorbe una mosca, no hace más ni menos que el árbol bondadoso llevándose de la tierra el agua y las sales necesarias para su vida. El espectador indiferente, como yo, ve a la hiena, a la araña y al árbol, y se los explica. El hombre justiciero le pega un tiro a la hiena, aplasta con la bota a la araña y se sienta a la sombra del árbol, y cree que hace bien.

—Entonces, ¿para usted no hay lucha, ni hay justicia?

—En un sentido absoluto, no; en un sentido relativo, sí. Todo lo que vive tiene un proceso para apoderarse primero del espacio, ocupar un lugar; luego, para crecer y multiplicarse; este proceso de la energía de un vivo contra los obstáculos de un medio, es lo que llamamos lucha. Respecto de la justicia, yo creo que lo justo en el fondo es lo que nos conviene. Supón, en el ejemplo de antes, que la hiena, en vez de ser muerta por el hombre, mata al hombre; que el árbol cae sobre él y le aplasta; que la araña le hace una picadura venenosa; pues nada de eso nos parece justo, porque no nos conviene. A pesar de que en el fondo no haya más que esto, un interés utilitario, ¿quién duda que la idea de justicia y de equidad es una tendencia que existe en nosotros? Pero ¿cómo la vamos a realizar?

—Eso es lo que yo me pregunto: ¿cómo realizarla?

—¿Hay que indignarse porque una araña mate a una mosca? —siguió diciendo Iturrioz—. Bueno. Indignémonos. ¿Qué vamos a hacer? ¿Matarla? Matémosla. Eso no impedirá que sigan las arañas comiéndose a las moscas. ¿Vamos a quitarle al hombre esos instintos fieros que te repugnan? ¿Vamos a borrar esa sentencia del poeta latino: *Homo homine lupus*, el hombre es un lobo para el hombre? Está bien. En cuatro o cinco mil años lo podremos conseguir.

- ¿Quiénes son los protagonistas? ¿Dónde están?
- ¿Qué significado tiene la vida humana según Iturrioz?
- ¿Te parece importante la réplica de Andrés? ¿Por qué?
- ¿Qué reflexiones sugiere lo que dice el protagonista a propósito de una frase que remite al título de la segunda parte y del capítulo nueve?

Subrayad las ideas principales quitando todo lo secundario: quedaos solamente con lo imprescindible.

Elaborad un informe con todo lo que acabáis de comentar y presentádselo al otro grupo que ha elegido el mismo fragmento.

A continuación reuníos los dos grupos A para compartir los resultados y elaborar un informe común. Será importante llegar a asimilar y hacer propias las ideas filosóficas expresadas por los personajes de Pío Baroja con el fin de poderlas presentar al grupo de los gaitianos. Elegid al portavoz de los barojianos para que exponga, ayudado por los demás, las reflexiones del grupo.

(20) Seguimos con el mismo tema contrastando composiciones de diferente género y para ello vamos a comprobar si en el poema de Rubén Darío, "Lo fatal" están presentes reflexiones filosóficas como las encontradas en los dos fragmentos anteriores. Mantened separados los grupos de gaitianos y barojianos.

Lo fatal

Dichoso el árbol que es apenas sensitivo,
y más la piedra dura, porque ésa ya no siente,
pues no hay dolor más grande que el dolor de ser vivo,
ni mayor pesadumbre que la vida consciente.

Ser, y no saber nada, y ser sin rumbo cierto,
y el temor de haber sido y un futuro terror...
Y el espanto seguro de estar mañana muerto,
y sufrir por la vida y por la sombra y por

lo que no conocemos y apenas sospechamos,
y la carne que tienta con sus frescos racimos,
y la tumba que aguarda con sus fúnebres ramos,

¡y no saber adónde vamos,
ni de dónde venimos!...

Rubén Darío (1867-1916)

Os pueden ser útiles las siguientes pautas:

En la primera estrofa

- Identificad los distintos elementos que pertenecen al reino mineral, vegetal o animal.
- Subrayad en el texto qué es lo que mejor caracteriza cada elemento.
- ¿Cuál es la causa del dolor humano según el poeta?

En todo el poema

- Agrupad todos los sinónimos, los antónimos y los términos que se repiten. ¿Qué notáis?
- ¿Qué es lo que os llama la atención en la puntuación y el uso de la conjunción "y"?
- Buscad el desajuste entre versificación y sintaxis (es un encabalgamiento muy audaz). ¿Qué sentimientos refleja?
- También hay un paralelismo entre dos versos sintácticamente iguales, pero semánticamente opuestos. ¿Dónde? ¿Qué significación tiene?

Los dos últimos versos

- ¿Qué reflexiones sugieren?

En el título

- ¿Cómo se reconoce el significado del poema?

21 Con respecto a las elucubraciones filosóficas sobre qué significa vivir y cómo el hombre pueda realizar su propio ser merece la pena leer un fragmento de *Niebla*, de Miguel de Unamuno.

Si os ha interesado la filosofía presentada por el otro grupo podéis leer el fragmento de Carmen Martín Gaite.

NIEBLA

Augusto Pérez, el protagonista de esta novela, decide suicidarse tras un desengaño amoroso, pero antes de llevar a cabo su propósito va a hablar con el mismo Miguel de Unamuno, escritor de un ensayo sobre el suicidio.

Aquella tempestad del alma de Augusto terminó, como en terrible calma, en decisión de suicidarse. Quería acabar consigo mismo, que era la fuente de sus desdichas propias. Mas antes de llevar a cabo su propósito, como el náufrago que se agarra a una débil tabla, ocurrιósele consultarlo conmigo, con el autor de este relato. Por entonces había leído Augusto un ensayo mío en que, aunque de pasada, hablaba del suicidio, y tal impresión pareció hacerle, así como otras cosas que de mí había leído, que no quiso dejar este mundo sin haberme conocido y platicado un rato conmigo. Emprendió, pues, un viaje acá, a Salamanca, donde hace más de veinte años vivo, para visitarme. [...]

Empezó hablándome de mis trabajos literarios y más o menos filosóficos, demostrando conocerlos bastante bien, lo que no dejó, ¡claro está!, de halagarme, y en seguida empezó a contarme su vida y sus desdichas. Le atajé diciéndole que se ahorrase aquel trabajo, pues de las vicisitudes de su vida sabía yo tanto como él, y se lo demostré citándole los más íntimos pormenores y los que él creía más secretos. Me miró con ojos de verdadero terror y como quien mira a un ser increíble; creí notar que se le alteraba el color y traza del semblante y que hasta temblaba. Le tenía yo fascinado.

—¡Parece mentira! —repetía—. ¡Parece mentira! A no verlo no lo creería... No sé si estoy despierto o soñando...

—Ni despierto ni soñando —le contesté.

—No me lo explico..., no me lo explico —añadió—; mas puesto que usted parece saber sobre mí tanto como sé yo mismo, acaso adivine mi propósito...

—Sí —le dije—. Tú —y recalqué ese tú con un tono autoritario—, tú, abrumado por tus desgracias, has concebido la diabólica idea de suicidarte, y antes de hacerlo, movido por algo que has leído en uno de mis últimos ensayos, vienes a consultármelo.

El pobre hombre temblaba como un azogado, mirándome como un poseído miraría. Intentó levantarse, acaso para huir de mí; no podía. No disponía de sus fuerzas.

—¡No te muevas! —le ordené.

—Es que..., es que... —balbuceó.

—Es que tú no puedes suicidarte, aunque lo quieras.

—¿Cómo? —exclamó al verse de tal modo negado y contradicho.

—Sí. Para que uno se pueda matar a sí mismo, ¿qué es menester? —le pregunté.

—Que tenga valor para hacerlo —me contestó.

—No —le dije—, ¡qué esté vivo!

—¡Desde luego!

—¡Y tú no estás vivo!

—¿Cómo que no estoy vivo? ¿Es que he muerto? —y empezó, sin darse cuenta de lo que hacía, a palparse a sí mismo.

—¡No, hombre, no! —le repliqué—. Te dije antes que no estabas despierto ni dormido, y ahora te digo que no estás ni muerto ni vivo. [...]

—Pues bien: la verdad es, querido Augusto —le dije con la más dulce de mis voces—, que no puedes matarte porque no estás vivo, y que no estás vivo, ni tampoco muerto, porque no existes...

—¿Cómo que no existo? —exclamó.

—No, no existes más que como ente de ficción; no eres, pobre Augusto, más que un producto de mi fantasía y de las de aquellos de mis lectores que lean el relato que de tus fingidas venturas y malandanzas he escrito yo; tú no eres más que un personaje de novela, o de nivola, o como quieras llamarle. Ya sabes, pues, tu secreto.

Aquella tempestad del alma de Augusto terminó, como en terrible calma, en decisión de suicidarse. Quería acabar consigo mismo, que era la fuente de sus desdichas propias...

Al oír esto quedóse el pobre hombre mirándome un rato con una de esas miradas perforadoras que parecen atravesar la mira e ir más allá, miró luego un momento a mi retrato al óleo que preside a mis libros, le volvió el color y el aliento, fue recobrándose, se hizo dueño de sí, apoyó los codos en mi camilla, a que estaba arrimado frente a mí, y, la cara en las palmas de las manos y mirándome con una sonrisa en los ojos, me dijo lentamente:

—Mire usted bien, don Miguel..., no sea que esté usted equivocado y que ocurra precisamente todo lo contrario de lo que usted se cree y me dice.

—Y ¿qué es lo contrario?— le pregunté, alarmado de verle recobrar vida propia.

—No sea, mi querido don Miguel —añadió—, que sea usted y no yo el ente de ficción, el que no existe en realidad, ni vivo ni muerto... [...]

Cayó a mis pies de hinojos, suplicante y exclamando:

—¡Don Miguel, por Dios, quiero vivir, quiero ser yo!

—¡No puede ser, pobre Augusto —le dije, cogiéndole una mano y levantándole—, no puede ser! Lo tengo ya escrito y es irrevocable; no puedes vivir más. No sé qué hacer ya de ti. Dios, cuando no sabe qué hacer de nosotros, nos mata. [...]

—Pero ¡por Dios!...

—No hay pero ni Dios que valga. ¡Vete!

—¿Conque no, eh? —me dijo—. ¿Conque no? No quiere usted dejarme ser yo, salir de la niebla, vivir, vivir, vivir, verme, oírme, tocarme, sentirme, dolerme, serme: ¿conque no lo quiere?, ¿conque he de morir ente de ficción ? Pues bien, mi señor creador don Miguel, también usted se morirá, también usted, y se volverá a la nada de que salió... ¡Dios dejará de soñarle! Se morirá usted, sí, se morirá, aunque no lo quiera; se morirá usted y se morirán todos los que lean mi historia, todos, todos, todos, sin quedar uno! ¡Entes de ficción como yo; lo mismo que yo! Se morirán todos, todos, todos. Os lo digo yo. Augusto Pérez, ente ficticio como vosotros, nivolesco, lo mismo que vosotros. Porque usted, mi creador, mi don Miguel, no es usted mas que otro ente nivolesco, y entes nivolescos sus lectores, lo mismo que yo, que Augusto Pérez [...]

¿Hay algo que te sorprenda?
Con el profesor como moderador, haced una mesa redonda filosófica: aprovechad todo lo analizado en los tres textos anteriores y comentad el de Unamuno haciendo hincapié en los motivos filosóficos que en él se presentan.

(22) A continuación tenéis un fragmento literario de Carmen Martín Gaite extraído de su obra *Nubosidad variable*; leedlo e identificad algún punto de optimismo.

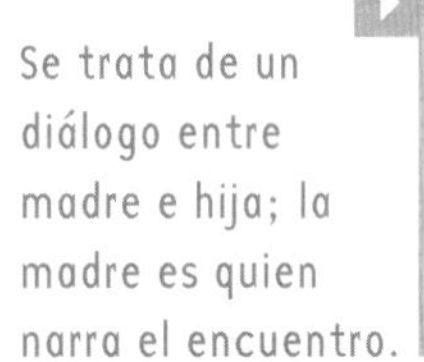

Se trata de un diálogo entre madre e hija; la madre es quien narra el encuentro.

NUBOSIDAD VARIABLE

—¿Hace mucho rato que estás aquí? —pregunta.

—No sé, no me acuerdo casi, precisamente estaba escribiendo también para eso. Y sobre todo para ajustar las cuentas con el tiempo. Que a veces pasa la factura de una forma tan rara.

Mira hacia el cuaderno y por primera vez desde que ha entrado parece alterarse. Lo coge y busca en la primera página.

—Pero bueno, ¡este cuaderno es mío!, ¿de dónde lo has cogido? Espera... No, ¡no te fisgo...!

¿Lo ves? Aquí al principio tú misma puedes ver mi letra. Pero tenía escrito más. ¿Me has arrancado páginas?

—No, si yo no sabía que fuera tuyo. Me lo ha dado Raimundo, un amigo vuestro que está en el salón, ha sido él quien ha arrancado las hojas.

—Amigo mío no, amigo del chorvo, querrás decir. De verdad, oye, tengo unas ganas de tener un apartamento para mí sola. Pero es que lo de ese tío es el colmo, disponer ya hasta de mis propios cuadernos. Tiene su casa, ¿no?, y pasta para comprarse medio Muñagorri.

—No sabes cuánto lo siento —digo compungida, como si hubiera sido yo la causante del estropicio—. Los cachitos de todas maneras están en el salón. No creo que los haya tirado.

Estoy a punto de añadir... "Y se pueden pegar", como cuando rompía de niña algún objeto de valor y mi madre lo descubría; para ella todo eran objetos de valor. Pero levanto los ojos y su nieta, que en eso no ha salido para nada a ella, ya está sonriendo y haciendo un gesto muy suyo con la mano, como de borrar en un encerado una fórmula equivocada.

—Vale, no te preocupes, no te quiero amargar la noche, para una vez que vienes. Si además da igual, los tendré pasados a limpio en otro sitio. Venga, no pongas esa cara de niña asustada. Sólo quiero que conste que el cuaderno —añade, volviéndolo a dejar sobre la mesa— te lo regalo yo, nada de Raimundo. ¡Yo! Y además con una cita que no está nada mal. ¿La has leído?

Le digo que no y miro la primera página. "De todos los pozos se puede salir —leo— cuando se enciende la curiosidad por saber lo que estará pasando fuera mientras uno se hunde."

Levanto los ojos. Ahora se está haciendo un emparedado de jamón de York.

—Oye, ¡qué bonito! —le digo—. ¿De quién es?

—Mío, te lo regalo. Oye, por cierto, ¿a Raimundo lo conocías de antes?

—No, lo he conocido aquí esta noche. Y me ha parecido una persona que lo está pasando mal, pero muy inteligente. No sé, tal vez lo pasa mal de puro inteligente.

—Bueno, pasarlo mal todo el mundo lo pasa mal, mamá. A ver quién no lo tiene crudo hoy en día. [...]

¿Habéis encontrado la frase que denote optimismo? ¿Os ha gustado? ¿Puede ser significativa para vosotros? ¿Por qué? Comentadla.

Para acabar

(23) Si hicieras un crucero por los mares tropicales, seguro que no pararías de hacer fotos o de grabar en vídeo para enseñárselo a todo el mundo. Un escritor, en cambio, puede utilizar el arte de la palabra para transmitir lo que ve. El texto que te proponemos ahora es *Sonata de estío* de Valle Inclán, un ejemplo de prosa literaria modernista, en el que predomina la función estética del lenguaje.

El protagonista, el Marqués de Bradomín, está a bordo de una fragata ante la costa de la ciudad de Grijalba, en el golfo de México, y nos describe el paisaje.

Sonata de estío

Grijalba, vista desde el mar, recuerda esos paisajes de caserío inverosímil, que dibujan los niños precoces: Es blanca, azul, encarnada, de todos los colores del iris. Una ciudad que sonríe. Criolla vestida con trapos de primavera que sumerge la punta de los piececillos lindos en la orilla del puerto. Algo extraña resulta, con sus azoteas enchapadas de brillantes azulejos y sus lejanías límpidas, donde la palmera recorta su gallarda silueta que parece hablar del desierto remoto, y de caravanas fatigadas que sestean a la sombra propicia.

Espesos bosques de gigantescos árboles rodean la ensenada, y entre la masa incierta del follaje sobresalen los penachos de las palmeras reales. Un río silencioso y dormido, de aguas blanquecinas como la leche, abre profunda herida en el bosque, y se derrama en holganza por la playa que llena de islas. Aquellas aguas nubladas de blanco, donde no se espeja el cielo, arrastraban un árbol desarraigado, y en las ramas medio sumergidas revoloteaban algunos pájaros de quimérico y legendario plumaje. Detrás, descendía la canoa de un indio que remaba sentado en la proa. Volaban los celajes al soplo de las brisas y bajo los rayos del sol naciente, aquella ensenada de color verde esmeralda rielaba llena de gracia, como un mar divino y antiguo habitado por sirenas y tritones.

Vamos a hacer un ejercicio de estilo: tras la lectura del texto, volved a escribir la descripción en un español "normal y corriente". En parejas, eliminad todo lo que os parezca superfluo para que, en vez de un ejemplo de prosa literaria, se convierta en un fragmento de una carta vuestra. Al final, intercambiad las cartas y elegid la mejor.

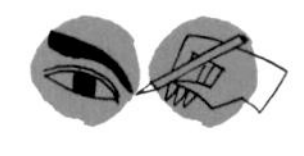

24 Ahora, para captar el cromatismo propio de la prosa modernista que caracteriza el texto de Ramón del Valle Inclán, coged una caja de lápices de colores y subrayad con el tono correspondiente cada palabra que evoca o expresa un color. ¡Veréis qué obra de arte!

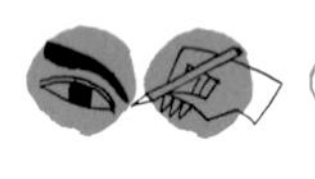

25 Te proponemos ahora un trabajo de análisis del código literario para que puedas apreciar el estilo de Julio Llamazares. Vuelve al fragmento de *La lluvia amarilla* de la tarea 2 y analízalo atendiendo a:

- La función preponderante.
- El tipo de lengua utilizada.
- El léxico.
- La sintaxis.
- Las figuras retóricas.
- El registro lingüístico.

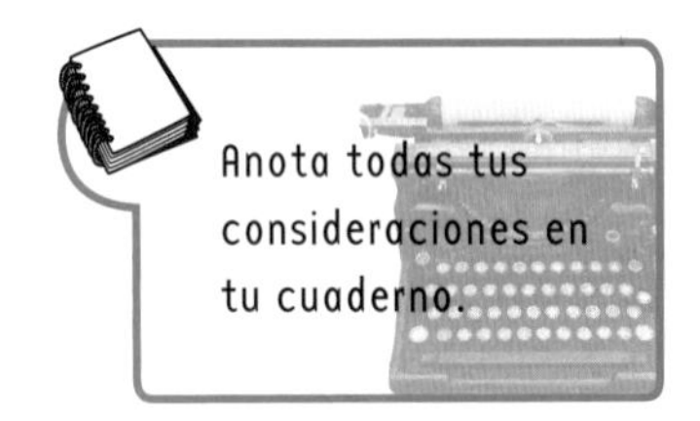

Desde un punto de vista temático:

- ¿Hay elementos comunes con el poema "Lo fatal" de Rubén Darío?
- ¿Qué postura frente a la existencia predomina en cada uno de los dos textos?
- ¿Cuál de los dos te gusta más? ¿Por qué?

¿Cómo te ha ido?

En esta tarea he aprendido que:

- Para hablar del código literario es imprescindible reflexionar sobre ___

- Con respecto al punto de vista de una obra narrativa, he aprendido que ___

De todas las actividades, la que más me ha gustado es ___

Y la que menos ___

Nivel de interés en hacer la *tarea* (puntúa de 1 a 10)

1 2 3 4 5 6 7 8 9 10

Mis frases más...

Entre todos los textos, algunas de las frases, versos, discursos, expresiones, estrofas... que me han gustado más son:

Tarea 4 Una reseña

Para hacer una reseña necesitamos:

- Comentar subjetivamente un texto literario
- Analizar objetivamente un texto literario
- Tener en cuenta tanto lo subjetivo como lo objetivo al hacer un comentario crítico.

PARA EMPEZAR

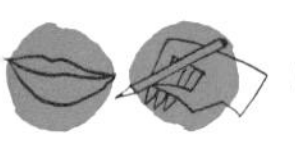

1. ¿Os acordáis de los dibujos que hicisteis en casa antes de la tarea 1? Pues ahora es el momento de recuperarlos: el profesor los repartirá al azar de manera que no le toque a nadie su propio dibujo. Tenéis que intentar identificar al autor, pero si no lográis dar con él, podéis preguntar de quién es.

El dibujo que me ha tocado es de ____________________

Ahora le harás una serie de preguntas al autor del dibujo para saber:

- Qué texto eligió
- Por qué lo eligió:
  - por las imágenes
  - por la estructura
  - por la belleza del texto
  - por la facilidad de comprensión
  - por la sencillez del dibujo
  - porque le inspiraba más
  - Otros ____________________

Imagínate que vas a Madrid a pasar unos días. Entre las actividades que has planeado está ir al Museo del Prado para disfrutar de sus cuadros. Una vez allí, consigues colarte entre un grupo de turistas que están realizando una visita guiada y observas que, en su explicación, el guía utiliza unos criterios recurrentes: habla del color, del espacio, del trazo, etc., e informa también sobre el autor, el período y la escuela pictórica a los que pertenece, sus influencias... Así logras hacerte una idea más precisa y justificada, que va más allá del simple "me gusta", "me encanta"o "no me gusta".
Lógicamente, no puedes evitar que algunas obras te impacten más y otras menos o que algunas de ellas te sugieran algo más allá de la imagen y con la ayuda del guía, que analiza algunos elementos importantes del cuadro, consigues comprender mejor la obra que admiras, das nombre a tus sensaciones, a tus ideas.

Estas pautas críticas son como unos instrumentos "ópticos" que te permiten ver los detalles para disfrutar la obra de arte en todas sus facetas. De repente, llegas incluso a comprender la grandiosidad y originalidad de un cuadro que en principio no te había llamado la atención o ni siquiera te gustaba.
Tras unas horas deliciosas decides pasar por el bar para tomarte un café, y, de camino, descubres en uno de los pasillos un cuadro que te resulta muy familiar. Pero ¡si es el dibujo de _______________!

Después de tanto oír al guía te sientes capaz de intentar analizar este dibujo por ti mismo de manera más "objetiva". Para ello tendrás en cuenta los siguientes criterios:

El color

- ¿La obra es policroma o monocroma?
- ¿Qué colores reconoces? Primarios, secundarios, terciarios, complementarios...
- ¿Predominan los tonos cálidos o fríos?
- ¿Hay un color que predomina? ¿Depende de su intensidad, de la extensión de la superficie que ocupa...?
- ¿El sujeto es oscuro sobre un fondo claro o al revés?

El espacio

- Si está representado un ambiente, ¿cómo lo puedes definir?
  - ☐ Limitado.
  - ☐ Ilimitado.
  - ☐ Cerrado.
  - ☐ Abierto.
  - ☐ Luminoso.
  - ☐ Oscuro.
  - ☐ Otro _______________

El trazo

- ¿Perfila las formas, el volumen, crea elementos decorativos, se mueve libre...?
- ¿Cuáles son sus características más evidentes?
  - ☐ Dirección.
  - ☐ Movimiento.
  - ☐ Espesor.
  - ☐ Relación con otras líneas.
  - ☐ Otras _______________

- ¿Qué efectos produce?
  - ☐ Estáticos.
  - ☐ Movimiento.
  - ☐ Ritmo.
  - ☐ Otros ______________________

Y para terminar reflexiona sobre estas tres cuestiones

- ¿El dibujo logra interpretar el texto poético en el que se inspira?
- ¿Cuáles son los elementos que lo aproximan más al texto?
- ¿Te gusta? ¿Por qué?

Ahora, en tu cuaderno, redacta un texto con todas las consideraciones anteriores. Si conoces bien al autor, relaciona su obra con su personalidad.

Presentad vuestras conclusiones a los autores de los dibujos. Luego, intercambiad los resultados y elegid el mejor dibujo, así como al crítico de arte más agudo.

Fíjate

Un texto literario, como cualquier obra artística, puede gustarte en mayor o menor medida desde un punto de vista subjetivo, es decir, basándote exclusivamente en tu gusto, en tu intuición en tu sensibilidad... Pero para comprender a fondo su mensaje y apreciar su forma, su "aspecto estético", no podemos prescindir de un análisis objetivo, es decir, aquel que está fundamentado en unos criterios que no dependen de lo que a ti te guste o no. Por ello volvemos a insistir en la estrecha correlación entre forma y contenido.

PARA SEGUIR[15]

Disfrutar de un texto literario y reconocer otra forma de sentir

(2) Contesta a las siguientes preguntas:

- ¿Te gusta leer? ¿Qué lees? ¿Por qué?
- Si lees libros, ¿te los compras tú o te los prestan?
- ¿Te gusta pasar algún rato en una librería?

- A la hora de elegir un libro de narrativa entre unos cuantos a tu disposición, ¿qué elementos guían tu elección?
  - □ El título.
  - □ El autor.
  - □ El tamaño.
  - □ El resumen del contenido en la cubierta posterior.
  - □ Lees la primera página para hacerte una idea.
  - □ Lo abres en cualquier punto y lees unas líneas.
  - □ Le preguntas a alguien que lo haya leído.
  - □ Otros ______________________________

Contrasta tus respuestas con las de tus compañeros

③ Te proponemos dos fragmentos de dos novelas: léelos y decide cuál de ellas se convertirá en tu próxima lectura.

Sería interesante ver las versiones cinematográficas de las dos novelas de esta actividad.

UN ASUNTO DE HONOR de Arturo Pérez Reverte.

Era la más linda Cenicienta que vi nunca. Tenía dieciséis años, un libro de piratas bajo la almohada y, como en los cuentos, una hermanastra mala que había vendido su virginidad al portugués Almeida, quien a su vez pretendía revendérsela a don Máximo Larreta, propietario de Construcciones Larreta y de la funeraria Hasta Luego.

—Un día veré el mar —decía la niña, también como en los cuentos, mientras pasaba la fregona por el suelo del puticlub. Y soñaba con un cocinero cojo y una isla, y un loro que gritaba no sé qué murga sobre piezas de a ocho.

—Y te llevará un príncipe azul en su yate —se le choteaba la Nati, que tenía muy mala leche—. No te jode.

El príncipe azul era yo, pero ninguno de nosotros lo sabía, aún. Y el yate era el Volvo 800 Magnum de cuarenta toneladas que a esas horas conducía el que suscribe por la nacional 435, a la altura de Jerez de los Caballeros.

Permitan que me presente: Manolo Jarales Campos, veintisiete años, la mili en Regulares de Ceuta y año y medio de talego por dejarme liar bajando al moro y subir con lo que no debía. [...]

Arturo Pérez Reverte (1943)

Lo malo —o lo bueno— que tienen los momentos importantes de tu vida es que casi nunca te enteras de que lo son. Así que no vayan a pensar ustedes que sonaron campanas o música como en el cine. Vi unos ojos oscuros, enormes, que me miraban desde una puerta medio abierta, y una cara preciosa, de ángel jovencito, que desentonaba en el ambiente del puticlub como a un cristo pueden desentonarle un rifle y dos pistolas. Aquella chiquilla ni era puta ni lo sería nunca, me dije mientras seguía andando por el pasillo hacia el bar. Aún me volví a mirarla otra vez y seguía allí, tras la puerta medio entornada.

—Hola —dije, parándome.

—Hola.

—¿Qué haces tú aquí? —Soy la hermana de Nati.

Coño con la Nati y con la hermana de la Nati. Me la quedé mirando un momento de arriba abajo, flipando en colores. Llevaba un vestido corto, ligero, negro, con florecitas amontonadas, y le faltaban dos botones del escote. Pelo oscuro, piel morena. Un sueño tierno y quinceañero de esos que salen en la tele anunciando compresas que ni se mueven ni se notan ni traspasan. O sea. Lo que en El Puerto llamábamos un yogurcito. O mejor, un petisuis.

—¿Cómo te llamas?

Me miraba los tatuajes. Manolo, respondí.

—Yo me llamo María.

LA LENGUA DE LAS MARIPOSAS de Manuel Rivas.

"Hoy el maestro ha dicho que las mariposas también tienen lengua, una lengua finita y muy larga, que llevan enrollada como el muelle de un reloj.

Nos la va a enseñar con un aparato que le tienen que enviar de Madrid. ¿A que parece mentira eso de que las mariposas tengan lengua?"

"Si él lo dice, es cierto. Hay muchas cosas que parecen mentira y son verdad. ¿Te ha gustado la escuela?"

"Mucho. Y no pega. El maestro no pega."

No, el maestro don Gregorio no pegaba. Al contrario, casi siempre sonreía con su cara de sapo.

Cuando dos se peleaban durante el recreo, él los llamaba, "parecéis carneros", y hacía que se estrecharan la mano. Después los sentaba en el mismo pupitre. Así fue como conocí a mi mejor amigo, Dombodán, grande, bondadoso y torpe. Había otro chaval, Eladio, que tenía un lunar en la mejilla, al que le hubiera zurrado con gusto, pero nunca lo hice por miedo a que el maestro me mandase darle la mano y que me cambiase del lado de Dombodán. La forma que don Gregorio tenía de mostrarse muy enfadado era el silencio.

"Si vosotros no os calláis, tendré que callarme yo."

Y se dirigía hacia el ventanal, con la mirada ausente, perdida en el Sinaí. Era un silencio prolongado, descorazonador como si nos hubiese dejado abandonados en un extraño país. Pronto me di cruenta de que el silencio del maestro era el peor castigo imaginable. Porque todo lo que él tocaba era un cuento fascinante. El cuento podía comenzar con una hoja de papel, después de pasar por el Amazonas y la sístole y diástole del corazón. Todo conectaba, todo tenía sentido. La hierba, la lana la oveja, mi frío. Cuando el maestro se dirigía hacia el mapamundi, nos quedábamos atentos como si se iluminase la pantalla del cine Rex. Sentíamos el miedo de los indios cuando escucharon por vez primera el relinchar de los caballos y el estampido del arcabuz. Íbamos a lomos de los elefantes de Aníbal de Cartago por las nieves de los Alpes, camino de Roma. Luchábamos con palos y piedras en Ponte Sampaio contra las tropas de Napoleón. Pero no todo eran guerras. Fabricábamos hoces y rejas de arado en las herrerías del Incio. Escribíamos cancioneros de amor en la Provenza y en el mar de Vigo. Construíamos el Pórtico de la Gloria. Plantábamos las patatas que habían venido de América. Y a América emigramos cuando llegó la peste de la patata.

"Las patatas vineron de América", le dije a mi madre a la hora de comer, cuando me pouso el plato delante.

"¡Qué iban a venir de América! Siempre ha habido patatas", sentenció ella.

"No, antes se comían castañas. Y también vino de América el maíz." Era la primera vez que tenía clara la sensación de que gracias al maestro yo sabía cosas importantes de nuestro mundo que ellos, mis padres, desconocían.

Si quieres, puedes leer las primeras líneas de este fragmento en gallego, la lengua original en la que fueron escritas:

"O mestre dixo hoxe que as bolboretas tamén teñen lingua, unha lingua fíniña e moi longa, que levan enrolada como o resorte dun reloxo. Váinola ensinar cun aparato que lle teñen que mandar de Madrid. ¿A que parece mentira iso de que as bolboretas teñan lingua?"

"Se el o di, é certo. Hai moitas cousas que parecen mentira e son verdade. ¿Gustouche a escola?"

"Moito. E non pega. O mestre non pega".

¿Qué libro has elegido, el de Pérez Reverte o el de Rivas?
¿Qué es lo que te atrae del texto que prefieres?
¿Qué te sugiere?
¿Con qué argumentos convencerías a un amigo para que lo leyera?

4) Busca entre tus compañeros a los que comparten tu misma preferencia e intercambiad los resultados. ¿Hay alguien que tenga las mismas ideas que tú? Reuníos y comentad:

- ¿Qué quiere decir disfrutar de un libro?
- ¿Cómo esperáis que continúe el fragmento que habéis escogido?
- ¿Piensas que el término disfrutar significa sólo divertirse y pasarlo bien o conlleva otra idea de relación con el texto?
- ¿Puede ser que en el texto encuentres algo tuyo?

- ¿No será también que el texto representa una respuesta a tu necesidad de de vivir otras vidas, de experimentar sensaciones a través de otros?

Se descubre otra manera de sentir no sólo con respecto a las situaciones distintas, sino también en la forma diferente de vivirlas, ¿no? Intercambiad los resultados.

Reaccionar ante un texto literario y manifestar impresiones subjetivas

5 Entre las funciones del texto literario está la de asombrar, extrañar, impactar... Veamos cuáles son tus reacciones frente a un texto. Lee estos tres y reacciona.

ALGÚN AMOR QUE NO MATE de Dulce Chacón.

Adiós mi amor:

Principio y fin. Tú y yo tuvimos un principio. He encontrado un trabajo lejos de aquí. Todo tiene un final. No te reprocho nada. Sé que la culpa, si es que hay culpables, es toda mía. Nunca debí consentir que me anularas así, me negué a mí misma, me he perdido de vista. Me pediste tiempo y yo te di toda la vida. Todo lo hice por amor, te quise hasta ese punto, hasta éste. Ahora ya no. Voy a aprender a quererme de nuevo, lejos de ti, lejos.

Cuando pase el tiempo suficiente, cuando te pierda el miedo, te mandaré nuestra dirección para que puedas visitar a tu hijo.

Te quise hasta la locura. Ni un paso más.

Dulce Chacón (1954-2003)

¿Te ha gustado?
¿Qué te sugiere? Escribe lo que se te ocurra.
El texto te despierta...

- ☐ Sensaciones.
- ☐ Un estado de ánimo.
- ☐ Vivencias.
- ☐ Intuiciones.
- ☐ Recuerdos.
- ☐ Otros ______________________

LA PIEL DEL TAMBOR de Arturo Pérez Reverte.

Hizo describir al telescopio un breve arco a la derecha, apartó el ojo de la lente y le indicó a Quart una estrella con el dedo.

—Mire: es Altair. A 300.000 kilómetros por segundo, su resplandor tarda dieciséis años en llegar hasta nosotros... ¿Quién le asegura que mientras tanto no ha estallado, y vemos la luz de una estrella que ya no existe?... [...]

Invitó a Quart a echar un vistazo, y éste se inclinó para aplicar un ojo a la lente. A medida que se alejaba del resplandor de la luna, entre estrella y estrella aparecían infinidad de puntos de luz, racimos de resplandores y nebulosas rojizas, azuladas y blancas, parpadeantes o inmóviles. Una de ellas fue alejándose y luego desapareció cegada por otra; una estrella fugaz, o tal vez un satélite artificial. Recurriendo a sus escasos conocimientos astronómicos, Quart buscó la Osa Mayor y ascendió desde la línea de Merak y Dubhe hacia arriba, cuatro veces la distancia, creía recordar. O tal vez cinco. La Estrella Polar estaba allí, grande y brillante, segura de sí misma.

—Esa es Polaris —el padre Ferro había seguido los movimientos del telescopio—: el extremo de la Osa Menor, que siempre señala la latitud cero de la Tierra. Pero tampoco eso es inmutable —señaló un lugar a la izquierda, invitando a Quart a mover la lente hacia allí—. Hace 5.000 años era aquella otra, el Dragón, la que adoraban los egipcios como custodia del norte... Su ciclo es de 25.800 años, del que sólo han transcurrido 3.000. Así que dentro de doscientos veintiocho siglos sustituirá de nuevo a la Polar —miraba hacia arriba, tamborileando con las uñas en el tubo de latón—. Me pregunto si para entonces quedará sobre la tierra alguien para apreciar el cambio.

—Da vértigo —dijo Quart, apartando el ojo de la lente.

Chasqueó el párroco la lengua, asintiendo. Parecía complacerse en el vértigo de Quart; como un cirujano experto viendo palidecer a los estudiantes en una autopsia.

—Tiene gracia, ¿verdad?... El Universo es una broma divertida. La misma Polaris que usted miraba hace un momento se encuentra a cuatrocientos setenta años luz. Eso significa que nos guiamos por el brillo que salió de una estrella a principios del siglo XVI, y ha tardado casi cinco siglos en llegar hasta nosotros —indicó otro lugar en la noche—. Y más allá, sin que pueda verse a simple vista, en la nebulosa del Ojo del Gato, capas concéntricas de gas, anillos y lóbulos gaseosos forman el fósil final de un astro que murió hace mil años: restos de planetas muertos girando en torno a una estrella muerta.

Se apartó del telescopio y anduvo hasta otro de los arcos de la torre, donde la claridad de la luna iluminaba mejor sus facciones. Se quedó allí, pequeño y seco en la sotana demasiado corta bajo la que asomaban sus grandes zapatos. Desde esa distancia le habló de nuevo a Quart:

—Dígame qué somos. Qué papel jugamos aquí, en todo ese escenario que se extiende sobre nuestras cabezas. Qué significan nuestras vidas miserables, nuestros afanes —alzó una mano un poco hacia arriba, sin mirar dónde señalaba [...] ¿En qué lugar de esa bóveda celeste residen los sentimientos, la compasión, el cálculo de nuestras pobres vidas, la esperanza? —otra vez sonó la risa queda, áspera, intranquilizadora.

Aunque brillen supernovas y agonicen estrellas, mueran y nazcan planetas, todo seguirá girando, en apariencia inmutable, cuando nos hayamos ido. [...]

—En ese caso —dijo lentamente— no me gusta la astronomía. Linda con la desesperación.

¿Te ha gustado?
¿Qué te sugiere? Escribe lo que se te ocurra.
El texto te despierta...

- Sensaciones.
- Un estado de ánimo.
- Vivencias.
- Intuiciones.
- Recuerdos.
- Otros ______________________________

MUJERES DE OJOS GRANDES de Ángeles Mastretta.

Amalia Ruiz encontró la pasión de su vida en el cuerpo y la voz de un hombre prohibido. Durante más de un año lo vio llegar febril hasta el borde de su falda que salía volando tras un abrazo. No hablaban demasiado, se conocían como si hubieran nacido en el mismo cuarto, se provocaban temblores y dichas con sólo tocarse los abrigos. Lo demás salía de sus cuerpos afortunados con tanta facilidad que al poco rato de estar juntos el cuarto de sus amores sonaba como la Sinfonía Pastoral y olía a perfume como si lo hubiera inventado Coco Chanel.

Aquella gloria mantenía sus vidas en vilo y convertía sus muertes en imposible. Por eso eran hermosos como un hechizo y promisorios como una fantasía.

Hasta que una noche de octubre el amante de tía Meli llegó a la cita tarde y hablando de negocios. Ella se dejó besar sin arrebato y sintió el aliento de la costumbre devastarle la boca. Se guardó los reproches, pero salió corriendo hasta su casa y no quiso volver a saber más de aquel amor.

—Cuando lo imposible se quiere volver rutina, hay que dejarlo —le explicó a su hermana, que no era capaz de entender una actitud tan radical—. Uno no puede meterse en el lío de ambicionar algo prohibido, de poseerlo a veces como una bendición, de quererlo más que a nada por eso, por imposible, por desesperado, y de buenas a primeras convertirse en el anexo de una oficina. No me lo puedo permitir, no me lo voy a permitir. Sea por Dios que algo tiene de prohibido y por eso está bendito.

¿Te ha gustado?
¿Qué te sugiere? Escribe lo que se te ocurra.
El texto te despierta...

- Sensaciones.
- Un estado de ánimo.
- Vivencias.
- Intuiciones.
- Recuerdos.
- Otros ______________________________

6 En grupos de cinco, intercambiad vuestras reacciones:

- ¿Cuál os ha impactado más? ¿Por qué?
- ¿Qué colores asocias a cada uno de los tres fragmentos?
- ¿Percibes olores especiales? ¿Y sabores?
- ¿Qué imágenes te evoca?
- ¿Qué música o sonidos te sugiere?
- ¿Te trae a la memoria recuerdos especiales?
- ¿Se relaciona de algún modo con tu mundo?
- ¿Puede ser que alguno de los textos te haya asombrado más por uno de estos motivos?

A continuación formad nuevos grupos según el texto que más os guste para trabajar de acuerdo con los resultados de las reacciones suscitadas por su lectura. Cada grupo presentará sus resultados a la clase.

Cuando nos acercamos a un texto literario no tenemos que pensar sólo en la teoría literaria (recursos, retórica, crítica literaria, etc.). La literatura también es una necesidad, es algo que llevamos dentro. Primero tenemos que acostumbrarnos a dejarnos asombrar.

¿Y a ti qué te parece?

7 Te proponemos ahora dos textos que pertenecen a dos obras cumbre de dos famosos autores hispanoamericanos de nuestros días. El primero es el comienzo de *Cien años de soledad*, de Gabriel García Márquez; el segundo pertenece a *La casa de los espíritus*, de Isabel Allende.

CIEN AÑOS DE SOLEDAD

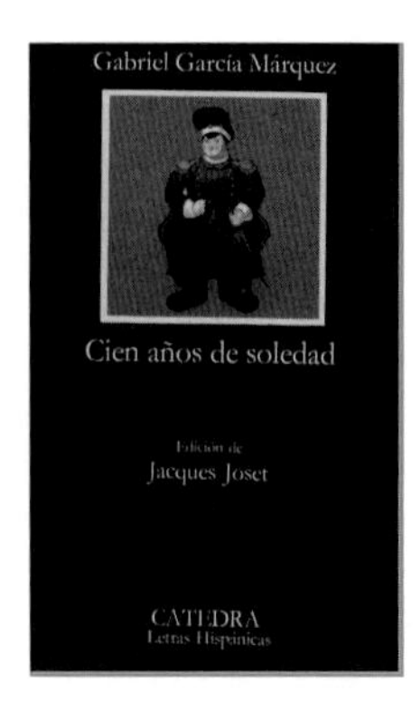

Muchos años después, frente al pelotón de fusilamiento, el coronel Aureliano Buendía había de recordar aquella tarde remota en que su padre lo llevó a conocer el hielo. Macondo era entonces una aldea de veinte casas de barro y cañabrava construidas a la orilla de un río de aguas diáfanas que se precipitaban por un lecho de piedras pulidas, blancas y enormes como huevos prehistóricos. El mundo era tan reciente, que muchas cosas carecían de nombre, y para mencionarlas había que señalarlas con el dedo. Todos los años, por el mes de marzo, una familia de gitanos desarrapados plantaba su carpa cerca de la aldea, y con un grande alboroto de pitos y timbales daban a conocer los nuevos inventos. Primero llevaron el imán. Un gitano corpulento, de barba montaraz y manos de gorrión, que se presentó con el nombre de Melquíades, hizo una truculenta demostración pública de lo que él mismo llamaba la octava maravilla de los sabios alquimistas de Macedonia. Fue de casa en casa arrastrando dos lingotes metálicos, y todo el mundo se espantó al ver que los calderos, las pailas, las tenazas y los anafes se caían de su sitio, y las maderas crujían por la desesperación de los clavos y los tornillos tratando de desenclavarse, y aun los objetos perdidos desde hacía mucho tiempo aparecían por donde más se les había buscado, y se arrastraban en desbandada turbulenta detrás de los fierros mágicos de Melquíades. "Las cosas tienen vida propia —pregonaba el gitano con áspero acento—, todo es cuestión de despertarles el ánima." José Arcadio Buendía, cuya desaforada imaginación iba siempre más lejos que el ingenio de la naturaleza y aun más allá del milagro y la magia, pensó que era posible servirse de aquella invención inútil para desentrañar el oro de la tierra. Melquíades, que era un hombre honrado, le previno. "Para eso no sirve." Pero José Arcadio Buendía no creía en aquel tiempo en la honradez de los gitanos, así que cambió su mulo y una partida de chivos por los dos lingotes imantados. Úrsula Iguarán, su mujer, que contaba con aquellos animales para ensanchar el desmedrado patrimonio doméstico, no consiguió disuadirlo. "Muy pronto ha de sobrarnos oro para empedrar la casa", replicó su marido.

La casa de los espíritus

Clara clarividente conocía el significado de los sueños. Esta habilidad era natural en ella y no requería los engorrosos estudios cabalísticos que usaba el tío Marcos con más esfuerzo y menos acierto. El primero en darse cuenta de eso fue Honorio, el jardinero de la casa, que soñó un día con culebras que andaban entre sus pies y que, para quitárselas de encima, les daba de patadas hasta que conseguía aplastar a diecinueve. Se lo contó a la niña mientras podaba las rosas, sólo para entretenerla, porque la quería mucho y le daba lástima que fuera muda. Clara sacó la pizarrita del bolsillo de su delantal y escribió la interpretación del sueño de Honorio: tendrás mucho dinero, te durará poco, lo ganarás sin esfuerzo, juega al diecinueve. Honorio no sabía leer, pero Nívea le leyó el mensaje entre burlas y risas. El jardinero hizo lo que le decían y se ganó ochenta pesos en una timba clandestina que había detrás de una bodega de carbón. Se los gastó en un traje nuevo, una borrachera memorable con todos sus amigos y una muñeca de loza para Clara. A partir de entonces la niña tuvo mucho trabajo descifrando sueños a escondidas de su madre, porque cuando se supo la historia de Honorio iban a preguntarle qué quiere decir volar sobre una torre con alas de cisne; ir en una barca a la deriva y que cante una sirena con voz de viuda; que nazcan dos gemelos pegados por la espalda, cada uno con una espada en la mano, y Clara anotaba sin vacilar en la pizarrita que la torre es la muerte y el que vuela por encima se salvará de morir en un accidente, el que naufraga y escucha a la sirena perderá su trabajo y pasará penurias, pero lo ayudará una mujer con la que hará un negocio; los gemelos son marido y mujer forzados en un mismo destino, hiriéndose mutuamente con golpes de espada.

Comenta desde un punto de vista subjetivo el fragmento que prefieras.

- Me gusta porque...
- Lo que más me llama la atención es...
- Lo que menos me gusta es...
- Me intriga porque...

Valorar subjetivamente un texto literario

En una valoración subjetiva de un texto literario tienes que intentar ir más allá del "me gusta" o del "es muy bonito". Aquí te proporcionamos una serie de consejos que te pueden ayudar:

- Fórmulas de expresión de la opinión: no sólo me gusta o no me gusta, también puedes utilizar otras como: "es interesante", "me impresiona", "no conecta con mi sensibilidad", "me resulta demasiado complicado", etc.
- Adjetivos que puedas aplicar al texto: el estilo puede ser lento o rápido, sencillo o recargado, la acción puede ser creíble o no creíble.
- El estilo, el léxico, los personajes, la capacidad de narración y la construcción de la historia son aspectos que cabe valorar, igual que al hacer un comentario de texto. Pero en este momento debes verlos bajo tu óptica personal. Así, tú no puedes decir que el estilo de Valle-Inclán en las *Sonatas* es imperfecto, pero sí que te resulta lento por demasiado descriptivo.

8. Desarrolla en tu cuaderno los puntos que han determinado tu comentario subjetivo: notarás que en muchos casos terminarás acudiendo a algunos de los recursos que has aprendido hasta ahora:

- El tema.
- Los tiempos verbales.
- Los flashback.
- Los personajes.
- Otras cosas.

9. En grupos de cinco, contrastad los resultados y luego comentadlos con el resto de compañeros para completar y enriquecer vuestro análisis.

Hacia un comentario crítico del texto

Hemos llegado al final; después de todo lo que hemos hecho hasta ahora contamos con algunos instrumentos para llevar a cabo un comentario de texto más objetivo. Reunamos nuestras herramientas de análisis:

Pautas para los comentarios de textos narrativos

▪ Asunto ▪ Tema	Historia y discurso.
▪ Estructura	Secuencias (narrativas/descriptivas/reflexivas). Orden del discurso (lineal/con anticipaciones/con flashback).
▪ Tiempo	Tiempos verbales. Tiempo del texto.
▪ Espacio	Interno. Externo. Lugares emblemáticos.
▪ Personajes	Dinámicas. Descripción (física y psicológica).
▪ Punto de vista del narrador	Interno. Externo.
▪ Código literario	Función preponderante de la lengua. Tipo de lengua. Léxico. Sintaxis. Figuras retóricas. Registro lingüístico.

⑩ Prepárate, porque estás a punto de ir en busca de tu primer contrato laboral. La conocida revista mensual *El placer de leer* necesita colaboradores para formar parte de su equipo de redacción y para seleccionar a los candidatos que han acudido al reclamo de su anuncio publicitario los someterán a dos pruebas:16

A. EL ROMPECABEZAS

Con esta prueba la revista tratará de comprobar la capacidad de los candidatos para trabajar en equipo.
En la sección "Críticas" de la revista suelen aparecer reseñas de algunos libros, tanto españoles como extranjeros. Para la prueba han elegido tres libros de los que han mezclado:

- El título.
- La crítica.
- El argumento.
- Los datos sobre el autor.

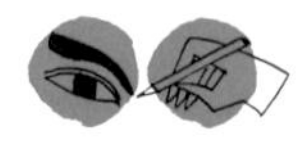

En grupos de cinco tenéis que reorganizar adecuadamente las informaciones relativas a cada libro. Pero cuidado, para que no sea tan fácil, en cada reseña han borrado el nombre del autor y el título de la novela. Cuando terminéis comprobad con los otros grupos si habéis agrupado de un modo adecuado los datos de cada libro.

NOVELA **ALEGATO CONTRA TODAS LAS IMPOSTURAS**
"El sueño más dulce"

NOVELA **INMERSIÓN EN EL POLVORÍN ARGELINO**
"Los corderos del Señor"

NOVELA **MEMORIAS DE UN GOURMET**
"Lo más tierno"

En 1998 la identidad de _____ era un enigma. Esta novela tiene fecha de ese año, momento en el que fue publicada en Francia. _____ narra el descenso a los infiernos de Ghachimal, un pequeño lugar de Argelia que representa todos los lugares donde germina el odio No se trata solo del valor testimonial de una novela como esta; la escritura de _______ es precisa, casi teatral en su recurso a las escenas cortas y al diálogo, con las palabras cargadas de violencia y un ritmo trepidante, como quien martillea las teclas de una máquina de escribir impulsado por la necesidad de contar y contra el minutero. Más allá de la denuncia radical que el autor hace del integrismo islámico, sus extremos y connivencias, es en el personaje del enano Zane, en su deformidad moral, que sabe "negociar sus oportunidades según las coyunturas", donde encontramos la mejor metáfora de las miserias humanas que laten bajo el terror "Nuestros reclutas son legión. Nos esperan en el desorden y en el asco", afirma uno de los integristas hermanos musulmanes. En este Ubú que es Zane, el autor no ha puesto lo mejor de sí en la construcción de un personaje, sino que, al hacerlo triunfar por sobre todas las sañas, nos sitúa en medio de su visión desesperanzada de la tragedia argelina. Este viaje al corazón de las tinieblas ha de leerse de un solo golpe y sabiendo que resultará sobrecogedor.

Ángel CABO

Aunque no tengas ni idea de cocinar ni te guste, ______, te harán añorar los fogones. y si eres un/una artista del paladar, entonces ya debe ser el no va más. Antes de ser crítica gastronómica, la autora tuvo una madre demasiado aficionada al queso mohoso y al pollo pasado. Eso fue determinante para descubrir que la gente se clasifica por lo que come y ella se decidió por los que se deleitan jnventando y degustando nuevos platos. De su Nueva York natal al colegio de monjas de Canadá, en el Manhattan de los 60 o la California de los hippies y ecologistas, de viaje por Grecia e Italia, Reichl nos cuenta un aprendizaje vital donde la comida siempre ha estado presente. Lo más fácil sería decir que estas memorias están para chuparse los dedos, que se devoran en un santiamén porque es una delicia leerlas. Tan ligeras como el complicado soufflé de limón, aliñadas con muchos kilos de anécdotas y una pizca de humor, tolerancia y sabia ironía, _______ también puede presumir de una habilidad indiscutible para retratar personas y contagiar su entusiasmo por el olor de una especia recién descubierta o de un colmado lleno de rarezas comestibles.

De regalo, incluye recetas propias y ajenas, desde las sencillas escalopas a la vienesa hasta el complicado paté de Milton. Y de colofón, un consejo: puedes ser lo que te propongas si lo deseas con fuerza.

Celia CERNADAS

Narrada desde una espléndida voz omnisciente, la novela construye un itinerario familiar que llega hasta nuestros días, pero su paisaje esencial, el lugar en donde se acumulan todos los reproches históricos de todas las mentiras políticas y donde se van fraguando las fuentes de la desesperanza, incluso los gérmenes de la derrota de la Izquierda comunista en el mundo, es la década de los 60. __________apoya su relato sobre tres ejes: la anciana Julia; su nuera Frances Lennox, y su ex marido Johnny, un jerarca de la militancia comunista. En torno a estos tres personajes prototípicos (una anciana que no entiende los indescifrables cambios que se operan a su alrededor; Frances, que asiste con lucidez e ironía al teatro ideológico que se monta a su alrededor,y la impostura personificada en la desaliñada moral de Johnny) giran otros no menos representativos de una época, tal vez la mejor en este sentido, de grandes esperanzas y sueños incumplidos. La empresa de _______ no era fácil. No era fácil reunir en un mismo texto la denuncia, la novela de generación y la temperatura intimista. La denuncia es demoledora; desde las tropelías del Partido Comunista hasta la muy poca corrección política a la hora de analizar las nuevas repúblicas africanas (un tono irreverente muy en la línea de V. S. Naipaul). La comprensión y la piedad humanas brillan en esta novela con la misma intensidad que la ira que las justifica.

La novela no desmaya nunca. Sostiene su atención un logradísimo nervio narrativo. y como paradigma de representación novelística no cede nunca al reportaje, ni a una disimulada autobiografía. y como decían los críticos del siglo XIX, por esta novela corre la auténtica vida.

J. Ernesto AYALA-DIP

ARGUMENTO Bocato di cardinale

Decepcionada por una madre experta en envenenar a sus invitados, Ruth encontró consuelo de niña en las cocinas de Alice, la criada de su tía, y de la señora Peavey, de quienes aprendió recetas tan sabrosas como las ostras fritas y el rosco de queso. Luego se topó con exigentes gourmets como monsieur du Croix, que la inició en placeres desconocidos, entre ellos el *foie*. A su alternativo marido lo conquistó por el estómago y, más tarde, en su comuna hippy de San Francisco, aprendió a preparar platos suculentos con las latas que desechaban los supermercados. Los recuerdos de sus viajes al Norte de África, a Creta o a la Toscana están fabricados de gustos y olores sacados de la tierra. Esta es una biografía hecha de harina y chocolate, de aceite de oliva y especias.

ARGUMENTO El extravío y la barbarie

En Ghachimat tres amigos comienzan a separar sus destinos. Allal acaba de ingresar en la Policía, Kada se ha unido a los integristas islámicos y Jafer, desempleado, deja sin más correr la vida. El rencor terminará de dividirlos, los enfrentará y se perderán, como Ghachimat, en una espiral de atrocidades. El extravío y la barbarie estallarán después de la victoria en las elecciones municipales del Frente Islámico de Salvación y la detención de sus dirigentes. La reacción integrista, su violencia desatada, vendrá a instaurar un verdadero estado de terror, de sangre y fuego, en todas partes; la ambición, el odio y la venganza desencadenarán las peores traiciones. Ghachimat, con su aparente tranquilidad y su "aire cargado de resentimiento", se verá convertida en el lugar del horror.

ARGUMENTO Tres generaciones, tres formas de vida

Frances Lennox está separada de Johnny y vive con sus hijos, Colin y Andrews, en la misma casa de su suegra Julia. Johnny vive con otra mujer y una hija de esta. En la casa de Julia conviven tres generaciones: esta, Frances y sus hijos y, ocasionalmente, los amigos de estos, que campan a sus anchas viviendo casi a pan y cuchillo. Mientras Frances compagina su trabajo como periodista *free lance*, la atención de su casa y la necesidad de afrontar multitud de problemas domésticos (entre los cuales no faltan los derivados no tanto de sus hijos como de sus amigos), Johnny hace carrera como dirigente del Partido Comunista.

La situación económica de Frances se va estabilizando (mientras vivió con su marido fue casi de pobreza); trabaja y tiene éxito como articulista y novelista. Sus hijos crecen y estudian. Uno de ellos se hace un conocido novelista y el otro se sitúa en un puesto importante. Julia muere ya muy anciana pero su recuerdo permanece entre sus amigos, hija y nietos con perdurable emoción.

☐ **RUTH REICHL** (Nueva York) es una muy reputada crítica gastronómi-ca en los Estados Unidos. Duranteuna década trabajó para *LosAngeles Times*, y luego lo hizo para *The New York Times*. Desdehace tres años ocupa el cargo de directora editorial de la revista especializada en temas culinarios *Gourmet*. Después de publicar ____________`__ su carrera literaria haproseguido con la aparición de una segunda obra, que lleva por título *Comfort Me with Apples*.

☐ **DORIS LESSING** (Irán, 1919) es un clásico vivo de las letras británicas, honrada con multitud de premios literarios de envergadura. Entre su ingente obra se cuentan títulos como *El cuaderno dorado*, *La buena terrorista* y *Dentro de mí*.

☐ **YASMINA KHADRA** (Kenadsa, 1955) es el pseudónimo femenino de Mohamed Moulessehoul. Excomandante del Ejército argelino, durante diez años ocultó su verdadera identidad para tener manos libres y poder denunciar las atrocidades desplegadas en su país corrupción política, integrismo...). Traducido a varios idiomas, en la actualidad ha hecho de Francia su lugar de residencia. Otras obras del autor traducidas al castellano son *Lo que sueñan los lobos* y *El escritor*.

B. EL CRITICÓN

En esta prueba, *El placer de leer* te encarga que escribas una reseña de un cuento de Jorge Luis Borges.

EL FIN

Recabarren, tendido, entreabrió los ojos y vio el oblicuo cielo raso de junco. De la otra pieza le llegaba un rasgueo de guitarra, una suerte de pobrísimo laberinto que se enredaba y desataba infinitamente... Recobró poco a poco la realidad, las cosas cotidianas que ya no cambiaría nunca por otras. Miró sin lástima su gran cuerpo inútil, el poncho de lana ordinaria que le envolvía las piernas. Afuera, más allá de los barrotes de la ventana, se dilataban la llanura y la tarde; había dormido, pero aún quedaba mucha luz en el cielo. Con el brazo izquierdo tanteó, hasta dar con un cencerro de bronce que había al pie del catre. Una o dos veces lo agitó; del otro lado de la puerta seguían llegándole los modestos acordes. El ejecutor era un negro que había aparecido una noche con pretensiones de cantor y que había desafiado a otro forastero a una larga payada de contrapunto.

Vencido, seguía frecuentando la pulpería, como a la espera de alguien. Se pasaba las horas con la guitarra, pero no había vuelto a cantar; acaso la derrota lo había amargado. La gente ya se había acostumbrado a ese hombre inofensivo. Recabarren, patrón de la pulpería, no olvidaría ese contra-

punto; al día siguiente, al acomodar unos tercios de yerba, se le había muerto bruscamente el lado derecho y había perdido el habla. A fuerza de apiadarnos de las desdichas de los héroes de las novelas concluimos apiadándonos con exceso de las desdichas propias; no así el sufrido Recabarren, que aceptó la parálisis como antes había aceptado el rigor y las soledades de América. Habituado a vivir en el presente, como los animales, ahora miraba el cielo y pensaba que el cerco rojo de la luna era señal de lluvia.

Un chico de rasgos aindiados (hijo suyo, tal vez) entreabrió la puerta. Recabarren le preguntó con los ojos si había algún parroquiano. El chico, taciturno, le dijo por señas que no; el negro no contaba. El hombre postrado se quedó solo; su mano izquierda jugó un rato con el cencerro, como si ejerciera un poder.

La llanura, bajo el último sol, era casi abstracta, como vista en un sueño. Un punto se agitó en el horizonte y creció hasta ser un jinete, que venía, o parecía venir, a la casa. Recabarren vio el chambergo, el largo poncho oscuro, el caballo moro, pero no la cara del hombre, que, por fin, sujetó el galope y vino acercándose al trotecito. A unas doscientas varas dobló. Recabarren no lo vio más, pero lo oyó chistar, apearse, atar el caballo al palenque y entrar con paso firme en la pulpería.

Sin alzar los ojos del instrumento, donde parecía buscar algo, el negro dijo con dulzura:

—Ya sabía yo señor, que podía contar con usted.

El otro, con voz áspera, replicó:

—Y yo con vos, moreno. Una porción de días te hice esperar, pero aquí he venido.

Hubo un silencio. Al fin, el negro respondió:

—Me estoy acostumbrando a esperar. He esperado siete años.

El otro explicó sin apuro:

—Más de siete años pasé yo sin ver a mis hijos. Los encontré ese día y no quise mostrarme como un hombre que anda a las puñaladas.

—Ya me hice cargo —dijo el negro—. Espero que los dejó con salud.

El forastero, que se había sentado en el mostrador, se rió de buena gana. Pidió una caña y la paladeó sin concluirla.

—Les di buenos consejos —declaró—, que nunca están de más y no cuestan nada. Les dije, entre otras cosas, que el hombre no debe derramar la sangre del hombre.

Un lento acorde precedió la respuesta del negro:

—Hizo bien. Así no se parecerán a nosotros.

—Por lo menos a mí —dijo el forastero y añadió como si pensara en voz alta—: Mi destino ha querido que yo matara y ahora, otra vez, me pone el cuchillo en la mano.

El negro, como si no lo oyera, observó:

—Con el otoño se van acortando los días.

—Con la luz que queda me basta —replicó el otro, poniéndose de pie.

Se cuadró ante el negro y le dijo como cansado:

—Deja en paz la guitarra, que hoy te espera otra clase de contrapunto.

Los dos se encaminaron a la puerta. El negro, al salir, murmuró:

—Tal vez en éste me vaya tan mal como en el primero.

El otro contestó con seriedad:

—En el primero no te fue mal. Lo que pasó es que andabas ganoso de llegar al segundo.

Se alejaron un trecho de las casas, caminando a la par. Un lugar de la llanura era igual a otro y la luna resplandecía. De pronto se miraron, se detuvieron y el forastero se quitó las espuelas. Ya estaban con el poncho en el antebrazo, cuando el negro dijo:

—Una cosa quiero pedirle antes que nos trabemos. Que en este encuentro ponga todo su coraje y toda su maña, como en aquel otro de hace siete años, cuando mató a mi hermano.

Acaso por primera vez en su diálogo, Martín Fierro oyó el odio.

Su sangre lo sintió como un acicate. Se entreveraron y el acero filoso rayó y marcó la cara del negro.

Hay una hora de la tarde en que la llanura está por decir algo; nunca lo dice o tal vez lo dice infinitamente y no lo entendemos, o lo entendemos pero es intraducible como una música... Desde su catre, Recabarren vio el fin. Una embestida y el negro reculó, perdió pie, amagó un hachazo a la cara y se tendió en una puñalada profunda, que penetró en el vientre. Después vino otra que el pulpero no alcanzó a precisar y Fierro no se levantó. Inmóvil, el negro parecía vigilar su agonía laboriosa. Limpió el facón ensangrentado en el pasto y volvió a las casas con lentitud, sin mirar para atrás. Cumplida su tarea de justiciero, ahora era nadie. Mejor dicho era el otro: no tenía destino sobre la tierra y había matado a un hombre.

Para orientar tu trabajo contarás con:

- Las pautas para organizar tu comentario.
- Una ficha para documentarte sobre la vida y obra del autor (acude a la parte final del libro dedicada a los autores).
- La reseña de una novela que te puede servir de modelo.

Pautas

Organiza tu reseña según la estructura del modelo propuesto:

El *primer párrafo* recogerá la presentación de tu opinión personal sobre el cuento, que luego desarrollarás en las otras partes.
Aquí también irá la presentación sintética (los recortes de la revista) de la obra de Borges en relación y/o contraposición con lo que vas a comentar, enfocándolo desde la perspectiva de los personajes:

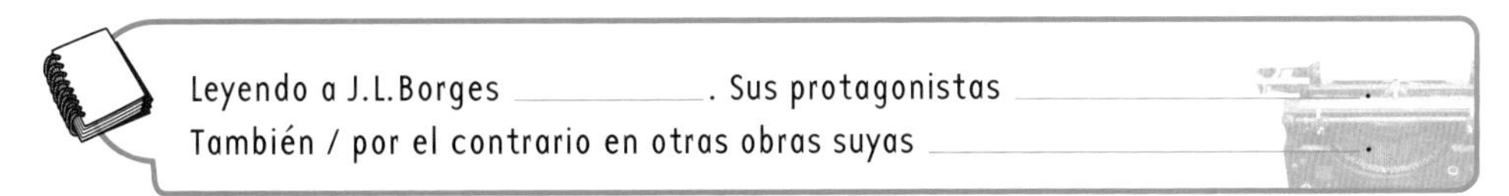

Leyendo a J.L.Borges __________. Sus protagonistas __________.
También / por el contrario en otras obras suyas __________.

El *segundo párrafo* debe centrarse en el análisis técnico del relato:

- Identificación del asunto, del tema y de la organización estructural (planteamiento, nudo, desenlace). Aquí sería apropiado una comparación con el otro cuento de Borges que conoces.
- Como el destinatario de tu reseña no ha leído el cuento que estás comentando y además tu objetivo es atraerlo a su lectura, debes facilitar un resumen de su argumento. Ten en cuenta todo lo que sabes sobre el tiempo y el espacio de la narración, así como los recursos de creación y presentación de los personajes de que se ha valido el autor (el punto de vista del narrador, el código literario...).

- Como tu reseña debe resultar sugerente tanto para el jefe de redacción como para los lectores de la revista, debes ir "dosificando" la información que les proporcionas y reservar para el último párrafo los elementos que más les puedan animar a la lectura.

Técnicamente "El fin", ______________ como "Los dos reyes y los dos laberintos". En este cuento, planteamiento, nudo y desenlace se suceden en una ______________ unidad de lugar y de tiempo ______________. En "El fin" estos mismos elementos ______________. El relato se abre con ______________ los personajes ______________ ______________. Todo esto el narrador lo enfoca desde ______________ y sabe echar mano con maestría de los recursos ______________. Disponiendo su relato ______________.

En el tercer párrafo ofreces finalmente el desenlace del cuento y tu interpretación sobre su significado.

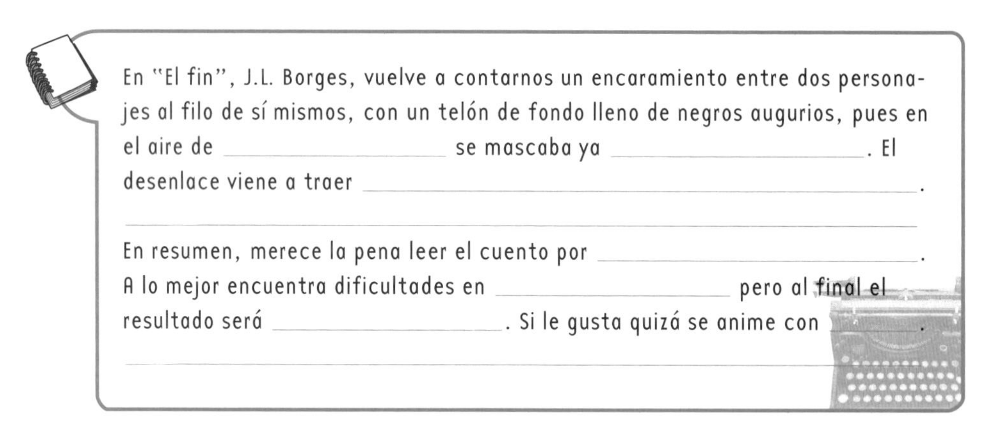

En "El fin", J.L. Borges, vuelve a contarnos un encaramiento entre dos personajes al filo de sí mismos, con un telón de fondo lleno de negros augurios, pues en el aire de ______________ se mascaba ya ______________. El desenlace viene a traer ______________.

____

En resumen, merece la pena leer el cuento por ______________.
A lo mejor encuentra dificultades en ______________ pero al final el resultado será ______________. Si le gusta quizá se anime con ______________.

____

- Como ya has leído otro cuento de Borges ("Los dos reyes y los dos laberintos"), tu comentario se verá enriquecido si sabes establecer comparaciones entre ambos relatos, igual que en el modelo de Carles Barba. También te pueden ser útiles las tres reseñas que has ordenado en "El rompecabezas".

DRAMA PSICOLÓGICO

"Divorcio en Buda"

Autor: Sándor Márai • Traductor: Judit Xantus • Editorial: Salamandra • 190 páginas. 11,5 euros

Leyendo a Sándor Márai, uno cae en la cuenta de por qué el psicoanálisis se inventó en Centroeuropa. Sus protagonistas, como los de Roth, Zweig o Bernhard, tienen un retardado apremio de confidencialidad, y en cuanto dan con el oyente adecuado, abren las compuertas de sus más sellados secretos, y dan vía libre y caudalosa a sus inquietudes y desazones. En *Divorcio en Buda* (como en *El último encuentro*) se produce un *tête à tête* entre dos hombres maduros, el uno confesándose sin tapujos ya fondo, y el otro asumiendo en principio las funciones de auditor, pero en última instancia urgido por la situación a una contraconfesión.

Técnicamente *Divorcio en Buda* no está tan redondeada como *El último encuentro*. En esta, planteamiento, nudo y desenlace se suceden en una cerrada unidad de lugar y de tiempo, como en una pieza teatral, y siempre en clave de oralidad. En aquella, la *conversación* propiamente dicha no se inicia hasta mediada la novela, y las primeras cien páginas, escritas en típica prosa de corte realista, sirven solo de preparación al clímax que está por venir. El relato se abre con un principio ciertamente sugerente: Kristóf Kömives, un juez de 37 años, tiene que dirimir al día siguiente un proceso de divorcio en el que están implicados un ex compañero de colegio y un ex amor de juventud. Ante tan excéntrica expectativa, Komives recapitula de golpe sobre su profesión, sobre la honorabilidad que le impone y sobre las cuotas de riesgo y aventura vitales que en contrapartida deja incumplidas. De repente, en unas pocas horas, desde que sale del trabajo en los juzgados, acude a una fiesta y se retira por fin a su hogar, Kristóf pasa revista a su vida: nos enteramos de quiénes han sido sus progenitores (funcionarios de la pequeña nobleza venidos a menos), cuáles han sido sus estudios en el internado un

SÁNDOR MÁRAI (Kenadsa, 1900, Kassa, Hungría—1989, San Diego, California) vive un revival, *El último encuentro* y *El testamento de Eszter* han sido dos éxitos rotundos.

religioso consigue dar una dirección espiritual a su vida), cómo conoció a su esposa (una bonita austríaca hija de un general) y por qué él se ha fabricado una rutina llena de respetabilidad y sentido del deber.

Tal diseño de personalidad se tambalea y entra en crisis justamente cuando, a la caída del día, concurre por sorpresa a su casa Imre Greiner, el ex amigo de infancia cuya causa de divorcio él ha de examinar al día siguiente. Greiner conmina al juez a que oiga la historia que viene a contarle (la de su matrimonio y la de su vida naufragada) y, en un largo monólogo nocturno, logra vaciar su sentimentalidad y sus secretos, y sobre todo logra perforar la impasibilidad del magistrado, quien no puede dejar de admitir que el fracaso existencial de aquel hombre lo salpica también a él. Sándor Márai, en fin, vuelve a contarnos aquí un encaramiento entre dos personajes al filo de sí mismos, con un telón de fondo además lleno de negros augurios, pues en el aire del Budapest de entonces se mascaba ya la Segunda Guerra Mundial. El desenlace viene a traer un momentáneo alivio a las heridas del alma: el día empieza a despuntar, y con la luz cada cual recupera su rol habitual.

Carles BARBA

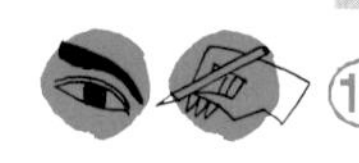

(11) Enhorabuena por haber conseguido el trabajo como colaborador de la revista *Leer es un placer*. La misión fundamental de tu equipo será crear una nueva colección de cuentos que se distribuirá con la revista. En grupos de cinco, tenéis que diseñar la colección presentando la maqueta del primer volumen con el cuento "El fin", de Borges. Vuestro trabajo consistirá en:

- Determinar el formato y el tamaño del libro.
- Diseñar la cubierta y la portada.
- Preparar el contenido de las solapas: la solapa anterior llevará la biografía del autor y datos sobre sus obras, así como una foto. La solapa posterior albergará la biografía del autor.
- Redactar el comentario crítico que ocupará la cubierta posterior: tomando las reseñas que habéis hecho individualmente, redactaréis ese comentario aprovechando lo mejor de cada una de ellas.

Al final, colgad en la pared los resultados de vuestras maquetas.

Cubierta: tapa o encuadernación que protege el libro. Hay que distinguir la cubierta o tapa anterior de la posterior.
Portada: es la página que inicia propiamente el libro; es el rostro del libro, su carné de identidad, puesto que en ella deben figurar el nombre del autor, el título y subtítulo del libro– si lo tiene– y habitualmente el nombre o logotipo de la editorial, el año de edición y el lugar de publicación. (Si queréis la portada puede ir precedida de una hoja en blanco o con alguna dedicatoria.
Solapa: prolongación de la cubierta o tapa que se dobla hacia dentro y ofrece un espacio suplementario donde suelen incluirse algunas notas biográficas del autor.

(12) La revista te ha encargado que escribas la reseña de un cuento; a pesar de la dificultad aceptas el reto sabiendo que, como recursos, cuentas con tu sensibilidad literaria y con herramientas "objetivas" para el análisis.

AL COLEGIO de Carmen Laforet.

Vamos cogidas de la mano en la mañana. Hace fresco y el aire está sucio de niebla. Las calles están húmedas. Es muy temprano.

Yo me he quitado el guante para sentir la mano de la niña en mi mano y me es infinitamente tierno este contacto, tan agradable, tan amical, que la estrecho un poquito emocionada. Su propietaria vuelve hacia mi la cabeza, y con el rabillo de los ojos me sonríe. Sé perfectamente la importancia de este apretón, sabe que yo estoy con ella y que somos más amigas hoy que otro día cualquiera.

Viene un aire vivo y empieza a romper la niebla. A todos los árboles de la calle se les caen las hojas, y durante unos segundos corremos debajo de una lenta lluvia de color tabaco.

—Es muy tarde: vamos.

—Vamos, vamos.

Pasamos corriendo delante de una fila de taxis parados huyendo de la tentación. La niña y yo sabemos que las pocas veces que salimos juntas casi nunca dejo de coger un taxi. A ella le gusta; pero, a decir verdad, no es por alegrarla por lo que lo hago: es sencillamente, que cuando salgo de casa con la niña tengo la sensación de que emprendo un viaje muy largo. Cuando medito una de estas escapadas, uno de estos paseos, me parece divertido ver la chispa alegre que se le enciende a ella en los ojos, y pienso que me gusta infinitamente salir con mi hijita mayor y oírla charlar; que la llevaré de paseo al parque, que le iré enseñando, como el padre de la buena Juanita los nombres de las flores; que jugaré con ella, que nos reiremos, ya que es tan graciosa, y que, al final, compraremos barquillos —como hago cuando voy con ella— y nos los comeremos alegremente.

Luego resulta que la niña empieza a charlar mucho antes de que salgamos de casa, que hay que peinarla y hacerle las trenzas (que salen pequeñas y retorcidas, como dos rabitos dorados debajo del gorro) y cambiarle el traje, cuando ya está vestida, porque se tiró encima un frasco de leche condensada. y cortarle las unas, porque al meterle las manoplas me doy cuenta de que han crecido... Y cuando salimos a la calle, yo, su madre, estoy casi tan cansada como el día en que la puse en el mundo...Exhausta, con un abrigo que me cuelga como un manto; con los labios sin pintar (porque a última hora me olvidé de eso), voy andando casi arrastrada por ella, por su increíble energía, por los infinitos "porqués"— de su conversación.

—Mira un taxi, —éste es mi grito de salvación y de hundimiento cuando voy con la niña... Un taxi.

Una vez sentada dentro, se me desvanece siempre aquella perspectiva de pájaros y flores y lecciones de la buena Juanita, y doy la dirección de casa de las abuelitas, un lugar concreto donde sé que todos seremos felices; la niña y las abuelas, charlando, y yo, fumando un cigarrillo, solitaria y en paz.

Pero hoy, esta mañana fría en que tenemos más prisa que nunca, la niña y yo pasamos de largo delante de la fila tentadora de autos parados. Por primera vez en la vida vamos al colegio... Al colegio, !e digo, no se puede ir en taxi. Hay que correr un poco por las calles, hay que tomar el metro, hay que caminar luego, en un sitio determinado, a un autobús... Es que yo he escogido un colegio muy lejano para mi niña, ésa es la verdad; un colegio que me gusta mucho, pero que está muy lejos. Sin embargo, yo no estoy impaciente hoy, ni cansada, y la niña lo sabe. Es ella ahora la que inicia una caricia tímida con su manita dentro de la mía; y por primera vez me doy cuenta de que su mano de cuatro años es igual a mi mano grande: tan decidida, tan poco suave, tan nerviosa como la mía. Sé por este contacto de su mano que le late el corazón al saber que empieza su vida de trabajo en la tierra, y sé que el colegio que le he buscado le gustará, porque me gusta a mí, y que, aunque está tan lejos, le parecerá bien ir a buscarlo cada día, conmigo, por las calles de la ciudad... Que Dios pueda explicar el porqué de esta sensación de orgullo que ríos llena y nos iguala durante todo el camino...

Con los mismos ojos ella y yo miramos el jardín del colegio, lleno de hojas de otoño y de niños y niñas con abrigos de colores distintos, con mejillas, que el aire mañanero vuelve rojas, jugando, esperando la llamada a clase.

Me parece mal quedarme allí; me da vergüenza acompañar a la niña hasta última hora, como si ella no supiera ya valerse por sí misma en este mundo nuevo, al que yo la he traído... Y tampoco la beso, porque sé que ella en este momento no quiere. Le digo que vaya con los niños más pequeños, aquellos que se agrupan en un rincón, y nos damos la mano, como dos amigas. Sola, desde la puerta, la veo marchar, sin volver la cabeza ni por un momento. Se me ocurren cosas para ella, un montón de cosas que tengo que decirle, ahora que ya es mayor, que ya va al colegio, ahora que ya no la tengo en casa, a mi disposición a todas horas... Se me ocurre pensar que cada día lo que aprenda en esta casa blanca, lo que la vaya separando de mí —trabajo, amigos, ilusiones nuevas—, la irá acercando de tal modo a mi alma, que al fin no sabré dónde termina mi espíritu ni dónde empieza el suyo...

Y todo esto quizá sea falso... Todo esto que pienso y que me hace sonreír, tan tontamente, con las manos en los bolsillos de mi abrigo, con los ojos en las nubes.

Pero yo quisiera que alguien me explicase por qué cuando me voy alejando por la acera, manchada de sol y niebla, y siento la campana del colegio, llamando a clase, por qué, digo, esa expectación anhelante, esa alegría, porque me imagino el aula y la ventana, y un pupitre mío pequeño, desde donde veo el jardín y hasta veo clara, emocionantemente, dibujada en la pizarra con tiza amarilla una A grande, que es la primera letra que yo voy a aprender...

¿Cómo te ha ido?

En esta tarea he aprendido que:

- Para comentar un texto puedo hacerlo desde un punto de vista ____________________
____
____

- Para para analizar un texto de narrativa ____________________
- está bien lo que he hecho ____________________
____

- Podría mejorar alguna cosa ____________________
____
____

- De todas las actividades, la que más me ha gustado es ____________________

- Y la que menos ____________________

- Nivel de interés en hacer la *tarea* (puntúa de 1 a 10)

1 2 3 4 5 6 7 8 9 10

Mis frases más...

Entre todos los textos, algunas de las frases, versos, discursos, expresiones, estrofas... que me han gustado más son

____
____
____
____
____

Colorín colorado,
este cuento se ha acabado.

Por fin hemos llegado a nuestra **tarea final** ¿Os acordáis de lo que decidisteis en la fase de la negociación de la tarea final?

Expresar sensaciones frente a momentos de la vida o transmitir una visión del mundo y de la vida en una creación "literaria"...

¿Todavía estáis de acuerdo? ¿O después de todo lo que hemos dicho y hecho preferís modificar algo? En cualquier caso, el recorrido que habéis seguido a través de las tareas intermedias os será útil para vuestros fines. ¡Que lo paséis bien al realizar vuestra tarea final!

Evaluación global del proyecto

- Cumplimiento de la tarea final.
- Realización de los trabajos programados.
- Fichas de autoevaluación al final de cada tarea.

Teatro

El teatro es la poesía que se levanta del libro y se hace humana.

Federico García Lorca

Viva la libertad

"El fondo de cualquier problema dramático es siempre... el de la lucha del hombre, con sus limitaciones, por la libertad".

Esta frase la pronunció uno de los autores de teatro más importantes de la literatura española, Antonio Buero Vallejo. Sabía lo que decía, porque después de la Guerra Civil española estuvo condenado a muerte por pertenecer al bando republicano y la pena le fue conmutada por siete años de prisión. Para él, detrás de cualquier historia de teatro se esconde ese afán de los seres humanos por ser libres. Comprobémoslo.

① Desgraciadamente, cada día vemos en la televisión o leemos en los periódicos noticias de hechos violentos, de países que combaten, de pueblos aplastados por dictaduras o gobiernos totalitarios, donde parece que se ha perdido u olvidado el concepto de dignidad y libertad. Comenta con tu compañero cuáles son los enfrentamientos bélicos y/o ideológicos que más te chocan y te indignan en este momento. Justificad vuestras opiniones.

② Para que veas que estas inquietudes también son y han sido temas de interés literario, te proponemos la lectura de un poema de Mario Benedetti (notarás el empleo de términos del español que se habla en Sudamérica) y un fragmento de la segunda parte de la poesía "El herido" (con la dedicatoria *Para el muro de un hospital de sangre*) de Miguel Hernández.

Mario Benedetti
(1920)

HOMBRE PRESO QUE MIRA A SU HIJO de M. Benedetti.

Cuando era como vos me enseñaron los viejos
y también las maestras bondadosas y miopes
que libertad o muerte era una redundancia,
a quién se le ocurría en un país
donde los presidentes andaban sin capanga.
Que la Patria o la tumba era otro pleonasmo
ya que la Patria funcionaba bien;
en las canchas y en los pastoreos.

Realmente, Botija, no sabían un corno,
pobrecitos creían que, libertad
era tan sólo una palabra aguda
que muerte, era tan sólo grave o llana,
que cárceles, por suerte una palabra esdrújula
olvidaban poner el acento en el hombre.

La culpa no era exactamente de ellos,
sino de otros más duros y siniestros
y éstos sí, cómo nos ensartaron
en la limpia república verbal y cómo idealizaron
la vidurria de vaca y estancieros
y cómo nos vendieron un ejército
que tomaba su mate en los cuarteles.
Uno no siempre hace lo que quiere

uno no siempre puede, por eso estoy aquí,
mirándote y echándote de menos.
Por eso es que no puedo despeinarte el coco,
ni ayudarte con la tabla del nueve
y acribillarte a pelotazos.

Vos sabes bien que tuve que elegir
otros juegos y que los jugué en serio.
Y jugué, por ejemplo, a los ladrones
y los ladrones eran policías
y jugué, por ejemplo, a las escondidas
si te descubrían te mataban
y jugué a la mancha y era de sangre.

Botija, aunque tengas pocos años,
creo que hay que decirte la verdad
para que no la olvides, por eso
no te oculto que me dieron picana
que casi me revientan los riñones.
Todas estas llagas, hinchazones y heridas
que tus ojos redondos miran hipnotizados
son durísimos golpes, son botas en la cara
demasiado dolor para que te lo oculte,
demasiado suplicio para que se me borre.

Pero también es bueno que conozcas
que tu viejo calló o puteó como un loco
que es una linda forma de callar
que tu viejo olvidó todos los números,
por eso no podría ayudarte en las tablas
y por lo tanto olvidé todos los teléfonos
y las calles y el color de los ojos,
y los cabellos y las cicatrices
y en qué esquina y en qué bar,
qué parada, qué casa.
Y acordarme de ti, /vos
de tu carita me ayudaba a callar,
una cosa es morirse de dolor
y otra cosa morirse de vergüenza.

Por eso ahora, me podés preguntar
y sobre todo puedo yo responder.
Uno no siempre hace lo que quiere
pero tiene el derecho
de no hacer lo que no quiere.
Llora no más, Botija,
son macanas que los hombres no lloran,
aquí lloramos todos,
gritamos, chillamos, moqueamos, berreamos,
maldecimos, porque es mejor llorar que traicionar,
porque es mejor llorar que traicionarse,
llorar, pero no olvidés.

EL HERIDO de Miguel Hernández.

Miguel Hernández
(1910-1942)

Para la libertad, sangro, lucho, pervivo.
para la libertad, mis ojos y mis manos,
como un árbol carnal, generoso y cautivo,
doy a los cirujanos.

Para la libertad siento más corazones
que arenas en mi pecho: dan espumas mis venas,
y entro en los hospitales, y entro en los algodones
como en las azucenas.

Para la libertad me desprendo a balazos
de los que han revolcado su estatua por el lodo.
Y me desprendo a golpes de mis pies, de mis brazos,
de mi casa, de todo.
Porque donde unas cuencas vacías amanezcan,
ella pondrá dos piedras de futura mirada
y hará que nuevos brazos y nuevas piernas crezcan
en la carne talada.

Retoñaran aladas de savias sin otoño
reliquias de mi cuerpo que pierdo en cada herida.
Porque soy como un árbol talado, que retoño:
porque aún tengo la vida...

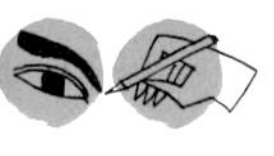

Vuelve a leer los poemas y, de forma individual, piensa en las siguientes cuestiones:

- ¿Cuál prefieres?
- ¿Podrías asociar algún acontecimiento histórico con el texto que has elegido?
- Relaciónalo con un cuadro, una foto famosa, una imagen o un objeto simbólico (busca lo que te parezca más adecuado y llévalo a clase para la tarea final).
- ¿Cuáles son las palabras o los versos que más te llaman la atención?

3 Ahora busca a los compañeros que hayan elegido tu mismo texto e intercambiad vuestras opiniones.

A continuación, elegid en la siguiente lista las frases que se refieran al poema que habéis elegido.

- ☐ El protagonista está en una prisión.
- ☐ Por sus heridas de guerra conoce los hospitales, la cirugía y las vendas.
- ☐ Expresa el concepto de libertad según sus mayores.
- ☐ Reivindica el principio de patria y libertad, como hombre.
- ☐ Atribuye sus heridas a la defensa de la libertad.
- ☐ Denuncia las responsabilidades de los hombres de mala fe.
- ☐ Expresa el valor de la dignidad del hombre que prefiere ser torturado antes que hablar.
- ☐ Habla de juegos en un sentido distinto.
- ☐ Denuncia la gravedad de la traición.
- ☐ A pesar de tanto dolor, estar vivo es como renacer de sus heridas.
- ☐ Espera que de tantos sacrificios humanos por y para la libertad, brote un futuro mejor.
- ☐ Afirma el derecho de negarse a hacer lo que uno no quiere.
- ☐ Se compara a si mismo con árboles y flores.
- ☐ Declara la situación de violencia que está viviendo.
- ☐ Afirma que es importante recordar.

Por último, contrastad vuestras conclusiones.

¿QUÉ VAMOS A HACER?

El objetivo final de este proyecto es crear una obra cuyo contenido temático tenga alguna relación con la libertad (según las acepciones más amplias que le quieras atribuir). Tu recorrido pasará por fases o tareas intermedias, cada una de las cuales te permitirá adquirir una competencia útil para la creación de tu obra, a la que llamaremos tarea final.

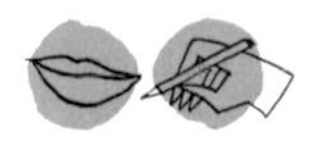

- En grupos de cinco, ¿qué tipo de obra os gustaría crear en relación con el tema de la libertad? Comentadlo y anotadlo tras considerar las opciones que os ofrecemos más abajo.

Sugerencias:

- ☐ Un manifiesto político.
- ☐ Escribir un breve cuento a partir de una obra teatral.
- ☐ La puesta en escena de alguna obra literaria.
- ☐ Escribir una breve obra dramática a partir de un cuento.
- ☐ Otros: ____________________

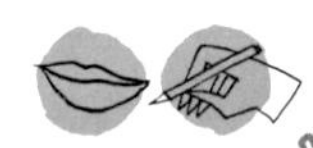

Contrastadlo con los demás grupos y anotad lo que acordéis:

Por lo tanto el **objetivo de la tarea final** es expresar ideales de libertad a través de una composición literaria, es decir:

____

____

____

Tarea 1 Lectura dramática desde el escenario

Para llevar a cabo una lectura dramática necesitamos:

- Identificar las fases de la acción dramática.
- Reconocer el diálogo y el monólogo como elementos peculiares de la obra dramática.
- Identificar los elementos que definen la lectura dramática.

PARA EMPEZAR

1. Piensa en un grupo de música que te guste mucho. ¿Has asistido a alguno de sus conciertos? Seguramente ver tocar a tu grupo preferido es una experiencia inolvidable. Entre las siguientes razones, señala dos por las que te gusta ir a un concierto:

- □ Poder ver en persona a los artistas.
- □ Compartir el espectáculo con otras personas.
- □ Saber que todo está ocurriendo en ese momento y que por lo tanto es único, que no se trata de una grabación que siempre es igual.
- □ Poder manifestar a tus artistas que aprecias su espectáculo.
- □ Vivir una experiencia y no sólo ver u oír a través de un aparato.
- □ Poder establecer un contacto directo con tus cantantes favoritos (pedirles autógrafos, estrecharles la mano...).
- □ Otros: ______________________

2. ¿Has visto alguna obra teatral en directo? ¿Cuál? ¿Te acuerdas del título? ¿Te gustó? ¿Por qué?

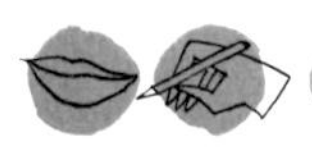

3. Con tu compañero, argumentad sobre las diferencias entre leer una obra teatral, verla por televisión o asistir a una representación. Os puede ser útil tomar en cuenta los elementos que os presentamos a continuación. Escribe alguna nota en cada casilla para, al final, poder hacer balance de tus opiniones.

	Libro	Televisión	Teatro
Luces			
Espectadores			
Música			
Director			
Telón			
Decorado			
Actores			
Vestuario			
Acotaciones			
Diálogo			
Escenario			
Acomodador			
Otros			

PARA SEGUIR

El texto dramático y su estructura

(4) El poeta Joan Brossa dijo: "*Si un día el teatro muriera, nacería al día siguiente cuando un niño, en un desván, se vistiera con ropajes antiguos, jugando a convertirse en otro personaje*". Y tú, ¿te disfrazabas cuando eras pequeño? ¿O preferías el guiñol? ¿Asistías a representaciones? ¿Tenías tus propios muñecos? ¿Qué te gustaba más? ¿Te has reído alguna vez con el clásico títere que tiene una cachiporra en la mano con la que pega golpes a diestro y siniestro? Coméntalo con tu compañero.

Si tenéis algún títere en casa lo podéis traer a clase la próxima vez. Si no, no hay problema: es muy fácil "construir" unos muñequitos pintándose los dedos de las manos.

(5) En grupos de cinco, en vuestros cuadernos:

Inventad o reconstruid una pequeña historia para guiñol teniendo en cuenta las funciones que los personajes desempeñan (sujeto, objeto, oponente, ayudante, destinador, destinatario). Luego podéis representarla ante toda la clase. ¿Qué grupo creéis que tiene más posibilidades de divertir a unos niños?

Entre un texto dramático y un texto narrativo hay muchos puntos en común. Uno de ellos es la **estructura**, es decir, la organización de los distintos momentos que componen la historia (*inventio*).
Ésta no es una prerrogativa exclusiva de los autores de literatura: cuando contamos algo, siempre organizamos el relato según una sucesión de hechos gracias a la cual nuestra historia puede resultar más clara o interesante.

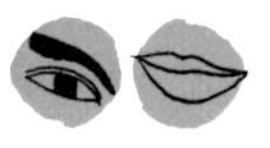

(6) Ahora, con tu compañero, reflexionad sobre las fases de la pequeña historia para guiñol que habéis representado:

- ¿Hay un preámbulo que introduce la situación?
- ¿Hay un momento culminante?
- ¿Hay un desenlace?
- ¿Has utilizado el diálogo o el monólogo?
- ¿Otras posibilidades?

⑦ Existen muchas situaciones en las que el hombre siente que no tiene libertad: cuando se le niega la posibilidad de realizar sus deseos o sus sueños, cuando alguien pretende ejercer el control sobre sus pensamientos y opiniones... En esos momentos el hombre "grita" por su libertad. Este grito puede ser de dolor, de denuncia, de protesta, y se concreta traduciéndose en distintas expresiones verbales. En el texto que leerás más abajo, por ejemplo, se traduce en tacos.

Pero antes de pasar a su lectura, te sugerimos que, con tu compañero, formuléis algunas hipótesis (os adelantamos que el tema tiene que ver con la guerra y que el escenario es un campo de batalla). En vuestros cuadernos, desarrollad las siguientes cuestiones:

- ¿Quiénes son los protagonistas? Tened en cuenta el análisis actancial: sujeto, objeto, ayudante, oponente...
- ¿En qué acción dramática se mueven?
- ¿Cuál puede ser el inicio y el desenlace?
- ¿Cómo se puede relacionar el título con el hecho de que se empleen tacos?

⑧ Ahora lee mientras también lo hace tu profesor. Se trata de *Cartas de amor a Mary*, una obra breve de J. L. Alonso de Santos:

CARTAS DE AMOR A MARY

La guerra. Un soldado avanza arrastrándose hasta llegar a un sitio resguardado donde dormita otro soldado. Es noche cerrada y se ven a lo lejos los resplandores de las explosiones de las bombas. Durante toda la escena se escucha ruido de guerra. Los dos soldados son americanos del norte "made in USA", y se llaman Mac Key y Joe Smith, lógicamente.

MAC: (*Entra fatigado.*) "Hello, Joe".

JOE: (*Medio incorporándose.*) "How do you do, Mac?" ¿Cómo ha ido esa guardia?

MAC: ¡Fatal, Joe! Han caído Sandy, Bob y el cabo Johnson. Y hace un frío ahí fuera que no lo aguanta ni un mormón de Utah, por muchas mujeres que tenga encima. ¿Por qué no harán las guerras en verano?

JOE: (*Le da una manta.*) Toma, tápate. Ahí hay café si quieres. (*Enciende una luz de campana y le alcanza la cafetera.*)

MAC: "Thanks, Joe". (*Bebe.*) ¡Está frío!

JOE: Se ha acabado el fuego.

MAC: Estoy desmoralizado, Joe. Perdona que te lo diga, pero estoy desmoralizado. ¿Tienes un chicle, "please"?

JOE: Se me han acabado. Toma, te daré medio del mío. (*Se saca medio chicle del que está masticando y se lo da.*)

MAC: (*Mascando.*) No sabe a nada.

JOE: Me lo pasó el cabo Jonhson ayer. Está muy usado.

MAC: Lo que es la vida, Joe. Ayer masticaba este chicle el cabo Jonhson y hoy está muerto y lo masticamos nosotros. Jonhson era un buen muchacho, aunque fuera de Minnesota. Llevaré sus cosas a su vieja. Y este medio chicle también. Fue lo último que masticó.

JOE: Son cosas de la guerra. Duerme un rato, Mac. Lo necesitas. Tienes muy mala cara.

MAC: No puedo, Joe. Estoy muy deprimido. (*Pausa.*) Sandy, Bob y el cabo Johnson se me han muerto encima.

JOE: ¿Dijeron algo?

MAC: ¿Quién?

JOE: Ellos, que si dijeron algo antes de...

MAC: Tacos.

JOE: ¿Tacos?

MAC: Sí, sólo tacos. Sandy dijo primero algo de su madre, y luego ya tacos. Los otros, tacos directamente. (*Pausa.*) ¡Joe!

JOE: ¿Qué?

MAC: ¿Tú no echas de menos a tu madre?

JOE: Sí, mucho. Sobre todo por las mañanas.

MAC: ¿Y a tu novia?

JOE: También. Sobre todo por las noches. "Hey" Mac, estás tiritando.

MAC: Es de frío. Es lo más terrible de la guerra, ¿verdad?, que no vengan las mujeres con nosotros. ¿Te imaginas? Yo podria venir ahora del puesto y ella me tendría preparado el café caliente y tarta de manzana. Y Mary... Mary estaría también esperándome. Me abrazaría, me besaría, y la guerra sería más soportable. Se me quitaría la depresión ésta que tengo. ¿Por qué no traen a las mujeres a la guerra, Joe? ¿Por qué venimos nosotros solos?

JOE: No lo sé. Me imagino que sería un lío. Habría que traer también a los niños... Sería peligroso.

MAC: ¿Peligroso? Sandy, Bob y el cabo Johnson acaban de morir y ni siquiera habían desayunado. Si por lo menos hubieran dormido anoche con sus mujeres... si hubieran tomado sus corn flakes y sus huevos con beicon, y esta mañana les hubiesen dado un beso a sus hijos antes de salir de patrulla... ¿Qué hacemos en el frente los hombres solos, mientras los demás están en sus casas?

JOE: Sí, Mac, tienes razón. Es duro ser hombre. Sobre todo cuando hay guerra.

MAC: (*A gritos, ya un poco fuera de sí.*) Yo se lo voy a decir al capitán, que me traiga al menos a Mary, a mi Mary. Sueño con ella, la veo a todas horas... ¡La quiero, la necesito...!

JOE: Una mujer es lo más hermoso que hay en el universo. Sí, Mac, sí. Dios hizo un gran trabajo cuando las creó. Se esmeró. (*Descubriendo algo de pronto.*) Oye, debajo de ti hay sangre. Un charquito.

MAC: (*Mirando.*) Pues sí, es verdad. No me había fijado. ¿De quién es?

JOE: Antes no estaba. Antes de que tú vinieras, quiero decir.

MAC: Pues hay mucha. (*Se mira.*) Parece que baja por aquí, por la pierna.

JOE: ¡Mac! ¡Estás herido!

MAC: No noto nada... (*Se quita la ropa y buscan entre los dos.*)

JOE: ¡Aquí! Tienes un agujero en este lado. Y otro más abajo... ¡En el estómago tienes otro boquete! ¡Dios mío! ¿Qué te ha pasado, Mac?

MAC: (*Se agarra el estómago y cae de rodillos.*) Estas heridas son malas. He visto muchas. Voy a morir, Joe. Estas cosas se saben.

JOE: ¿Llamo a los sanitarios?

MAC: Antes quiero dictarte una carta para Mary. Luego ya no podré.

JOE: "O. K. Mac". (*Toma papel y pluma.*) Dime.

MAC: "My dear Mary", dos puntos. "Me alegraría que al recibo de la presente estés bien. Yo, lo normal en caso de guerra: muriéndome. Quiero que sepas que te he amado siempre, nena, diga lo que diga tu madre. Si algunas veces no te iba a buscar era porque tenía cosas que hacer en la cerca. Ya de pequeños, cuando soñábamos con comprar un rancho mientras jugábamos a médicos debajo del cobertizo, yo te amaba, Mary. Ya no podremos hacer el viaje de novios a caballo por Texas, como siempre soñé. Ni podremos montar el Burger King en la esquina de Main Street, como tanto deseabas. Quiero pedirte que cuides de mi pobre madre. Dile que no le escribo porque, aunque la quiero, no sé qué decirle. Si me dan alguna medalla, haces una copia para ti y le das a ella el original. Al fin y al cabo, es mi madre. Y no se me ocurre nada más que decirte. ¡Qué duro es morir lejos de ti, oh, Mary, y de la dulce Patria! Da recuerdos a tus padres y hermanos, y se despide de ti para siempre jamás este tu novio que lo fue. Mac." P. D. "Mary, siempre has creído que era tartamudo, y no lo soy. Sólo tartamudeaba contigo, Mary, porque no podía hablarte cuando me mirabas, del amor que me entraba. Con los demás hablo normal; pregúntaselo a quien quieras. Un beso póstumo. I love you". No dejes de echarla al correo, Joe.

JOE: "O. K.". Puedes estar tranquilo. ¿Quieres algo más, Mac Key?

MAC: No. Ahora quiero decir unos cuantos tacos antes de... ¡Hijos de puta...!

JOE: (*Zarandeándole en sus brazos.*) ¡Mac! ¡La dirección, Mac! ¡Que no me has dado las señas donde tengo que mandarla...! ¡Mac...! ¡Mac...!

(*Y el ruido de las bombas tapa el resto de los gritos del moribundo John Mac Key. TELÓN.*)

Con tu compañero, verificad vuestras hipótesis anteriores.

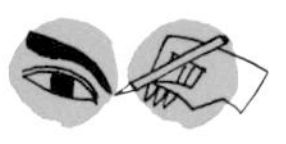

9 Volved a leer el texto para intentar reconocer las fases en las que está organizado:

- ¿Hasta dónde llega la situación inicial (la introducción)? Señaladlo en el texto.
- ¿Cómo se va desarrollando la acción dramática?
- Señalad el momento culminante de la acción dramática (el punto de máxima tensión o clímax).
- ¿En qué consiste el desenlace?

¿Habéis llegado todos a las mismas conclusiones? Intercambiad los resultados y si no conseguís poneros de acuerdo o no estáis seguros de vuestras deducciones, consultad las soluciones[1].

La acción dramática se compone de los tres elementos comunes al cuento y a la novela: exposición, desarrollo y desenlace. La exposición nos da suficiente información sobre los personajes o sobre la acción para que el espectador pueda entender y seguir la obra dramática. El desarrollo presenta el problema que hay que resolver, e incluye la acción ascendente, el clímax o punto culminante (máxima tensión) y la acción descendente. El desenlace es la solución del problema planteado y el descenso desde el clímax hacia el final de la obra.

Diálogo y monólogo

10 Seguimos con *Cartas de amor a Mary*. En grupos de tres, opinad:

- ¿Qué os ha gustado más de toda la escena?
- ¿Os parece evidente que es una obra de teatro y no una novela?
- ¿Qué elementos os ayudan a apreciar esta diferencia?

11 En vuestros cuadernos:

Transformad la obra en un pequeño texto narrativo.

El texto narrativo se caracteriza por secuencias que pueden ser narrativas, descriptivas o reflexivas; además en algunas partes la acción se desarrolla a través del diálogo.

Luego, observad las diferencias en la presentación: ¿dónde habéis mantenido el diálogo? ¿Dónde no? Identificad el monólogo del texto. ¿Lo habéis transformado en una secuencia reflexiva o lo habéis mantenido? ¿Habéis utilizado las acotaciones?

Fíjate

El diálogo es la forma que caracteriza al texto dramático:

- Es una enunciación verbal realizada por dos o más hablantes que se alternan y dirigen sus discursos unos a otros.
- Se inserta en una situación extralingüística (cosas que rodean a los hablantes, forma de pensar, relaciones, intenciones... de los hablantes) lo cual afecta a la forma en que se desarrolla.

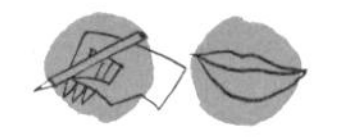

(12) Entremos ahora un poco más en el tema que sirve de leitmotiv a este proyecto. Muchas veces la libertad nos lleva a la acción. Pero ¿qué quiere decir esta palabra? ¿Qué es para ti la libertad?

Sin pensarlo mucho escríbelo en tu cuaderno.

Comparad vuestras respuestas. ¿Son muy diferentes?

¿Y para tu perro? ¿Y para el canario en su jaula? ¿Y para un preso? Seguro que a cada uno le corresponde un concepto distinto según la situación que está viviendo.

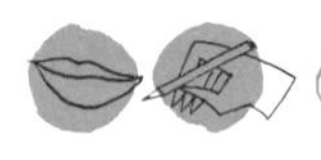

(13) En grupos de cinco, exponed qué es y qué no es libertad para vosotros. Colgad los resultados en el aula.

Libertad es...
Libertad no es...

(14) Ahora vas a leer tres fragmentos: A y C están tomados de obras teatrales y B de una novela. Como ya hemos visto, el diálogo es el motor de toda obra dramática; sin embargo merece la pena reflexionar un poquito más y contrastar su uso en la novela y en el teatro.

A. MARIANA PINEDA de Federico García Lorca.

Es de noche, Mariana recibe la visita de su amado, Don Pedro, conspirador liberal que viene huyendo ... [...]

¡Pedro! ¿No te persiguen? ¿Te vieron entrar?

PEDRO: (*Se sienta.*) Nadie.
Vives en una calle silenciosa,
y la noche se presenta endiablada.

MARIANA: Yo tengo mucho miedo.

PEDRO: (*Cogiéndole una mano.*) ¡Ven aquí!

MARIANA: (*Se sienta.*) Mucho miedo de que esto se adivine,
de que pueda matarte la canalla realista.
Y si tú... (*Con pasión.*)
yo me muero, lo sabes, yo me muero.

PEDRO: (*Con pasión.*) ¡Marianita, no temas! ¡Mujer mía! ¡Vida mía!
En el mayor sigilo conspiramos. ¡No temas!
La bandera que bordas temblará por las calles
entre el calor entero del pueblo de Granada.
Por ti la Libertad suspirada por todos
pisará tierra dura con anchos pies de plata.
Pero si así no fuese; si Pedrosa...

MARIANA: (*Aterrada.*) ¡No sigas!

PEDRO: ...sorprende nuestro grupo y hemos de morir...

MARIANA: ¡Calla!

PEDRO: Mariana, ¿qué es el hombre sin libertad? ¿Sin esa
luz armoniosa y fija que se siente por dentro?
¿Cómo podría quererte no siendo libre, dime?
¿Cómo darte este firme corazón si no es mío?
No temas; ya he burlado a Pedrosa en el campo,
y así pienso seguir hasta vencer contigo,
que me ofreces tu amor y tu casa y tus dedos.

MARIANA: ¡Y algo que yo no sé decir, pero que existe!
¡Qué bien estoy contigo! Pero aunque alegre noto
un gran desasosiego que me turba y enoja;
me parece que hay hombres detrás de las cortinas,
que mis palabras suenan claramente en la calle.

PEDRO: (*Amargo.*) ¡Eso sí! ¡Qué mortal inquietud, qué amargura!
¡Qué constante pregunta al minuto lejano!
¡Qué otoño interminable sufrí por esa sierra!
¡Tú no lo sabes!

MARIANA: Dime: ¿corriste gran peligro?

Antes de empezar te conviene saber que Lorca basó su obra en la historia de Mariana Pineda (1804-1831) heroína de Granada, que fue ejecutada por haber bordado una bandera seguramente destinada a una conspiración liberal. A partir de este acontecimiento Lorca construyó una historia dramática.

Federico García Lorca (1898-1936)

PEDRO: Estuve casi en manos de la justicia,

(*Mariana hace un gesto de horror.*)

pero me salvó el pasaporte y el caballo que enviaste
con un extraño joven, que no me dijo nada.

MARIANA: (*Inquieta y sin querer recordar.*)
Y dime

PEDRO: ¿Por qué tiemblas?

MARIANA: (*Nerviosa.*) Sigue... ¿Después?

PEDRO: Después vagué por la Alpujarra. Supe que en Gibraltar
había fiebre amarilla; la entrada era imposible,
y esperé bien oculto la ocasión. ¡Ya ha llegado!
Venceré con tu ayuda, ¡Mariana de mi vida!
¡Libertad, aunque con sangre llame a todas las puertas!

B. ÚLTIMAS TARDES CON TERESA de Juan Marsé.

Juan Marsé (1933)

La novela de Juan Marsé es la historia de Manolo, un joven descarado del proletariado que quiere realizar sus aspiraciones sociales conquistando a Teresa, una joven estudiante burguesa y "progre"...

Manolo se pasó la mano por los cabellos: había olvidado por completo aquel extraño compromiso, contraído un tanto irreflexivamente, y ahora no se le ocurría nada para justificarse.

—Baja —ordenó Teresa.

—¿Cómo?

—Que te bajes del coche... —De pronto la voz se le quebró del todo—. ¿Por qué no eres sincero conmigo? Creo... creo que es lo menos que merezco—. Él iba a decir algo, pero Teresa ya había abierto la puerta y bajaba precipitadamente. Cerró de golpe, dejándole a él dentro, y se quedó allí de pie, en la carretera, con los brazos cruzados. Tras ella cantaban los grillos y parpadeaban las luces de la ciudad.

—¡Qué ridículo! —exclamó—. Quisiera que Maruja se curara en seguida y terminar de una vez con todo esto, marcharme, terminar con el verano, con las vacaciones, con estos paseos, con todo. ¡Estoy harta, harta!

—Perdóname, Teresa —dijo él—. Te explicaré. Anda, sube.

Ella no se movió. Manolo abrió la puerta:

—Venga, mujer, sube.

—Cuando tú te bajes, si no te importa.

Miraba a lo lejos, con la barbilla sobre el pecho y un aire de morriña que acusaba todavía más aquel gracioso mohín de desdeño del labio superior. Él la contempló un rato: le excitaba extrañamente esta nueva Teresa que mantenía el puñal en alto, la encontraba deliciosa con el enfado. Se lo dijo. "Vete a la mierda", murmuró ella. Tenía los ojos llorosos. Al darse cuenta, Manolo saltó del coche y fue hacia ella. Pero la muchacha le esquivó dando media vuelta y se sentó al volante. "Teresa, escúchame...", rogó él. Ella puso el motor en marcha, pero no arrancó en seguida, parecía tener dificultades con el cambio (la primera no entraba) o simularlo, quizás esperaba algo de él. Manolo comprendió que no debía dejarla marchar sin darle alguna explicación, la que fuera. Está visto —pensó oscuramente— que para esta criatura el amor y el complot todavía sigue siendo una sola y misma cosa. Y entonces tuvo una revelación:

—Está bien, como quieras —dijo, aventurando una mano hacia sus cabellos (ella hizo un dudoso gesto esquivo)—. Mañana tengo que ir a recoger los dichosos folletos de tus amigos.

Vendrás conmigo, ¿estamos? Te espero en la clínica a las diez de la mañana.

Teresa le clavó una última y triste mirada y el coche arrancó bruscamente, con aquel zumbido juvenil y alocado que siempre haría estremecer la piel del murciano. El chico se alejó lentamente por la carretera. Cuando llegó a casa, sacó del armario unos pantalones blancos y le pidió a su cuñada por favor que se los planchara para mañana. Luego se tumbó en su camastro (su hermano le llamaba y le insultaba desde el comedor, pero él no hizo caso) y estudió un plan con todo detalle.

Por su parte, Teresa llamó a la clínica nada más llegar a casa: Maruja estaba bien, es decir, igual. Luego se duchó, y, descalza, con la chaqueta del pijama, la cabeza gacha, se sentó a la mesa del comedor, sola (su padre se había ido a Blanes a última hora de la tarde). Vicenta le sirvió la cena, pero ella apenas la probó. Puso discos de Atahualpa Yupanqui, bebió dos ginebras cortas con mucho hielo y se fue a la cama con una tercera, la cabeza estallándole de dudas y divagaciones. Formuló cien preguntas serias sobre su joven amigo hasta que descubrió, asombrada, que no se interrogaba honestamente. La rondaba la sombra deleitosa de la autocrítica: el cambio que empezaba a operarse en sus ideas le asustaba. Estaba enojada consigo misma, su conducta con Manolo le parecía ridícula, tontamente sublimada —admite que la personalidad política del chico dejó de importarte hace tiempo, reconócelo—, pensaba ahora, tendida en la cama de su dormitorio pintado de azul, sin poder dormir (su abdomen palpitante registraba un ritmo de guitarra), sudando una ginebra musical entre muñecas y discos y libros, frotando tiernamente su mejilla contra el hombro desnudo. La libertad, la oposición, la patria...

A fin de cuentas, ¿qué es la oposición? ¿Qué significa militar en una causa? El mismísimo comunista, ¿qué es? [...] En el fondo, pensaba, estoy sola; he vivido, hasta ayer mismo, rodeada de fantasmas.

Soledad, generosidad, sentimentalismo, curiosidad, interés, confusión, diversión; ella podía enumerar todas estas emociones porque ya creía tener la clave que explicaba la conducta del muchacho y la suya propia: los dos, cada cual a su manera, estaban en guerra con el destino. Pero le quedaba la curiosidad. ¿Cuál puede ser la idea de la libertad en un muchacho pobre como Manolo? Ir a mi lado en el Floride, lanzados a más de ciento cincuenta por hora, o besar correctamente la mano de mamá, o hacer el amor en la Costa del Sol con una turista rica, o tal vez no es más que un medio para ganar tiempo, para robarle tiempo a la pobreza, a la desdicha y al olvido.

Sí: un hombre que intenta ganar tiempo, que está en guerra con el destino, eso es Manolo, eso somos todos. Pero ¿y su idea de la libertad? Un coche sport. Un veloz y fulgurante descapotable. Un Floride blanco para todo el mundo [...] en vez de un mundo donde sea posible un Floride para todos. Error de perspectiva —no es culpa suya—, y en cierto modo es lo mismo, quiero decir normal. Es inteligente, atractivo, generoso, pero pícaro, descarado y probablemente embustero: se defiende como puede. Porque ¡qué sé yo de los efectos rarísimos que ejerce la pobreza sobre la mente! ¡Qué sé yo del frío, del hambre, de los verdaderos horrores de la opresión que debe sufrir un chico como él si aún ni siquiera le he preguntado qué jornal gana, si nos empeñamos siempre en no querer hablar del jornal de un hombre, sólo de su conducta (pues bien, compañeros, yo afirmo que la conducta de un hombre depende de su jornal) si hoy mismo, portándome como una marquesita estúpida que hace una pataleta ante su chófer, le he obligado a bajar del coche, si quería interrogarle en vez de ayudarle, si él es tan encantador, tan guapo, tan gentil y paciente conmigo!... ¿Me ha pedido nunca el carnet ideológico? No. Y sin embargo, promete los folletos para mañana; es muy posible que todo esto no sea más que un fárrago de disparates. Me importa un rábano. Cien preguntas inútiles y cien respuestas inútiles acerca de mi Manolo: en la verdad o en la mentira, cualquiera que sea su conciencia de clase, su visión del futuro, la verdadera pregunta es... (¡ay mamá, y sigo sin poder dormir!).

La gran pregunta se había quedado en eso: ¿hasta dónde será capaz de llegar por mí?

Estamos en la Tercera Guerra Mundial. En un bosque de una localidad indeterminada, una escuadra de cinco soldados, al mando del cabo Goban, esperan efectuar una acción militar contra un enemigo invisible. Las angustias de los cinco hombres no disminuye después de haber asesinado al cabo, sino que se transforman en un profundo y atormentado sentido de soledad y de abandono. La escena que proponemos presenta a uno de los soldados, Javier, durante una noche de guardia.

C. Escuadra hacia la muerte de Alfonso Sastre.

CUADRO V

(*Un proyector ilumina la figura de* JAVIER, *en la guardia. Capote con el cuello subido y fusil entre las manos enguantadas. Sus labios se entreabren y su voz suena, monótona.*)

JAVIER: No se ve nada... sombras... De un momento a otro parece que el bosque puede animarse..., soldados..., disparos de fusiles y gritería..., muertos, seis muertos desfigurados, cosidos a bayonetazos..., es horrible... No, no es nada... Es la sombra del árbol que se mueve... Estas gafas ya no me sirven..., nunca podré hacerme otras... Esto se ha terminado. ¿Son pasos? Será Adolfo, que viene al relevo. Ya era hora. (Grita.) ¿Quién vive? (*Nadie contesta. El eco en el bosque.*) ¿Quién vive? (*El eco.* JAVIER *monta el fusil y mira, nervioso.*) No es nadie..., nadie... Me había parecido... Será el viento... No viene Adolfo. ¿Qué pasará? ¿Le habrá pasado algo? Puede que los hayan sorprendido en la casa. Yo no he oído nada, pero puede... Es posible que a estas horas esté yo solo, rodeado... Tengo miedo... Hay que pensar en otra cosa. Hay que pensar en otra cosa. Hay que pensar en otra cosa. Es Navidad. Sí, ha llegado el tiempo..., diciembre... Mamá estará sola. Mañana es la víspera de Navidad. Si me pongo a pensar en esto voy a llorar... No importa...

Necesito llorar... Me hará bien... Me he aguantado mucho...
Llorar... Estoy llorando... Hace mucho frío... Mamá me ponía una bufanda, me decía que cerrara la boca al salir... "No vayas a coger frío". Si supiera que estoy muerto de frío"... Este puesto de guardia... El viento se le mete a uno hasta los huesos... ¿Por qué no viene Adolfo? ¿Por qué no viene? Han pasado dos horas y más. ¡Un, dos! ¡Un, dos! Una escuadra hacia la muerte. ¡Un, dos! Lo éramos ya antes de estallar la guerra. Una generación estúpidamente condenada al matadero. Estudiábamos, nos afanábamos por las cosas, y ya estábamos encuadrados en una gigantesca escuadra hacia la muerte. Generaciones condenadas... Hace frío... Esto no puede durar mucho... Estamos ya muertos... No contamos para nadie... ¡Un, dos! Nos despeñaremos perfectamente formados, uno a uno. Yo no quiero caer prisionero. ¡No! ¡Prisionero, no! ¡Morir! ¡Yo prefiero... (*Con un sollozo sordo.*) morir! ¡Madre! ¡Madre! ¡Estoy aquí... lejos! ¿No me oyes? ¡Madre! ¡Tengo miedo! ¡Estoy solo! ¡Estoy en un bosque, muy lejos! ¡Somos seis, madre! ¡Estamos... solos..., solos..., solos... (*La voz, estrangulada, se pierde y resuena en el bosque.* JAVIER *no se ha movido desde la frase "No es nadie".*)

OSCURO

Alfonso Sastre (1926)

Volved a los tres fragmentos literarios y, en parejas, discutid:

- ¿Cuál os ha gustado más? ¿Por qué?
- ¿Qué valor tiene para vosotros?
- ¿Cómo se relaciona con la libertad?
- ¿Cómo se relaciona con vuestro concepto de libertad?

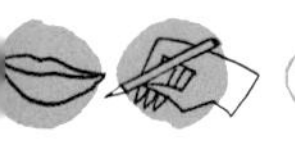

15 Identificad ahora los tipos de enunciación que aparecen en dichos fragmentos. En esta ficha se explican los tipos más frecuentes[2]:

	A	B	C
1. Diálogo entre los personajes, dirigido por un narrador, conservando sus formas originales de alocución (estilo directo). El narrador interviene para decir quiénes son los que hablan, cómo, dónde, cuándo.			
2. Diálogo entre los personajes, dirigido por un narrador introduciéndolo en su propio discurso (estilo indirecto). El narrador interviene para decir quiénes son los que hablan, cómo, dónde, cuándo.			
3. El enunciador puede identificarse con un personaje y hablar a través de él, pero en cambio, no puede dejar oír su voz como narrador. La alternancia de los turnos de los parlamentos es más rigurosa, por exigencia del tiempo presente en que siempre discurren y por la falta de una tercera persona que los organice desde fuera.			
4. Parlamento ininterrumpido de cierta extensión enunciado por un personaje y no dirigido directamente a otro.			
5. Expresión de los pensamientos más cercanos al inconsciente tal y como brotan de la conciencia antes de ser organizados por la lógica del lenguaje. Se da en primera persona: sucesión de recuerdos, asociación libre de ideas, impresiones, opiniones, deseos.			

¿Habéis logrado completar la ficha? Intercambiad vuestros resultados con otra de las parejas.

El 1 es una forma de diálogo narrativo y se encuentra en el texto B.
El 2 también es una forma de diálogo narrativo y se encuentra en el texto B.
El 3 es una forma de diálogo dramático y se encuentra en el texto A.
El 4 es una forma de monólogo dramático y se encuentra en el texto C.
El 5 es una forma de monólogo interior o flujo de conciencia y se encuentra en el texto B.

Fíjate

El diálogo se articula a través de:

- largos parlamentos donde cada interlocutor expone su punto de vista y el otro puede responder de manera igualmente extensa,
- rápido intercambio verbal, duelo verbal entre los protagonistas; enfatiza el clímax de conflicto.

El monólogo es un discurso ininterrumpido de cierta extensión, enunciado por un personaje, no dirigido directamente a otro. Hay distintas clases:

- monólogo técnico: presentación de acontecimientos pasados,
- monólogo lírico: presentación de las reflexiones y emociones de un personaje
- monólogo de decisión: ante un dilema, el personaje reflexiona sobre los pros y los contras de su conducta.[3]

Construir un mundo nuevo

La creencia en ciertos ideales nos lleva muchas veces a posicionarnos y a asumir compromisos con los que creemos que podemos construir un mundo mejor. Incluso en estos tiempos en los que no deja de hablarse de la falta de valores de los jóvenes nos llegan noticias de jóvenes que se vuelcan en empresas que requieren gran valor.

(16) En grupos de cinco, comentad:

- ¿Os parece importante adoptar alguna posición ideológica?
- ¿Es frecuente encontrar a jóvenes comprometidos?
- ¿Os parece que esto se da sólo a nivel político?
- ¿Conocéis alguna historia significativa?
- ¿Qué acontecimientos han servido para mejorar la vida a lo largo de la historia de la humanidad?

Contrastad vuestros resultados con los demás compañeros.

(17) Vamos a tratar el tema de libertad desde el punto de vista de la "acción", es decir, de lo que se hace por defender la libertad o las libertades, pero antes de ahondar en esto os proponemos trabajar con tres textos (A, B y C) que tratan directa o indirectamente de la libertad o de las libertades. Lee con tu compañero.

Ana Diosdado (1938)

A. Olvida los tambores de Ana Diosdado.

Pili, una joven esposa que ya no se lleva bien con su marido, deja el hogar y se refugia en casa de su hermana. Aquí encuentra a Pepe, amigo del marido de su hermana Alicia, con quien entabla esta conversación.

(*Acto Primero*)

PILI: Tenemos que ser valientes si queremos construir un mundo nuevo.
PEPE: (*Deteniéndose en su quehacer, sorprendido por la frase.*) ¿Tú lees mucho, no?
PILI: (*Sin hacer caso al comentario.*) ¿No estás de acuerdo?
PEPE: (*Sigue poniendo la mesa.*) Mujer, así de pronto... ¿Tu marido también vuela?
PILI: ¿Qué?
PEPE: Que si también es valiente y va a construir un mundo nuevo.
PILI: ¿Ése? Qué va a construir, pobrecito mío. A él le gusta el que hay.
PEPE: No puede ser.
PILI: Palabra.
PEPE: Lo dirá por decir.
PILI: No, si decir, dice que no le gusta. Vamos, dice que está mal que la gente pase hambre, y que haya injusticias y guerras, pero que qué le vamos a hacer... (*Resumiendo.*) A él que le den sus frases hechas, su sueldo a primeros de mes y su tranquilidad, ¿comprendes?
PEPE: ¿Y a ti?
PILI: Yo era como él hasta hace poco. Es decir, ni siquiera era como él, no era nada.
PEPE: ¿Y ahora?
PILI: Ahora empiezo a verlo todo con ojos nuevos.
PEPE: Ya... ¿Y qué se siente?
PILI: Pues, no sé... Una embriagadora sensación de libertad. (*Extrañada.*) ¿No te ha pasado nunca?
PEPE: Creo que no. La única vez que experimenté una... una embriagadora sensación de libertad fue al acabar la "mili", pero no debe de ser lo que tú dices.
PILI: ¿Siempre te tomas así las cosas?

PEPE: ¿Cómo?
PILI: A choteo.
PEPE: (*Sonriendo.*) Me da un poco de vergüenza hablar en serio.
PILI: ¿Por qué?
PEPE: ¡Se ha dicho tanto todo!
PILI: Pero si se ha dicho, y no se ha solucionado, será que hay que seguir diciéndolo, ¿no?
PEPE: Puede...
PILI: La gente como tú me pone mala, sois el reino de la media tinta. [...]

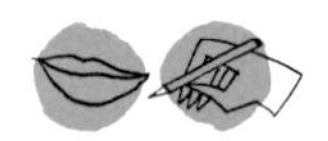

¿Os ha gustado?
¿Con cuál de los dos personajes estáis de acuerdo?
¿Qué es lo que más os impacta de este texto?

Apuntad las ideas que os parecen más importantes y dejadlas en una nota (la usaréis en la actividad 18).

B. ULISES NO VUELVE de Carmen Resino.

¿Sabéis algo del mítico Ulises y de su mujer Penélope?

Con tu compañero, informaos e intentad reconstruir brevemente su odisea.

¿Con cuál de estos adjetivos describirías a Ulises?

- ☐ Presumido
- ☐ Cobarde
- ☐ Valiente
- ☐ Aventurero
- ☐ Religioso
- ☐ Rencoroso
- ☐ Listo
- ☐ Hacendoso
- ☐ Vago
- ☐ Sincero
- ☐ Mentiroso
- ☐ Generoso
- Otros: ____________

Después, con el profesor, contrastad vuestras soluciones.

Probablemente hayáis obtenido un perfil positivo y la frase de la obra anterior de Ana Diosdado, "Tenemos que ser valientes para construir un mundo nuevo", se ajusta muy bien al personaje de Ulises que conocemos. Con el valeroso mito clásico en mente, leed el texto:

ULISES NO VUELVE

CUADRO SEGUNDO

Habitación de PENÉLOPE, *que se supone en el piso superior. Mobiliario muy sucinto. Una cama matrimonial, una mesa y un par de sillas.*

En escena, PENÉLOPE *y* ULISES. ULISES *es un hombre de unos cuarenta y cinco años, vigoroso y con aire desenfadado.* PENÉLOPE *le sirve la cena de un modo mecánico, sin interés.* ULISES *come con evidente buen apetito. Es de noche; el mismo día.*

ULISES: Oye, esto está buenísimo.

PEN: (*Despectiva.*) Será tu hambre. (*Breve silencio.* ULISES *sigue comiendo.* PEN *trajina. No obstante, se nota que le está dando a la cabeza.*) Ulises...

ULISES: Qué.

PEN: Esto tiene que acabar. De esta noche no pasa.

ULISES: ¿Por qué? ¿Ha ocurrido algo?

PEN: Nada. Pero tiene que acabar. No podemos seguir así. (*Con decisión.*) Mañana mismo preparamos tu vuelta.

ULISES: ¿No será precipitarse?

PEN: ¡No seas estúpido! ¿Piensas estar encerrado hasta que seas un abuelo?

ULISES: Sabes que si mi padre se enterara de esto no podría contarlo: me metería una bala entre los ojos.

PEN: Bien merecido te está.

ULISES: Lo primero que hará cuando me vea será preguntarme por las medallas que gané.

PEN: Entonces le dices que tus jefes eran unos cernícalos y que no fueron justos: se lo creerá. La justicia escasea. (*Breve pausa.*) Además, no tendrá más remedio que creérselo si no quiere amargarse lo que le quede de vida. (*Silencio.* ULISES *come pensativo.*) ¿Sabes lo que pienso? ¡Que no tienes ninguna gana de salir! Tienes miedo otra vez: ahora por tener que enfrentarte a esa mentira que constituyes tú mismo y entonces...

ULISES: (*Cortándola.*) Entonces no tuve miedo.

PEN: ¿Qué fue, si no?

ULISES: Desengaño, seguramente.

PEN: (*Acusadora.*) ¡Miedo! Todo el que abandona, lo hace por miedo.

ULISES: No, no; te juro...

PEN: (*Cortándole, despectiva.*) Anda, come, come... no se te indigeste el cabrito que te estás metiendo.

ULISES: Por favor, deja que te explique...

PEN: Me lo has explicado cientos de veces.

ULISES: Compréndelo: habían matado a todos los de mi partida, esos hijos de perra: el único que quedaba era yo.

PEN: Para mi desgracia.

ULISES: (*Pasando por alto la observación.*) ...Y de pronto me vi con todo el campo por delante, como un gran ofrecimiento... Me pregunté entonces por qué estaba allí y por qué esos muchachos tenían abiertas las cabezas en lo mejor de la edad...; me dije, también, que si me mataban entonces, que si esos hijos de puta me pillaban, no sabría darme explicaciones en el momento de morir. El campo seguía libre ante mí, diría que milagrosamente, y yo tenía perdidos todos mis ideales. ¿Te das cuenta? ¡No se puede luchar sin ideales, a menos que uno sea un suicida! Yo estaba desengañado, no tenía por qué ni para qué luchar... Mis principios habían caído por tierra...

PEN: No sé qué principios, si nunca los tuviste.

ULISES: Nos habían engañado: ya no eran nuestros intereses, sino otros que nada tenían que ver con aquellos que nos dijeron... ¡y corrí!

PEN: ¡Eso! ¡Como un gallina!

ULISES: Algunas balas silbaron sobre mi cabeza, pero me fue fácil en realidad. Yo creo que Dios lo quiso.

PEN: (*Con creciente irritación.*) ¡No mezcles a Dios en este asunto!

ULISES: No querría que muriese tontamente, digo yo.

PEN: Cállate, Ulises, y no me hagas hablar. A mí no puedes engañarme: eres un cobarde. Un cobarde y un desertor. Si tu padre supiera esto haría bien en meterte un tiro en la cabeza. ¡Él, que fue todo un héroe cargado de medallas!

ULISES: Tendría algo por que luchar... pero lo cierto es que siempre pierden los que no deberían perder, o ganan los que no deberían ganar... y aunque de vez en cuando el resultado sea justo, a la larga todo se emponzoña, y uno piensa para qué y en razón de qué tiró la juventud a la basura.

PEN: Razones no te faltan, ya lo sé, y hablas muy bien. Demasiado. Siempre fue tu mayor virtud, yo diría que la única, y también tu gran defecto. ¡Con tu palabra nos has embaucado a todos y a mí la primera, que no ves el día de dar la cara! (...)

¿Os ha parecido divertido descubrir una versión tan diferente de Ulises?

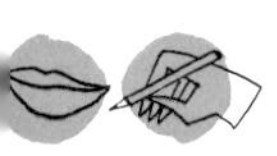

¿Qué es lo que más os llama la atención?
¿Con cuál de los dos personajes estáis de acuerdo?

Apuntad las ideas que os parecen más importantes y dejadlas en **una nota** (la usaréis en la actividad 18).

C. EL TEMOR Y EL VALOR DE VIVIR Y DE MORIR de Blas de Otero.

En grupos de cinco:

- ¿Os gustan las pintadas en las paredes de los edificios, en los vagones del metro etc.?
- ¿Habéis hecho alguna vosotros o habéis escrito algo en una pared?
- ¿Por qué se hacen pintadas? ¿Pensáis que la única intención es ensuciar los muros, o hay algo más?

Veamos si os gusta este poema que Blas de Otero dedica a Paul Éluard, apropiándose de unos versos muy famosos que este poeta francés escribió en 1942 durante la Resistencia[4]:

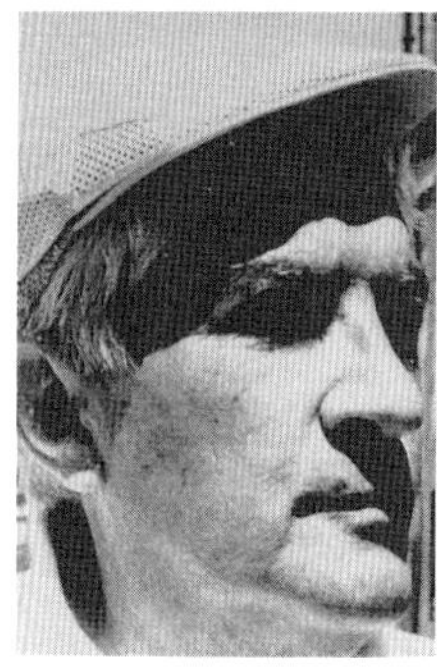

Blas de Otero (1916-1979)

EL TEMOR Y EL VALOR DE VIVIR Y DE MORIR

No sé por qué avenida
movida por el viento de noviembre
rodeando
plazas como sogas de ahorcado
junto a un muro con trozos de carteles
húmedos
era la noche de tu muerte
Paul Éluard
y hasta los diarios más reaccionarios
ponían cara de circunstancias
como cuando de repente baja la Bolsa
y yo iba solo no sé por qué avenida
envuelta en la niebla de noviembre
y rayé con una tiza el muro de mi hastío
como una pizarra de escolar
y volví a recomenzar mi vida
por el poder de una palabra
escrita en silencio.

Libertad.

Para comprender este poema indagad sobre:

- el tipo de poesía que escribía Blas de Otero
- la situación histórica de España cuando murió Paul Éluard y también cuando Blas de Otero escribió esta poesía.

- ¿Os gusta?
- ¿Creéis que de verdad Blas de Otero escribió sobre un muro?

Anotad todas vuestras ideas. En la actividad que sigue las tendréis en cuenta, así como las notas que habéis ido tomando en relación con los textos A y B.

Ahora, con la ayuda del profesor, intercambiad vuestros resultados con los demás grupos.

(18) Para aprender a buscar relaciones temáticas entre diversos textos, trabajad de la siguiente manera:

- La clase se divide en tres grupos A, B, C según se elija el texto de Ana Diosdado, Carmen Resino o Blas de Otero.
- Cada grupo vuelve a leer el texto sobre el que deba trabajar.

Y ahora comprobaremos vuestras habilidades para el análisis textual: retroceded a los fragmentos de *Mariana Pineda*, *Últimas tardes con Teresa* y *Escuadra hacia la muerte* e intentad encontrar relaciones temáticas de afinidad o de contraste con el texto de vuestro grupo.

- ¿Qué fragmento se relaciona mejor con vuestro texto?

Os proponemos las siguientes pautas:

- Subrayad las frases más importantes o principales con respecto al tema del fragmento literario.
- ¿Qué relación podéis encontrar con el tema de libertad (defensa de la libertad, lucha por los ideales...)?
- ¿Los protagonistas son personas comprometidas que no aceptan la situación en la que se encuentran?
- Si por el contrario la aceptan, ¿de qué modo lo hacen?
- entre los dos textos que habéis relacionado ¿cuál os gusta más?
- ¿Por qué?
  - ☐ Por el argumento.
  - ☐ Por el género.
  - ☐ Por la profundidad de lo que se escribe.
  - ☐ Por una cuestión ideológica.
  - ☐ Otros:

Tras vuestro "trabajo de investigación" escribid un pequeño texto para presentarlo a los otros dos grupos . Ayudaos también con las notas que habéis ido tomando en la actividad anterior.

La tercera dimensión: la lectura expresiva

Ya te habrás dado cuenta de que, gracias al texto impreso, una pieza teatral puede existir al margen de su representación. La obra teatral goza de una dualidad particular: por un lado, existe gracias a un texto impreso que no ha de contar necesariamente con una representación y, por otro, se materializa a través de la puesta en escena.
Aunque el autor describa física y psicológicamente a los personajes, éstos mantienen una naturaleza plana en el texto, es decir, carecen de la corporeidad que les dan unos actores de carne y hueso. Sin embargo, el texto teatral escrito conlleva la idea de representabilidad gracias a aquellas partes que sirven al director y a los actores para dar vida a los personajes. Esto significa que la forma bidimensional puede trascender para adquirir una potencial naturaleza tridimensional.

19 Volved a *Cartas de amor a Mary*: centraos en el fragmento que abarca desde el comienzo hasta la intervención de Joe: "No lo sé. Me imagino que sería un lío. Habría que traer también a los niños... Sería peligroso".

Dos de vosotros, de pie ante el resto de los compañeros, leeréis el texto asumiendo los papeles de los dos personajes y los demás escucharán (sin seguir el texto escrito) a ser posible desde sitios diferentes de la clase.

- Algunos de los que escuchan se fijarán sobre todo en la audición (volumen alto/bajo, constante/inconstante, diferencia de volumen entre los dos lectores...).
- otros atenderán fundamentalmente a la exposición (pronunciación, diferencia entre frases afirmativas, interrogativas, exclamativas).
- los demás se centrarán principalmente en la comprensión del texto (si la lectura transmite o no el sentido lógico del discurso).

¿Qué tal?

- ¿Se han dado problemas en la recepción? ¿Cuáles? ¿Se ha oído bien todo el texto?
- ¿Y en la exposición?
- ¿La lectura ha transmitido el sentido lógico del discurso? ¿Por qué?

Ahora los grupos compartirán los resultados.

¿Os habéis dado cuenta de que hay dos clases de comunicación, una entre actores y otra entre actores y espectadores?
¿Habéis percibido los elementos que entran en juego durante la lectura de un texto dramático?
Seguramente habréis notado que tienen una importancia fundamental:

- la pronunciación
- la articulación
- la entonación
- la pausa

(20) Estos cuatro elementos, ¿qué papel desempeñan en la audición, la exposición y la comprensión del texto? Debatid en grupos e intercambiad los resultados teniendo en cuenta también lo que ha producido la actividad precedente.

(21) Con tu compañero (uno será A y otro B), es el momento de practicar:

La pronunciación

A partir de las palabras que os proponemos debajo:

- A trabaja sobre las primeras tres parejas de términos; B sobre el resto.
- A inventa una frase que contenga uno de los dos términos de la primera pareja y dirige la frase a B con la intención de arrancar una conversación, pero cuando llega al término que ha utilizado, lo pronuncia de la otra manera; B reacciona según lo que entiende.
- Luego, B propone el mismo ejercicio a A.

Las parejas de términos son:

- *Casa/caza.*
- *Cocer/coser.*
- *Caja/caca.*
- *Coco/cojo.*
- *Pero/perro.*
- *Caro/carro.*

¿Qué observáis? ¿Qué efectos produce una pronunciación incorrecta en la comunicación?

La articulación

Cada uno escoge unos de estos trabalenguas y ya veréis cómo, por medio de la división en sílabas, lograréis articularlos correctamente sin tropezar con la lengua:

Te quiero porque me quieres,
¿Quieres que te quiera más?
Te quiero más que me quieres.
¿Qué más quieres? ¿Quieres más?

Pablito clavó un clavito
¿Qué clavito clavó Pablito?

El cielo está enladrillado.
¿Quién lo desenladrillará?
El desenladrillador
Que lo desenladrille
Buen desenladrillador será.

Col, caracol y ajo;
ajo, cacacol y col;
col caracol y ajo;
ajo, caracol y col.

Un pajarito yo vi,
en una pajarería,
de pájaro el pajarero:
¿cuántos pájaros había?

Erre con erre guitarra,
erre con erre barril,
¡qué rápido ruedan las ruedas
del ferrocarril!

La cucaracha echada
en un desconchón del techo
le ha pinchado a la chacha
en el codo derecho,
y yo le he dicho:
vete, bicho,
¿ves qué has hecho?
¿por qué has pinchado a la chacha
en el brazo derecho?

La entonación

Primero tú, luego tu compañero, pronunciad cada una de las siguientes tres frases con distintas entonaciones: primero afirmativa, luego interrogativa y por último exclamativa:

- Quieres comer.
- Sabes qué hora es.
- Conoces a Pablo.

Reflexionad sobre la medida en la que cambia el significado de la misma frase según la entonación que el locutor le dé.

La pausa

Volved al fragmento de *Cartas de amor a Mary*: en un cierto punto hay una acotación que señala una pausa:

- buscad la intervención donde aparece la pausa,
- seleccionad dos intervenciones anteriores a ésta
- dramatizad todo el fragmento que habéis seleccionado:
    - primero sin respetar la pausa,
    - luego, correctamente.

¿Qué ocurre? ¿Cambia la intensidad del mensaje si respetamos o no la pausa?

Ahora intercambiad los resultados de todos vuestros ensayos.

Fíjate

En teatro, la transmisión de la parte del texto dramático constituida por las intervenciones de los personajes se da de forma oral; eso significa que hay que hacer lo más fluida posible la exposición para facilitar la recepción a los espectadores. Para ello los actores acuden a técnicas específicas con las que perfeccionan, entre otras cosas la pronunciación, la articulación, la entonación y la pausa, para lograr una elocución óptima.

22 Y ahora, para concluir todo lo que hemos estudiado sobre pronunciación, articulación, entonación y pausa, vamos a hacer un juego.
Se forman dos equipos: cada equipo elige una de las siguientes frases y la ensaya en las cuatro situaciones diferentes. Después de haberse entrenado, unos actores del grupo presentan el resultado a los demás. ¿Quién lo ha hecho de forma más convincente?

¿Qué hora es?

Tienes una cita importante y vas a llegar tarde.
Hace una hora que estás esperando a tu chico/a.
Eres un condenado a muerte el día de su ejecución.
Es la hora de una clase muy aburrida.

Quiero salir

Es sábado y acabas de decidir cómo pasar la noche.
Estás hablando con un amigo que se empeña en quedarse en casa estudiando.
Estás encerrado en un ascensor, llamas y nadie te responde.
Estás en la cárcel pero eres inocente.

Cuando decimos algo, frecuentemente transmitimos también una intención, aunque a veces ésta no se hace explícita en las palabras utilizadas. Por ejemplo, el verdadero núcleo de la comunicación en nuestro juego no era el texto, sino el contexto que nos sugieren los detalles emotivos de la comunicación.
La intención transmite el verdadero objeto del acto de la comunicación y la actitud psicológica relacionada con él.
En la representación teatral estos detalles emotivos se consiguen por medio de recursos técnicos aplicados a la pronunciación, la articulación, la entonación y la pausa.

PARA ACABAR

23. En grupos de tres ensayad para leer el monológo de Javier en *Escuadra hacia la muerte* como si estuvierais en un escenario. Para ello tened en cuenta lo que habéis aprendido hasta ahora y las indicaciones de intención que se indican entre paréntesis dentro del texto.

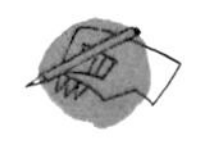

24. Considerando todo lo que hemos estudiado sobre el diálogo y el monólogo en una obra dramática, vuelve al fragmento narrativo *Últimas tardes con Teresa* de Juan Marsé y transfórmalo en dos minipiezas teatrales en las que aparezcan diálogos y monólogos.

- En la primera mini pieza trabajarás con el diálogo. Toma la parte que va desde el principio hasta "Te espero en la clínica a las diez de la mañana".
- En la segunda minipieza utilizarás el monólogo. Toma la parte que va desde "Por su parte, Teresa llamó a la clínica nada más llegar a casa" hasta el final.

¿Cómo te ha ido?

En esta tarea he aprendido que ____________________

▪ En el texto teatral la acción dramática tiene la siguiente estructura ____________________

▪ Los elementos peculiares de la obra dramática son ____________________

▪ Para una lectura dramática hay que tener en cuenta ____________________

De todas las actividades, la que más me ha gustado es ____________________

Y la que menos ____________________

Nivel de interés en hacer la *tarea* (puntúa de 1 a 10)

1 2 3 4 5 6 7 8 9 10

Mis frases más...

Entre todos los textos, algunas de las frases, versos, discursos, expresiones, estrofas... que me han gustado más son ____________________

Tarea 2 Un reparto para el teatro

Para hacer el reparto de una obra de teatro necesitamos:

- Identificar la caracterización de los personajes de un texto dramático sirviéndonos también de las acotaciones.
- Reconocer la peculiaridad del texto teatral como texto literario pensado para ser representado.
- Pasar de la de la lectura expresiva a la lectura dramática.

PARA EMPEZAR

1. Con tu compañero reflexiona: cuando ves a una persona por primera vez, ¿en qué te fijas para hacerte una idea de cómo es?

- □ En la ropa
- □ En la forma de hablar
- □ En la manera de moverse
- □ En la mirada
- □ En lo que dice
- □ En otras cosas ______________________

PARA SEGUIR

Los personajes: caracterización, papeles y acotaciones

2. Te proponemos un fragmento del primer acto de *¡Ay, Carmela!*, una obra de José Sanchís Sinisterra. El título se completa con el siguiente subtítulo: *Elegía de una guerra civil en dos actos y un epílogo*. Lee el texto escrito y escucha la grabación del diálogo. ¿Puedes determinar el carácter de los personajes a través del fragmento?

Sería interesante poder visionar la adaptación cinematográfica del director español Carlos Saura.

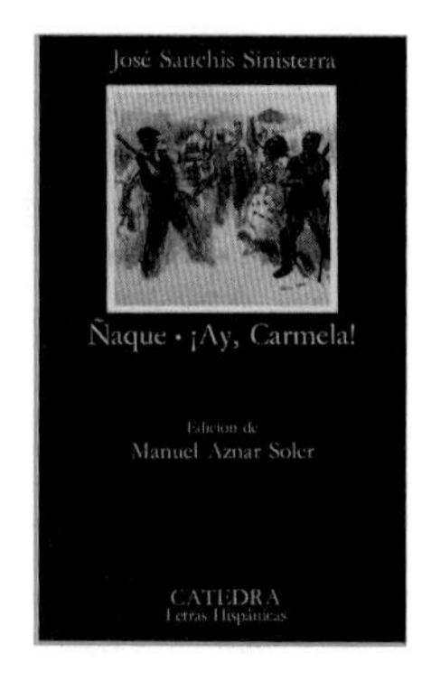

¡AY, CARMELA!

PRIMER ACTO

(Escenario vacío, sumido en la oscuridad. Con un sonoro "clic" se enciende una triste lámpara de ensayos y, al poco, entra PAULINO*: ropas descuidadas, vacilante, con una garrafa de vino en la mano. Mira el escenario. Bebe un trago. Vuelve a mirar. Cruza la escena desabrochándose la bragueta y desaparece por el lateral opuesto. Pausa. Vuelve a entrar, abrochándose. Mira de nuevo. Ve al fondo, en el suelo, una vieja gramola. Va junto a ella y trata de ponerla en marcha. No funciona. Toma el disco que hay en ella, lo mira y tiene el impulso de romperlo, pero se contiene y lo vuelve a poner en la gramola. Siempre en cuclillas y de espaldas al público, bebe otro trago. Su mirada descubre en el suelo, en otra zona del fondo, una tela. Va junto a ella y la levanta, sujetando una punta con los dedos: es una bandera republicana medio quemada.)*

PAULINO: (*Canturrea.*) ...pero nada pueden bombas, rumba, la rumba, la rumba, va donde sobra corazón ay Carmela, ay Carmela...,

(Vuelve junto a la gramola y va a cubrirla con la bandera.) [...]
(De pronto, cree oír un ruido a sus espaldas y se sobresalta. Tiene un reflejo de huida, pero se contiene. Por un lateral del fondo entra una luz blanquecina, como si se hubiera abierto una puerta. Aguarda, temeroso.)
PAULINO: ¿Quién está ahí?

(*Entra* CARMELA, *vestida con un discreto traje de calle.*)

CARMELA: Hola, Paulino.

PAULINO: (*Aliviado.*) Hola, Car... (*Se sobresalta.*) ¡Carmela! ¿Qué haces aquí?

CARMELA: Ya ves.

PAULINO: No es posible... (*Por la garrafa.*) Si no he bebido casi...

CARMELA: No, no es por el vino. Soy yo, de verdad.

PAULINO: Carmela...

CARMELA: Sí, Carmela.

PAULINO: No puede ser... (*Mira la garrafa.*)

CARMELA: Sí que puede ser. Es que, de pronto, me he acordado de ti.

PAULINO: ¿Y ya está?

CARMELA: Ya está, sí. Me he acordado de ti, y aquí estoy.

PAULINO: ¿Te han dejado venir por las buenas?

CARMELA: Ya ves.

PAULINO: ¿Así de fácil?

CARMELA: Bueno, no ha sido tan fácil. Me ha costado bastante encontrar esto.

PAULINO: Pero ¿has venido así, andando, como si tal cosa?

CARMELA: Caray, chico: cuántas preguntas. Cualquiera diría que no te alegras de verme.

PAULINO: ¿Que no me alegro? Pues claro que sí: muchísimo, me alegro. Pero, compréndelo... ¿Cómo iba yo a imaginar...?

CARMELA: No, si ya comprendo que te extrañe... También a mí me resulta un poco raro.

PAULINO: Yo creía que... después de aquello... ya todo...

CARMELA: Se ve que todo no... que algo queda...

PAULINO: Qué curioso.

CARMELA: Dímelo a mí...

PAULINO: Pero, entonces, allí... ¿qué es lo que hay?

CARMELA: Nada.

PAULINO: ¿Nada?

CARMELA: Bueno: casi nada.

PAULINO: Pero, ¿qué?

CARMELA: ¿Qué qué?

PAULINO: ¿Qué es eso, ese "casi nada" que hay allí?

CARMELA: No sé... Poca cosa.

PAULINO: ¿Qué poca cosa?

CARMELA: Mucho secano.

PAULINO: ¿Secano?

CARMELA: O algo así.

PAULINO: ¿Quieres decir que es como esto?

CARMELA: ¿Como qué?

PAULINO: Como esto..., como estas tierras...

CARMELA: Algo así.

PAULINO: Secano...

CARMELA: Sí: mucho secano, poca cosa.

PAULINO: ¿Con árboles?

CARMELA: Alguno hay, sí: mustio.

PAULINO: ¿Y ríos?

CARMELA: Pero secos.

PAULINO: ¿Y casas? ¿Pueblos?

CARMELA: ¿Casas?

PAULINO: Sí: casas, gente...

CARMELA: No sé.

PAULINO: ¿No sabes? ¿Qué quieres decir?

CARMELA: Que no sé.

PAULINO: Pero, ¿has visto, sí o no?

CARMELA: Si he visto, ¿qué?

PAULINO: Gente, personas...

CARMELA: ¿Personas?

PAULINO: Sí, personas: hombres y mujeres, como yo y como tú.

CARMELA: Alguno he visto, sí...

PAULINO: ¿Y qué?

CARMELA: ¿Qué qué?

PAULINO: ¿Qué hacen? ¿Qué dicen?

CARMELA: Nada.

PAULINO: ¿No hacen nada?

CARMELA: Casi nada.

PAULINO: ¿Como qué?

CARMELA: No sé: andan, se paran... vuelven a andar...

PAULINO: ¿Nada más?

CARMELA: Se rascan.

PAULINO: ¿Qué se rascan?

CARMELA: La tiña.

PAULINO: ¿La tiña? ¿Tienen tiña también?

CARMELA: Eso parece.

PAULINO: Pues vaya... Pocos y tiñosos...

CARMELA: Ten en cuenta que aquello es muy grande.

PAULINO: Ya, pero... ¿Y qué dicen?

CARMELA: ¿Decir?

PAULINO: Sí, decir. ¿Te dicen algo?

CARMELA: ¿A mí?

PAULINO: Sí, a ti. ¿Te hablan?

CARMELA: Muy poco... Casi nada.

PAULINO: ¿Como qué?

CARMELA: No sé... Por ejemplo: "Mal año"...

PAULINO: "Mal año"... ¿Y qué más?

CARMELA: Pues... "Vaya con Dios"...

PAULINO: ¿Y qué más?

CARMELA: Pues... "Menudo culo"...

PAULINO: ¿Cómo?

CARMELA: "Menudo culo".

PAULINO: ¿Eso te dicen?

CARMELA: Bueno, me lo ha dicho uno.
PAULINO: ¿Quién?
CARMELA: No sé. Aún no conozco a nadie.
PAULINO: "Menudo culo"... ¿Será posible?
CARMELA: Era uno así, grandote, moreno, socarrón, con la cabeza abierta, apoyado en un margen...
PAULINO: ¡Cómo está el mundo!
CARMELA: Bueno, el mundo...
PAULINO: O lo que sea... ¿Y tú qué has hecho?
CARMELA: ¿Yo?
PAULINO: Sí, tú. Seguro que te ha hecho gracia...
CARMELA: Hombre, gracia... Pero no se le notaba mala intención.
PAULINO: Faltaría más: con la cabeza abierta...
CARMELA: Pues no te creas, que, así y todo, resultaba buen mozo...
PAULINO: Ya: buen mozo... Tú, por lo que veo, no cambiarás ni...
CARMELA: Anda, tonto... ¿Que no ves que lo digo para ponerte celoso? Ni le he mirado siquiera. Buena estoy yo para andar coqueteando. Si ni me lo siento, el cuerpo...
PAULINO: ¿Te duele?
CARMELA: ¿Qué?
PAULINO: Eso... las... ahí donde...
CARMELA: No, doler, no. No me noto casi nada. Es como si... ¿Cómo te lo diría? Por ejemplo: cuando se te duerme una pierna, ¿verdad?, sí, la notas, pero como si no fuera tuya...
PAULINO: Ya, ya... Y, por ejemplo, si te toco así... (le toca la cara), ¿qué notas?
CARMELA: Pues que me tocas.
PAULINO: Ah, ¿sí?
CARMELA: Sí. Un poco amortecido, pero lo noto.
PAULINO: Qué curioso... Yo también te noto, pero... no sé cómo decirlo...
CARMELA: Retraída.
PAULINO: Eso es: retraída. Qué curioso... Y... ¿darte un beso, puedo?
CARMELA: No: darme un beso, no.
PAULINO: ¿Por qué no?
CARMELA: Porque no. Porque estoy muerta, y a los muertos no se les da besos.[5]

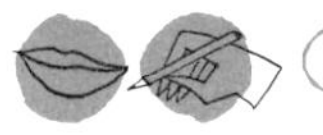

3 En pareja, tras una segunda lectura del texto, reflexionad sobre las siguientes cuestiones y tomad notas en vuestros cuadernos:

- ¿Qué recursos utiliza el autor para presentar a los dos personajes en este primer acto?
- ¿Qué es lo que te parece importante?
- En el texto hay una descripción directa del personaje. ¿Dónde?
- El autor da indicaciones sobre la manera de moverse y de actuar de los personajes. ¿Qué indicaciones?
- Además de hablar, ¿cómo actúan?

La bandera en ¡Ay, Carmela!

Habrás notado que en el texto hay un objeto simbólico: la bandera. Probablemente recordarás que en *Mariana Pineda* también se relacionaba la bandera con la idea de libertad. Reflexionemos sobre lo que se dice a propósito de la bandera en *¡Ay, Carmela!*

Para empezar, ¿sabéis cómo es la actual bandera española? Aquí tenéis lo que dice el artículo 4 de la Constitución española:

> La bandera española está formada por tres franjas horizontales, roja, amarilla y roja, siendo la amarilla de doble anchura que cada una de las rojas.

Pero recuerda que la Constitución también reconoce banderas y enseñas propias de las Comunidades Autónomas.
¿Conoces algunas de ellas?

Sin embargo, la bandera a la que se hace referencia en el texto no es la actual, sino la republicana, que consta de tres franjas horizontales de un color cada una: rojo, amarillo y morado. Al tratarse del símbolo de la 2ª República española, cuando llegaron los "nacionales" fue eliminada y sustituida. A este propósito merece la pena leer el breve fragmento de *Réquiem por un campesino español* de Ramón J. Sender:

> Al día siguiente hubo una reunión en el ayuntamiento, y los forasteros hicieron discursos y dieron grandes voces. Luego quemaron la bandera tricolor y obligaron a acudir a todos los vecinos del pueblo y a saludar levantando el brazo cuando lo mandaba el centurión.

(4) La defensa de un ideal como el de la libertad ha supuesto muchas veces pagar un precio muy elevado: encarcelamiento, pena de muerte... Para entrar en este tema te proponemos la escena VI de *Luces de Bohemia*, obra teatral en quince escenas de Ramón María del Valle-Inclán, que recoge el diálogo entre el protagonista Max Estrella —poeta ciego, bohemio y excéntrico— y un joven preso catalán de ideología anarquista. La escena se desarrolla en la celda donde Max Estrella ha sido encerrado por desacato a la autoridad y desórdenes públicos. Lee:

LUCES DE BOHEMIA

ESCENA SEXTA

El calabozo. Sótano mal alumbrado por una candileja. En la sombra se mueve el bulto de un hombre. —blusa, tapabocas y alpargatas—. Pasea hablando solo. Repentinamente se abre la puerta. MAX ESTRELLA, *empujado y trompicando, rueda al fondo del calabozo. Se cierra de golpe la puerta.*

MAX: ¡Canallas! ¡Asalariados! ¡Cobardes!
VOZ FUERA: ¡Aún vas a llevar mancuerna!
MAX: ¡Esbirro!

Sale de la tiniebla el bulto del hombre morador del calabozo. Bajo la luz se le ve esposado, con la cara llena de sangre.

EL PRESO: ¡Buenas noches!
MAX: ¿No estoy solo?
EL PRESO: Así parece.
MAX: ¿Quién eres, compañero?
EL PRESO: Un paria.
MAX: ¿Catalán?
EL PRESO: De todas partes.
MAX: ¡Paria!... Solamente los obreros catalanes aguijan su rebeldía con ese denigrante epíteto. Paria, en bocas como la tuya, es una espuela. Pronto llegará vuestra hora.
EL PRESO: Tiene usted luces que no todos tienen. Barcelona alimenta una hoguera de odio, soy obrero barcelonés, y a orgullo lo tengo.
MAX: ¿Eres anarquista?
EL PRESO: Soy lo que me han hecho las Leyes.
MAX: Pertenecemos a la misma Iglesia.
EL PRESO: Usted lleva chalina.
MAX: ¡El dogal de la más horrible servidumbre! Me lo arrancaré, para que hablemos.
EL PRESO: Usted no es proletario.
MAX: Yo soy el dolor de un mal sueño.
EL PRESO: Parece usted hombre de luces. Su hablar es como de otros tiempos.
MAX: Yo soy un poeta ciego.
EL PRESO: ¡No es pequeña desgracia!... En España el trabajo y la inteligencia siempre se han visto menospreciados. Aquí todo lo manda el dinero.

Luces de Bohemia recoge la última noche de vida de Max Estrella en el Madrid del primer cuarto del siglo XX. El anciano y pobre poeta, acompañado por don Latino, se topa con toda clase de miserias humanas: pobreza, injusticia, degradación...

Sería muy interesante visionar la película homónima de M. Ángel Díez.

MAX: Hay que establecer la guillotina eléctrica en la Puerta del Sol.

EL PRESO: No basta. El ideal revolucionario tiene que ser la destrucción de la riqueza, como en Rusia. No es suficiente la degollación de todos los ricos. Siempre aparecerá un heredero, y aun cuando se suprima la herencia, no podrá evitarse que los despojados conspiren para recobrarla. Hay que hacer imposible el orden anterior, y eso sólo se consigue destruyendo la riqueza. [...]

EL PRESO: No cuenta usted los obreros que caen...

MAX: Los obreros se reproducen populosamente, de un modo comparable a las moscas. En cambio, los patronos, como los elefantes, como todas las bestias poderosas y prehistóricas, procrean lentamente. Saulo, hay que difundir por el mundo la religión nueva.

EL PRESO: Mi nombre es Mateo.

MAX: Yo te bautizo Saulo. Soy poeta y tengo el derecho al alfabeto. Escucha para cuando seas libre, Saulo. [...]

MAX: [...] Dame la mano.

EL PRESO: Estoy esposado.

MAX: ¿Eres joven? No puedo verte.

EL PRESO: Soy joven. Treinta años.

MAX: ¿De qué te acusan?

EL PRESO: Es cuento largo. Soy tachado de rebelde... No quise dejar el telar por ir a la guerra y levanté un motín en la fábrica. Me denunció el patrón, cumplí condena, recorrí el mundo buscando trabajo, y ahora voy por tránsitos, reclamado de no sé qué jueces. Conozco la suerte que me espera: Cuatro tiros por intento de fuga. Bueno. Si no es más que eso...

MAX: ¿Pues qué temes?

EL PRESO: Que se diviertan dándome tormento.

MAX: ¡Bárbaros!

EL PRESO: Hay que conocerlos.

MAX: Canallas. ¡Y ésos son los que protestan de la leyenda negra!

EL PRESO: Por siete pesetas, al cruzar un lugar solitario, me sacarán la vida los que tienen a su cargo la defensa del pueblo. ¡Y a esto llaman justicia los ricos canallas! [...]

Se abre la puerta del calabozo, y el llavero, con jactancia de rufo, ordena al preso maniatado que le acompañe.

EL LLAVERO Tú, catalán, ¡disponte!

EL PRESO: Estoy dispuesto.

EL LLAVERO Pues andando. Gachó, vas a salir en viaje de recreo.

El esposado, con resignada entereza, se acerca al ciego y le toca el hombro con la barba. Se despide hablando a media voz.

EL PRESO: Llegó la mía... Creo que no volveremos a vemos...

MAX: ¡Es horrible!

EL PRESO: Van a matarme... ¿Qué dirá mañana esa Prensa canalla?

MAX: Lo que le manden.

EL PRESO: ¿Está usted llorando?

MAX: De impotencia y de rabia. Abracémonos, hermano.

Se abrazan. EL LLAVERO *y el esposado salen. Vuelve a cerrarse la puerta.* MAX ESTRELLA *tantea buscando la pared, y se sienta con las piernas cruzadas, en una actitud religiosa, de meditación asiática. Exprime un gran dolor taciturno el bulto del poeta ciego. Llega de fuera tumulto de voces y galopar de caballos.*

En el texto aparecen dos personajes principales: Max Estrella y el Preso. ¿Serías capaz de caracterizar a los dos personajes basándote sólo en este fragmento? Sigue las instrucciones:

Con tu compañero, intentad determinar la siguiente información sobre los dos protagonistas del texto de Valle-Inclán:

- Edad.
- Vestimenta.
- Profesión o actividad a la que se dedica.
- Gestos.
- Forma de expresarse verbalmente.
- Acciones significativas.
- Sentimientos que lo animan.
- Emociones.
- Temas sobre los que trata la conversación entre Max y el Preso.

Ahora, en vuestros cuadernos, desarrollad las siguientes ideas sobre los dos personajes para terminar de perfilar sus características externas e internas:

- Su aspecto físico es...
- Lleva...
- Su postura frente a la realidad que le rodea es...
- Sus problemas son...
- Su relación frente a los demás es...

Por último, vuelve al texto y subraya dónde aparece la información que acabas de obtener.

Fíjate

Los personajes son los que realizan la acción dramática. El protagonista debe ser un individuo con personalidad propia que destaca en las dificultades y conflictos dramáticos. Debe ser humano, con sentimientos y pasiones que así lo reflejen.
El dramaturgo hace hablar a sus personajes a través del diálogo, que es la forma de expresión propia del drama. Ellos deben expresarse de acuerdo a su edad, profesión, carácter y temperamento. Pero además del diálogo, son también elementos consustanciales al texto dramático las acotaciones escénicas (notas sobre los personajes, el ambiente, la situación, etc. que el autor pone antes de cada escena) y las observaciones que en el interior del diálogo señalan los nombres de los personajes, el lugar, los gestos, las intenciones, los estados de ánimo...[6]

Un texto para ser representado

5. ¿Te acuerdas de las actividades con guiñol? ¿Sabes que incluso Federico García Lorca lo tuvo muy presente en su variada producción dramática? Observa cómo empieza una de sus obras:

LOS TÍTERES DE CACHIPORRA

TRAGICOMEDIA DE DON CRISTÓBAL Y LA SEÑÁ ROSITA

FARSA GUIÑOLESCA EN SEIS CUADROS Y UNA ADVERTENCIA

PERSONAJES
(por orden de aparición en escena)

El Mosquito, Rosita, El padre, El cochero, Don Cristobita, Criado, Una hora, Mozos, Contrabandistas, Espantanubios (tabernero), Currito (el del puerto), Cansa-almas (zapatero), Fígaro (barbero), Un granuja, Una jovencilla de amarillo, Un mendigo ciego, Mozas, Una maja con lunares, Un monago, Invitados con antorchas, Curas del entierro, Cortejo

ADVERTENCIA

Sonarán dos clarines y un tambor. Por donde se quiera, saldrá el MOSQUITO. El MOSQUITO es un personaje misterioso, mitad duende, mitad martinico, mitad insecto. Representa la alegría de vivir libre, y la gracia y la poesía del pueblo andaluz. Lleva una trompetilla de feria.

MOSQUITO: ¡Hombres y mujeres! Atención. Niño, cierra esa boquita, y tú, muchacha, siéntate con cien mil de a caballo. Callad para que el silencio se quede más clarito, como si estuviese en su misma fuente. Callad para que se asiente el barrillo de las últimas conversaciones. (*Tambor.*) Yo y mi compañía venimos del teatro de los burgueses, del teatro de los condes y de los marqueses, un teatro de oro y cristales, donde los hombres van a dormirse y las señoras... a dormirse también. Yo y mi compañía estábamos encerrados. No os podéis imaginar qué pena teníamos. Pero un día vi por el agujerito de la puerta una estrella que temblaba como una fresca violeta de luz. Abrí mi ojo todo lo que pude —me lo quería cerrar el dedo del viento— y bajo la estrella, un ancho río sonreía surcado por lentas barcas. Entonces yo avisé a mis amigos, y huimos por esos campos en busca de la gente sencilla, para mostrarles las cosas, las cosillas y las cositillas del mundo; bajo la luna verde de las montañas, bajo la luna rosa de las playas. Ahora que sale la luna y las luciérnagas huyen lentamente a sus cuevecitas, va a dar comienzo la gran función titulada "Tragicomedia de Don Cristóbal y la Señá Rosita"... Preparaos a sufrir el genio del puñeterillo don Cristóbal y a llorar las ternezas de la Señá Rosita que, a más de mujer, es una avefría sobre la charca, una delicada pajarita de las nieves. ¡A empezar! (*Hace mutis, pero vuelve corriendo.*) Y ahora... ¡viento!: abanica tanto rostro asombrado, llévate los suspiros por encima de aquella sierra y limpia las lágrimas nuevas en los ojos de las niñas sin novio.

Cuatro hojillas tenía
Música {mi arbolillo
y el aire las movía.
Mutación

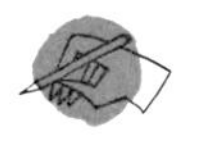

En el monólogo, el Mosquito hace una clara referencia al teatro: subráyala.

Pon en relación el personaje del Mosquito, según aparece en la acotación, con el contenido de su discurso.

6 José Luis Alonso de Santos, en la nota que aparece en su obra teatral *La estanquera de Vallecas*, expresa su opinión sobre el teatro. ¿Hay alguna relación entre la advertencia de García Lorca y esta nota?

LA ESTANQUERA DE VALLECAS

NOTA DEL AUTOR

Durante siglos sólo se habló en el teatro de Dioses y de Reyes. Luego pasó a los Nobles Señores el protagonismo, y, tras férrea lucha, la burguesía naciente logró apoderarse del arte escénico y hacer de él un confesionario exculpatorio de sus trapicheos sociales.

De cuando en cuando aparecía un "subgénero" con personajes de las clases "humildes": Sainete, Entremés, Género Chico, Costumbrismo Social... pero siempre considerado como "arte menor".

El "Arte Mayor" seguía —y sigue— siendo la "Alta Comedia" (es decir, la comedia de los altos, no de estatura, sino de lo otro), que es la que cubre y sostiene la mayor parte de nuestro teatro al uso.

Al autor que esto suscribe —que presume de humilde cuna y condición— le es sumamente difícil poder escribir acerca de Dioses, Reyes, Nobles Señores, ni Burguesía acomodada, porque, la verdad, no los conoce apenas —sólo los sufre—. Por eso anda detrás de los personajes que se levantan cada día en un mundo que no les pertenece buscando una razón para aguantar un poco más, sabiendo que hay que aferrarse a uno de los pocos troncos que hay en el mar, si te deja el que está agarrado antes, porque ¡ay! ya no hay troncos libres. [...]

Poned en común vuestras ideas.

7) Entre la advertencia en *Los Títeres de cachiporra* y la nota del autor en *La estanquera de Vallecas*, aparecen unas diferencias sustanciales que es interesante resaltar. En parejas, contrastad los dos textos. Os puede resultar más fácil seguir las siguientes pautas:

- Quién habla
- A quién se dirige
- Acotaciones que aparecen
  - Cuáles
  - Qué significan con referencia a la acción escénica
  - Qué significado dan al texto

Contrastad los resultados.

Seguramente habréis llegado a la conclusión de que en el texto de Alonso de Santos no hay acotaciones, ni tampoco aparecen indicaciones escénicas: el autor es quien habla en primera persona a los lectores de la obra. Esto significa que esta *Nota del Autor* no está destinada a la representación escénica y no es más que un intento por parte del escritor de reflejar una opinión sobre algo que tiene que ver con su obra, un intento de dejar claro al lector algo que considera importante.

En la advertencia de García Lorca, en cambio, hay algunas acotaciones que el autor da para indicar la acción que el actor tiene que hacer al interpretar al personaje del Mosquito: hace mutis (término teatral para indicar que el personaje sale de la escena), pero vuelve corriendo. También aparecen acotaciones que sirven para introducir en la escena otros elementos, en este caso la música: tambor, música. Al final, el autor da una indicación de cambio de escena: mutación. Todo esto significa que se trata de un texto destinado a ser representado.

Fíjate

Un texto dramático es un texto que nace para ser representado en cuanto que están presentes en él, además de otros elementos peculiares del género al que pertenece, indicaciones específicas sobre la acción de los personajes, sobre la presencia de otros elementos escénicos (la música, por ejemplo) y sobre el cambio de escena.

A pesar de todo lo que hemos dicho, los dos textos sobre los que trabajamos presentan un punto en común. De hecho, tanto Federico García Lorca como José Luis Alonso de Santos, se distancian en sus declaraciones del teatro burgués e introducen una nueva manera de hacer teatro: la de representar la vida de todos los días, simple y humilde, a veces dura y difícil.

8 Veamos cómo termina la nota del autor de *La estanquera de Vallecas*:

A propósito del tema, les diré que recibí últimamente carta de Leandro desde Carabanchel, donde reside en la tercera galería, y por lo que me cuenta de allí he comprendido perfectamente algo que siempre me extrañó cuando sucedieron los hechos de esta obra: por qué no salían y se entregaban.

Pero eso ya es otra historia.

Como veis, el autor está anticipando algunas informaciones sobre el tema. En grupos de tres, intentad hacer hipótesis sobre la historia utilizando todas la información de la que disponéis. Os damos algunas pautas; fijaos en estos dos puntos:

- dónde reside el personaje ahora,
- la pregunta que se hace el autor.

También os puede ayudar leer el reparto para saber algo más sobre los personajes.

La estanquera de Vallecas fue estrenada en la Sala El Gayo Vallecano en noviembre de 1981, con el siguiente reparto :

ESTANQUERA:	Mercedes Sanchís
LA NIETA:	Teresa Valentín Gamazo
LEANDRO:	José Manuel Mora
TOCHO:	Paco Prada
SUBINSPECTOR MALDONADO:	Miguel Gallardo

Ayudante:	Teresa Sánchez Galla
Productor:	Roberto López Peláez
Escenógrafo:	Antonio Lenguas
Música:	Jorge Fernández Guerra
Vestuario:	Marisa Zapatero
Iluminación:	Antonio Pastor
Director:	Juan Pastor

Después de haber hecho vuestras consideraciones, comprobad si coincidís con los demás grupos o si han surgido otras historias.

(9) Aquí tenéis unos fragmentos de la escena final: leedlos para averiguar si se trata de la misma historia que habéis pensado:

Leandro y Tocho son dos jóvenes que al atracar un estanco, se quedan atrapados allí con la dueña, su nieta y un policía como rehenes. La policía rodea el estanco y un numeroso grupo de curiosos contempla la escena.

La estanquera de Vallecas

Cuadro IV

(*Al día siguiente, por la mañana,* LEANDRO *habla por teléfono con su mano vendada. el* TOCHO *a su lado y Ángeles detrás. La abuela en la camilla con las cartas. Es domingo y ha salido el sol, dentro de lo que cabe.*)

LEANDRO: ... Sí, sí..., pues mire usted..., no, no. Estamos bien. Sí, están bien..., ¿quiere que se pongan...?, no, es que si salimos nos la cargamos..., ya pensaremos algo..., mientras haya vida..., no, no..., si se va la policía, salimos, pero nos llevamos a los rehenes por si acaso..., ¿cómo dice? Es que de la policía no me fío, mire usted..., sí, sí, pero usted no entiende de estas cosas. Mire, dígales que nos pongan un coche a la puerta y que se retiren, pero de verdad, sin trampas... Sí, espero.

(*Tapa el auricular del teléfono y habla al* TOCHO *ilusionado.*)

Dice que va a hablar con el comisario y el capitán que manda la policía. Si nos ponen un taxi nos damos el piro.

TOCHO: ¿ Adónde ?

LEANDRO: Nos perdemos por ahí. Ya veremos. El caso es escapar de aquí.

TOCHO: Lo que tú digas, Leandro. Nos damos el piro a 140 por hora...

LEANDRO: El cura quiere que nos entreguemos, claro. (*Ahora, de nuevo al teléfono.*) ¿Sí?, ¿diga?, sí, le oigo..., ¡pues de aquí no sale nadie...!, sí, le oigo, sí..., sí...

(*Hace señas a* TOCHO *de que le está metiendo un rollo.*)

...no se preocupe, que a ellas no les va a pasar nada... ¿Qué? (*Tapa el auricular y habla a* TOCHO.) Dice que si somos católicos. (*Al teléfono.*) ... Claro, sí señor, sí, no vamos a ser moros, católicos, sí, pero no..., ya sé que lo hace usted por nuestro bien. Nosotros también... (*A* TOCHO.) Dice que no le ha dejado venir la policía por si le cogíamos también de rehén... (*Al teléfono.*) ... no, no soy de este barrio, no me conoce..., tampoco..., usted verá, déjelo..., no, no, no hay cambios. (*Al* TOCHO.) Dice que se cambia él por los otros (*Al teléfono.*) ...gracias, pero no.

TOCHO: Dile que si la cosa va mal nos diga unas misas, que ya se las pagaremos en el otro mundo.

LEANDRO: Padre, si las cosas van mal..., nos dice unas misas..., ¿eh?, ¿que no es momento de bromas?, ¿qué quiere, que nos pongamos a llorar...? Mire usted, no estamos aquí por un capricho, ¿sabe...?, ¿qué...? (*A* TOCHO.) ¡La madre que le...!, dice que podemos confesarnos por teléfono en caso de necesidad.

TOCHO: Eso es que nos quieren dar el pasaporte. Pues yo me llevo a todo el que pille por delante.

LEANDRO: Gracias, padre, pero no, hoy no tenemos ganas. Puede que otro día, a lo mejor..., no se preocupe, sí, lo apunto... "cuatro, siete, siete, sí, sí", ya está de acuerdo, sí, adiós, adiós.

(*Cuelga el teléfono y quedan un tanto decaídos.* ÁNGELES *los mira con cara de ida y la abuela disimula echando la suerte.*)

Quieren asustarnos y que nos entreguemos, claro.

TOCHO: ¡Hombre, claro! No se van a liar a tiros; pueden dar a algún inocente, o al poli.

ABUELA: Dios nos coja confesados.

TOCHO: No sea agorera. Y si quería confesarse, ahí tenía al cura.

ABUELA: Las cartas salen malas.

ÁNGELES: ¡Ay, abuela, no sea usted así, no asuste!

LEANDRO: Más tarde o más temprano tendremos que salir.

TOCHO: ¿Por qué? Nos quedamos aquí para siempre y ya está. A mí me gusta estar aquí, ya ves.

ABUELA: Tienes menos sesos que un mosquito.

TOCHO: ¿Usté que haría, lista?

ABUELA: Lo primero no venir a robar a pobres como nosotros. Puestos a robar, hay que saber robar, y a quién se roba.

TOCHO: En los chalés de los ricos no hay quien entre, ¡qué se cree! Y si te acercas a un banco, peor; más policías que en la guerra.

ABUELA: Y es más fácil robarle a un pobre que está indefenso. ¿Pero tú tienes conciencia?

TOCHO: Olvídeme que no es mi santo.

ABUELA: Las cartas salen malas, muy malas. ¡Si es que no puede ser!

LEANDRO: No íbamos a ponermos a pedir, ¿no? Son cosas que pasan.

TOCHO: No te rajes, Leandro, ¡joder, no te rajes!

ÁNGELES: ¿Voy poniendo la comida, abuela?

ABUELA: Espera a ver éstos qué dicen, si se quedan a comer o no.

TOCHO: Venga, Leandro, no seas así. ¿Te acuerdas el día que nos llevamos el cochazo aquel y nos fuimos a Benidorm? ¿qué?, ¿nos cogieron?, ¡nada! Como dos marqueses allí los dos, ¿o no? ¿Te acuerdas cómo nos metíamos en el mar entre los franchutes?, y casi ligamos y todo..., porque se te notaba la raya la camiseta, que si no... (*A ÁNGELES.*) Nos echan a todos del tajo, va éste y dice: "¡Que nos mandan a divertirnos, Tocho!". Ligamos el primer cochazo que pillamos, lo que habíamos cobrado y hale, ¡carretera! Los dueños del mundo, ¡coño! Los dueños del mundo, los dos. O cuando limpiamos aquel escaparate por la noche...

LEANDRO: Anda, cállate.

[...]

ÁNGELES: (*Por decir algo.*) Es de La Lastrilla mi abuela. Es un pueblo de Segovia. (*Canturrea ahora a punto de llorar.*) "De Bernuí de Porreros era la niña y el galán que la ronda de La Lastrilla..." ¿Voy pelando las patatas, abuela?

LEANDRO: Haz la comida sólo para vosotras dos Nosotros hoy comemos fuera. Nos han invitado unos amigos..., en Carabanchel.

TOCHO: ¡No te rajes, joder, Leandro, no te rajes! ¿Quieres que salga y me líe a tiros con todos? ¡Ayer me decías que nos íbamos a comer el mundo, coño!

LEANDRO: Ayer era ayer y hoy es hoy. Se acabó el juego, Tocho. Llevábamos malas cartas y hemos perdido

ABUELA: Tiene razón. No hagáis más disparates que ya está bien por hoy.

TOCHO: ¡Sí, coño, sí! Usted porque tiene un estanco! Gajes de viuda de guardia civil, ¿verdá?

ABUELA: ¡Millonaria soy! ¡Habrase visto el muerto de hambre éste! A los nueve años estaba ya trabajando y no he parado hasta hoy. ¡Tengo un estanco, sí, qué pasa!A ver si encima...

TOCHO: ¡A ver si encima...!, ¿qué? ¡A ver, qué!

LEANDRO: Vamos, déjala.

(*Salta el TOCHO enfrentándose con LEANDRO, dispuesto a todo.*)

TOCHO: ¡Si me da la gana!, ¿no? ¡Ya está bien! ¡A ver por qué la tienes que dar la razón y meterte conmigo! ¡Que estás...! ¿Qué te pasa, a ver? ¿Qué te pasa a ti...?

LEANDRO: Déjame. Yo no me meto contigo... Bueno, venga, vámonos...

TOCHO: Vete tú si te da la gana. Yo no me voy.

LEANDRO: Vamos, Tocho, no la líes más...

TOCHO: ¿Para eso hemos venido? ¿Para eso hemos venido, eh?

LEANDRO: ¿Pero qué quieres? ¿Qué nos maten a los dos? ¿Qué nos den un tiro, eso es lo que quieres?

TOCHO: ¡Sí! ¡¡¡Sí!!!

LEANDRO: Te estás portando como un crío.

TOCHO: Y tú como un... ¡Vete a la mierda!

ÁNGELES: Por lo menos quedaros a comer.

ABUELA: ¡Que te calles tú! Ven aquí.

LEANDRO: Venga, vamos. (*Se acerca a la puerta y grita hacia fuera.*) ¡Eh, nos entregamos!

VOZ DE FUERA: ¿Cómo? ¿Qué?

LEANDRO: Que vamos a salir.

VOZ DE FUERA: "¿Qué?".

LEANDRO: Ahora están sordos. "¡Que nos entregamos!"

(*Se oye cierto revuelo y consultas a la superioridad.*)

MEGÁFONO: "Muy bien, mejor para todos. Ahora haced lo que os digamos: lo primero, abrid despacio la puerta y echad fuera todas las armas que tengáis. ¿Entendido?"

(*TOCHO se la tira al suelo y Leandro la recoge, abre y echa fuera las armas.*)

MEGÁFONO: "Muy bien. Ahora salid despacio, con las manos en alto, primero uno y luego, cuando digamos, el otro. Bien, arriba los brazos y no se os ocurra hacer ninguna tontería o tendríamos que disparar. ¿Está claro? Pues vamos. Fuera el primero."

LEANDRO: ¡Sal, Tocho!, levanta las manos y quieto. ¡Hala, sal! No te preocupes, que no va a pasarnos nada...

TOCHO: (*Yendo hacia la puerta.*) ¡Qué te vayas a la mierda! (*Levanta los brazos y va a salir. Se vuelve y mira a ÁNGELES.*) Adiós, muñeca. Vengo a buscarte el domingo, ¿eh, tía? (*Ahora a la ABUELA.*) ¡El mal genio que tiene la...!

ABUELA: Anda, calamidad.

(*Desaparece por el hueco de la puerta. De pronto le vemos echar a correr y se oyen dos disparos.*)

TOCHO: (*Se oye su voz, rota por las dos balas que lleva dentro.*) ¡Leandro... casi me escapo, ¡por mi madre!, casi me escapo... Leandro, cabrón!... (*Se oyen ruidos confusos y. luego, se apaga la voz del chico dentro de una ambulancia. Luego se escucha una sirena que arranca hasta perderse a lo lejos.*)

MEGÁFONO: "¡Venga, ya, tú, el otro, vamos fuera ya. Levanta bien los brazos, y no hagas ninguna tontería, como tu compañero, si intentas algo peor para ti. Sal despacio... vamos, sal ya."

(*Echa LEANDRO una última mirada a las dos y sale. Se oyen coches y sirenas que arrancan. Luego, silencio, cuchicheos de gentes y, finalmente, poco a poco, se van restableciendo los ruidos de siempre. Las dos mujeres empiezan a moverse lentamente, un poco a lo tonto, de un lado para otro. Entra entonces el POLICÍA de antes, con la cabeza vendada. Lo mira todo un rato en silencio.*)

ABUELA: ¿Qué? ¿Se le ha olvidado a usted algo?

POLICÍA: No se haga la graciosa, no se haga la graciosa...

ABUELA: Encima de que casi me quema el estanco.

POLICÍA: Esto no va quedar así.

ABUELA: (*Muy seria, y con muy mala uva.*) No, eso se hincha.

POLICÍA: ¡Que no se haga la graciosa...!

(*Coge un paquete de tabaco de un estante, lo abre, saca un cigarrillo, lo enciende y tira el paquete al mostrador.*)

ÁNGELES: Son cien pesetas.

POLICÍA: Cóbreselas al Gobierno.

(*Recoge el maletín que había traído antes y que estaba sobre el mostrador.*)

ABUELA: Bueno, si hace usted el favor, que vamos a cerrar. Hoy es domingo y no se trabaja.

POLICÍA: No me las llevo detenidas por un pelo. A las dos. Ya se las avisará para ir a declarar.

ABUELA: Encantadas.

ÁNGELES: Ya ha oído a la abuela. Vamos a cerrar.

(*Va a salir el POLICÍA. Se vuelve antes de llegar a la puerta y vuelve a mirarlo todo.*)

POLICÍA: Ya me han oído. Ojo. Miren bien por dónde se andan.

(Se da la vuelta, haciendo un mutis triunfal, y vuelve a golpearse la cabeza, esta vez contra el canto de la puerta del estanco, que está borde, como sus dueñas.)
¡Ay! ¡Me caguen hasta en la...! (*Sale.*)
ABUELA: Anda con Dios, hombre, anda con Dios, ¡Qué vida esta!, ¿verdad, hija?
ÁNGELES: Sí, abuela. Qué vida esta... (*Pausa.*) ¡Qué vida ésta!
(Y se ponen a recoger lentamente, aquí y allá, el picao y las pólizas de a cinco, que habían salido a ver el final. Suben los ruidos de la calle, que van y vienen a lo suyo, y se va haciendo una vez más el oscuro en la escena, y en el mundo, como si tal cosa.)

FIN

¿Qué os ha parecido?

Ahora os puede resultar más fácil reconstruir la historia de Leandro y Tocho. ¿Habéis llegado todos a las mismas conclusiones?

(10) Durante nuestro itinerario por el texto teatral, hemos encontrado diversas obras dramáticas que, como hemos visto, no se dividen en capítulos como la novela, sino que tienen otra estructura externa. Reflexionemos sobre este aspecto peculiar de la obra dramática. En grupos de cinco:

Escribid una breve historia que se desarrolle en tres lugares diferentes.

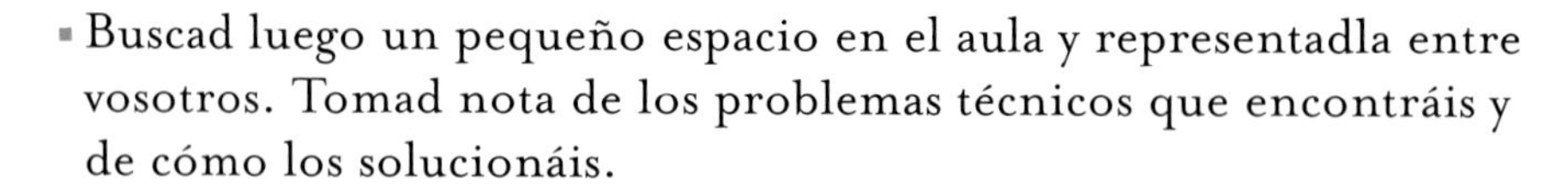

- Buscad luego un pequeño espacio en el aula y representadla entre vosotros. Tomad nota de los problemas técnicos que encontráis y de cómo los solucionáis.

Poned en común los resultados, qué problemas técnicos han surgido y cómo los habéis solucionado.

Probablemente habréis encontrado problemas relacionados con el cambio de lugar, lo cual conlleva inevitablemente la necesidad de interrumpir la acción escénica.
Esta necesidad coincide con las exigencias reales de la obra teatral en el momento en que deja de ser un texto escrito y se transforma en una compleja acción escénica, destinada a ser representada delante de un público.

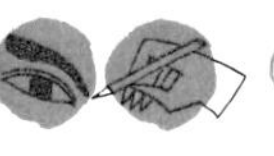

(11) Veamos ahora cómo se articula la estructura externa de algunas de las obras teatrales que hemos tratado. Con tu compañero, tomad la ficha siguiente como modelo y completadla en vuestros cuadernos:

	Estructura Externa
Mariana Pineda	
Escuadra hacia la muerte	
Olvida los tambores	
Ulises no vuelve	
¡Ay, Carmela!	
Cinco horas con Mario	
Luces de Bohemia	
Los títeres de cachiporra	
La estanquera de Vallecas	

Estructura externa de la obra teatral[7]

Acto: coincide con una unidad espaciotemporal; termina cuando hay un cambio notable en la continuidad espaciotemporal.

Cuadro: es una unidad espacial ambiental. Tiene la función de caracterizar un ambiente y normalmente le corresponde un decorado diferente. Puede tener la función de indicar, por ejemplo, el paso del tiempo.

Jornada: sirve para señalar desplazamientos de lugar y de tiempo, sin cambios de acción. Es una unidad intermedia entre el acto y el cuadro.

Escena: es una unidad más corta y está delimitada por las entradas y las salidas de los personajes.

Estampa: es sinónimo de cuadro, especialmente si es típico o pintoresco[8].

Fíjate

La obra teatral, así como la novela, tiene una estructura externa; pero como debe responder a las exigencias relacionadas con su representación, se articula según criterios que tienen en cuenta los límites espaciotemporales.

Libertad... formal

Cambia el mundo, cambian los tiempos y cambia... el teatro; los personajes principales ya no son reyes ni reinas ni ricos burgueses, sino hombres que cada día luchan por la vida. Cambia el teatro y no sólo por los contenidos, sino también por su forma. De hecho, también la estructura refleja una mayor libertad formal. Este teatro nuevo, moderno, debe mucho al esperpento de Valle-Inclán.

(12) Antes de leer otro fragmento de *Luces de Bohemia* (la obra más famosa del género esperpéntico) volvamos por un momento a los juegos de tu niñez: ¿has entrado alguna vez en una "casa de los espejos"? ¿Recuerdas qué pasaba?

(13) Y ahora vamos con Max Estrella y don Latino al Callejón del Gato a reflejarnos en sus espejos deformantes.

LUCES DE BOHEMIA

ESCENA DUODÉCIMA

Rinconada en costanilla y una iglesia barroca por fondo. Sobre las campanas negras, la luna clara. don latino y max estrella filosofan sentados en el quicio de una puerta. A lo largo de su coloquio, se torna lívido el cielo. En el alero de la iglesia pían algunos pájaros. Remotos albores de amanecida. Ya se han ido los serenos, pero aún están las puertas cerradas. Despiertan las porteras.

MAX: ¿Debe estar amaneciendo?
DON LATINO: Así es.
MAX: ¡Y que frío!
DON LATINO: Vamos a dar unos pasos.
MAX: Ayúdame, que no puedo levantarme. ¡Estoy aterido!
DON LATINO: ¡Mira que haber empeñado la capa!
[...]
MAX: Ayúdame a ponerme en pie.
DON LATINO: ¡Arriba, carcunda!
MAX: ¡No me tengo!
DON LATINO: ¡Qué tuno eres!
MAX: ¡Idiota!
DON LATINO: ¡La verdad es que tienes una fisonomía algo rara!
MAX: ¡Don Latino de Hispalis, grotesco personaje, te inmortalizaré en una novela!
DON LATINO: Una tragedia, Max.
MAX: La tragedia nuestra no es tragedia.
DON LATINO: ¡Pues algo será!
MAX: El esperpento.

DON LATINO: No tuerzas la boca, Max.
MAX: ¡Me estoy helando!
DON LATINO: Levántate. Vamos a caminar.
MAX: No puedo.
DON LATINO: Deja esa farsa. Vamos a caminar.
MAX: Échame el aliento. ¿Adonde te has ido, Latino?
DON LATINO: Estoy a tu lado. [...]
MAX: [...] El esperpentismo lo ha inventado Goya. Los héroes clásicos han ido a pasearse en el callejón del Gato.
DON LATINO: ¡Estás completamente curda!
MAX: Los héroes clásicos reflejados en los espejos cóncavos dan el Esperpento. El sentido trágico de la vida española sólo puede darse con una estética sistemáticamente deformada.
DON LATINO: ¡Miau! ¡Te estás contagiando!
MAX: España es una deformación grotesca de la civilización europea.
[...]
MAX: Las imágenes más bellas en un espejo cóncavo son absurdas.
DON LATINO: Conforme. Pero a mí me divierte mirarme en los espejos de la calle del Gato. [...]

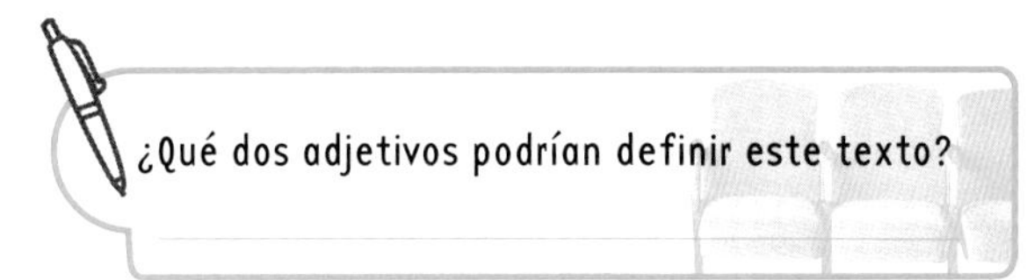

¿Qué dos adjetivos podrían definir este texto?

Comparte tus propuestas con tus compañeros y tu profesor.

El esperpento

En el fragmento anterior, la situación que viven Max y don Latino es tan imposible, tan disparatada, que el propio Max la califica de esperpento, que en español quiere decir algo feo, deformado. Es como si su historia se hubiera paseado delante de uno de esos espejos de parque de atracciones de los que hablábamos antes y hubiera quedado transformada en algo ridículo. Pero, aunque os parezca mentira, la historia que se esconde detrás de *Luces de Bohemia* es real: se trata de la historia del escritor Alejandro Sawa, que murió ciego y loco en 1909 en la más absoluta pobreza. Tan trágica y absurda fue su historia que a Valle-Inclán sólo se le ocurrió retratarla así, exagerada y deformada en un esperpento.

En este fragmento, el propio Valle-Inclán enuncia la teoría de este nuevo género que, posteriormente, en una entrevista de 1928[9], redondeará con mayor precisión:

"Comenzaré por decirle a usted que hay tres modos de ver el mundo artística o estéticamente: de rodillas, en pie, o levantado en el aire. Cuando se mira de rodillas –y ésta es la posición más antigua en literatura–, se da a los personajes, a los héroes, una condición superior a la condición humana, cuando menos a la condición del narrador o del poeta. Así Homero atribuye a sus héroes condiciones que en modo alguno tienen los hombres. Se crean, por decirlo así, seres superiores a la naturaleza humana: dioses, semidioses y héroes. Hay una segunda manera, que es mirar a los protagonistas novelescos como de nuestra propia naturaleza, como si fueran nuestros hermanos, como si fuesen ellos nosotros mismos, como si fuera el personaje un desdoblamiento de nuestro yo, con nuestras mismas virtudes y nuestros mismos defectos. Esta es, indudablemente, la manera que más prospera. Esto es Shakespeare, todo Shakespeare... Y hay otra tercera manera, que es mirar al mundo desde un plano superior y considerar a los personajes de la trama como seres inferiores al autor, con un punto de ironía. Los dioses se convierten en personajes de sainete. Ésta es una manera muy española, manera de demiurgo, que no se cree en modo alguno hecho del mismo barro que sus muñecos. Quevedo tiene esta manera... Esta manera es ya definitiva en Goya. Y esta consideración es la que me llevó a dar un cambio en mi literatura y a escribir los esperpentos, el género literario que yo bautizo con el nombre de esperpento".

Para Valle-Inclán el teatro adopta la perspectiva de lo grotesco, pues para él sería la única forma posible de abordar la situación absurda y dolorosa por la que atraviesa la España de su tiempo.

(14) Volvamos un momento a *Luces de Bohemia* para conocer a don Latino más de cerca. Para ello puedes servirte de los mismos recursos que has empleado para definir al personaje de Max Estrella y al de el Preso. Completa en tu cuaderno:

- La personalidad de don Latino: reflexiona sobre su reacción frente al malestar físico de Max Estrella. De ello se desprende que don Latino es...
- Fíjate en lo que Max Estrella le dice a don Latino. Max piensa de don Latino que...

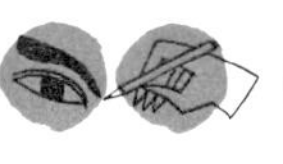

(15) Veamos ahora el concepto del esperpento enunciado aquí por Max Estrella. Señala las frases donde aparece esta información y saca tus conclusiones. Completa en tu cuaderno:

El esperpento es...

(16) De los personajes de Max Estrella, el Preso y don Latino, ¿hay alguno cuya imagen se nos muestre como vista a través de un espejo deformante? Contrasta tu opinión con la de tus compañeros.

Probablemente has llegado a la conclusión de que sólo a don Latino se le puede definir como un personaje esperpéntico, ¿no es así? De todo esto deducimos que Valle-Inclán no extiende su concepto del esperpento a toda la humanidad, sino que lo limita a una categoría de personas que, como Don Latino, reflejan el estado de miseria humana en el que ha caído la sociedad retratada por él.

(17) Dejemos ahora el esperpento para hacer hincapié en la libertad artística. A continuación verás cómo Alfonso Zurro, autor contemporáneo, escribe una bufonería en plena libertad:

LA PLUMA

(Entra el Hombre. Ve una pluma en el suelo. La coge.)

HOMBRE: La pluma de un ángel. ¡Qué suerte!
(Sale corriendo.)

Fin

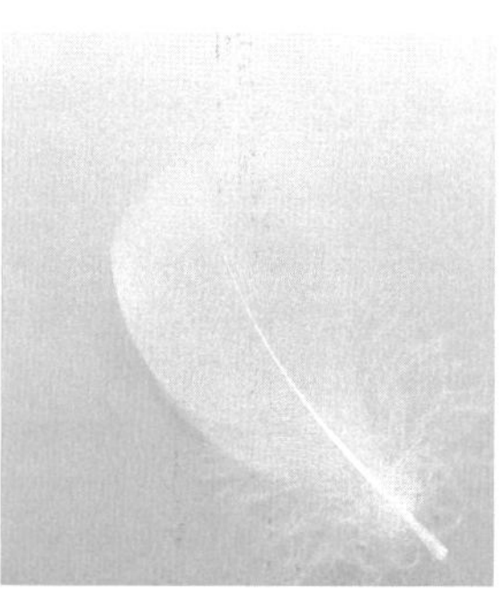

¿Te ha gustado?
¿Qué es lo que te impacta más?
Discútelo con los demás compañeros y con tu profesor.

Por un lado, podemos entender la libertad para escoger el tema y los personajes sin problemas de censura y, por otro, es importante saber que entonces el género del teatro estaba regido por los principios de acción, lugar y tiempo. Ya en la época romántica se rechazó cualquier norma o regla que impidiera la libertad artística. El artista debía poderse expresar libremente: no se respetaban las unidades de tiempo y lugar, no había homogeneidad con respecto a la división en actos, se mezclaba el teatro en verso y en prosa, lo trágico y lo cómico...

(18) Para entender mejor el espíritu que anima a Alfonso Zurro, te proponemos la lectura de lo que escribe como presentación de sus *bufonerías*:

Eran cómicos de la legua. Llegaban con sus carromatos cargados de baúles y artilugios. Instalaban el escenario sobre el mismo carro, en alguna plazoleta. Se vestían con ropajes coloristas, y en sus cintos colocaban alguna que otra espada de madera. Se ponían barbas, máscaras y pelucas de rafia teñida. Cantaban. Bailaban. Hacían acrobacias. Y representaban pequeñas historias buscando el divertimento de los asistentes. Aquel publico, compuesto de aldeanos, llamaba a esas historias: bufonerías.

Vemos que la libertad formal consiste también en recuperar el pasado para hacer un teatro breve y para divertir.

¿Os gustaría leer algo más de este excéntrico autor? Disfrutad de otra de sus piezas breves:

El juego es el juego

LILA: No me siga, caballero. No me siga.
CANO: Pretendo no seguirla, hermosa dama. Yo, le juego.
LILA: ¿Cómo que me juega?
CANO: Le juego al juego que usted guste.
LILA: No entiendo.
CANO: Es fácil. Usted elige un juego y jugamos.
LILA: Está chaveta.
CANO: Jugar por jugar.
LILA: Olvídeme. Tengo que escribir urgentemente una carta de amor.
CANO: Pues nos echamos un jueguecito rápido.
LILA: No sea bobaina y déjeme en paz.
CANO: Nunca. Si no quiere jugar; entonces, sí la seguiré, como su sombra, su sonrisa o sus pestañas.
LILA: Qué pesadez.
CANO: Anímese. Un poquito.
LILA: ¿Me libraré de usted?

CANO: Claro. Sólo quiero jugar.
LILA: Bueno, entonces acepto.
CANO: Elija juego.
LILA: Uno rápido.
CANO: Me es indiferente.
LILA: Al "mordisquito", ¿sabe?
CANO: Por supuesto. ¿Con qué dedo?
LILA: El meñique.
CANO: Pierde el primero que chille.
LILA: Ésas son las reglas. ¿Empezamos?
CANO: Sí.

(En el juego del "mordisquito", cada jugador introduce el dedo previamente acordado en la boca del contrario. A una señal, comenzarán los dos a morder el dedo del contrincante. Gana aquel que aguante más.)

CANO: ¡Aaahhh!
LILA: ¡He ganado! ¡He ganado!
CANO: Buena dentadura, casi me pasa al hueso.
LILA: Usted tampoco es manco. He visto algunas estrellas. Adiós caballero, ha sido divertido.
CANO: Sí, el juego es el juego.

¿Te ha llamado la atención? Comentadlo entre todos e intentad decir qué es lo que resulta gracioso en este texto.

La tercera dimensión: de la lectura expresiva a la lectura dramática

(19) Volvemos a la tercera dimensión. Con tu compañero, fijaos en la escena VI de *Luces de Bohemia* (el Preso y Max Estrella) y asignad un tipo de función a cada una de las acotaciones que os presentamos:

1. Con jactancia de rufo
2. Ordena al Preso que le acompañe
3. Con resignada entereza
4. Se acerca al ciego
5. Sótano mal alumbrado por una candileja
6. Hablando a media voz

A. Da indicaciones sobre el estado psicológico del personaje
B. Da indicaciones sobre las acciones realizadas por los personajes
C. Da indicaciones al actor que en la escena dará vida al personaje
D. Da indicaciones al escenógrafo y al director sobre la ambientación de la escena: decorados, vestuarios, etc.

Unificad los resultados obtenidos[11].

Fíjate

El texto teatral también se diferencia del texto narrativo por las acotaciones que ofrecen diferentes tipos de indicaciones.

- Acotación de intención: da indicaciones sobre el estado psicológico del personaje.
- Acotación de acción: da indicaciones sobre las acciones realizadas por los personajes.
- Acotación de dirección: da indicaciones al actor que en la escena dará vida al personaje.
- Acotación escénica: da indicaciones al escenógrafo y al director sobre la ambientación de la escena: decorados, vestuarios, etc.

(20) Vuelve a leer tu trabajo de caracterización de los personajes de Max Estrella y el Preso.

Con la caracterización y las indicaciones de las acotaciones, Max Estrella y el Preso dejan de ser simples personajes, salen del ámbito literario para adquirir un aspecto tridimensional: están a punto de ser personas. La corporeidad de un actor les dará la vida.

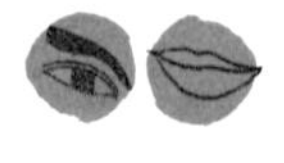

(21) Volvamos a *¡Ay, Carmela!* y a *Luces de Bohemia* retomando los fragmentos de las actividades 2 y 4 de esta tarea. En grupos de cuatro:

- Vais a preparar la lectura interpretativa de los dos textos: dos personas ensayarán el texto de Sinisterra y las otras dos el de Valle-Inclán.
- Después de algunos ensayos, cada pareja presentará a la otra lo que han ensayado e intercambiarán consejos para poder mejorar la lectura.
- Tras una última puesta a punto, las parejas llevarán a cabo su lectura ante el resto de compañeros.

Escoged entre todos qué pareja lo ha hecho mejor y qué fragmento ha dado, en general, mejores resultados. Luego reflexionad sobre los motivos por los que puede haber salido mejor uno de los textos.

Para hacer esta actividad os será útil tener en cuenta todas las actividades del bloque de "La tercera dimensión" de la tarea 1, así como lo que habéis hecho en la actividad 19.

PARA ACABAR

(22) En vuestro centro de estudios vais a dedicar un día a la lengua española y os encargan representar fragmentos de teatro español.

Las piezas son:

- *Cartas de amor a Mary*
- *Mariana Pineda*
- *Escuadra hacia la muerte*
- *¡Ay, Carmela!*
- *Cinco horas con Mario*
- *Luces de Bohemia* (los dos fragmentos que hemos estudiado)
- *El juego es el juego*
- *La pluma*

En grupos de cuatro, tenéis que montar el reparto de los papeles correspondientes a todas las piezas. Tened presente que para las representaciones contáis con todos los compañeros de clase y que la distribución de los papeles debe estar decidida (quién hace qué).

(23) Te han encargado caracterizar a tres personajes para la adaptación teatral de la novela *La colmena*, de Camilo José Cela: Doña Rosa, el joven poeta y el niño gitano. A continuación encontrarás los tres fragmentos de la novela a partir de los cuales elaborarás tu caracterización:

Camilo José Cela (1916-2002)

LA COLMENA

1

No perdamos la perspectiva, yo ya estoy harta de decirlo, es lo único importante.

Dona Rosa va y viene por entre las mesas del Café, tropezando a los clientes con su tremendo trasero. Doña Rosa dice con frecuencia "leñe" y "nos ha merengao". Para doña Rosa, el mundo es su Café, y alrededor de su Café, todo lo demás. Hay quien dice que a doña Rosa le brillan los ojillos cuando viene la primavera y las muchachas empiezan a andar de manga corta. Yo creo que todo eso son habladurías: doña Rosa no hubiera soltado jamás un buen amadeo de plata por nada de este mundo. Ni con primavera ni sin ella. A doña Rosa lo que le gusta es arrastrar sus arrobas, sin más ni más, por entre las mesas. Fuma tabaco de noventa, cuando está a solas, y bebe ojén, buenas copas de ojén, desde que se levanta hasta que se acuesta. Después tose y sonríe. Cuando está de buenas, se sienta en la cocina, en una banqueta baja y lee novelas y folletines, cuanto más sangrientos, mejor: todo alimenta. Entonces le gasta bromas a la gente y les cuenta el crimen de la. calle de Bordadores o el del expreso de Andalucía.

2

Un jovencito melenudo hace versos entre la baraúnda Está evadido, no se da cuenta de nada; es la única manera de poder hacer versos hermosos. Si mirase para los lados se le escaparía la inspiración. Eso de la inspiración debe ser como una mariposita ciega y sorda, pero muy luminosa; si no, no se explicarían muchas cosas.

El joven poeta está componiendo un poema largo, que se llama "Destino". Tuvo sus dudas sobre si debía poner "El destino", pero al final, y después de consultar con algunos poetas ya más hechos, pensó que no, que sería mejor titularlo "Destino", simplemente.

3

El niño no tiene cara de persona, tiene cara de animal doméstico, de sucia bestia, de pervertida bestia de corral. Son muy pocos sus años para que el dolor haya marcado aún el navajazo del cinismo —o de la resignación— en su cara, y su cara tiene una bella e ingenua expresión estúpida, una expresión de no entender nada de lo que pasa. Todo lo que pasa es un milagro para el gitanito, que nació de milagro, que come de milagro, que vive de milagro y que tiene fuerzas para cantar de puro milagro.

Detrás de los días vienen las noches, detrás de las noches vienen los días. El año tiene cuatro estaciones; primavera, verano, otoño, invierno. Hay verdades que se sienten dentro del cuerpo, como el hambre o las ganas de orinar.

Elabora la caracterización en tu cuaderno. Para ello, ten presente la función de las acotaciones, tal y como hemos estudiado en esta tarea.

¿Cómo te ha ido?

En esta tarea he aprendido que

- Las peculiaridades de un texto pensado para ser representado son

- Los personajes tienen distintos papeles según las dinámicas internas. Estos papeles son

- La caracterización de los personajes de una obra dramática se hace a través de

- Los distintos papeles que tienen los personajes según las dinámicas internas del cuento son

- La estructura externa de una obra teatral es

- Para llegar a una correcta lectura interpretativa de un texto teatral, hay que tener en cuenta

De todas las actividades, la que más me ha gustado es

Y la que menos

Nivel de interés en hacer la *tarea* (puntúa de 1 a 10)

1 2 3 4 5 6 7 8 9 10

Mis frases más...

Entre todos los textos, algunas de las frases, versos, expresiones, estrofas... que me han gustado más son

Tarea 3 **Hacia el montaje de una obra dramática**

Objetivos:

- Reconocer la importancia del tiempo y del espacio en la estructura del texto dramático.
- Identificar los decorados para la realización de la escenografía a través de las acotaciones: la maqueta escénica.
- El actor en movimiento.

PARA SEGUIR

El tiempo y el espacio

1 A continuación te proponemos las dos acotaciones escénicas del prólogo y el epílogo de la obra *Las bicicletas son para el verano* de Fernando Fernán Gómez:

Fernando Fernán Gómez (1921)

LAS BICICLETAS SON PARA EL VERANO

A. PRÓLOGO

Campo muy cerca —casi dentro— de la ciudad. Cae de plano el sol sobre los desmontes, sobre las zonas arboladas y los edificios a medio construir. Se oye el canto de los pájaros y los motores y las bocinas de los escasos coches que van hacia las afueras.

B. EPÍLOGO

Campo muy cerca —casi dentro— de la ciudad. La luz de un sol pálido, tamizada por algunas nubes, envuelve las zonas arboladas y los edificios destruidos. Se oye el canto de los pájaros y los motores y las bocinas de los escasos coches que van hacia las afueras.

Ahora reflexiona sobre la información que nos da el autor sobre el espacio y el tiempo de la acción dramática:

- ¿Qué elementos se refieren al lugar donde se desarrollará la acción?
- A pesar de que hay semejanzas en las dos acotaciones, se aprecia una diferencia importante. ¿Cuál es?

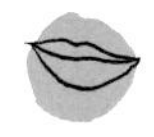

Contrasta tus deducciones con las de tus compañeros.

2 Seguramente todos habéis notado que el lugar es una zona verde en las afueras de una ciudad, y que la diferencia radica en los edificios: *a medio construir* los del prólogo, *destruidos* los del epílogo. En parejas, formulad hipótesis sobre lo que puede significar esta diferencia.

Sería interesante visionar la adaptación cinematográfica de Jaime Chávarri.

3 Ahora, en grupos de cuatro, leed otros dos fragmentos de la misma obra que de nuevo corresponden, de nuevo, al prólogo y al epílogo.

A.

(Por las carreteras sin asfaltar, por los bosquecillos y las zonas de yerba, pasean dos chicos como de catorce años, pablo y luis. Llevan pantalones bombachos y camisas veraniegas.)

[...]

PABLO: A mí no me gusta leer novelas. El cine, sí. En el cine lo ves todo. En cambio, en las novelas no ves nada. Todo tienes que imaginártelo.

LUIS: Pero es como si lo estuvieras viendo.

PABLO: ¡Qué va! Y, además, son mucho más largas. En el cine en una hora pasan la mar de cosas. Coges una novela, y en una semana no la acabas. Son un tostonazo.

LUIS: Pues yo en una novela larga, de las que tiene mi padre, tardo dos días. Bueno, ahora en verano, que no hay colegio. Y me pasa lo contrario que a ti: lo veo todo. Lo mismo que en el cine.

PABLO: No es lo mismo.

LUIS: Pero bueno, tú, cuando lees novelas verdes, ¿no ves a las mujeres?

PABLO: Bueno..., me parece que las veo. Pero, ¡joder, si hubiera cine verde!

LUIS: ¿Y no te crees que las cosas que cuentan en esas novelas te están pasando a ti?

PABLO: Sí, pero eso es otra cosa.

LUIS: Es igual. Yo, ahora mismo, me acuerdo de *El tanque número 13* y puedo ver aquí los combates.

PABLO: ¿Aquí?

LUIS: Sí, esto podría ser un buen campo de batalla. En aquel bosquecillo está emboscada la infantería. Por la explanada avanzan los tanques. Los tanques y la infantería son alemanes. Y allí, en aquella casa que están construyendo, se han parapetado los franceses.

PABLO: Aquello va a ser el Hospital Clínico.

LUIS: Ya, ya lo sé.

PABLO: También habría nidos de ametralladoras.

LUIS: Sí, aquí, donde estamos nosotros. Un nido de ametralladoras de los franceses. (*Gatean hasta la elevación por la que se han dejado caer. Imitan las ametralladoras.*)

Ta-ta-ta-ta...

PABLO: Ta-ta-ta-ta...

LUIS: Primero avanzan los tanques. Es para preparan el ataque de la infantería... Alguno vuela por los aires, despanzurrado... ¿No lo ves?

(*PABLO le mira, sorprendido.*)

LUIS: Aquel de allí... Es porque todo este campo está minado por los franceses... ¡Dispara, dispara, Pablo, que ya sale la infantería del bosquecillo! ¡Ta-ta-ta! ¡Ta-ta-ta!

PABLO: (*Que se ha quedado mirando fijamente a LUIS.*) ¡Pero bueno, tú estás chalado perdido!

LUIS: (*Suspende su ardor combativo.*) Hombre, no vayas a pensar que todo esto me lo creo.

PABLO: Pues lo parece.

LUIS: No es eso. Lo que quería explicarte es que si leo una novela de guerra, pues lo veo todo... Y luego, si salgo al campo, lo vuelvo a ver. Aquí veo a los soldados de *El tanque número 13* y de *Sin novedad en el frente*, que también la he leído. Y lo mismo me pasa con las del Oeste o las policíacas, no te creas....

(*Por la expresión de PABLO se entiende que no tiene muy buena opinión del estado mental de su amigo.*)

LUIS: (*Se ha quedado un momento en silencio, contemplando el campo.*) ¿Te imaginas que aquí hubiera una guerra de verdad?

PABLO: Pero ¿dónde te crees que estás? ¿En Abisinia? ¡Aquí qué va a haber una guerra!

LUIS: Bueno, pero se puede pensar.

PABLO: Aquí no puede haber guerra por muchas razones.

LUIS: ¿Por cuáles?

PABLO: Pues porque para una guerra hace falta mucho campo o el desierto, como en Abisinia, para hacer trincheras. Y aquí no se puede porque estamos en Madrid, en una ciudad. En las ciudades no puede haber batallas.

LUIS: Sí, es verdad.

PABLO: Y, además, está muy lejos la frontera. ¿Con quién podía España tener una guerra? ¿Con los franceses? ¿Con los portugueses? Pues fíjate, primero que lleguen hasta aquí, la guerra se ha acabado.

LUIS: Hombre, yo decía suponiendo que este sitio estuviera en otra parte, que no fuera la Ciudad Universitaria, ¿comprendes? Que estuviera, por ejemplo, cerca de los Pirineos.

PABLO: ¡Ah!, eso sí. Pero mientras este sitio esté aquí es imposible que haya una guerra.

LUIS: Sí, claro. Tienes razón.

(*PABLO y LUIS se levantan, se sacuden el polvo de sus pantalones bombachos y siguen su paseo.*)

B.

(*Por entre las trincheras y los nidos de ametralladoras pasean LUIS y su padre.*)

DON LUIS: Aquello era el Hospital Clínico. Fíjate cómo ha quedado.

LUIS: Eso es una trinchera, ¿no?

DON LUIS: Claro. Te advierto que quizá sea peligroso pasear por aquí. Toda esta zona estaba minada.

LUIS: Pero ya lo han limpiado todo. Lo he leído en el periódico. ¿Sabes, papá? Parece imposible... Antes de la guerra, un día, paseamos por aquí Pablo y yo... Hablábamos de no sé qué novelas y películas... De guerra, ¿sabes? Y nos pusimos a imaginar aquí una batalla... Jugando, ¿comprendes?

DON LUIS: Sí, sí...

LUIS: Y los dos estábamos de acuerdo en que aquí no podía haber una guerra. Porque esto, la Ciudad Universitaria, no podía ser un campo de batalla... Y a los pocos días, fíjate...

DON LUIS: Sí, se ve que todo puede ocurrir... Oye, Luis, yo quería decirte una cosa... Es posible que me detengan...

LUIS: ¿Por qué, papá?

DON LUIS: Pues... no sé... Pero están deteniendo a muchos... Y como yo fundé el sindicato... [...]

(*Un silencio. El padre ha sacado un pitillo, lo ha partido y le da la mitad a su hijo. Lo encienden.*)

DON LUIS: (*Dando una profunda bocanada.*) Qué malo es, ¿verdad?

LUIS: Sí, papá. Pero se fuma... Me parece que, te detengan o no, nos esperan malos tiempos, ¿verdad?

DON LUIS: A mí me parece lo mismo, pero hay que apechugar con lo que sea.

LUIS: Hay que ver... Con lo contenta que estaba mamá porque había llegado la paz...

DON LUIS: Pero no ha llegado la paz, Luisito: ha llegado la victoria. He hablado con doña María Luisa. ¿Te acuerdas que alguna vez le llevé un kilo de bacalao?

LUIS: Sí..

DON LUIS: Prometió pagarme el favor. Por mí no puede hacer nada, porque hay que esperar a que me depuren... Pero dice que un amigo suyo a ti podría colocarte.

LUIS: Bueno. Y al mismo tiempo estudio.

DON LUIS: Eso habíamos dicho. Al principio te será fácil porque la Física la sabrás de memoria.

LUIS: Sí, he estudiado bastante.

DON LUIS: Pero ¿has estudiado Física roja o Física nacional?

LUIS: Y... ¿de qué me puede emplear el amigo de doña María Luisa?

DON LUIS: (*Antes de contestar echa una mirada de reojo a su hijo. Duda un poco y contesta con una sonrisa.*) De... de chico de los recados.

LUIS: ¡Ah!

DON LUIS: No he encontrado otra cosa, Luis. Pero él dice que es de mucho porvenir. Están montando una oficina de importación y exportación. Y, de momento, no son más que tres o cuatro, todos de la otra zona. Tú serías el quinto.

LUIS: Sí, el chico de los recados.

DON LUIS: Compréndelo. Hay que llevar dinero a casa —del que vale, no de las estampitas ésas—. Si Manolita se mete en alguna compañía, lo que la den se lo va a gastar en trapos y en pinturas. Y lo de "chico de los recados" lo digo un poco en cachondeo. Es que dicen que al principio todos tendrán que arrimar el hombro, y habrá que llevar paquetes y cosas de un lado a otro.

LUIS: Ya, ya.

DON LUIS: Para ese empleo te vendría bien la bicicleta que te iba a comprar cuando pasase esto, ¿te acuerdas?

LUIS: Ya lo creo. Yo la quería para el verano, para salir con una chica.

DON LUIS: ¡Ah!, ¿era para eso?

LUIS: No te lo dije, pero sí.

DON LUIS: Sabe Dios cuándo habrá otro verano.

(*Siguen paseando.*)

TELÓN

Para facilitar vuestras reflexiones sobre el tiempo y el espacio relativos a los dos fragmentos, os proponemos rellenar la siguiente ficha:

	Lugar	Elementos que ayudan a colocar la historia en un período histórico	Indicadores temporales	Puntos en común	Diferencias
A.					
B.					

Con la ayuda del profesor, contrastad los resultados para llegar a establecer en qué época histórica se plantea la acción dramática, qué período de tiempo puede abarcar y dónde se coloca la escena dramática. ¿Vuestras conclusiones coinciden con las hipótesis que habéis formulado antes?

Tiempo y espacio

Por lo que concierne al período histórico, los elementos presentes en el texto nos ayudan a situar la historia en el tiempo: por ejemplo en el caso de los dos fragmentos de *Las bicicletas son para el verano*, la presencia de coches y bicicletas, de tanques y motores, así como el tipo de armas, nos indican que estamos en una época moderna; el vestuario —pantalones bombachos— nos da la idea de que se puede tratar de los años 20/30; por esto podemos deducir que la guerra de la que se habla en el texto B es la Guerra Civil. En cuanto a la duración del tiempo de la historia, está claro que entre el prólogo y el epílogo ha transcurrido la Guerra Civil, que acaba de terminar "Con lo contenta que estaba máma porque había llegado la paz", dice Luis. Es decir, que han pasado tres años.
Las indicaciones sobre el lugar nos permiten colocar la acción dramática en una zona verde, en expansión, al margen de la ciudad, donde se sitúa la Ciudad Universitaria. Las diferencias de situación que se notan al contrastar los dos fragmentos, son debidas a la guerra: en relación con el espacio dramático, tenemos los edificios destruidos, la trinchera, en cuanto a los personajes, apreciamos los cambios de vida que afectan a su existencia desde el comienzo del conflicto.

Fíjate

En el texto dramático, tanto en las acotaciones como en los diálogos, están presentes indicaciones temporales que marcan:

- el tiempo histórico en el que se desarrolla la historia,
- un momento determinado de la historia,
- el paso del tiempo.

El espacio dramático es el lugar representado en el texto, *descrito* por el autor. No lo confundas con el espacio escénico, que es aquel donde actúan los personajes, es decir la escena teatral.

4. Para ampliar nuestras reflexiones sobre el tiempo y el espacio trabajaremos con *Historia de una escalera*, de Antonio Buero Vallejo, que se estrenó en Madrid en 1949. Lee las acotaciones escénicas, de acción, de intención y dirección que abren los tres actos y completa la ficha en tu cuaderno:

Antonio Buero Vallejo (1916-2000)

Historia de una escalera

ACTO PRIMERO

Un tramo de escalera con dos rellanos, en una casa modesta de vecindad. Los escalones de bajada hacia los pisos inferiores se encuentran en el primer término izquierdo. La barandilla que los bordea es muy pobre, con el pasamanos de hierro, y tuerce para correr a lo largo de la escena limitando el primer rellano. Cerca del lateral derecho arranca un tramo completo de unos diez escalones. La barandilla lo separa a su izquierda del hueco de la escalera y a su derecha hay una pared que rompe en ángulo junto al primer peldaño, formando en el primer término derecho un entrante con una sucia ventana lateral. Al final del tramo la barandilla vuelve de nuevo y termina en el lateral izquierdo, limitando el segundo rellano. En el borde de éste, una polvorienta bombilla enrejada pende hacia el hueco de la escalera. En el segundo rellano hay dos puertas: dos laterales y dos centrales. Las distinguiremos, de derecha a izquierda, con los números I, II, III y IV.

El espectador asiste, en este acto y en el siguiente, a la galvanización momentánea de tiempos que han pasado. Los vestidos tienen un vago aire retrospectivo.

(Nada más levantarse el telón vemos cruzar y subir fatigosamente al COBRADOR DE LA LUZ, *portando su grasienta cartera. Se detiene unos segundos para respirar y llama después con los nudillos en las cuatro puertas. Vuelve al I, donde le espera ya en el quicio la* SEÑORA GENEROSA: *una pobre mujer de unos cincuenta y cinco años.)*

[...]

ACTO SEGUNDO

Han transcurrido diez años que no se notan en nada: la escalera sigue sucia y pobre, las puertas sin timbre, los cristales de la ventana sin lavar.

(Al comenzar el acto se encuentran en escena GENEROSA, CARMINA, PACA, TRINI *y el* SEÑOR JUAN. *Éste es un viejo alto y escuálido, de aire quijotesco, que cultiva unos anacronísticos bigotes lacios. El tiempo transcurrido se advierte en los demás:* PACA *y* GENEROSA *han encanecido mucho.* TRINI *es ya una mujer madura, aunque airosa.* CARMINA *conserva todavía su belleza que empieza a marchitarse. Todos siguen pobremente vestidos, aunque con trajes más modernos. Las puertas I y III están abiertas de par en par. Las II y IV, cerradas. Todos los presentes se encuentran apoyados en el pasamanos, mirando por el hueco.* GENEROSA *y* CARMINA *están llorando; la hija rodea con un brazo la espalda de su madre. A poco,* GENEROSA *baja el tramo y sigue mirando desde el primer rellano.* CARMINA *la sigue después.)*

[...]

ACTO TERCERO

Pasaron velozmente veinte años más. Es ya nuestra época. La escalera sigue siendo una humilde escalera de vecinos. El casero ha pretendido, sin éxito, disfrazar su pobreza con algunos nuevos detalles concedidos despaciosamente a lo largo del tiempo: la ventana tiene ahora cristales romboidales coloreados, y en la pared del segundo rellano, frente al tramo, puede leerse la palabra QUINTO en una placa de metal. Las puertas han sido dotadas de timbre eléctrico, y las paredes, blanqueadas.

(*Una viejecita consumida y arrugada, de obesidad malsana y cabellos completamente blancos, desemboca, fatigada, en el primer rellano. Es* PACA. *Camina lentamente, apoyándose en la barandilla, y lleva en la otra mano un capacho lleno de bultos.*)

[...]

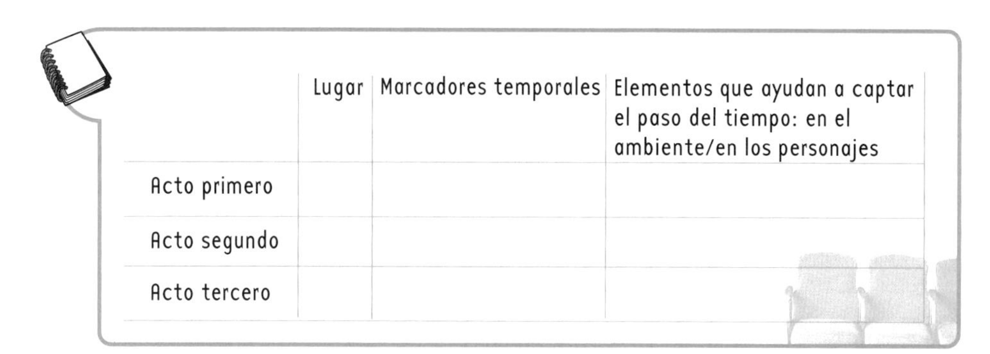

	Lugar	Marcadores temporales	Elementos que ayudan a captar el paso del tiempo: en el ambiente/en los personajes
Acto primero			
Acto segundo			
Acto tercero			

Todos juntos, contrastad los resultados con la ayuda del profesor.

5 Veamos ahora qué pasa en esta escalera durante los treinta años descritos en las acotaciones de los tres actos. Hemos seleccionado dos fragmentos, A y B, extraídos respectivamente de los actos primero y tercero. Leedlos en grupos de tres:

A. Historia de una escalera (acto 1º)

[...]

URBANO: ¡Hola! ¿Qué haces ahí?

FERNANDO: Hola, Urbano. Nada.

URBANO: Tienes cara de enfado.

FERNANDO: No es nada.

URBANO: Baja al "casinillo". (*Señalando el hueco de la ventana.*) Te invito a un cigarro. (*Pausa.*) ¡Baja, hombre! (FERNANDO *empieza a bajar sin prisa.*) Algo te pasa. (*Sacando la petaca.*) ¿No se puede saber?

FERNANDO: (*Que ha llegado.*) Nada, lo de siempre... (*Se recuestan en la pared del "casinillo". Mientras hacen los pitillos.*) ¡Que estoy harto de todo esto!

URBANO: (*Riendo.*) Eso es ya muy viejo. Creí que te ocurría algo.

FERNANDO: Puedes reírte. Pero te aseguro que no sé cómo aguanto. (*Breve pausa.*) En fin, ¡para qué hablar! ¿Qué hay por tu fábrica?

URBANO: ¡Muchas cosas! Desde la última huelga de metalúrgicos la gente se sindica a toda prisa. A ver cuándo nos imitáis los dependientes.

FERNANDO: No me interesan esas cosas.

URBANO: Porque eres tonto. No sé de qué te sirve tanta lectura.

FERNANDO: ¿Me quieres decir lo que sacáis en limpio de esos líos?

URBANO: Fernando, eres un desgraciado. Y lo peor es que no lo sabes. Los pobres diablos como nosotros nunca lograremos mejorar de vida sin la ayuda mutua. Y eso es el sindicato.

¡Solidaridad! Ésa es nuestra palabra. Y sería la tuya si te dieses cuenta de que no eres más que un triste hortera. ¡Pero como te crees un marqués!

FERNANDO: No me creo nada. Sólo quiero subir. ¿Comprendes? ¡Subir! Y dejar toda esta sordidez en que vivimos.

URBANO: Y a los demás que los parta un rayo.

FERNANDO: ¿Qué tengo yo que ver con los demás? Nadie hace nada por nadie. Y vosotros os metéis en el sindicato porque no tenéis arranque para subir solos. Pero ese no es camino para mí. Yo sé que puedo subir y subiré solo.

URBANO: ¿Se puede uno reír?

FERNANDO: Haz lo que te de la gana.

URBANO: (*Sonriendo.*) Escucha, papanatas. Para subir solo, como dices, tendrías que trabajar todos los días diez horas en la papelería; no podrías faltar nunca, como has hecho hoy...

FERNANDO: ¿Cómo lo sabes?

URBANO: ¡Porque lo dice tu cara, simple! Y déjame continuar. No podrías tumbarte a hacer versitos ni a pensar en las musarañas; buscarías trabajos particulares para redondear el presupuesto y te acostarías a las tres de la mañana contento de ahorrar sueño y dinero. Porque tendrías que ahorrar, ahorrar como una urraca; quitándolo de la comida, del vestido, del tabaco... Y cuando llevases un montón de años haciendo eso, y ensayando negocios y buscando caminos, acabarías por verte solicitando cualquier miserable empleo para no morirte de hambre... No tienes tú madera para esa vida.

FERNANDO: Ya lo veremos. Desde mañana mismo...

URBANO: (*Riendo.*) Siempre es desde mañana. ¿Por qué no lo has hecho desde ayer, o desde hace un mes? (*Breve pausa.*) Porque no puedes. Porque eres un soñador. ¡Y un gandul! (*FERNANDO le mira lívido, conteniéndose, y hace un movimiento para marcharse.*) ¡Espera, hombre! No te enfades. Todo esto te lo digo como un amigo.

(*Pausa.*)

FERNANDO: (*Más calmado y levemente despreciativo.*) ¿Sabes lo que te digo? Que el tiempo lo dirá todo.Y que te emplazo. (*URBANO le mira.*) Sí, te emplazo para dentro de... diez años, por ejemplo. Veremos, para entonces, quién ha llegado más lejos; si tu con tu sindicato o yo con mis proyectos.

URBANO: Ya sé que yo no llegaré muy lejos, y tampoco tú llegarás. Si yo llego, llegaremos todos.

Pero lo más fácil es que dentro de diez años sigamos subiendo esta escalera y fumando en este "casinillo".

FERNANDO: YO, no. (*Pausa.*) Aunque quiza no sean muchos diez años...

(*Pausa.*)

URBANO: (*Riendo.*) ¡Vamos! Parece que no estás muy seguro.

FERNANDO: NO es eso, Urbano. ¡Es que le tengo miedo al tiempo! Es lo que más me hace sufrir. [...]

B. Historia de una escalera (acto 3º)

[...] (*A punto de cerrar, urbano ve a fernanado, el padre, que sale del II y emboca la escalera. Vacila un poco y al fin se decide a llamarle cuando ya ha bajado unos peldaños.*)

URBANO: Fernando.

FERNANDO: (*Volviéndose.*) Hola. ¿Qué quieres?

URBANO: Un momento. Haz el favor.
FERNANDO: Tengo prisa.
URBANO: Es sólo un minuto.
FERNANDO: ¿Qué quieres?
URBANO: Quiero hablarte de tu hijo.
FERNANDO: ¿De cuál de los dos?
URBANO: De Fernando.
FERNANDO: ¿Y qué tienes que decir de Fernando?
URBANO: Que harías bien impidiéndole que sonsacase a mi Carmina.
FERNANDO: ¿Acaso crees que me gusta la cosa? Ya le hemos dicho todo lo necesario. No podemos hacer más.
URBANO: ¿Luego lo sabías?
FERNANDO: Claro que lo sé. Haría falta estar ciego...
URBANO: Lo sabías y te alegrabas, ¿no?
FERNANDO: ¿Que me alegraba?
URBANO: ¡Sí! Te alegrabas. Te alegrabas de ver a tu hijo tan parecido a ti mismo... De encontrarle tan irresistible como lo eras tú hace treinta años.

(*Pausa.*)

FERNANDO: No quiero escucharte. Adiós.
(*Va a marcharse.*)
URBANO: ¡Espera! Antes hay que dejar terminada esta cuestión. Tu hijo...
FERNANDO: (*Sube y se enfrenta con él.*) Mi hijo es una víctima, como lo fui yo. A mi hijo le gusta Carmina porque ella se le ha puesto delante. Ella es quien le saca de sus casillas. Con mucha mayor razón podría yo decirte que la vigilases.
URBANO: ¡Ah, en cuanto a ella puedes estar seguro! Antes la deslomo que permitir que se entienda con tu Fernandito. Es a él a quien tienes que sujetar y encarrilar. Porque es como tú eras: un tenorio y un vago.
FERNANDO: ¿Yo un vago?
URBANO: Sí. ¿Dónde han ido a parar tus proyectos de trabajo? No has sabido hacer más que mirar por encima del hombro a los demás. ¡Pero no te has emancipado, no te has libertado! (*Pegando en el pasamanos.*) ¡Sigues amarrado a esta escalera, como yo, como todos!

FERNANDO: Sí; como tú. También tú ibas a llegar muy lejos con el sindicato y la solidaridad. (*Irónico.*) Ibais a arreglar las cosas para todos... Hasta para mí.

URBANO: ¡Sí! ¡Hasta para los zánganos y cobardes como tú!

[...]

[...] FERNANDO baja tembloroso la escalera, con la lentitud de un vencido. Su hijo, FERNANDO, le ve cruzar y desaparecer con una mirada de espanto. La escalera queda en silencio. FERNANDO, HIJO, oculta la cabeza entre las manos. Pausa larga. CARMINA, HIJA, sale con mucho sigilo de su casa y cierra la puerta sin ruido. Su cara no está menos descompuesta que la de FERNANDO. Mira por el hueco y después fija su vista, con ansiedad, en la esquina del "casinillo". Baja tímidamente unos peldaños, sin dejar de mirar. FERNANDO la siente y se asoma.)

FERNANDO, HIJO: ¡Carmina! (Aunque esperaba su presencia, ella no puede reprimir un suspiro de susto. Se miran un momento y en seguida ella baja corriendo y se arroja en sus brazos.) ¡Carmina!...

CARMINA, HIJA: ¡Fernando! Ya ves... Ya ves que no puede ser.

FERNANDO, HIJO: ¡Sí puede ser! No te dejes vencer por su sordidez. ¿Qué puede haber de común entre ellos y nosotros? ¡Nada! Ellos son viejos y torpes. No comprenden... Yo lucharé para vencer. Lucharé por ti y por mí. Pero tienes que ayudarme, Carmina. Tienes que confiar en mí y en nuestro cariño.

CARMINA, HIJA: ¡No podré!

FERNANDO, HIJO: Podrás. Podrás... porque yo te lo pido. Tenemos que ser más fuertes que nuestros padres. Ellos se han dejado vencer por la vida. Han pasado treinta años subiendo y bajando esta escalera... Haciéndose cada día más mezquinos y más vulgares. Pero nosotros no nos dejaremos vencer por este ambiente. ¡No! Porque nos marcharemos de aquí. Nos apoyaremos el uno en el otro. Me ayudarás a subir, a dejar para siempre esta casa miserable, estas broncas constantes, estas estrecheces. Me ayu-darás, ¿verdad? Dime que sí, por favor. ¡Dímelo!

CARMINA, HIJA: ¡Te necesito, Fernando! ¡No me dejes!

FERNANDO, HIJO: ¡Pequeña! (*Quedan un momento abrazados. Después, él la lleva al primer escalón y la sienta junto a la pared, sentándose a su lado. Se cogen las manos y se miran arrobados.*) Carmina, voy a empezar en seguida a trabajar por ti. ¡Tengo muchos proyectos! (*CARMINA, la madre, sale de su casa con expresión inquieta y los divisa, entre disgustada y angustiada. Ellos no se dan cuenta.*) Saldré de aquí. Dejaré a mis padres. No los quiero. Y te salvaré a ti. Vendrás conmigo. Abandonaremos el nido de rencores y de brutalidad.

CARMINA, HIJA: ¡Fernando!

(*FERNANDO, el padre, que sube la escalera, se detiene, estupefacto, al entrar en escena.*)

FERNANDO, HIJO: Sí, Carmina. Aquí sólo hay brutalidad e incomprensión para nosotros. Escúchame. Si tu cariño no me falta, emprenderé muchas cosas. Primero me haré aparejador. ¡No es difícil. En unos años me haré un buen aparejador. Ganaré mucho dinero y me solicitarán todas las empresas constructoras. Para entonces ya estaremos casados... Tendremos nuestro hogar, alegre y limpio... lejos de aquí. Pero no dejaré de estudiar por eso. ¡No, no, Carmina! Entonces me haré ingeniero. Seré el mejor ingeniero del país y tú serás mi adorada mujercita...

CARMINA, HIJA: ¡Fernando! ¡Qué felicidad!

FERNANDO, HIJO: ¡Carmina!

(Se contemplan extasiados, próximos a besarse. Los padres se miran de nuevo, largamente. Sus miradas, cargadas de una infinita melancolía, se cruzan sobre el hueco de la escalera sin rozar el grupo ilusionado de los hijos.)

¿Qué impresión os ha producido?

Tras realizar una segunda lectura de los textos reflexionad sobre el mensaje que el autor nos comunica. Aquí tenéis unas pautas para guiar vuestras reflexiones:

- ¿Cuáles son los elementos que cambian en la escena de un fragmento a otro?
- ¿Qué cambia en el aspecto de los personajes?
- Tanto en el primer acto como en el tercero hay motivos de conflicto entre Urbano y Fernando; ¿podríais señalarlos?
- ¿Notáis diferencias de postura frente a la existencia entre los adultos y los dos jóvenes? ¿En qué consisten?
- ¿Al final, a pesar de las promesas de un futuro mejor, se percibe cierta amargura? ¿A qué se debe?

Contrastad vuestras conclusiones con los demás grupos y decid si estáis de acuerdo o no con la siguiente afirmación: "A pesar del paso del tiempo y de la voluntad de los personajes por liberarse y superarse, su existencia está destinada a seguir igual, en la misma escalera, con los mismos conflictos, con las mismas ilusiones y desilusiones".
¿Os parece ésta una forma de libertad?

Los elementos escenográficos: el boceto

6 ¿Cómo sería tu habitación ideal?

- Dibuja el plano de la habitación que te gustaría tener.
- Llena el espacio con los muebles y los objetos que te parecen importantes para tu habitación ideal.

Contrasta tu boceto con el de tu compañero. ¿Hay muchas diferencias? ¿Cuáles son?

7 Ahora os proponemos la acotación escénica que abre la estampa segunda de una obra que ya hemos estudiado con anterioridad: *Mariana Pineda*, de Federico García Lorca:

Mariana Pineda

Estampa segunda

Sala principal en la casa de MARIANA. *Entonación en grises, blancos y marfiles, como una antigua litografía. Estrado blanco, a estilo Imperio. Al fondo, una puerta con una cortina gris y puertas laterales. Hay una consola con urna y grandes ramas de flores de seda. En el centro de la habitación, un pianoforte y candelabros de cristal. Es de noche.*

[...]

La estancia es limpia y modesta, aunque conserva ciertos muebles de lujo haredados por MARIANA.

Con tu compañero, en vuestros cuadernos:

¿Podríais elaborar un pequeño dibujo siguiendo las indicaciones que acabáis de leer?

Contrastad los dibujos con los de vuestros compañeros y decidid cuál es el mejor. ¿Qué criterio habéis seguido para escogerlo?

Probablemente escogeréis el que refleje de manera más fiel las indicaciones del autor. Sin embargo, sería interesante que pudierais ver los bocetos que el propio García Lorca realizó para esta obra. Seguro que vuestro profesor puede llevar a clase alguna edición de la obra con estos bocetos. Si es así, fijaos en lo siguiente:

¿Se corresponde en todos los detalles? ¿Qué diferencias presenta?

- En la arquitectura.
- En los muebles.
- En los objetos.

Compartid vuestros resultados con los demás compañeros.

Como ya hemos dicho, el texto de la obra teatral se compone de diálogos, monólogos y acotaciones. La extensión y el número de las acotaciones es muy variable y no responde a reglas fijas: hay autores que se limitan a los elementos esenciales, mientras otros dan descripciones muy ricas y detalladas tanto sobre los personajes y las acciones, como sobre el ambiente: los elementos arquitectónicos, el decorado, los objetos...

8 Veamos qué indicaciones dan en sus obras dos autores españoles del siglo XX para indicar cómo se debe reconstruir el ambiente. A continuación encontraréis la primera parte del prólogo de *Eloísa está debajo de un almendro*, comedia en un prólogo y dos actos de Enrique Jardiel Poncela, y la acotación escénica que introduce el acto primero de *Tres sombreros de copa*, obra en tres actos de Miguel Mihura. Leed los textos.

A. Eloísa está debajo de un almendro

Unos momentos antes de levantarse el telón se apagan las luces. Al alzarse el telón aparece una pantalla de "cine" y en ella se proyecta un cristal que dice: "Descanso. Bar en el principal." Al cabo de breves momentos la proyección desaparece, y, al hacerse de nuevo la luz, empieza el prólogo.

Telón corto en las primeras cajas, que representa la pared del fondo del salón de un cinematógrafo de barrio. Puerta practicable en el centro del foro, con cortinajes y forillo oscuro. A ambos lados de la puerta, en las paredes, lucecitas encarnadas y dos cartelitos idénticos, en los que se lee: "AVISO: la Empresa ruega al público que en caso de incendio salga sin prisa, siguiendo la dirección de la flecha".

Delante del telón corto, casi tocando con él, una fila de butacas que figura ser la última del "cine" cortada en el centro por el pasillo central, del cual se ve el paso de alfombra. Las butacas del supuesto "cine" tienen, naturalmente, el respaldo hacia el telón corto y dan frente a la batería; hay siete a cada lado; las de la derecha son las impares, y las de la izquierda, las pares. El pasillo central del "cine" avanza hacia la concha del apuntador y hacia el verdadero pasillo del teatro donde la comedia se representa.

B. Tres sombreros de copa

Acto primero

Habitación de un hotel de segundo orden en una capital de provincia. En la lateral izquierda, primer término, puerta cerrada de una sola hoja, que comunica con otra habitación. Otra puerta al foro que da a un pasillo. La cama. El armario de luna. El biombo.Un sofá. Sobre la mesilla de noche, en la pared, un teléfono. Junto al armario, una mesita. Un lavabo. A los pies de la cama, en el suelo, dos maletas y dos sombrereras altas de sombreros de copa. Un balcón, con cortinas, y detrás el cielo. Pendiente del techo, una lámpara. Sobre la mesita de noche, otra lámpara pequeña. [...]

Dividíos en cuatro grupos: dos grupos trabajan con el texto A, los otros dos con el texto B. Decidiréis el texto de cada uno al azar.

- Cada grupo reconstruye el ambiente dibujando el boceto de su texto.
- Luego se reúnen los dos grupos que han trabajado sobre el mismo texto para contrastar sus bocetos y llegar a una propuesta definitiva.
- Sucesivamente presentarán el boceto definitivo a los compañeros que han trabajado con el otro texto.

Al final todos conoceréis el ambiente donde se desarrolla la acción de las dos obras.
Exponed los dos bocetos en la pared.

9) Para que leáis algo más de estas dos obras os proponemos otros dos fragmentos de las obras de Enrique Jardiel Poncela y de Miguel Mihura.

A. Eloísa está debajo de un almendro

EMPIEZA LA ACCIÓN

ESPECTADOR 4°: Vaya mujeres! (*Al otro.*) Has visto?
ESPECTADOR 5°: Ya, ya! Qué mujeres! (*Hacen mutis por el foro lentamente.*)
ESPECTADOR 6°: Vaya mujeres! (*Se va por el foro.*)
ESPECTADOR 1°: Menudas mujeres!
ESPECTADOR 2°: (*Al 1°*) Has visto que dos mujeres?
ESPECTADOR 1°: Eso te iba a decir, que qué dos mujeres... (*Se vuelven hacia el* ESPECTADOR *3°, hablando a un tiempo.*)
ESPECTADORES 1.° y 2.°: Te has fijado que dos mujeres?
ESPECTADOR 3.°: Me lo habéis quitado de la boca. ¡Qué dos mujeres! (*Se van los tres por el foro.*)
MARIDO: (*Aparte, al* AMIGO, *hablándole al oído.*) ¿Se da usted cuenta de qué dos mujeres?
AMIGO: Ya, ya! Vaya dos mujeres!
ACOMODADOR: (*Mirando a las* MUCHACHAS.) Mi madre, qué dos mujeres!
ESPECTADOR 7°: (*Pasando ante las* MUCHACHAS.) Vaya mujeres! (*Se va por el foro.*)
MUCHACHA 1ª: (*A la 2ª, con orgullo y satisfacción.*) Digan lo que quieran, la verdad es que la gracia que hay en Madrid para el piropo no la hay en ningún lado...
MUCHACHA 2ª: (*Convencida también.*) En ningún lado, chica, en ningún lado.
[...]

SEÑORA: Es lo que yo digo: que hay gente muy mala por el mundo...
AMIGO: Muy mala, señora Gregoria.
SEÑORA: Y que a perro flaco to son pulgas
AMIGO: También.
MARIDO: Pero, al fin y al cabo, no hay mal que cien años dure, ¿no cree usted?
AMIGO: Eso, desde luego. Como que después de un día viene otro, y Dios aprieta, pero no ahoga.
MARIDO: ¡Ahí le duele! Claro que agua pasa no mueve molino, pero yo me asocié con el Melecio por aquello de que más ven cuatro ojos que dos y porque lo que uno no piensa al otro se le ocurre. Pero de casta le viene al galgo el ser rabilargo; el padre de Melecio siempre ha sido de los de quítate tú pa ponerme yo, y de tal palo tal astilla, y genio y figura hasta la sepultura. Total: que el tal Melecio empezó a asomar la oreja, y yo a darme cuenta, porque por el humo se sabe dónde está el fuego.
AMIGO: Que lo que ca uno vale a la cara le sale.
SEÑORA: Y que antes se pilla a un embustero que a un cojo.
MARIDO: Eso es. Y como no hay que olvidar que de fuera vendrá quien de casa te echará, yo me dije, digo: "Hasta aquí hemos llegao; se acabó lo que se daba; tanto va el cántaro a la fuente, que al fin se rompe; ca uno en su casa y Dios en la de tos; y a mal tiempo buena cara, y pa luego es tarde, que reirá mejor el que ría el último".
SEÑORA: Y los malos ratos, pasarlos pronto.
MARIDO: ¡Cabal! Conque le abordé al Melecio, porque los hombres hablando se entienden, y le dije: "Las cosas claras y el chocolate espeso: esto pasa de castaño oscuro, así que cruz y raya, y tú por un lao y yo por otro; ahí te quedas, mundo amargo, y si te he visto, no me acuerdo". Y ¿qué le parece que hizo él?
AMIGO: ¿El qué?
MARIDO: Pues contestarme con un refrán
AMIGO: ¿Que le contestó a usté con un refrán?
MARIDO: (*Indignado.*) ¡Con un refrán!
SEÑORA: (*Más indignada aún.*) ¡Con un refrán, señor Eloy!
AMIGO: ¡ Ay, qué tío más cínico!
MARIDO: ¿Qué le parece?
SEÑORA: ¿Será sinvergüenza?
AMIGO: ¡Hombre, ese tío es un canalla, capaz de to! (*Siguen hablando aparte.*)
MUCHACHA 2ª: (*A la MUCHACHA 1ª.*) Pues di que has encontrao una perla blanca, chica...
MUCHACHA 1ª: La verdá...; no es oro to lo que reluce, ¿sabes? Tie un defezto muy feo.
MUCHACHA 2ª: Mujer, algún defezto había de tener el hombre. ¿Y qué le ocurre?
MUCHACHA 1ª: Que es de lo más sucio y de lo más desastrao.
MUCHACHA 2.ª: Bueno; pero eso con paciencia y asperón...
MUCHACHA 1ª: Tratándose de Felipe, no basta. Porque tú no te pues formar una idea de lo cochinísimo que es. En los últimos Carnavales, para disfrazarse, se puso un cuello limpio y no lo conoció nadie.
MUCHACHA 2ª: ¡Qué barbaridá! (*Siguen hablando aparte.*)
[...]

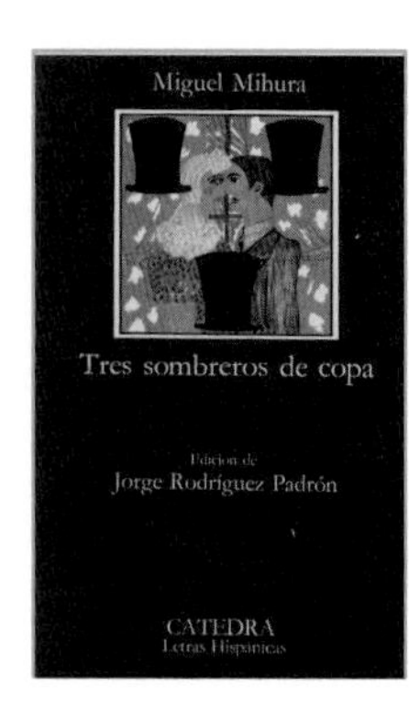

B. Tres sombreros de copa

(Al levantarse el telón, la escena está sola y oscura hasta que, por la puerta del foro, entran DIONISIO *y* DON ROSARIO*, que enciende la luz, del centro.* DIONISIO*, de calle, con sombrero, gabán y bufanda, trae en la mano una sombrerera parecida a las que hay en escena.* DON ROSARIO *es ese viejecito tan bueno de las largas barbas blancas.)*

DON ROSARIO: Pase usted, don Dionisio. Aquí, en esta habitación, le hemos puesto el equipaje.

DIONISIO: Pues es una habitación muy mona, don Rosario.

DON ROSARIO: Es la mejor habitación, don Dionisio. Y la más sana. El balcón da al mar. Y la vista es hermosa. (*Yendo hacia el balcón.*) Acerqúese. Ahora no se ve bien porque es de noche. Pero, sin embargo, mire usted allí las lucecitas de las farolas del puerto. Hace un efecto muy lindo. Todo el mundo lo dice. ¿Las ve usted?

DIONISIO: No. No veo nada.

DON ROSARIO: Parece usted tonto, don Dionisio.

DIONISIO: ¿Por qué me dice usted eso, caramba?

DON ROSARIO: Porque no ve las lucecitas. Espérese. Voy a abrir el balcón. Así las verá usted mejor.

DIONISIO: No. No, señor. Hace un frío enorme. Déjelo. (*Mirando nuevamente.*) ¡Ah! Ahora me parece que veo algo. (Mirando a través de los cristales.) ¿Son tres lucecitas que hay allá a lo lejos?

DON ROSARIO: Sí. ¡Eso! ¡Eso!

DIONISIO: ¡Es precioso! Una es roja, ¿verdad?

DON ROSARIO: No. Las tres son blancas. No hay ninguna roja.

DIONISIO: Pues yo creo que una de ellas es roja. La de la izquierda.

DON ROSARIO: No. No puede ser roja. Llevo quince años enseñándoles a todos los huéspedes, desde este balcón, las lucecitas de las farolas del puerto, y nadie me ha dicho nunca que hubiese ninguna roja.

DIONISIO: Pero ¿usted no las ve?

DON ROSARIO: No. Yo no las veo. Yo, a causa de mi vista débil, no las he visto nunca. Esto me lo dejó dicho mi papá. Al morir mi papá me dijo: "Oye, niño ven. Desde el balcón de la alcoba rosa se ven tres lucecitas blancas del puerto lejano. Enséñaselas a los huéspedes y se pondrán todos muy contentos..." Y yo siempre se las enseño...

DIONISIO: Pues hay una roja, yo se lo aseguro.

DON ROSARIO: Entonces, desde mañana les diré a mis huéspedes que se ven tres lucecitas: dos blancas y una roja... Y se pondrán más contentos todavía. ¿Verdad que es una vista encantadora? ¡Pues de día es aún más linda!...

DIONISIO: ¡Claro! De día se verán más lucecitas...

DON ROSARIO: No. De día las apagan.

DIONISIO: ¡Qué mala suerte!

DON ROSARIO: Pero no importa, porque en su lugar se ve la montaña, con una vaca encima muy gorda que, poquito a poco, se está comiendo toda la montaña...

DIONISIO: ¡Es asombroso!

DON ROSARIO: Sí. La Naturaleza toda es asombrosa, hijo mío. (*Ya ha dejado* DIONISIO *la sombrerera junto a las otras. Ahora abre la maleta y de ella saca un pijama negro, de raso, con un pájaro bordado en blanco sobre el pecho, y lo coloca, extendido, a los pies de la cama. Y después, mientras habla* DON ROSARIO, DIONISIO *va quitándose el gabán, la bufanda y el sombrero que mete dentro del armario.*) Ésta es la habitación más bonita de toda la casa... Ahora, claro, ya está estropeada del trajín... ¡Vienen tantos huéspedes en verano!... Pero hasta el piso de madera es mejor que el de los otros cuartos... Venga aquí... Fíjese... Este trozo no, porque es el paso y ya está gastado de tanto pisar... Pero mire usted debajo de la cama, que está más conservado... Fíjese qué madera hijo mío... ¿Tiene usted cerillas?

DIONISIO: (*Acercándose a* DON ROSARIO.) Sí. Tengo una caja de cerillas y tabaco.

DON ROSARIO: Encienda usted una cerilla.

DIONISIO: ¿Para qué?

DON ROSARIO: Para que vea usted mejor la madera. Agáchese. Póngase de rodillas.

DIONISIO: Voy.

[...]

Dividíos en cuatro grupos —dos grupos trabajarán con el texto A, los otros dos con el texto B— y reflexionad sobre los siguientes puntos:

- ¿Os ha gustado?
- ¿Qué es lo que impacta más de los diálogos?
- ¿Cuál es el tema de las conversaciones de los distintos grupos?
- En el fondo, ¿qué se comunican los personajes?
- ¿De qué tipo de teatro os parece que se trata?
    - Clásico.
    - Moderno.
    - Tradicional.
    - Otros

Tras reunir todas las consideraciones sobre los textos A y B, ponedlas en común con toda la clase. A continuación, entre todos, con la ayuda de profesor, estableced qué puntos en común presentan los dos textos.

Libertad es una palabra enorme

Ya os habréis dado cuenta de que bajo la palabra libertad se esconden múltiples conceptos, pero sabemos que solo podemos hablar realmente de libertad, cuando a este concepto añadimos respeto por los demás...

(10) ¿Recuerdas algún preso célebre, alguien que haya sido encarcelado por sus ideas? Coméntalo con tus compañeros.

(11) Antes de adentrarnos de nuevo en una obra teatral, queremos abordar el tema de la libertad con un fragmento de una novela episódica de Mario Benedetti. Probablemente ya sabrás que el propio Benedetti tuvo que exiliarse por razones políticas tras el golpe de Estado de 1973 en Uruguay.

Beatriz (una palabra enorme)

Libertad es una palabra enorme. Por ejemplo, cuando terminan las clases, se dice que una está en libertad. Mientras dura la libertad, una pasea, una juega, una no tiene por qué estudiar. Se dice que un país es libre cuando una mujer cualquiera o un hombre cualquiera hace lo que se le antoja. Pero hasta los países libres tienen cosas muy prohibidas. Por ejemplo, matar. Eso sí, se pueden matar mosquitos y cucarachas, y también vacas para hacer churrascos. Por ejemplo, está prohibido robar, aunque no es grave que una se quede con algún vuelto cuando Graciela, que es mi mami, me encarga alguna compra. Por ejemplo, está prohibido llegar tarde a la escuela, aunque en ese caso hay que hacer una cartita, mejor dicho, la tiene que hacer Graciela, justificando por qué. Así dice la maestra: justificando.

Libertad quiere decir muchas cosas. Por ejemplo, si una no está presa, se dice que está en libertad. Pero mi papá está preso y, sin embargo, está en Libertad, porque así se llama la cárcel donde está hace ya muchos años. A eso el tío Rolando lo llama qué sarcasmo. Un día le conté a mi amiga Angélica que la cárcel en que está mi papá se llama Libertad, y que el tío Rolando había dicho qué sarcasmo, y a mi amiga Angélica le gustó tanto la palabra, que cuando su padrino le regaló un perrito le puso de nombre "Sarcasmo". Mi papá es un preso, pero no porque haya matado o robado o llegado tarde a la escuela. Graciela dice que mi papá está en Libertad, o sea, está preso, por sus ideas. Parece que mi papá era famoso por sus ideas. Yo también a veces tengo ideas, pero todavía no soy famosa. Por eso no estoy en Libertad, o sea que no estoy presa.

Si yo estuviera presa, me gustaría que dos de mis muñecas, la "Toti" y la "Mónica", fueran también presas políticas. Porque a mí me gusta dormirme abrazada por lo menos a la "Toti". A la "Mónica" no tanto, porque es muy gruñona. Yo nunca la pego, sobre todo para darle ese buen ejemplo a Graciela.

Ella me ha pegado pocas veces, pero cuando lo hace, yo quisiera tener muchísima libertad. Cuando me pega o me rezonga, yo le digo Ella, porque a ella no le gusta que le llame así. Es claro que tengo que estar muy alunada para llamarla Ella. Si, por ejemplo, viene mi abuelo y me pregunta "¿dónde está tu madre?", y yo le contesto "Ella está en la cocina", ya todo el mundo sabe que estoy alunada, porque si no estoy alunada digo solamente "Graciela está en la cocina". Mi abuelo siempre dice que yo salí la más alunada de la familia, y eso a mí me deja muy contenta. A Graciela tampoco le gusta demasiado que yo la llame Graciela, pero yo la llamo así porque es un nombre lindo. Sólo cuando la quiero muchísimo, cuando la adoro y la beso y la estrujo y ella me dice: "Ay chiquilina, no me estrujes así", entonces sí la llamo mamá o mami, y Graciela se conmueve y se pone muy tiernita y me acaricia el pelo, y eso no sería así ni sería tan bueno si yo le dijera mamá o mami por cualquier pavada.

O sea, que la libertad es una palabra enorme. Graciela dice que ser un preso político como mi papá no es ninguna vergüenza. Que es casi un orgullo. ¿Por qué casi? ¿Es orgullo o es vergüenza? ¿Le gustaría que yo dijera que es casi vergüenza? Yo estoy orgullosa, no casi orgullosa, de mi papá, porque tuvo muchísimas ideas, tantas y tantísimas, que lo metieron preso por ellas. Yo creo que ahora mi papá seguirá teniendo ideas, tremendas ideas, pero es casi seguro que no se las dice a nadie, porque si las dice, cuando salga de Libertad para vivir en libertad, lo pueden meter otra vez en Libertad. ¿Ven como es enorme?

¿Os ha gustado? ¿Por qué?
¿Qué se os ha ocurrido al leer este texto?
¿Lo habéis relacionado con alguna situación que conozcáis?

En grupos de cinco, en vuestros cuadernos:

Imaginad que queréis contar el relato de Beatriz a otra persona. Intentad conservar las ideas del texto y respetar la estructura en párrafos que presenta, pero haciendo uso de vuestras propias palabras.

A continuación, contrastad todas las versiones. ¿De quién es la mejor adaptación desde un punto de vista del mensaje?

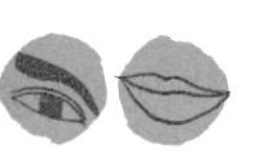

12 Para terminar con el texto de Benedetti, os proponemos que ensayéis la lectura del párrafo que consideréis más significativo. Una persona de cada grupo se encarga de presentarlo ante el resto de la clase. ¿Quién ha llevado a cabo la lectura más profunda?

13 A propósito de adaptaciones teatrales y de monólogos, ¿te acuerdas de *Cinco horas con Mario* de Miguel Delibes? Volvamos a esta obra, tanto a la versión narrativa como a su adaptación teatral. Agrupaos en parejas: uno lee el texto A y el otro el texto B.

Miguel Delibes (1920)

A. Cinco horas con Mario

Carmen sigue hablando al cadáver de su marido y sigue recriminándole como si estuviera vivo...

[...] Porque tú sabes escribir, querido, te lo digo y te lo repito; lo único, los argumentos, que no sé qué maña te das, que ni escogidos con candil. Eso cuando se te entiende, que cuando te pones a hablar de estructuras, plusvalías y cosas de ésas, me quedo in albis, te lo prometo...¡Con lo que a mí me gustaría que escribieses libros de amor! Que el tema del amor es de los que llegan: que el amor es un tema eterno, Mario, pues porque sí, porque es humano, porque está al alcance de todas las mentalidades. Métetelo en la cabeza, mira Don Juan Tenorio, eso no se pasa, no son modas de un día, que tú me dirás sin amor qué sería del mundo, ni existiría, a ver, natural... Y tú dale con que "el mundo está lleno de injusticias y que hay gente que se muere de hambre"... ¡Palabras, Mario, que a ti siempre te han perdido las palabras!, como cuando la colaboración de Madrid, hala, a la calle, por una cabezonada, que si te pusieron Cruzada en vez de Guerra Civil, o una pamplina de ésas (hojea la Biblia), que tiraste por la borda mil doscientas pesetas al mes, y mil doscientas pesetas al mes pueden ser el arreglo de una casa, cariño... (*Se da cuenta de que no ve y se levanta yendo hacia el escritorio, busca con la mirada. No encuentra lo que busca.*) Y es que os pasáis la vida hablando de si el dinero es astuto, de si el dinero es egoísta, ¡ya ves tú!, y lo único que no decís del dinero es la pura verdad, Mario, que es necesario...

¿Es que tanto esfuerzo...? ¿Dónde habré puesto yo mis gafas?... ¿Es que tanto esfuerzo te hubiera costado ganar para un coche, cariño? ¡Aquí están! (Encuentra las gafas en uno de sus bolsillos. Se sienta en la silla que hay en el centro junto al supuesto féretro) Porque no nos engañemos. Mario, las cosas salen de dentro y tú, desde que te conocí, tuviste gustos proletarios, porque no me digas, que al demonio se le ocurre ir al instituto en bicicleta, que ya es el colmo. [...]

Subraya en el texto lo que más tenga que ver con la libertad de expresión y contrasta el tema con tu compañero.
¿Qué has leído? ¿Un fragmento de la adaptación teatral o un fragmento de la novela?

B. Cinco horas con Mario

Carmen sigue hablando al cadáver de su marido y sigue recriminándole como si estuviera vivo...

Porque lo que yo digo, Mario, si a costa de tantas peplas sacaras algo en limpio, lo comprendo, pero lo cierto es que vienen a palo seco, que no me explico para qué trabajas tanto, porque no me digas que veinte duros al precio que están las cosas son hoy dinero, una irrisión, Mario, un escarnio, eso es lo que es, que para tanto como eso mejor de balde. En cambio, la colaboración de Madrid, hala, a la calle, por una cabezonada, que si te pusieron Cruzada en vez de Guerra Civil, o una pamplina de ésas, que hay que ver las voces por teléfono, que a saber qué pensaría el pobre José Mari Recondo, que ese era el pago, total por una palabra, que hay que ver los quebraderos de cabeza que os dan a vosotros las palabras, cielo santo, que qué lo mismo dará una cosa que otra, mira tú, Cruzada o Guerra Civil, que no lo entiendo, palabra, no es que me haga la tonta, te lo juro, que si tú dices Cruzada, todos sabemos que te refieres a la Guerra Civil y si dices Guerra Civil todos estamos al cabo de la calle de que quieres decir Cruzada, ¿no es eso?, porque ni siquiera el sentido. Pues, entonces, alcornoque, que das más guerra que un hijo tonto, ¿a qué viene ese trepe y tirar por la borda seiscientas pesetas, que dos al mes, eran mil doscientas, y te pones a ver y mil doscientas pesetas pueden ser el arreglo de una casa?

Subraya en el texto lo que más tenga que ver con la libertad de expresión y contrasta el tema con tu compañero. ¿Qué has leído? ¿Un fragmento de la adaptación teatral o un fragmento de la novela?

Ahora contrastad vuestras conclusiones, ayudándoos mutuamente para facilitar la comprensión.

Después, cada uno puede leer el texto con que no ha trabajado. Volved a reflexionar sobre cuál es el fragmento dramático y cuál el narrativo. ¿Cuál os gusta más? ¿Por qué?
Todos juntos comentad vuestras reflexiones con el profesor.

La libertad es algo
que sólo en tus entrañas
bate como el relámpago.

Miguel Hernández

La tercera dimensión: el movimiento/la mirada/la triangulación de los espacios

Pasemos otra vez a la tercera dimensión. Hasta ahora hemos aprendido a leer, pasando de la lectura expresiva a la interpretativa. Ahora hay que dar un paso más y aprender a moverse.

I. El movimiento

(14) Se forman grupos de seis alumnos. En círculo, un miembro hace un gesto que los demás tienen que repetir y así sucesivamente hasta que todos hayan hecho un gesto diferente y los compañeros lo hayan imitado.
Sugerencias:

- El gesto tiene que resultar claro en toda su ejecución; por eso debe hacerse de forma bien definida y delimitada, de manera que sea fácil captar la distinción entre las tres fases que lo componen: inicio, desarrollo y fin.
- Es preferible proponer gestos simples, como puede ser, por ejemplo, *peinarse* (alargar el brazo, coger el peine, empezar a peinarse, desarrollar toda la acción, y, por último, dejar el peine).

Al final sería útil que reflexionarais en común sobre la claridad interpretativa de todos los gestos propuestos, así como sobre los motivos que hayan podido dificultar su ejecución o comprensión.

II. La mirada

(15) ¿Verdad que a veces se comunica más con la mirada que con las palabras y que a menudo no necesitamos nada más para entendernos?

- Poneos todos de pie: uno de vosotros se sitúa en el centro del aula; los demás pasean alrededor sin mirarlo; la persona del centro tiene que buscar la mirada de los que pasan cerca.
- Ahora, al revés: todos buscan atraer la mirada de alguien que está en el centro, que intenta rehuir cualquier contacto visual.
- Por último, todos os quedáis quietos excepto uno, que se moverá por el aula intentando entrar en el campo visual de los demás. Tenéis que evitar su mirada.

Al final, reflexionad sobre los resultados de estas actividades y relacionadlos con la importancia que puede tener la mirada durante una escena dramática: saber adónde va una mirada, qué contacto va a establecer, con quién, por qué...

Todo lo que está en escena es comunicación. La representación escénica prevé el movimiento de los actores. Los movimientos deben resultar claros, comprensibles, limpios, naturales; por lo tanto, el actor debe controlarlos completamente y ser consciente de ellos.

16 Ahora vamos a practicar lo que hemos aprendido. En grupos de tres ensayad vuestros movimientos efectuando la acción descrita en la acotación del primer acto de *Historia de una escalera*.

Historia de una escalera

(Nada más levantarse el telón vemos cruzar y subir fatigosamente al COBRADOR DE LA LUZ*, portando su grasienta cartera. Se detiene unos segundos para respirar y llama después con los nudillos en las cuatro puertas. Vuelve al I, donde le espera ya en el quicio la* SEÑORA GENEROSA*: una pobre mujer de unos cincuenta y cinco años.)*

Ahora organizaos en dos grupos:

- El primero trabajará con el diálogo entre Fernando, hijo, y Carmina, hija, que aparecía en la actividad 5. Fernando mira a Carmina a los ojos, pero ella le da la espalda; los demás observan y anotan el efecto producido.
- En el segundo grupo, dos chicos interpretan el diálogo que leerás a continuación mirándose a los ojos mientras los demás observan y anotan el efecto producido:

URBANO: ¡Hola! ¿Qué haces ahí?
FERNANDO: Hola, Urbano. Nada.
URBANO: Tienes cara de enfado.
FERNANDO: No es nada.
URBANO: Baja al "casinillo". (*Señalando el hueco de la ventana.*) Te invito a un cigarro. (*Pausa.*) ¡Baja, hombre! (FERNANDO *empieza a bajar sin prisa.*) Algo te pasa. (*Sacando la petaca.*) ¿No se puede saber?
FERNANDO: (*Que ha llegado.*) Nada, lo de siempre... (*Se recuestan en la pared del "casinillo". Mientras hacen los pitillos.*) ¡Que estoy harto de todo esto!
URBANO: (*Riendo.*) Eso es ya muy viejo. Creí que te ocurría algo.
FERNANDO: Puedes reírte. Pero te aseguro que no sé cómo aguanto. (*Breve pausa.*) En fin, ¡para qué hablar! ¿Qué hay por tu fábrica?
URBANO: ¡Muchas cosas! Desde la última huelga de metalúrgicos la gente se sindica a toda prisa. A ver cuándo nos imitáis los dependientes.
FERNANDO: No me interesan esas cosas.
URBANO: Porque eres tonto. No sé de qué te sirve tanta lectura.
FERNANDO: ¿Me quieres decir lo que sacáis en limpio de esos líos?

URBANO: *Fernando, eres un desgraciado. Y lo peor es que no lo sabes. Los pobres diablos como nosotros nunca lograremos mejorar de vida sin la ayuda mutua. Y eso es el sindicato. ¡Solidaridad! Ésa es nuestra palabra. Y sería la tuya si te dieses cuenta de que no eres más que un triste hortera. ¡Pero como te crees un marqués!*

FERNANDO: *No me creo nada. Sólo quiero subir. ¿Comprendes? ¡Subir! Y dejar toda esta sordidez en que vivimos.*

Poned en común las reflexiones.

Luego podéis repetir el mismo ejercicio ensayando el diálogo entre Luis y Pablo de *Las bicicletas son para el verano* que aparece en la actividad 3 de esta tarea.

III. La triangulación de los espacios

Las obras teatrales se pueden representar en cualquier parte; solo hace falta imaginación (vosotros lo acabáis de hacer en clase). Pero lo más habitual es que se representen en lugares adecuados para ello: los "teatros".

Estructura de un teatro

Los teatros actuales están divididos en dos grandes zonas: el escenario, donde se representa la obra y el patio de butacas, donde se sienta el público.

En el patio de butacas se pueden distinguir:

La platea: la parte de abajo, donde están las butacas que disponen de mejor vista (y son, por tanto, las más caras).

El gallinero: los asientos situados en la parte superior, que suelen ser los más baratos. Ahí se sentaban antes los estudiantes y el público más ruidoso. Algunos de ellos formaban el grupo de la *claque* y estaban contratados para aplaudir.

En el escenario se pueden distinguir:

El telón: es la gran cortina que oculta la escena a los espectadores mientras no se está representando la obra.

La escena: es la parte central, donde se desarrolla la acción.

Las bambalinas: son las tiras de tela que cuelgan de los lados y y que forman parte del decorado, marcando, por ejemplo, las puertas por las que pueden entrar y salir los personajes.

La embocadura: es la parte delantera del escenario.

El foro: es la parte trasera del escenario.

La escena tiene forma de paralelepípedo, cuyo lado más largo da al patio de butacas. El patio es similar a la escena, pero más alargado.

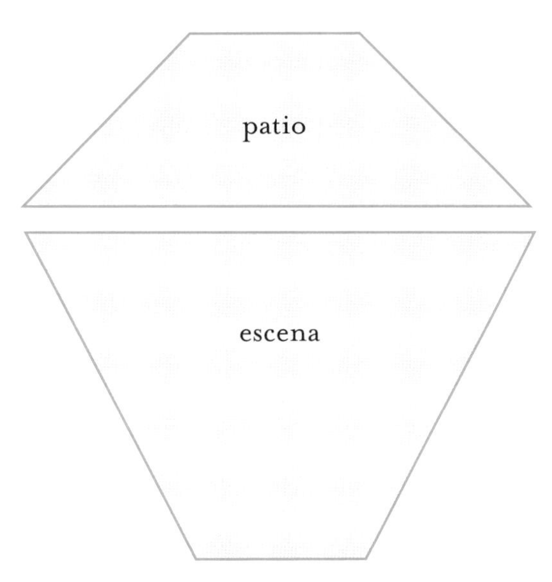

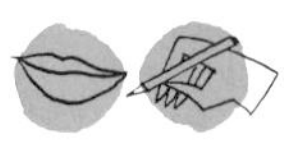

17 Teniendo en cuenta que cualquier espectador desde cualquier punto del patio tiene que ver a todos los actores en la escena, realizad la siguiente actividad. En parejas:

a) Disponed a 10 actores (para cada actor dibujad una cruz) en los niveles 1 y 2, de manera que todos los espectadores puedan verlos:

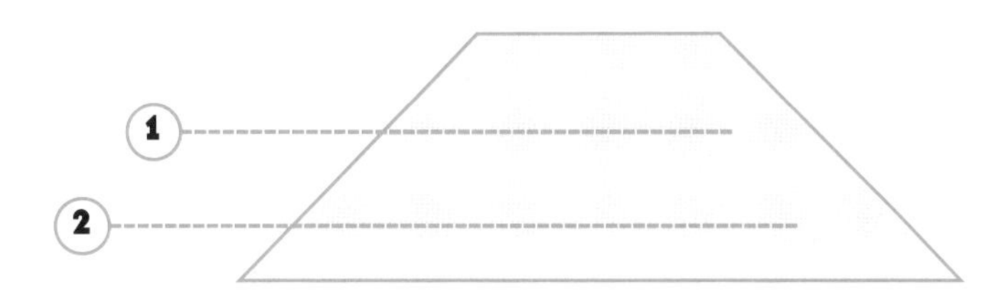

Escena:

- En el lado de arriba hay una ventana.
- A la izquierda hay una butaca.
- A la derecha hay una mesa con una silla.

b) Disponed a los actores A, B, C en la escena. Entra D, que tiene que decir algo importante a A, B y C:

- ¿Por dónde entra?
- ¿Dónde se para?

Tened presente que:

- todos los espectadores deben poder ver a todos los actores
- D no debe ocultar a ninguno de los actores
- ninguno de los actores debe dar la espalda al público.

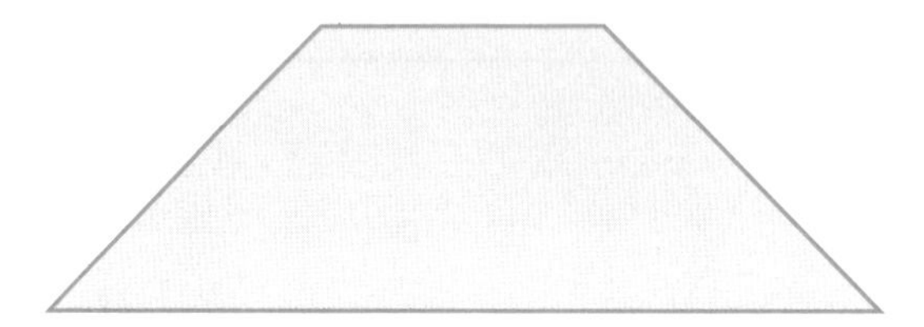

Escena:

- En el lado de arriba hay una ventana.
- A la izquierda hay una mesa con dos sillas.
- A la derecha hay un sofá.

c) A, B, C entran alternativamente, uno desde la derecha, otro desde la izquierda:

- A se sienta en el sofá, B se sienta en el sofá, C se sienta a la mesa.
- B se levanta y va a la ventana, B va a la mesa y C queda sentado.
- Entra D y comunica algo importante después de sentarse.
- Todos se le acercan.

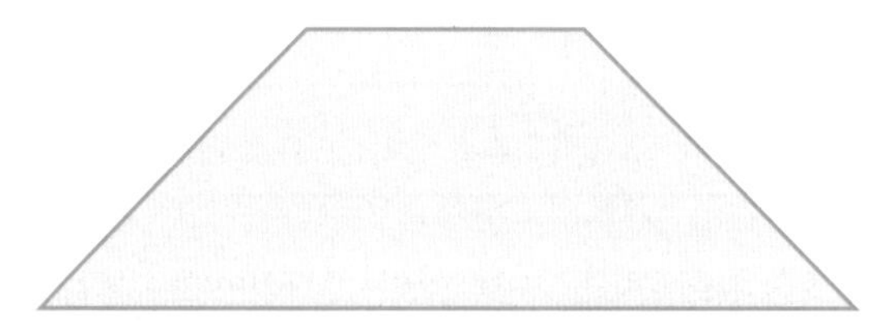

Tened presente que:

- todos los espectadores tienen que ver a todos los actores.
- D no debe tapar, ocultar, a ninguno de los actores.
- ninguno de los actores debe dar la espalda al público.

Ahora reflexionad juntos sobre los resultados y la importancia que tiene esto en el momento de poner en escena una obra dramática.

(18) Terminemos nuestros ensayos sobre la triangulación de los espacios con la segunda parte del prólogo de *Eloísa está debajo de un almendro*, de Enrique Jardiel Poncela. En grupos de tres leed el siguiente texto:

ELOÍSA ESTÁ DEBAJO DE UN ALMENDRO

Al encenderse las luces definitivamente, se hallan en escena, ocupando la fila de butacas, el NOVIO, la NOVIA, la MADRE, el DORMIDO, la SEÑORA, el MARIDO, el AMIGO, MUCHACHA 1ª, MUCHACHA 2ª, JOVEN 1º y JOVEN 2º; y en pie, en el pasillo central, el ACOMODADOR y siete ESPECTADORES. El NOVIO, que es un muchacho de veinte o veintidós años, con aire de oficinista modesto, ocupa la butaca número 1, y la NOVIA, una chica también modestita, de su misma edad, la número 2, de forma que se hallan separados por el pasillo. La MADRE, una señora cincuentona, está sentada junto a su hija en la butaca número 4. La MUCHACHA 1ª, que es muy linda, de unos treinta años, y que tiene cierto aire de tanguista, ocupa la número 6, y la MUCHACHA 2ª, también bonita y también de aire equívoco, la butaca número 8. En las butacas 10 y 12 están instalados la SEÑORA, una buena mujer de la clase media inferior, de unos cuarenta años, y el MARIDO, de su misma filiación y algo mayor de edad. El AMIGO, que es igualmente un tipo vulgarote, comerciante o cosa parecida, se sienta en la butaca 14. Las números 3, 5 y 7 aparecen vacías. En un brazo de la 9 está medio reclinado, medio sentado, el JOVEN 1º; la 11 la ocupa el JOVEN 2º; ambos tienen alrededor de treinta años y son dos obreros endomingados. Por último, en la butaca número 13 ronca el DORMIDO, un tío feo que parece abotargado. En la puerta, en pie, de cara al público, de uniforme, está el ACOMODADOR; y en pie también, dando la espalda al público, siete ESPECTADORES, todos hombres de distintas edades, que con las pitilleras o las cajetillas en las manos, se disponen a hacer mutis por el foro y a fumarse un cigarro en el vestíbulo, adonde simula conducir la puerta.

Los ESPECTADORES van desfilando hacia el foro, mirando todos, como si se hubieran puesto de acuerdo para ello, y con ojos de hambre, a las dos MUCHACHAS de las butacas 6 y 8. El NOVIO y la NOVIA intentan en vano hablarse de un lado a otro del pasillo por entre los espectadores que lo llenan.

Ahora colocad todos los personajes en sus sitios siguiendo las indicaciones del autor.

Contrastad vuestros resultados: ¿lo habéis hecho todos igual?

> **Fíjate**
> La puesta en escena de una obra dramática implica conocer las reglas del juego y respetarlas para contribuir a conseguir el éxito de la representación.

PARA ACABAR

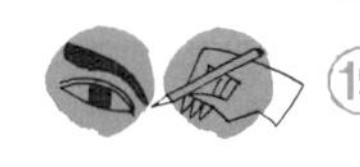

(19) Vamos a construir el boceto de una obra teatral. El escenógrafo encargado de hacer el montaje de *Las cinco advertencias de Satanás*, otra obra de Jardiel Poncela, ha pedido vuestra colaboración. En grupos de cuatro tomad papel, lápiz, goma y regla. Tenéis que esbozar un primer boceto para el acto primero a partir de la siguiente acotación:

Félix, un mujeriego maduro, cada vez que se cansa de una mujer se la cede a su amigo Ramón después de haberles dado, tanto a él como a ella, una buena cantidad de dinero. Su última conquista, Alicia no acepta el dinero y así se quedan solos los dos amigos. En ese momento se les aparece el diablo y hace cinco advertencias a Félix que determinarán desarrollo de la obra.

LAS CINCO ADVERTENCIAS DE SATANÁS

"Saloncito íntimo, pequeño y recogido: sencillez, gusto y cierta originalidad sin estridencias. Muebles cómodos y prácticos, de los que no gustan en la juventud, pero que se eligen en las exposiciones de los mueblistas al doblar la esquina de los cuarenta años. Éstos que aparecen distribuidos en escena han sido elegidos por el dueño de la casa hace cuatro años poco más o menos. Una puerta en el lateral izquierdo y otra más, con forillo interior, en el foro izquierda. En el foro derecha, un gran balcón con balaustrada de piedra. Las vidrieras del balcón son practicables. Tras la balaustrada, forillo de calle a la altura de los primeros pisos. En la derecha, una mesita, y, sobre ella, una lámpara, y en las paredes, más luces, que tienen el conmutador general en la puerta del foro. En un mueble un retrato de Alicia." [...]

Contrastad todos los resultados para llegar a definir un único boceto.

(20) El fragmento con el que trabajarás a continuación corresponde al cuento breve de Luis Sepúlveda "Actas de Tola". Te han encargado hacer la adaptación teatral y tienes que escribir la acotación inicial que da indicaciones escénicas sobre el último acto. Del texto que te presentamos sólo tienes que obtener información sobre el objeto que representa el símbolo de la libertad para los prisioneros y colocarlo en la escena a partir de las indicaciones del texto.

ACTAS DE TOLA

[...]

Acta séptima

Ignoro si te llegará esta carta que entregaré a los soldados cuando nos traigan las provisiones. No dejo de pensar en el viaje. Fue tan largo... Imagínate a doce hombres más los veinte soldados que nos custodiaban, viajando en el lento, lentísimo tren del norte, en el Pampino. Como ves, ya he aprendido algo, por lo menos el nombre del tren.(...)

Estoy bien. Estamos bien, muy bien, y de eso quiero hablarte. Entre nosotros hay un hombre muy especial, Juan Riquelme, un ferroviario, que desde el comienzo se evidenció como "el alma del equipo", según sus propias palabras. [...]

Durante los primeros días nos preocupó mucho su comportamiento, para ser franco, pensamos que algo le fallaba en la cabeza. Se levantaba muy temprano y, premunido de una especie de escobillón que él mismo fabricó, se marchaba barriendo la arena que cubría la línea derecha del antiguo tendido, del ferrocarril inglés que antaño servía en las salitreras.

Lo veíamos avanzar lentamente hasta que su figura no era nada más que un incierto punto en el horizonte. Al atardecer reaparecía con la misma parsimoniosa lentitud, pero ahora limpiando la línea izquierda. Repitió esta tarea varios días sin decir una palabra y, al finalizar la segunda semana, nos convocó en un galpón alejado y, no vas a creerme, pero en ese lugar había, hay, dos locomotoras viejísimas, como ésas que se ven en los filmes del Oeste norteamericano. Dos máquinas de carbón o leña. Dos máquinas de vapor, como pacientemente nos ha explicado Juan Riquelme. Vas a pensar que he enloquecido, que todos hemos enloquecido, que el sol nos ha secado el coco aquí, en medio del desierto, pero el caso es que todos estamos metidos de cabeza en la tarea de echar a andar una de las máquinas. Además de Riquelme, el único de nosotros que entiende de mecánica, fierros y esas cosas, es Arancibia, un profesor de escuela industrial que se ha hecho uña y mugre con Riquelme. Ambos nos aseguran que es posible mover uno de los mastodontes. No pienses que se trata de un posible plan de fuga. No. Ninguno de nosotros es tan idiota como para proponerse algo semejante. Se trata simplemente de, ¿cómo decirlo?, un juego fascinante contra la adversidad y en el que lo único verdaderamente importante es ganar la posibilidad de seguir soñando...

"Actas de Tola" es la historia de un grupo de doce prisioneros condenados a vivir aislados en Tola, una zona inhóspita y desierta de donde no pueden escapar. El cuento está dividido en 10 actas (10 secuencias narrativas).

[...]

Acta novena

—Con paciencia, muchachos. ¿Saben qué es lo que necesita un elefante para tirarse a una hormiguita? Paciencia. Esta máquina es algo más que un pedazo de fierro. Es sensible esta muchacha. A ver, mijita, dígales su nombre a los muchachos. ¿Cómo? Dice que tiene escrito el nombre en la caldera. ¿Guatón, yusey? Dice que no habla castellano la cabrita. Socios, paren las orejas. Se llama Queen Victory y es un modelito que los ingleses le dedicaron a la reina Victoria cuando era princesa no más. De estas mismas locomotoras llevaron los gringos a la India. [...]

¿Cómo te ha ido?

En esta tarea he aprendido que

- En el texto dramático tienen una importancia fundamental también el espacio y el tiempo.
- Con respecto al espacio, hay que tener presente que: ______________________
- Con respecto al tiempo, hay que tener presente que: ______________________
- Para llegar al boceto hay que tener presentes los elementos escenográficos, que son ______________________

De todas las actividades, la que más me ha gustado es ______________________

Y la que menos ______________________

Nivel de interés en hacer la *tarea* (puntúa de 1 a 10)

1 2 3 4 5 6 7 8 9 10

Mis frases más...

Entre todos los textos, algunas de las frases, versos, discursos, expresiones, estrofas... que me han gustado más son

____

Tarea 4 La puesta en escena

Objetivos:

- Identificar los elementos que completan la puesta en escena: luces, vestuario, música, sonido, maquillaje.
- Reflexionar sobre el modo de interpretar una acción dramática.
- La puesta en escena y la interpretación.

Los elementos que completan la puesta en escena

① ¿Recuerdas la adaptación teatral de *Cinco horas con Mario* de Miguel Delibes? Así se representó en Madrid en 1979:

CINCO HORAS CON MARIO

Estreno en el Teatro Marquina de Madrid,
el día 26 de noviembre de 1979

REPARTO
MARÍA DEL CARMEN SOTILLO ..... Lola Herrera
MARIO, SU HIJO .... Jorge de Juan

FICHA TÉCNICA
Adaptación teatral: .... MIGUEL DELIBES; SANTIAGO PAREDES; JOSÉ SÁMANO y JOSEFINA MOLINA

Realización decorados: .... MANUEL LÓPEZ
Arreglos musicales: .... CARLOS MONTERO
Iluminación: .... FRANCISCO FONTANALS

Escenografía: .... RAFAEL PALMERO
Fotografías: .... JORDI SOCIAS
Música: .... LUIS EDUARDO AUTE
Director de producción: .... MARGARITA KRAMER
Director: .... JOSEFINA MOLINA

Una producción de JOSÉ SÁMANO

(*Sobre el telón levemente iluminado se oye una música, el tema de la obra, basado en* "La mala muerte" *de Luis Eduardo Aute, orquestado con piano, viola y corno inglés. Oscuro. Sube telón. Poco a poco la luz va descubriendo en el centro del escenario la siguiente esquela.*) [...]

Con tu compañero, identificad los elementos que completan la puesta en escena de la obra y subrayadlos en el texto anterior. Luego, con el profesor, poned en común los resultados.

② En la página siguiente encontrarás cómo fue la representación de la misma obra en Barcelona en 2002:

Cinco horas con Mario

Un homenaje a Miguel Delibes

El genial texto de Delibes, divertido y trágico a la vez, vuelve a ser interpretado por Lola Herrera, bajo la dirección de Josefina Molina.

Autor: *Miguel Delibes*
Director: *Josefina Molina*
Intérpretes: *Lola Herrera, Pablo Rodríguez*
Género: *Drama*
Fecha de estreno: *18 de Septiembre de 2002 hasta 8 de Diciembre de 2002*
Horario: *miér. juev. y vier. 22 h.; sáb. 18.30 y 22 h.; dom. 19 h.*
Precio: *21 € (miér. y juev. no festivos 17 €)*
Villarroel Teatre

Entre la abundante producción del escritor Miguel Delibes, Cinco horas con Mario *es ya todo un clásico teatral que dio a conocer Lola Herrera. La actriz sube al escenario de nuevo para recordar, bajo la dirección de Josefina Molina, la condición de mujer en la España de los sesenta.*

Esta obra, escrita por la magistral pluma del autor vallisoletano, es un testimonio de la incomunicación de dos personas, de muchos aspectos de la condición de la mujer en España y un fidelísimo espejo de la vida provinciana española en aquellos años, con mezcla de patetismo en unos momentos y de humor en otros.

El texto divertido y trágico a la vez homenajea la prosa de quien lo escribió. Lola Herrera, en la piel de Carmen Sotillo, la reciente viuda que monologa delante del cuerpo de su marido para repasar su vida, cuenta en escena con la iluminación de Juan Gómez Cornejo y la música de Luis Eduardo Aute. La escenografía es de Rafael Palmero. Pablo Rodríguez interpreta el breve papel de Mario, el hijo de Carmen.

Con tu compañero, contrastad los distintos elementos de los montajes de 1979 y 2002. ¿Ha cambiado algo?

Fíjate

Los textos teatrales son textos literarios concebidos para ser representados en un escenario frente a un público. Allí adquieren su máxima expresividad, su máxima capacidad de comunicación. Esto supone que para valorar con rigor una obra en cuanto pieza teatral hay que verla y oírla en lugar de leerla, pues, a menudo, la tensión dramática no la transmiten las palabras, sino el uso de determinados objetos, la música, las luces, etc.[12]

Actualmente en España existen grupos teatrales que manejan los recursos dramáticos de forma innovadora y que crean espectáculos muy interesantes y atractivos.

Teatro español contemporáneo

A partir de los años sesenta el teatro español vivió la formación de compañías teatrales que, originadas en grupos independientes, se trasformaron en compañías estables que comparten como característica común la innovación en sus planteamientos artísticos e ideológicos.

En Barcelona, por ejemplo, actúan:
- Els Comediants (www.comediants.com)
- La Fura dels Baus (www.lafura.com)
- Els Joglars (www.elsjoglars.com)
- La Cubana

En Madrid:
- Tábano
- Los Goliardos

En Sevilla:
- La Cuadra (www.teatrolacuadra.com)
- Esperpento
- Tabanque

Si tenéis acceso a Internet, podéis visitar las páginas web de algunos de estos grupos para ver más de cerca su forma de trabajar y los elementos de sus puestas en escena. ¿Por qué no comentais en clase cualquier información que pueda resultar interesante?

La interpretación de la acción dramática

3. ¿Te acuerdas de algún diálogo o de alguna frase significativa de películas famosas que hayas visto? Escríbela:

Comenta con tus compañeros de qué película se trata, quién pronuncia la frase, a quién va dirigida y en qué situación se dice.

4. ¿Cuál es la frase o diálogo que os gusta más a toda la clase? ¿Cómo la interpretaríais para comunicar toda la emoción que conlleva? Ensayadlo y veamos quién lo hace mejor.

Si consideramos todo lo que hemos dicho hasta ahora en las tareas precedentes a propósito de la interpretación de la acción dramática, ¿de dónde toma el actor las indicaciones para poder interpretar una determinada acción dramática?

(5) Con tu compañero, leed el siguiente texto de *Mariana Pineda* de Federico García Lorca y fijaos en las intervenciones de Mariana. Es la última escena, Mariana ha esperado inútilmente a Pedro y está a punto de subir al cadalso para ser ajusticiada. Subrayad lo que más os emocione.

MARIANA PINEDA

ESCENA ÚLTIMA

Entran por el foro todas las monjas. Tienen la tristeza reflejada en los rostros. Las NOVICIAS *1ª y 2ª están en primer término.* SOR CARMEN, *digna y traspasada de pena, está cerca de* MARIANA. *Toda la escena irá adquiriendo, hasta el final, una gran luz extrañísima de crepúsculo granadino. Luz rosa y verde entra por los arcos, y los cipreses se matizan exquisitamente, hasta parecer piedras preciosas. Del techo desciende una suave luz naranja, que se va intensificando hasta el final.*

MARIANA: ¡Corazón, no me dejes! ¡Silencio! Con un ala, ¿dónde vas? Es preciso que tú también descanses. Nos espera una larga locura de luceros que hay detrás de la muerte. ¡Corazón, no desmayes!

CARMEN: ¡Olvídate del mundo, preciosa Marianita!

MARIANA: ¡Qué lejano lo siento!

CARMEN: ¡Ya vienen a buscarte!

MARIANA: Pero ¡qué bien entiendo lo que dice esta luz! ¡Amor, amor, amor, y eternas soledades! (*Entra el* JUEZ *por la puerta de izquierda.*)

NOVICIA 1ª: ¡Es el juez!

NOVICIA 2ª: ¡Se la llevan!

JUEZ: Señora, a sus órdenes; hay un coche en la puerta.

MARIANA: Mil gracias. Madre Carmen, salvo a muchas criaturas que llorarán mi muerte. No olviden a mis hijos.

CARMEN: ¡Que la Virgen te ampare!

MARIANA: ¡Os doy mi corazón! ¡Dadme un ramo de flores! En mis últimas horas yo quiero engalanarme. Quiero sentir la dura caricia de mi anillo y prenderme en el pelo mi mantilla de encaje. Amas la Libertad por encima de todo, pero yo soy la misma Libertad. Doy mi sangre, que es tu sangre y la sangre de todas las criaturas. ¡No se podrá comprar el corazón de nadie! (Una MONJA le ayuda a ponerse la mantilla. MARIANA se dirige al fondo, gritando:) Ahora sé lo que dicen el ruiseñor y el árbol. El hombre es un cautivo y no puede librarse. ¡Libertad de lo alto! Libertad verdadera, enciende para mí tus estrellas distantes. ¡Adiós! ¡Secad el llanto! (*Al* JUEZ.) ¡Vamos pronto!

CARMEN: ¡Adiós, hija!

MARIANA: Contad mi triste historia a los niños que pasen.

CARMEN: Porque has amado mucho, Dios te abrirá su puerta. ¡Ay triste Marianita! ¡Rosa de los rosales!

NOVICIA 1A: (*Arrodillándose.*) Ya no verán tus ojos las naranjas de luz Que pondrá en los tejados de Granada la tarde.

(*Fuera empieza un lejano campaneo.*)

MONJA 1A: (*Arrodillándose.*) Ni sentirás la dulce brisa de primavera pasar de madrugada tocando tus cristales.

NOVICIA 2A: (*Arrodillándose y besando la orla del vestido de* MARIANA.) ¡Clavellina de mayo! ¡Rosa de Andalucía!, que en las altas barandas tu novio está esperándote.

MARIANA: (*Saliendo.*) ¡Yo soy la Libertad porque el amor lo quiso! ¡Pedro! La Libertad, por la cual me dejaste. ¡Yo soy la Libertad, herida por los hombres! ¡Amor, amor, amor, y eternas soledades! (*Un campaneo vivo y solemne invade la escena y un coro de* NIÑOS *empieza, lejano, el romance.* MARIANA *se va, saliendo lentamente, apoyada en* SOR CARMEN. *Todas las demás* MONJAS *están arrodilladas. Una luz maravillosa y delirante invade la escena. Al fondo, los* NIÑOS *cantan.*) ¡Oh, qué día tan triste en Granada, que a las piedras hacía llorar, al ver que Marianita se muere en cadalso por no declarar!

(*No cesa el campaneo.*)

Telón lento

Contrastad con los demás compañeros.

(6) Imaginad que se está preparando una versión cinematográfica de *Mariana Pineda*. Si tu compañero y tú fuerais el director y su ayudante de dirección, ¿cómo estableceríais la acción dramática de la actriz que interpreta a Mariana?

- ¿Qué elementos tomaríais en cuenta?
- ¿A qué actriz daríais el papel de Mariana? ¿Por qué?
- ¿En qué lugar de los que conocéis rodaríais la escena? ¿Por qué?
- Si el director de producción os obligara a cambiar el título, ¿cómo llamaríais a esta película?

Todos juntos, contrastad y comentad los resultados.

Fíjate

En la interpretación, además de lo que se ha dicho con respecto a las acotaciones, hay que tener presente la fundamental importancia de los diálogos y los monólogos. De hecho, tanto de las acotaciones como de los diálogos se deduce la situación y el estado de ánimo del personaje, la evolución de los hechos etc.

Para lograr traducir "tridimensionalmente" el mensaje emocional habrá que tener en cuenta todas las habilidades interpretativas relacionadas con el movimiento, el gesto, la mirada, la triangulación de los espacios...

(7) Además de tus conocimientos de cine, queremos poner a prueba tus competencias "teatrales". Te ofrecemos una puesta en escena "especial" de *Mariana Pineda*. Lee el artículo siguiente y luego intenta responder las preguntas posteriores.

Sara Baras descubre a 'Mariana Pineda'

La bailaora ensaya su primer montaje lorquiano. La dirige Lluís Pasqual, que también ha escrito el guión. La música es de Manolo Sanlúcar. Los tres hablan con pasión del proyecto que se estrenará en la Bienal de Flamenco de Sevilla.

Por Miguel Mora

Después de Juana la Loca, una reina enamorada, llega Mariana Pineda, la heroína republicana que muere por amor.

Es el nuevo reto de la eléctrica bailaora gaditana Sara Baras (San Fernando, 1971), que estos días ultima, entre un estudio de la calle de Granada de Madrid y el Teatro La Pocilla de Galapagar, su "primer encuentro serio" con Federico García Lorca.

Mariana Pineda se estrena el 16 de septiembre en el teatro Maestranza, durante la XII Bienal de Sevilla, Ayer, la bella y atlética Baras, siempre sonriente y llena de vitalidad, estaba feliz, rodeada de sus dos compañeros de lujo, "de estos dos monstruos". En la adaptación de guión, la iluminación y la dirección, Lluís Pasqual (Reus, 1951), que comparte el diseño de la escenografia con Daniel Bianco. Y en la música original, los arreglos y la orquestación, el compositor y guitarrista Manolo Sanlúcar (Sanlúcar de Barrameda, 1943).

Se nota que los tres están entusiasmados con su primer trabajo en común. Se hacen bromas, se echan flores... Y eso que llevan trabajando juntos nueve meses.

Entre foto y foto, y ante la atenta mirada de la productora, Mariana Gyalui, los tres se sientan en unas sillas de enea y hablan sin parar de esta *Mariana Pineda* "alegre y llena de matices, sin buenos ni malos" (Pasqual); de la hora y media de impresionante música ("no flamenca del todo, más bien andaluza") que ha compuesto Sanlúcar "para orquesta, aunque se hará en formato de cámara"; y de la "nueva manera de bailar" que Baras ha tenido que aprender "para transmitir la barbaridad de emociones que siente Mariana".

Esa mujer legendaria que, según Pasqual, "vive todas las contradicciones y sentimientos posibles" antes de morir ajusticiada en el garrote vil después de bordar la bandera republicana y no delatar al hombre que ama, "Una muerte lorquiana", dice Lluís Pasqual, "liberadora. Una muerte que es luz".

El resto de los participantes en el montaje está hoy en Galapagar. Son tres bailarines principales: José Serrallo (Don Pedro); Luis Ortega (pedrosa) y Miguel Cañas (Don Fernando), y seis más (el cuerpo de baile). El vestuario es de Renata Schussheim. Hay cinco músicos flamencos (José María Bandera, Mario Montoya, José Motos y los cantaores Miguel de la Tolea y Saúl Quirós). Y la orquesta: dos violinistas, una viola, un violoncelo, una flauta, un oboe y un clarinete. (Y para los amantes del atrezzo: los zapatos son de Gallardo; y las pelucas, de Llongueras).

La adaptación de Pasqual trata de ser muy fiel al espíritu lorquiano, que siempre consideró a Mariana como una Julieta sin Romeo. "Mariana Pineda es una mujer pasional, enamorada, no política".

Pregunta. ¿Y cómo surgió la idea de montar el espectáculo?

Lluís Pasqual. De la manera más fácil. Sara me llamó para decirme si querría; yo me lo pensé mucho y, cuando me pareció que el texto se podía trasladar al lenguaje de la danza, dije que sí. Como el guión no sigue la línea argumental, porque la danza no es literatura, y como hacía falta que alguien diera el fondo poético de las palabras ausentes, porque es una obra dramática y liviana a la vez, que está al lado del flamenco pero no es *Bodas de sangre*, buscamos a Manolo. Fuimos a Sanlúcar, y, después de pensarlo mucho, por suerte dijo que sí. Y empezamos a hacer un traje a medida para Lorca y para Sara. El mismo para los dos.

Manolo Sanlúcar. Me decidí pronto. Vi que era un proyecto responsable, profesional, entregado, rotundo, y que era posible trabajar con tranquilidad, desde tu parcela, y con tiempo. No para dentro de dos semanas. Me dijeron: "Tienes un año", y tardé la mitad. Desde el primer boceto de guión que me dio Lluís vi que la semilla estaba ahí con una claridad extraordinaria. Por eso pude mirar en mi interior con seguridad. Sin palabras, Lluís ha potenciado mucho lo literario, le ha dado a la obra la cantidad extraordinaria de matices y posibilidades para la puesta en escena. Si estamos seguros de algo, es de que no va a aburrir. Le ha dado una riqueza, un color, una variedad... Por eso la música no es rigurosamente flamenca. Para cubrir ese abanico hacía falta más sonoridad que la que dan dos guitarras.

Pasqual. Quizá es porque fui directo al texto y al romance popular que inspiró a Lorca. La música estaba escondida más allá de la obra. Partimos de la muerte y luego, de una forma onírica, vemos sus recuerdos, su vida, sus encuentros con Pedro, la felicidad, las conspiraciones, la vuelta al convento... Mariana es una mujer transformada por el amor, por un amor imposible, como todos los de Lorca. y el tono está marcado por esa ligera tristeza que impregna todo Lorca, todo Mozart. Incluso en la alegría, siempre aparece esa leve melancolía que viene de lejos.

Sanlúcar. Lo curioso es que la música no se ha hecho para Sara. Y ella ha entendido que antes que ella, era la obra. Yo no miré sus cualidades, no me fijé en lo que le iba mejor. Eso se hace poco, pero ella ha sido muy valiente y ha hecho la coreografía sin acomodarse.

Sara Baras. Claro, no es lo mismo salir y bailar por soleá o por alegrías que inventarte un personaje. Tenía miedo de no poder hacer lo que me diera la gana, pero con personajes como estos dos es fácil cambiar. Estás todo el día aprendiendo. Con Lluís es una clase detrás de otra. Escenario, baile, música, expresión... ¡Sabe de todo! Y llega un momento en que haces lo que tienes que hacer, no lo que te viene bien. ¡Y esa música! ¡Es un mundo nuevo! Con esa música estás obligada a bailar lo que sea. Echamos diez o doce horas diarias y no me canso, es flipante. Te metes ahí y es como un sueño. Ayer me dijeron tantas cosas importantes y bonitas que pensé: "Lo tengo que grabar todo para que no se me olvide". Al principio, cuando Lluís me pedía cosas, yo no lo hacía bailando, creía que tenía que hacer teatro. Ahora sé que él quiere que hablemos bailando. Es la felicidad: un lenguaje diferente. Y me parece que nos ha engañado, Manolo, éste es músico y bailarín.

Pasqual. ¡He tenido que ir al gimnasio para estar a la altura! El primer día me puse en posición de sevillanas y estaba verde. Ellos como cisnes, y yo verde. Bailo sin pudor, porque un director no puede tener pudor. Pero es que estar todo el día oyendo esa música tan buena hace mucho bien. Aunque Manolo nos ha ido dando la partitura como los grandes traductores, de cinco minutos en cinco minutos.

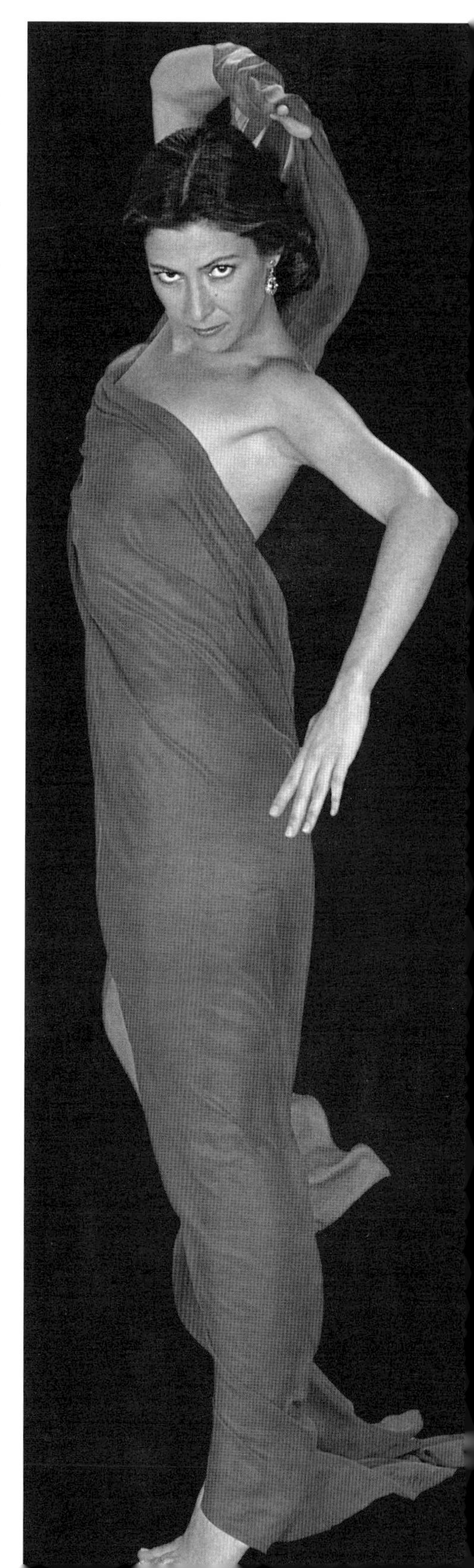

Sanlúcar. Pero con su hilo, eh.

Baras. Bordao, no se sabe qué parte es la más bonita. Un día te gusta el paso a dos con Fernando, otro el momento de la muerte... Oigo la música y me pongo a llorar.

Sanlúcar. ¡Que traigan un ramo de flores! Lo importante es que estamos disfrutando mucho, que estamos todos al servicio de la obra, es una experiencia de amor. Estamos viendo florecer a Sara, el personaje, la obra. Y yo, que a mi edad ya me cuesta mucho emocionarme, estoy como un niño.

Pasqual. Es la semilla de Lorca, que respira más allá de sus textos, de sus palabras. Hay un perfume que ha dejado en el aire y que permite que todos nos entendamos, que sepamos que estamos al servicio de algo mucho más grande que nosotros. Y si no llegamos, no será porque no haya alimento.

Baras. Bueno, tú sabes de él mucho más que nosotros. Pasqual. Yo sólo soy un médium. Lo bueno de esto es que no es nada intelectual. Sabré mucho, pero no tengo que explicar nada. Está ahí; en la música y en la danza. Es una cosa muy emocional, muy vital.

Sanlúcar. Está todo el arco de emociones, de un extremo a otro. Que nadie piense que es un dramón para asustar a la gente.

Pasqual. Es pura vida. No hay héroes ni villanos.

Baras. Hay vida hasta en la muerte.

Sanlúcar. El tema de la muerte es de los más sensuales. Pero mi ídolo es Fernando, tímido, dulce, no quiere mostrarse para no herir.

Baras. Al hacerlo pensé en Peter O'Toole con 25 años.

Pasqual. Es un melodrama, una canción popular, un romance hecho por un grande; y lo bueno de los grandes es que no aburren nunca, nunca poseen la verdad, sólo la insinúan. Saben que la verdad es múltiple, y lo dicen siempre de una forma muy liviana. Aquí hay de todo. Orgullo, desesperación, miedo, esperanza. Claroscuros. Y el flamenco es especialista en eso.

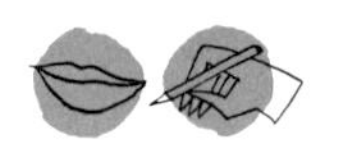

- ¿De qué tipo de espectáculo se trata?
- ¿El guión coincide con el texto de García Lorca?
- ¿Quién es Lluís Pasqual? ¿Cuántas cosas hace Lluís Pasqual en este montaje?
- ¿Qué papel desempeña la música en esta puesta en escena?
- A propósito de la interpretación de Sara Baras: ¿cómo ha llegado a dar vida a su Mariana?

Elabora una ficha técnica y el reparto con los elementos de que dispongas.

Ahora, en grupos de tres:

Incluid todo lo que habéis deducido en un informe escrito, como si fuera una pequeña reseña teatral.

Al final contrastad los resultados con los demás grupos y colgad de la pared vuestras reseñas acompañadas de un dibujo o de una foto que sean ilustrativos.

La libertad para... *ellas*

Mariana, la protagonista de la obra de Lorca, es una mujer, igual que sucede con las protagonistas de otros textos dramáticos que os presentaremos para hablar de la libertad "en femenino".

(8) En grupos de cinco, responded:

- ¿Por qué creéis que es bastante frecuente relacionar a la mujer con el concepto de libertad?
- ¿En el pasado la mujer gozaba de la misma libertad que goza hoy?
- ¿Cuándo se empezó a hablar de los derechos de la mujer?
- ¿Con qué factores sociales se relaciona la libertad para la mujer?

(9) Ahora trabajarás con tu compañero:

- os presentamos dos fragmentos teatrales, A y B, Cada uno de vosotros escogerá y leerá uno de ellos para luego contaros de qué tratan y señalaréis las diferencias y los puntos en común entre ambos textos.

A. La mala sangre de Griselda Gambaro.

Argentina 1840. DOLORES, una joven muchacha, tiene un PADRE autoritario y rico, despótico y violento. La MADRE está completamente sometida al marido. DOLORES tiene como profesor a un joven "jorobado" que su PADRE ha llamado a su servicio para que dé clases a la hija, en casa. A pesar de haber sido humillado de varias maneras en un primer momento, y no sólo por el padre y el servidor FERMÍN, sino también por DOLORES, el pobre RAFAEL se enamora de la chica. DOLORES también terminará por enamorarse de él. Los dos jóvenes deciden escaparse para realizar su amor. Pero la MADRE, conocedora del secreto, se lo revela a su al marido y éste encomienda a FERMÍN la muerte de RAFAEL.
Mira cómo DOLORES descubre que su amor no ha sido sólo castigado como ella se creía...

MADRE: Cállate. (*Rompe a llorar.*)
DOLORES: Tus lágrimas. (*Lentamente.*) Ahora. Ya entiendo.
MADRE: (*Llora.*) ¡Dolores!
DOLORES: Qué espanto me dan tus lágrimas. Me pusiste un buen nombre. El nombre es el destino. (*Alza la voz.*) ¡Yo no lloraré! Seca en mi odio. ¿Por qué estamos en esta oscuridad? Es de noche. (*Sonríe crispada.*) Iba a escaparme. Pero no hay razón para la oscuridad. Encenderé las luces. (*Enciende febrilmente las velas, una por una, pero habla con tensa tranquilidad.*) Para vernos las caras, mamá. Si no, una puede engañarse, oigo tu llanto, pero no lo veo bien. ¿Te pegó papá? ¿Por eso lloras? ¿A ver tu cara? (*Brutalmente, le toma el rostro que la MADRE quiere hurtar.*) Es la misma. Más fea. Tócate. (*Le lleva la mano a la cara.*) Un tumor sobre la boca y telarañas sobre los ojos. Lagañas también.¡Tócate! Vas a sentir tu propia fealdad. (*La deja.*) Y mi cara, ¿cómo es ahora? (*Se toca.*) No me la conozco. Pero no es mi cara la que me importa. ¡Ni la tuya!
MADRE: No grites. Dolores, no me guardes rencor. ¡Se me escapó todo de las manos! Tu padre me preguntó y...

DOLORES: (*Con exasperación contenida, como si intentara una explicación común.*): Es lo que pasa, mamá. Cuando se decide por los otros, es lo que pasa, se escapa todo de las manos y el castigo no pertenece a nadie. Entonces, uno finge que no pasó nada y todo el mundo duerme en buena oscuridad, y como el sol no se cae, al día siguiente uno dice: no pasó nada. E ignora su propia fealdad. ¡Tócate! (*Con una sonrisa crispada.*) Y para colmo, encendí las luces. (*La* MADRE *tiende la mano para apagar una.*) ¡No te atrevas! ¡Necesito ver el castigo! Necesito que no me quiten eso, el cuerpo castigado. (*Va hacia la puerta, grita furiosa de dolor.*) ¡Fermín! ¡Fermín! (FERMÍN *se asoma enseguida. Dolores*[13]) Nadie duerme hoy en esta casa. ¿Qué te ordenó mi padre?

FERMÍN: Que lo trajera.

DOLORES: ¿Y qué esperas, lacayo? ¿Que te llore?

FERMÍN: Conocí a la señorita de niña. No me gusta que sufra.

DOLORES: (*Ríe.*) ¡Buena respuesta! (*Se corta. Feroz.*) ¡Traélo!

FERMÍN: Su padre me lo ordenó. (*Su brutalidad se impone. Sonríe.*) Quería que el jorobado no faltara a la cita.

DOLORES: (*Suavemente.*): No lo hagas faltar. (*Sale* FERMÍN. *Dolores enciende otra vela. Con dura naturalidad.*) Quedó apagada ésta. ¿Me ves bien, mamá?

MADRE: Dolores, ¿por qué no te fuiste?

DOLORES: (*Con frío desprecio.*): ¿A encerrarme en mi cuarto? No hay ninguna puerta para el dolor, mamá. ¡Tonta! (*Se abre la puerta.* FERMÍN *carga el cuerpo sin vida de* RAFAEL. *Lo arroja como un fardo sobre el piso.* DOLORES, *inmóvil, no aparta la vista.*)

FERMÍN: (*Con un gesto de excusa*): Yo le hubiera pegado nada más. (*Se le escapa la risa.*) ¡En la joroba!

MADRE: Está bien, Fermín. Ándate.

(*Sale* FERMÍN.)

DOLORES: (*Siempre con la vista fija en* RAFAEL) Gracias, mamá. (*Con movimientos rígidos, se acerca, se arrodilla junto a él. Serena y en silencio. No lo toca. Lo mira largamente*) No bastaba pegarte, jorobadito. Pero no fue por tu joroba. Jorobadito. Todos debemos vivir de la misma manera. Y quien pretende escapar, muere. (*La madre solloza.* DOLORES *se alza*) ¡Fuera!

MADRE: (*Intenta acercarse.*) ¡No me eches! ¡Es que tu padre es tan duro!

DOLORES: (*Salvaje.*) ¡Fuera! ¡Quiero estar sola! ¡Decile gracias! ¡Le agradezco que me permita mirar a mi muerto! ¡Pero no quiero llantos a mi alrededor! ¡Llanto hipócrita! ¡Fuera!

(*Entra el* PADRE, *con* FERMÍN, *quien trae una bandeja con una jarra y tres tazas.*)

PADRE: (*Muy tranquilo.*) ¿Quién grita? Dolores, no me gustan los gritos. No me dejan pensar. Vamos a dormir todos, ¿eh? Ni hablaremos de esto. Nos bebemos una taza de chocolate y...

DOLORES: A dormir... (*Mira a los tres, masculla con un odio contenido y feroz.*) ¡Canallas! ¡Canallas! ¡Que el odio los consuma! ¡Que la memoria no los deje vivir en paz! ¡A vos, con tu poder, y a vos, mano verduga, y a vos, hipócrita y pusilánime!

PADRE: ¿Qué criamos? ¿Una víbora? ¡Ya te sacaremos el veneno de la boca!

DOLORES: ¡No podrás! ¡Tengo un veneno dulce, un veneno que mastico y trago!

PADRE: Peor para vos. Ahora a dormir, ¡y es una orden!

DOLORES: (*Ríe.*) ¿Qué? ¿Cómo no te das cuenta, papito? Tan sabio. (*Furiosa.*) ¡Ya nadie ordena nada! (*Con una voz áspera y gutural.*) ¡En mí y conmigo, nadie ordena nada! ¡Ya no hay ningún más allá para tener miedo! ¡Ya no tengo miedo! ¡Soy libre!

PADRE: (*Furioso.*) ¡Silencio! ¡Nadie es libre cuando yo no quiero! ¡En esta casa, mando yo todavía! ¡Dije a dormir!

DOLORES: ¡Jamás cerraré los ojos! Si me dejas viva, ¡jamás cerraré los ojos! ¡Voy a mirarte siempre despierta, con tanta furia, con tanto asco!

PADRE: ¡Silencio!

DOLORES: ¡Te lo regalo el silencio! ¡No sé lo que haré, pero ya es bastante no tener miedo! (*Ríe, estertorosa y salvaje.*) ¡No te esperabas ésta! ¡Tu niñita, tu tierna criatura...!

MADRE: ¡Dolores!

DOLORES: Dolores, ¿qué? (*Desafiante, al* PADRE.) ¡Dolores mi alegría, me decía el jorobado! ¡A tus espaldas!

PADRE: ¡Te moleré a golpes! (*Va a pegarle, pero la* MADRE *se interpone y recibe el bofetón.*)

DOLORES: ¡Gracias, mamá! ¡A buena hora! ¡El algodón sucio sirve! ¡Te dije que no tengo miedo! ¡Menos de éste!

PADRE: ¡Que se calle! ¡Fermín, llevátela! ¡Sáquenla de mi vista!

DOLORES: (*Forcejea, mientras* FERMÍN *la arrastra, grita furiosa.*) ¡Te odio! ¡Te odio!

PADRE: ¡Silencio!

DOLORES: (*Con una voz rota e irreconocible.*) ¡El silencio grita! ¡Yo me callo, pero el silencio grita!

(*FERMÍN, junto con la madre, la arrastra hacia afuera y la última frase se prolonga en un grito feroz. Una larga pausa.*)

PADRE: (*Mira de soslayo el cuerpo de* RAFAEL. *Se yergue inmóvil, con los ojos perdidos. Suspira.*) Qué silencio...

Después de un momento...

TELÓN

B. LA CASA DE BERNARDA ALBA de Federico García Lorca.

Drama en tres actos de mujeres en los pueblos de España.

Un pueblo andaluz, mucho tiempo atrás. BERNARDA ALBA, *madre autoritaria y despótica, tiene cinco hijas a las que obliga a un agobiante luto por la muerte de su marido.* ANGUSTIAS, *la mayor, está prometida a* PEPE. *Las demás deben respetar una estricta moral convencional y no pueden ni salir, ni tener relaciones con hombres. Sin embargo,* ADELA, *la más joven y apasionada, establece una relación secreta con* PEPE. *De ahí surge un trágico conflicto con otra hermana,* MARTIRIO, *que también está enamorada de* PEPE.

Del Acto tercero

MARTIRIO: (*En voz baja.*) Adela. (*Pausa. Avanza hasta la misma puerta. En voz alta.*) ¡Adela!

(*Aparece* ADELA. *Viene un poco despeinada.*)

ADELA: ¿Por qué me buscas?

MARTIRIO: ¡Deja a ese hombre!

ADELA: ¿Quién eres tú para decírmelo ?

MARTIRIO: No es ése el sitio de una mujer honrada.

ADELA: ¡Con qué ganas te has quedado de ocuparlo!

MARTIRIO: (*En voz alta.*) Ha llegado el momento de que yo hable. Esto no puede seguir.

ADELA: Eso no es más que el comienzo. He tenido fuerza para adelantarme. El brío y el mérito que tú no tienes. He visto la muerte debajo de estos techos y he salido a buscar lo que era mío, lo que me pertenecía.

MARTIRIO: Ese hombre sin alma vino por otra. Tú te has atravesado.

ADELA: Vino por el dinero, pero sus ojos los puso siempre en mí.

MARTIRIO: Yo no permitiré que lo arrebates. Él se casará con Angustias.

ADELA: Sabes mejor que yo que no la quiere.

MARTIRIO: Lo sé.

ADELA: Sabes, porque lo has visto, que me quiere a mí.

MARTIRIO: (*Despechada.*) Sí.

ADELA: (*Acercándose.*) Me quiere a mí, me quiere a mí.

MARTIRIO: Clávame un cuchillo si es tu gusto, pero no me lo digas más.

ADELA: Por eso procuras que no vaya con él. No te importa que abrace a la que no quiere; a mí tampoco. Ya puede estar cien años con Angustias, pero que me abrace a mí se te hace terrible, porque tú lo quieres también, ¡lo quieres!

MARTIRIO: (*Dramática.*) ¡Sí! Déjame decirlo con la cabeza fuera de los embozos. ¡Sí! Déjame que el pecho se me rompa como una granada de amargura. ¡Lo quiero!

ADELA: (*En un arranque y abrazándola.*) Martirio, Martirio, yo no tengo la culpa.

MARTIRIO: ¡No me abraces!, no quieras ablandar mis ojos. Mi sangre ya no es la tuya, y aunque quisiera verte como hermana, no te miro ya más que como mujer. (*La rechaza.*)

ADELA: Aquí no hay ningún remedio. La que tenga que ahogarse que se ahogue. Pepe el Romano es mío. Él me lleva a los juncos de la orilla.

MARTIRIO: ¡No será!

ADELA: Ya no aguanto el horror de estos techos después de haber probado el sabor de su boca. Seré lo que él quiera que sea. Todo el pueblo contra mí, quemándome con sus dedos de lumbre, perseguida por las que dicen que son decentes, y me pondré delante de todos la corona de espinas que tienen las que son queridas de algún hombre casado.

MARTIRIO: ¡Calla!

ADELA: Sí, sí. (*En voz baja.*) Vamos a dormir, vamos a dejar que se case con Angustias, ya no me importa, pero yo me iré a una casita sola donde él me verá cuando quiera, cuando le venga en gana.

MARTIRIO: Eso no pasará mientras yo tenga una gota de sangre en el cuerpo.

ADELA: No a ti, que eres débil. A un caballo encabritado soy capaz de poner de rodillas con la fuerza de mi dedo meñique.

MARTIRIO: No levantes esa voz que me irrita. Tengo el corazón lleno de una fuerza tan mala, que sin quererlo yo, a mí misma me ahoga.

ADELA: Nos enseñan a querer a las hermanas. Dios me ha debido dejar sola en medio de la oscuridad, porque te veo como si no te hubiera visto nunca.

(*Se oye un silbido y Adela corre a la puerta, pero Martirio se le pone delante.*)

MARTIRIO: ¿Dónde vas?

ADELA: ¡Quítate de la puerta!

MARTIRIO: ¡Pasa si puedes!

ADELA: ¡Aparta! (*Lucha.*)

MARTIRIO: (*A voces.*) ¡Madre, madre!

(*Aparece BERNARDA. Sale en enaguas, con un mantón negro.*)

BERNARDA: Quietas, quietas. ¡Qué pobreza la mía, no poder tener un rayo entre los dedos!

MARTIRIO: (*Señalando a ADELA.*) ¡Estaba con él! ¡Mira esas enaguas llenas de paja de trigo!

BERNARDA: ¡Esa es la cama de las mal nacidas! (*Se dirige furiosa hacia ADELA.*)

ADELA: (*Haciéndole frente.*) ¡Aquí se acabaron las voces de presidio! (*ADELA arrebata un bastón a su madre y lo parte en dos.*) Esto hago yo con la vara de la dominadora. No dé usted un paso más. En mí no manda nadie más que Pepe.

MAGDALENA: (*Saliendo.*) ¡Adela!

(*Salen LA PONCIA y ANGUSTIAS.*)

ADELA: Yo soy su mujer. (*A ANGUSTIAS.*) Entérate tú y ve al corral a decírselo. Él dominará toda esta casa. Ahí fuera está, respirando como si fuera un león.

ANGUSTIAS: ¡Dios mío!

BERNARDA: ¡La escopeta! ¿Dónde está la escopeta? (*Sale corriendo.*)

(*Sale detrás MARTIRIO. Aparece AMELIA por el fondo, que mira aterrada con la cabeza sobre la pared.*)

ADELA: ¡Nadie podrá conmigo! (*Va a salir.*)

ANGUSTIAS: (*Sujetándola.*) De aquí no sales tú con tu cuerpo en triunfo. ¡Ladrona! ¡Deshonra de nuestra casa!

MAGDALENA: ¡Déjala que se vaya donde no la veamos nunca más!

(*Suena un disparo.*)

BERNARDA: (*Entrando.*) Atrévete a buscarlo ahora.

MARTIRIO: (*Entrando.*) Se acabó Pepe el Romano

ADELA: ¡Pepe! ¡Dios mío! ¡Pepe! (*Sale corriendo.*)

LA PONCIA: ¿Pero lo habéis matado?

MARTIRIO: No. Salió corriendo en su jaca.

BERNARDA: No fue culpa mía. Una mujer no sabe apuntar.

MAGDALENA: ¿Por qué lo has dicho entonces?

MARTIRIO: ¡Por ella! Hubiera volcado un río de sangre sobre su cabeza.

LA PONCIA: Maldita.

MAGDALENA: ¡Endemoniada!

BERNARDA: Aunque es mejor así. (*Suena un golpe.*) ¡Adela, Adela!

LA PONCIA: (*En la puerta.*) ¡Abre!

BERNARDA: Abre. No creas que los muros defienden de la vergüenza.

CRIADA: (*Entrando.*) Se han levantado los vecinos!

BERNARDA: (*En voz baja como un rugido*) ¡Abre, porque echaré abajo la puerta! (*Pausa. Todo queda en silencio.*) ¡Adela! (*Se retira de la puerta*) ¡Trae un martillo! (*LA PONCIA da un empujón y entra. Al entrar da un grito y sale.*) ¿Qué?

LA PONCIA: (*Se lleva las manos al cuello.*) ¡Nunca tengamos ese fin! *(Las HERMANAS se echan hacia atrás. La CRIADA se santigua. BERNARDA da un grito y avanza.)*

LA PONCIA: ¡No entres!

BERNARDA: No. ¡Yo no! Pepe, tú irás corriendo vivo por lo oscuro de las alameda, pero otro día caerás. ¡Descolgarla! ¡Mi hija ha muerto virgen! Llevadla a su cuarto y vestirla como una doncella. ¡Nadie diga nada! Ella ha muerto virgen. Avisad que al amanecer den dos clamores las campanas.

MARTIRIO: Dichosa ella mil veces que lo pudo tener.

BERNARDA: Y no quiero llantos. La muerte hay que mirarla cara a cara. ¡Silencio! (*A otra HIJA.*) ¡A callar he dicho! (*A otra HIJA.*) ¡Las lágrimas cuando estés sola! Nos hundiremos todas en un mar de luto. Ella, la hija menor de Bernarda Alba, ha muerto virgen. ¿Me habéis oído? ¡Silencio, silencio he dicho! ¡Silencio!

TELÓN

Tras comentar los dos fragmentos, ¿cuál creéis que impacta más?

Leed ahora el texto que haya leído vuestro compañero y responded:

- ¿Cuál pensáis que podría gustar más a un público actual?
- ¿En cuál se presenta a la mujer menos sometida a la autoridad y más independiente?
- ¿Qué fuerzas entran en juego para llegar a las reacciones de las dos protagonistas Adela y Dolores?
- ¿Cómo llegan a declarar su deseo de libertad? ¿Cómo lo declaran?

Volved a los dos puntos culminantes de la historia, contrastad las dos acciones dramáticas y sacad vuestras conclusiones.

⑩ Entre todos, discutid:

- ¿Qué es libertad para una chica joven de hoy en día? ¿Suelen surgir conflictos familiares debido a la limitación de la libertad?

⑪ A propósito del concepto de libertad para una chica joven y de la relación entre padres e hijos, leed la siguientepieza breve:

UN DÍA ESPECIAL de Griselda Gambaro.

Una mecedora y una silla.
Luisa está sentada en la mecedora, cabecea, hamacándose.
Entra Ana de la calle, tiene aspecto feliz.

ANA: Hola, mamá. ¿Todavía despierta? ¿No tenés sueño?
LUISA: No.
ANA: Son las dos de la mañana. Es tarde.
LUISA: Ya lo sé. Conozco la hora.
ANA: (*Contenta.*) Vieja, ¿me estabas esperando?
LUISA: (*Ofendida.*) ¿A vos?
ANA: Sí.
LUISA: Sos bastante grande para cuidarte. Hoy no tenía sueño. En una de esas, ni me acuesto.
ANA: ¡Pero si a las ocho te vas a dormir! Como las gallinas.
LUISA: Me levanto a las cinco. No como vos, que dormís hasta las doce.
ANA: Los domingos. Pero mañana es un día especial, ¿eh, vieja?
LUISA: Para mí no.
ANA: Para mí sí. Me levantaré temprano, pero no para ir a la oficina, ¿lo sabías?
LUISA: No me hace gracia.
ANA: ¿Qué no te hace gracia? Bromeaba. Me voy a dormir. (*Da unos pasos, se vuelve.*) ¿Vos no? Ya llegué, ahora estás tranquila.
LUISA: ¡Y antes también! Me acuesto cuando quiero.
ANA: (*La mira divertida.*) Ya sé.
LUISA: Me voy a quedar aquí, pensando.
ANA: (*Se sienta*) Te hago compañía.
LUISA: ¿Qué te dio? Yo no necesito compañía de nadie.

ANA: Vieja, ¡qué mufa!

LUISA: ¡No me digás vieja! No soy tu abuela. Yo nunca le dije vieja a mi vie... a mi madre.

ANA: (*Bromea.*) Eras fina. "Mamá", ¿no tenés sueño? (*Tierna.*) ¿Charlamos?

LUISA: ¿A esta hora? ¿Estás loca? Tengo un sue...

ANA: (*Ríe.*) ...sueño que me muero.

LUISA: Claro, si andás por ahí a cualquier hora. ¿Qué hacen ustedes con el tiempo?

ANA: Vivirlo. Vieja, es mi última noche en casa, con vos.

LUISA: Te casás...

ANA: (*Asiente.*) Hum... (*Tiende la mano para acariciarle la mejilla.*)

Luisa (*La aparta.*) Salí.

ANA: No seas arisca.

LUISA: ¡Ah, sí! Estás muy cariñosa hoy.

ANA: ¿Hoy solo? ¿Y por qué no?

LUISA: Si te casás, es asunto tuyo. No tengo nada que ver.

ANA: (*Ríe.*) ¡Pero si a vos te gusta Juan!

LUISA: ¿Ese? Todos parecen buenos al principio. Después muestran la hilacha. ¡Si lo sabré! A tu padre le puse veintenaños la silla bajo el cu...

ANA: Cállate. Son épocas distintas. Y entonces no eras un ogro.

LUISA: ¿Soy un ogro?

ANA: ¿Quién dijo?

LUISA: No seas insolente.

ANA: Vieja, me gustaría...

LUISA: ¿Qué?

ANA: Que me abrazaras.

LUISA: ¿Yo? ¿Y por qué?

ANA: Y... ¿no sabés?

LUISA: Ja, ¿qué tengo que saber? Sólo sé que son las dos de la mañana. No trago las costumbres de ahora. Tanta libertad, a las dos, a las tres, no hay hora para nada. Entran y salen como hombres. ¡Así va el mundo! ¡Para la mierda!

ANA: Andate a dormir, vieja.

LUISA: ¿Qué? ¡Lo que faltaba! Me vas a mandar vos. Me quedo acá, ¡y no me acuesto! Te callás. ¡Te vas vos...! a dormir.

ANA: No quiero.

LUISA: ¿Qué hacés?

ANA: Te miro.

LUISA: No soy un cuadro.

ANA: (*Cierra los ojos, no se sabe si por sueño o deliberadamente.*) Estoy cansada. Muerta...

LUISA: (*La mira, pierde su aire hosco, tiende la mano.*) Bebita...te casás... bebita...

ANA: (Abre los ojos instantáneamente, sonríe.): ¿Qué hacías?

LUISA: (*Aparta la mano.*) Tenés una pelusa en el pelo.

ANA: ¿Dónde? Mostrámela.

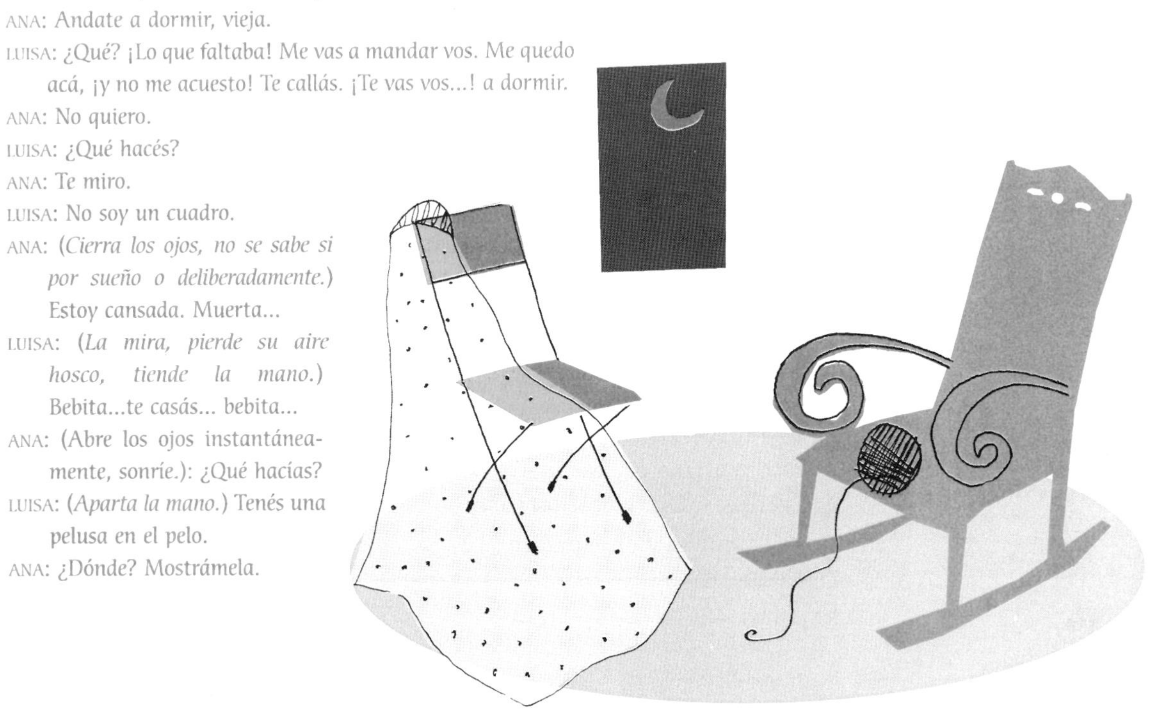

LUISA: (*Busca en los cabellos de Ana.*) No sé. Se cayó. Estás llena de... pasto. ¿Dónde anduviste? Me parece que vos...

ANA: ¡Uf, terminala! (*Le pasa el brazo por los hombros.*) ¿No te acordás cuando te casaste, vieja?

LUISA: ¿Sí me acuerdo? ¿Para qué? Mejor olvidarlo.

ANA: ¿Te fue mal? No digo después. Digo... antes... cuando estabas enamorada. ¿Cómo era el viejo de joven? ¿Buen mozo?

LUISA: ¿Cómo era? Ni me acuerdo.

ANA: ¿Cómo no vas a acordarte? Chamuyaban en el zaguán...

LUISA: ¿Qué te importa? Por suerte se murió... joven. (*Se rehace.*) ¿No sabes como era? Nervioso, amargado... Prepotente. La silla bajo el cu...

ANA: Sí, eso lo sé. Pero antes, cuando sólo vos lo conocías, la primera vez que lo viste y te gustó, ¿cómo era?

LUISA: ¿Cómo era? (*Piensa, se desarma.*) Oh, pasó tan pronto el tiempo. Tan poco tiempo fuimos felices, tan poco tiempo felices...

ANA: Vieja...

LUISA: ¡Salí! ¿Qué te importa? No teníamos pajaritos en la cabeza, vamos a ver cuánto te dura a vos el entusiasmo.

ANA: (*Tierna y segura.*) Toda la vida, vieja.

LUISA: (*Ríe.*) ¡Sos una estúpida!

ANA: No.

LUISA: ¿No? (*La mira. Abre los brazos y la abraza fuertemente.*) ¡Bebita! Tenés razón. La felicidad dura, ¡toda la vida!

En grupos de tres, contestad a las siguientes preguntas:

- ¿Ha cambiado algo en este fragmento con respecto a la relación entre Adela y Bernarda, y Dolores y sus padres?
- ¿Dónde se nota?
- ¿Hay alguna intervención donde se ponga más de manifiesto el tipo de relación entre las dos mujeres?
- ¿Qué frase os gusta más? ¿Por qué?

(12) Estáis a punto de realizar vuestro propio montaje, pero antes:

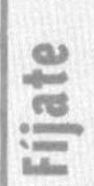

Para poner en escena una obra teatral, tendremos en cuenta:

- El texto: acotaciones/diálogos y monólogos/estructura interna y externa/tema.
- La interpretación: caracterización de los personajes/voz/movimiento.
- Triangulación de los espacios.
- La realización escénica (escenografía): boceto/maqueta/decorados/música/vestuario/maquillaje/luces.
- El tiempo y el espacio.

Dividíos en dos grupos: uno trabajará en la puesta en escena de *Cartas de amor a Mary* y el otro en el montaje de *Un día especial.* Volved a leer el texto para obtener las indicaciones sobre:

- La situación.
- Los personajes.
- El decorado.
- El vestuario.
- Las luces.
- La música.
- Los efectos especiales.
- El maquillaje.

También tenéis que decidir quién hace qué. Asignaos vuestras respectivas funciones:

- Director.
- Ayudante de dirección.
- Actores.
- Técnicos de iluminación.
- Encargados de sonido.
- Encargados de los efectos especiales y tramoyistas.
- Encargados del vestuario.
- Encargados del maquillaje.
- Bocetistas.
- Escenógrafos.

Después de haber ensayado, cada grupo representa su ante el otro grupo. Si tenéis la oportunidad, sería muy interesante grabar las representaciones.

PARA ACABAR

13 A partir del espectáculo anterior, que habréis visto en directo (y a ser posible también grabado), cada uno escribirá una pequeña reseña teatral sobre la pieza que el otro grupo ha representado. Para ello te damos una serie de pautas:

Informaciones objetivas:

- Fecha y lugar de representación
- Texto
- Compañía
- Director
- Actores
- Otros

Opinión del crítico sobre:

- El estilo de la dirección: si el director ha comunicado el mensaje del autor, cómo lo ha hecho, si ha sabido llenar la escena con los sentimientos de éste...
- La interpretación de los actores: si han sabido dar vida a su personaje, si han transmitido emociones...
- Música: si la elección de los textos musicales ayuda a la comprensión del texto dramático, si expresa los sentimientos de los personajes...
- Decorados.
- Vestuario, luces y maquillaje.

¿Cómo te ha ido?

En esta tarea he aprendido que:

- Para hablar de la puesta en escena de una obra dramática hay que tener en cuenta

____

____

____

____

____

____

____

Con respecto a la acción dramática es importante: ____

____

De todas las actividades, la que más me ha gustado es ______________________

Y la que menos ______________________

Nivel de interés en hacer la *tarea* (puntúa de 1 a 10)

1 2 3 4 5 6 7 8 9 10

Mis frases más...

Entre todos los textos, algunas de las frases, versos, discursos, expresiones, estrofas... que me han gustado más son

____

____

____

____

____

____

¡Abajo el telón!

Por fin hemos llegado a nuestra **tarea final** ¿Os acordáis de lo que decidisteis en la fase de la negociación de la tarea final?

Expresar ideales de libertad en una composición "literia".

¿Todavía estáis de acuerdo? ¿O después de todo lo que hemos dicho y hecho preferís modificar algo? En cualquier caso, el recorrido que habéis seguido a través de las tareas intermedias os será útil para vuestros fines. ¡Que lo paséis bien al realizar vuestra tarea final!

Evaluación global del proyecto

- Cumplimiento de la tarea final.
- Realización de los trabajos programados.
- Fichas de autoevaluación al final de cada tarea.

Rincón de consulta

Amor mío (Poesía)

Nivel fónico

Figuras fónicas

Aliteración: reiteración o repetición de sonidos en palabras próximas: "...*bajo el ala leve del leve abanico*" (R. Darío).

Onomatopeya: imitación de sonidos reales a través del lenguaje: "...*diríase un trémolo de liras eolias*" (R. Darío).

Paronomasia: proximidad en la frase de dos palabras fonéticamente parecidas. Es una de las figuras que pertenece al grupo de los juegos de palabras: *hombre/hambre; muerte/suerte.*

Calambur: juego de palabras que se basa sobre el equívoco fónico o semántico o sobre el doble sentido de un término: "...*pasa de rosa blanca a rosa rosa.*" (Ángel González). "*Dore mi sol así las olas y la...*" (Ángel González).

Figuras métricas

Verso: un verso es cada línea escrita de un poema y también la menor unidad poética con independencia propia.

Según el **número de sílabas** que lo componen, el verso será bisílabo (2), trisílabo (3), tetrasílabo (4), pentasílabo (5), hexasílabo (6), heptasílabo (7), octosílabo (8), eneasílabo (9), decasílabo (10), endecasílabo (11), dodecasílabo (12), tridecasílabo (13), alejandrino (14), etc.
Según donde recaiga la **última sílaba acentuada,** tenemos:

Verso oxítono (agudo): cuando la última sílaba acentuada es la última del verso. En el recuento final se tiene que contar una sílaba más de las que tiene en realidad.

Verso paroxítono (llano): cuando la última sílaba acentuada es la penúltima del verso; en este caso se cuentan las sílabas que tiene realmente.

Verso proparoxítono (esdrújulo): cuando la última sílaba acentuada es la antepenúltima del verso; en este caso se cuenta una sílaba menos de la que tiene realmente.

Estrofa: conjunto de dos o más versos relacionados por su métrica, ritmo y rima. Es la unidad métrica superior al verso. El conjunto de estrofas constituye un poema.

Acento estrófico: es el que marca el ritmo de intensidad de cada verso.

Rima: es coincidencia sonora total o parcial entre varios versos a partir de la última vocal acentuada del verso; rima **consonante:** *llores/ruiseñores* (Lorca); rima **asonante**: *ella/violeta.* (Bécquer).

Pausa: se realiza al final de cada grupo fónico: pausa *interna* (interior del verso), *versal* (al final de cada verso), *estrófica* (al final de cada estrofa).

Encabalgamiento: no se respeta la pausa al final del verso y se pasa al verso siguiente, porque la pausa versal no coincide con la pausa morfosintáctica (se produce un desajuste entre el verso y la estructura sintáctica) "...*¡yo no sé/que te diera por un beso!*" (Bécquer).

Diéresis: cuando las dos vocales que forman un diptongo se pronuncian separadas, forman dos sílabas distintas: "...*y armonïosas se abrazan*" (Bécquer).

Sinéresis: cuando dos vocales que no forman diptongo se pronuncian unidas, forman una única sílaba: *Trenza, veleta, poesía.*

Sinalefa: es la unión en una misma sílaba de la vocal final de una palabra y de la inicial de la palabra que sigue: "*...se aproximan y al besarse*" (Bécquer).

Hiato: fenómeno contrario a la sinalefa, en el que la vocal final de una palabra y la vocal inicial de la siguiente se mantienen como sílabas separadas: "*...tímida sobre mi/hombro*"

Nivel morfosintáctico

Figuras morfosintácticas

Anáfora: es la repetición de una o más palabras al comienzo de una frase o de un verso: "*...por una mirada,.../por una sonrisa,.../por un beso,...*" (Bécquer).

Asíndeton: es la supresión de conjunciones entre términos.

Anadiplosis: es la repetición de una misma palabra o grupo sintáctico al final de un verso y al comienzo del siguiente: "*...ésas...¡no volverán/Volverán!*".

Epanadiplosis: es la repetición de una palabra al comienzo y al final de la frase: "*Nardo tu tez para mi vista nardo*" (M. Hernández).

Elipsis: supresión de elementos de la frase necesarios para la correcta construcción gramatical, pero no para la claridad de su sentido: "*...por una mirada un mundo, por una sonrisa un cielo....*" (Bécquer).

Figura etimológica: es la repetición de palabras etimológicamente iguales: "*Hoy estoy besando un beso*" (P. Salinas).

Hipérbaton: es la alteración del orden normal de la frase: "*...saeta que voladora/cruza, arrojada al azar*" (Bécquer).

Paralelismo: repetición de la misma construcción sintáctica, por ejemplo: "*...los suspiros son aire y van al aire/las lágrimas son agua y van al mar*" (Bécquer).

Pleonasmo: empleo de palabras innecesarias con el fin de aportar fuerza expresiva: "*lo vi con mis propios ojos*".

Polisíndeton: es la repetición innecesaria de conjunciones: "*...y rueda y pasa y se ignora*" (Bécquer).

Poliptoton: es la repetición de un nombre o de un pronombre en diversos casos o formas, o de un verbo en distintos tiempos "*El tiempo /después de dártelo /no lo quise para nada /ya, para nada /lo había querido antes*" (P. Salinas).

Nivel semántico

Figuras semánticas

Símil: es la relación de semejanza que se establece entre un término real y otro imaginario: "*Unos cuerpos son como flores*" (L. Cernuda).

Metáfora: es la identificación del término real con la imagen.

Metáfora sencilla:(R) es (I): "*...sus dientes son perlas*".

Metáfora pura: (R) en lugar de (I): "*...su luna de pergamino*" (Lorca).

Sinécdoque: tipo de metonimia que consiste en tomar una parte por el todo o el todo por una parte.

Paradoja: expresión que encierra una aparente contradicción: "*...se murieron creyendo no creer...; pero sin creer creerlo, creyéndolo...*" (M. de Unamuno).

Sinestesia: asociación de sensaciones que proceden de distintos campos sensoriales: "*...arpegios áureos; soledad sonora*".

Antítesis: oposición de dos expresiones, palabras o ideas contrarias: "*...cuando quiero llorar, no lloro, /y, a veces, lloro sin querer*" (R. Darío). "*El que calla, sereno, cuando hablo...*"

Oxímoron: acercamiento de palabras de sentido contrario y que parecen excluirse: "*...negras palomas que chapotean las aguas podridas*" (Lorca).

Hipérbole: exageración de los términos; aumentar o disminuir de forma desproporcionada acciones, cualidades, etc.: "*A un caballo encabritado soy capaz de poner de rodillas con la fuerza de mi dedo meñique*" (Lorca).

Personificación: atribución de cualidades humanas a cosas o animales: "*...la aurora gime /por las inmensas escaleras/ buscando...*" (Lorca).

Lítote: afirmar un concepto negando su contrario: "*no está mal*".

Símbolo: combinación convencional de dos elementos, *el sensorial*, realidad perceptible por los sentidos (representación mental de un objeto: *la balanza)* y el *intelectual*, de carácter abstracto (asociación y connotación que se da al elemento sensorial: *la justicia).* En algunos casos se pasa de la convencionalidad de los códigos a la individualidad del escritor: "*Soledad de mis pesares,/caballo que se desboca...*" (Lorca).

Campo semántico: conjunto de palabras conceptualmente relacionadas tanto por semejanza, como por oposición: "*...tus besos/son ofrecerme los labios/ para que los bese yo...*" (P. Salinas).

Sinonimia: coincidencia en el significado entre dos o más palabras llamadas **sinónimos**: "*Saeta que voladora cruza arrojada al azar... eso soy yo, que al acaso cruzo el mundo*" (Bécquer).

El código literario

Función preponderante

- *Referencial:* domina en los textos informativos, pero también en los narrativos o descriptivos, en que se presentan hechos y circunstancias imaginarios con fidelidad documental.
- *Expresiva o emotiva:* destaca en las obras de tipo lírico donde el autor descarga sus sentimientos (poema, diario íntimo, autobiografía, carta...)
- *Apelativa o conativa:* aparece en los textos publicitarios, en las proclamas...
- *Fática o de contacto:* en los diálogos teatrales y novelísticos, en las secciones fijas de los periódicos, en todos aquellos mensajes orales o escritos en que se hace hincapié sobre la necesidad de seguir manteniendo contacto con el destinatario.
- *Poética o estética:* domina en los textos literarios, pero la podemos encontrar también en la publicidad, en los textos (jurídicos, científicos) que presentan cierto nivel de exigencia estilística.
- *Metalingüística:* es propia de los diccionarios, las gramáticas, los libros de formulación química...

Tipo de lengua utilizada

Posible uso de:
- dialecto,
- jerga,
- tecnicismos,
- registros especializados,
- idiomas extranjeros.

Léxico

- uso de palabras de difícil descodificación, rebuscadas, cultismos o arcaísmos,
- uso reiterativo de determinadas partes del discurso: adjetivos,
- adverbios, verbos,
- uso reiterativo de uno o más términos,
- palabras escritas con caracteres tipográficos particulares.

Sintaxis

- longitud de la frase y del sintagma,
- uso preponderante de coordinación o subordinación,
- uso de la puntuación.

Uso de figuras retóricas

Cuáles son más frecuentes.

Registro lingüístico

Formal/coloquial.

VIVA LA LIBERTAD (TEATRO)

La obra teatral se representa en la **escena** ① *(palco escénico, tablas o tablado)*, que aparece a la vista cuando se levanta el *telón.*

El **telón** puede ser: *de boca* ② (tapa el escenario de la vista del público), *corto* (se coloca momentáneamente cerca de la embocadura ③ y deja un espacio donde algunos actores pueden actuar), *de foro* ④ (forma el fondo de la decoración) o *metálico* (aísla el escenario de la sala en caso de incendio).

Hay otros palcos desde donde el público asiste a la representación: *palco de platea* ⑤, *palco proscenio.* ⑥

El **proscenio** ⑦ es la parte anterior del escenario, situado entre el *borde* y los *bastidores.*

El **borde** ⑧ es el límite del escenario.

Los **bastidores** ⑨ son lienzos pintados, sostenidos por armazones, que se ponen a los lados y detrás del *escenario* (el director y los actores que no están actuando se quedan detrás de los bastidores).

El público también puede estar en: la *galería* (el lugar más barato, aunque en algunos teatros existe también el *gallinero*); en el *patio de butacas* ⑩; en los *balconcillos.*

La parte del escenario opuesta a la *embocadura* se llama *forillo* o *foro* ⑪.

Los **bambalinas** ⑫ cruzan de lado a lado el escenario, formando la parte superior de la decoración.

Entre el escenario y las butacas está situada la *orquesta* ⑬, destinada a los músicos y/o al coro).

La parte superior del escenario, desde donde bajan los telones y los elementos móviles del decorado, se llama *telar* ⑭.

Las máquinas que realizan los cambios de decoración, *escenografía* u otros efectos son las *tramoyas* ⑮. La que sirve para hacer bajar o subir al escenario personas o figuras, se llama *pescante* ⑯.

El conducto por donde suben y bajan las pesas de las tramoyas recibe el nombre de *chimenea* ⑰.

Cosas y personas desaparecen gracias al *escotillón* ⑱, que se abre en el suelo del escenario. El espacio que se encuentra debajo del escenario se llama *foso* ⑲.

Los actores se cambian en el *camerino.*

En la *concha* ⑳, el apuntador se oculta de la vista del público.

Las luces pueden ser *candilejas* ㉑, *focos* (con filtros de varios colores) o *proyectores.* La luz de proscenio se llama *batería.* El *ojo de buey* ilumina un punto preciso de la escena. La escena también se puede alumbrar con luces colocadas en el *varal* ㉒, un madero colocado de pie entre los bastidores.

Asimismo se usan también *micrófonos* y equipos para la difusión de músicas.

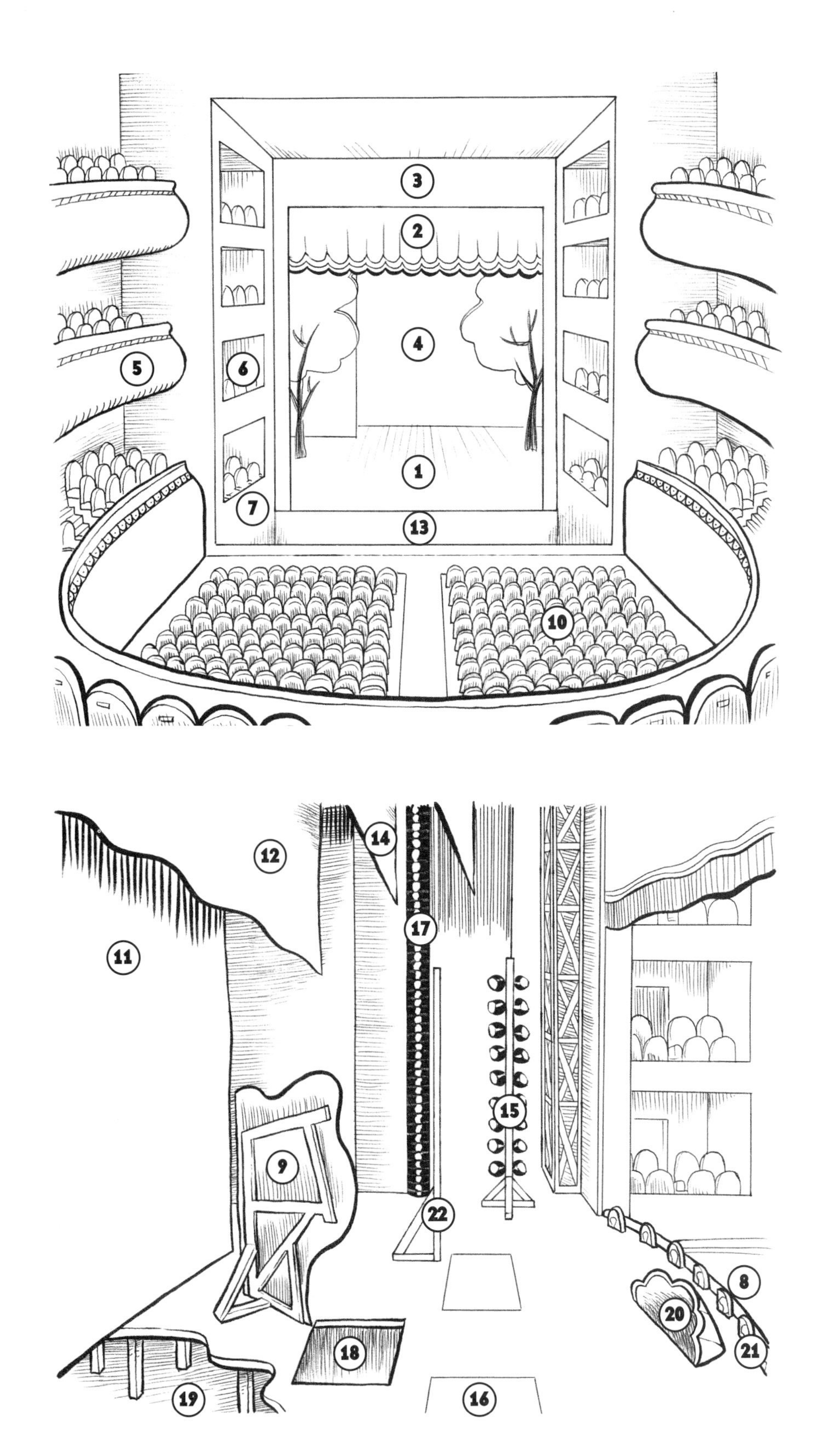

3
2
4
5
6
1
7
13
10
14
12
17
11
15
9
22
8
20
18
21
19
16

Movimientos literarios

ROMANTICISMO

Características generales

El Romanticismo es un movimiento literario que domina la literatura europea desde finales del siglo XVIII hasta mediados del XIX. Sus rasgos peculiares son: *entrega a la imaginación, subjetividad, libertad de pensamiento y de expresión e idealización de la naturaleza. El hombre se plantea los problemas de su existencia y del mundo desde un punto de vista más emocional y subjetivo.*

España se incorpora lentamente al Romanticismo. Las nuevas ideas le llegan por diversos caminos: los viajeros románticos, los exiliados fernandistas, libros y noticias que divulgan lo que pasa fuera y las traducciones al castellano de las obras románticas más significativas de la literatura europea.

El auge del Romanticismo español va de 1834 a 1844. Con la muerte de Fernando VII, en 1833 acaba el absolutismo y madura un conjunto de ideas que han ido introduciéndose en España desde 1800.

Los románticos heredan de los ilustrados elementos prerrománticos como el *sentimentalismo* de la comedia lacrimosa, la comedia *de costumbres,* el *orientalismo* de los romances heroicos, la *meditación filosófica y social, el amor a la naturaleza,* el *pesimismo* y el *patriotismo* liberal.

La base de la nueva sociedad serán las *clases sociales* y, de ellas, va a ser la burguesía, afianzada en una cada vez más sólida posición económica, será la que accederá al control del Parlamento y de la opinión pública a través de la prensa.

La ciudad de Cádiz. se convierte en una de las principales vías de penetración de las nuevas ideas en España, y en el periódico gaditano *Crónica*, se iniciará el debate sobre el Romanticismo en España.

Bases ideológicas

El término *romántico* se emplea por primera vez en Inglaterra en el siglo XVII con el significado original de "semejante al romance", para denigrar los elementos fantásticos de la novela de caballerías muy en boga en la época. El filósofo alemán A. W. Schlegel (Hannover, 1767-Bonn 1845) atribuye al adjetivo "romántico" características innovadoras, afirmando que en la poesía romántica se expresa una misteriosa y concreta aspiración al caos incesantemente agitado, que conduce a la creación de cosas nuevas y maravillosas en un lenguaje puro y universal.

El *movimiento romántico* nace oficialmente en 1798, cuando en Berlín se publica el primer número de la revista *Athenaeum*, de los hermanos Schlegel, en la que escriben también Novalis y Schleiermacher. En Inglaterra se publican las *Baladas líricas* de Wordsworth y Coleridge.

El ser humano se convierte en dueño de sus acciones; *el individuo es libre, el pensamiento es libre, la pasión es libre, la expresión literaria es libre.*

El *yo romántico* rechaza formar parte de la Naturaleza como una pieza más de su engranaje y hace constar su individualidad, la capacidad creadora y transformadora que extrae de sí mismo, de su interior.

Se plantea una *relación con la Naturaleza* como una comunicación del Uno al Todo, que a la vez desencadena su aspiración al infinito.

El hombre es *una criatura aislada,* alienada, que se ha convertido en el objeto de su propia reflexión y aspira nostálgicamente a la unidad y a la infinidad, mientras el mundo se le presenta como dividido y finito.

Predomina la imaginación sobre la razón, la emoción sobre la lógica y la intuición sobre la ciencia. *Se antepone el contenido a la forma*, se adopta una mayor libertad estilística.

Las convenciones clásicas, como las famosas tres unidades del drama (tiempo, espacio y acción) caen en desuso, *se rechazan la regularidad métrica, la rigidez formal* y otros aspectos de la tradición clásica.

Siempre se ha considerado que *España* como un *país típicamente romántico*, por la pervivencia del espíritu caballeresco, el apego a la tradición, el sentimiento patriótico y el predominio de una actitud apasionada y aventurera ante la vida. Estas características se encuentran en Don Quijote, en Don Juan, en el Romancero, testimonio de una Edad Media heroica y caballeresca, y en la literatura barroca española, que ya prescinde de las reglas clásicas.

Por todo ello, *España se convierte en una fuente de inspiración*, aunque, en el otro extremo, se percibe esta época del pasado español como un exponente del fanatismo condenable simbolizado por la Inquisición.

Temas

Al hombre romántico le asusta el futuro que la ciencia y el progreso anuncian; los románticos regresan a la Edad Media en busca de temas y escenarios. La *nostalgia por el pasado* se funde con la tendencia a la melancolía y genera una especial atracción hacia las ruinas, los cementerios o lo sobrenatural. Hastiado de la realidad que le circunda, en la que no se puede alcanzar lo absoluto, el escritor romántico se refugia en *la evasión* y en el sueño de una belleza ideal.

Los románticos españoles expresan su visión del mundo a través de temas que coinciden básicamente con los del Romanticismo europeo, adaptados a la situación de su país.

La literatura romántica es en gran parte histórica. Toma la *historia nacional* como fuente de inspiración, exalta lo peculiar, los problemas y los sentimientos del tiempo en que vive el autor. *La historia se convierte en espejo reflector del presente.* Fruto de esta tendencia es el cuadro de costumbres, o *costumbrismo*, en el que se revela el interés de los románticos por todo lo que representa el carácter nacional, lo autóctono.

Triunfa el *medievalismo* y reviste especial significación el mundo árabe oriental. El *orientalismo* de los románticos españoles cobrará un matiz patriótico, ya que el mundo árabe forma parte de la historia nacional.

El *amor* es uno de los valores clave para los románticos. Es un *amor desatado,* que tiene poco que ver con la realidad y que se ha convertido en un fenómeno subjetivo que se reviste de un tono sentimental o pasional. Hay una actitud melancólica, de tristeza íntima, de ensueño irrealizable del alma tímida del poeta frente a una amada imposible.

El *amor pasión* surge de repente y se plantea en términos de todo o nada. Rompe las convenciones sociales en nombre de la libertad de amar. Le suele acompañar la muerte trágica o le sucede el desengaño.

Es muy poco frecuente el *amor erótico*, porque la mujer es considerada como un "ángel de amor", inocente, hermosa, fuente de ilusiones para el corazón del hombre. Es el ideal femenino. Pero también puede ser un demonio que lleva a la muerte y a la destrucción.

En los escritores románticos la *religión* se presenta como sentimiento o como institución. En el *primer caso se trata de un Dios inconcreto y universal, espíritu del universo.*

No parece existir Entre los románticos españoles no parece existir profundidad y sinceridad en su deísmo, sino abundantes *dudas.* La muerte y su entorno (cementerios, tumbas, ruinas), pueden ser una liberación, una salida al pesimismo de la existencia.

Para el alma atormentada de los románticos, *la vida* no es un bien, sino una incesante *búsqueda de lo inalcanzable*, en que tienen como compañeras la inadaptación y la soledad. El pesimismo lo envuelve todo: el tiempo mina la juventud, el desengaño el amor. En la sociedad hay injusticias y dolor. El *mal del siglo* es hastío, cansancio de vivir, angustiosa melancolía, incontrolable desesperación.

Los románticos, perdida la fe en Dios, incapaces de creer en la razón, operan en un inmenso vacío. A veces el desprecio por la vida los lleva a buscar aventuras y riesgos, incluso el suicidio.

La literatura romántica es una literatura comprometida. El artista se posiciona ante los problemas de la sociedad y exige la libertad *en todos los ámbitos*: el político, el sentimental, el artístico...

El pueblo se convierte en depositario del poder, pero, fieles al ideal liberal burgués, los románticos no aceptan que se convierta en revolucionario. Se prefiere al yo, al individuo, frente a la organización. Se admiran los tipos marginales y rebeldes que no se integran, como el bandolero, el trovador o el mendigo. También es importante el sentimiento humanitario hacia el pobre, la víctima. Se clama contra la pena de muerte y el estado de las cárceles en nombre del respeto al individuo, a la persona.

Estética

El Romanticismo renueva los recursos artísticos del arte y de la literatura, introduciendo *el gusto por lo particular* frente al universalismo clasicista. La naturaleza se prefiere salvaje, agreste. Se busca la correspondencia entre los estados emocionales y el paisaje. Con los románticos renace la fantasía, se rompen los límites estrechos de la realidad y se abre el camino hacia las regiones inmensas de la imaginación. El romanticismo utiliza todas las variaciones métricas existentes. Abundan la silva, el endecasílabo agudo, la octava real y la lira. La estrofa más popular es el cuarteto.

También se crea un *vocabulario romántico,* extremado, que corresponde al nuevo estilo, fundamentalmente enfático, en que abundan signos de interrogación y exclamación, puntos suspensivos y exceso verbal.

Trascendencia

En una década *el Romanticismo transforma el panorama cultural, social y político* español.

La misión de la generación romántica es *modernizar España:* democratizarla, europeizarla, abrirla a la libertad en un momento de decadencia.

El Romanticismo español crea algunos géneros importantes, como la *novela histórica,* la *leyenda* y el *drama heroico.* Además, rehabilita el romance, casi olvidado en el siglo precedente.

Con este movimiento se legitima la libertad de la forma artística, tal y como se entiende hoy en día.

REALISMO, NATURALISMO Y COSTUMBRISMO

Los movimientos literarios en la sociedad de la época

En España se pueden distinguir *dos grandes períodos históricos:* el primero es el de la *época isabelina,* que se caracteriza por la represión de los movimientos revolucionarios, el desarrollo de la burguesía y la acentuación de la nota moralizadora, y el segundo es el de la *Restauración,* que alcanza su plenitud con Pereda y Galdós.

El Realismo

Características generales

Es una nueva tendencia artística, que se difunde en toda Europa en la segunda mitad del siglo XIX con la consolidación de la *burguesía como clase dominante* y con el abandono, una vez obtenido el poder, de sus aspiraciones revolucionarias. Su apego a la realidad y su espíritu práctico marcan el ambiente social.

El *Realismo convive* en España con el *Naturalismo.* El escritor realista aspira a captar en su obra la vida tal y como es, quiere suprimir su "yo" de todo lo que escribe.

El relato realista se caracteriza por el *ambiente local,* la *descripción de costumbres y de sucesos contemporáneos,* el *gusto por el detalle,* el espíritu *de imitación "fotográfica",* la *reproducción del lenguaje coloquial y familiar* .

La *definición del movimiento realista* aparece en 1856 en la revista *Réalisme*:

"*El Realismo pretende la reproducción exacta, completa, sincera, del ambiente social y de la época en que vivimos [...] Esta reproducción debe ser lo más sencilla posible para que todos la comprendan".*

Como *movimiento literario,* el Realismo persigue el *ideal de la objetividad* y exige una minuciosa *observación del entorno* por parte del escritor, debido al creciente interés por los cambios sociales y los problemas que éstos generan.

Pero más que un movimiento literario que tiende a reproducir fielmente la realidad, el Realismo es un *método estilístico* de la narración y de la forma descriptiva.

El Naturalismo

Características generales

El Naturalismo no sólo es una tendencia literaria, sino que pretende ser *una concepción del hombre* y un método para estudiar y clasificar su comportamiento. Los escritores naturalistas llevan a las últimas consecuencias los postulados realistas y tienen la pretensión de *dar a la novela un valor científico* y de conocimiento de lo real basándose en la observación y en la experimentación. La novela naturalista describe minuciosamente la realidad en todos sus detalles, hasta en sus aspectos más ingratos.

En España, el Naturalismo apenas encuentra eco. Entre los naturalistas sólo se encuentra a Pérez Galdós en algunos momentos, a "Clarín" y, sobre todo, a Emilia Pardo Bazán (1851-1921).

La doctrina de la escuela realista queda fijada por Émile Zola[1], y se basa en las teorías filosóficas y científicas de su tiempo: el *materialismo* (niega la parte espiritual del hombre, cada reacción tiene una explicación orgánica), el *determinismo* (el comportamiento del hombre está inexorablemente marcado por la herencia biológica y las circunstancias sociales) y el *método experimental* (el novelista experimenta con sus personajes y explica de manera "científica" sus actos y reacciones).

Los bolos (detalle), Joaquín Sorolla

El Costumbrismo

Características generales

Con este término se designa la tendencia a reflejar en obras de arte las costumbres de la época y del ambiente en el que vive el artista que las crea. Por tanto, el Costumbrismo se ha dado en todas las épocas literarias. Pero en el siglo XIX esta palabra designa la aspiración de crear una *obra* que sea un *reflejo objetivo de la sociedad, la época y el ambiente.*

En España, el Costumbrismo se desarrolla ya en los años del Romanticismo, anticipando algunas de las características del movimiento sucesivo, Ya en la época romántica se aprecia el desarrollo de lo que luego sería el Costumbrismo, pero la nueva estética realista no se adopta hasta 1968, año de la Gloriosa (Revolución de 1868[2]). En esta época se produce un *florecimiento literario* que tiene como protagonistas a jóvenes escritores como Galdós, "Clarín", Valera y Pardo Bazán, que aportan una profunda renovación.

Bases ideológicas

En el plano ideológico, sigue dominando el *liberalismo*, que se divide en progresista y moderado. Paralelamente, las masas obreras empiezan a luchar por mejora sus condiciones de vida y e*n el proletariado se difunden doctrinas revolucionarias* como el socialismo, el comunismo y el anarquismo.

El *positivismo*[3], la corriente filosófica que caracteriza el momento, se opone al idealismo romántico admitiendo como verdadero sólo lo que se puede observar o experimentar y rechazando la especulación pura. Del positivismo nacen, directa o indirectamente, *la sociología y la psicología científicas.* En el campo científico, hay que recordar el *nuevo método experimental,* las teorías sobre la *herencia biológica y la evolución de las especies*[4].

Algo fundamental para comprender el estilo de vida que sustituye los valores tradicionales de la moralidad española por una moral austera y el cultivo de la ciencia, es el estudio del movimiento filosófico e intelectual conocido como *Krausismo,* que se desarrolla en España en la década de 1860. El sistema filosófico del alemán Krause (1781-1832) se basa en la unión entre el hombre finito y el Dios infinito, y se puede caracterizar como *panteísmo idealista.* Para los krausistas, el mundo se divide en Naturaleza y Espíritu, que confluyen en la Humanidad, y tienden a una armonía perfecta en el seno de Dios, por medio de la racionalización progresiva de las instituciones humanas.

El introductor del krausismo en España es Julián Sanz del Río[5]. Sus partidarios cultivarán la ética, el derecho, la sociología y la pedagogía, y promoverán un vasto movimiento de educación popular que se materializará en la *Institución Libre de Enseñanza*[6].

Temas

Los escritores realistas se proponen la reproducción exacta y el *análisis riguroso de la realidad.* Nos ofrecen un retrato de lo que observan, eliminando todo aspecto subjetivo, hechos fantásticos o sentimientos que se alejen de lo real, intentando seguir el método de las ciencias experimentales.

El novelista se documenta antes de escribir: surge un tipo de novela en la que se analizan minuciosamente las *motivaciones* de los personajes y las *costumbres.*

Los problemas de la existencia humana integran los temas fundamentales de la novela realista. Este es el resultado del sumo interés por la descripción de los caracteres, del temperamento y de la conducta de los personajes.

Además, se *denuncian* los defectos y los males que afectan a la sociedad y se ofrecen soluciones al lector para detenerlos. Renace la idea de *arte útil.*

La descripción se centra en *ambientes, personajes* y *costumbres.* Los ambientes pueden ser urbanos o rurales y junto a la descripción de la burguesía aparecen las *capas sociales inferiores,* prácticamente ignoradas hasta entonces como tema literario.

Estética

El *lenguaje* realista es sencillo, pero cuidado; se acomoda a la realidad que pinta y da cabida al vulgarismo y a lo dialectal, adaptándose al personaje. Se elimina la retórica grandilocuente, se introducen los diálogos que reproducen el lenguaje hablado.

Trascendencia

El género literario preferido es la novela y en sus obras los novelistas reflejan los profundos cambios sociales de la época en la que viven.

A los escritores realistas les interesanla realidad externa y el hombre: surgen así la *novela regionalista* (Pereda[7]), la *novela ciudadana* (Galdós y "Clarín") y la *novela psicológica* (Valera).

El teatro también se ocupa de temas contemporáneos, con cierto enfoque docente y un lenguaje sobrio. Estos rasgos caracterizan a la que se ha llamado *alta comedia.* Un autor realista, Echegaray[8], dará a este género cierta resonancia, con obras que influirán en el primer teatro de la posguerra española.

El Costumbrismo deriva hacia la *novela regional* y favorece el desarrollo literario de los valores populares, dando lugar a una nueva ciencia históricofilológica: el *folklore.*

Modernismo

Características generales

El Modernismo es un movimiento de profunda *renovación estética y literaria* que aparece durante la década de 1880, tiene su auge hacia 1910 y toca su fin en el primer tercio del siglo XX. Los modernistas quieren distanciarse de la burguesía y de su materialismo por medio de un arte refinado y estetizante. El Modernismo es un movimiento cosmopolita cuyo centro se puede localizar, sin ningún tipo de duda, en París. Sus cultivadores comprenden que están participando en una evolución de la sensibilidad que no se limita a España, ni siquiera a Europa.

Las *corrientes que influyen en la génesis* del Modernismo son muy variadas: la poesía de los estadounidenses Whitman y Poe; el prerrafaelismo británico, el decadentismo de D'Annunzio, sin olvidar las fuentes hispánicas: Berceo, Manrique, los Cancioneros. Especialmente relevantes son los movimientos estéticos franceses.

Los poetas españoles se inspiran directamente en Verlaine salvo en los aspectos formales, en los que Rubén Darío, el creador y principal representante del Modernismo, será el maestro. El mismo término "Modernismo" es una palabra tomada de los simbolistas y elegida por Darío para designar la nueva tendencia.

Tándem (detalle), Ramon Casas

Bases ideológicas

El Modernismo está alimentado básicamente por dos movimientos líricos surgidos en Francia en la segunda mitad del siglo XIX: el *Parnasianismo* y el *Simbolismo.*

El *Parnasianismo* es una escuela literaria que debe su nombre al título de una revista, *Le Parnasse Contemporain* (1866).

Según esta tendencia artística encabezada por Théophile Gautier[9], con su famoso *lema* "El Arte por el Arte", se desarrolla una *poesía separada de la realidad*, que reacciona contra los poetas sociales y el hombre burgués. Se instaura el culto a la perfección formal, que los escritores buscan a través de una poesía descriptiva, basada principalmente en temas y motivos de la cultura grecolatina. La máxima figura del movimiento es Leconte de Lisle (1818-1894), en cuya obra destaca la preferencia por ciertos temas (mitos griegos, ambientes orientales y exóticos, lo medieval) que reaparecerán en los modernistas.

El *Simbolismo*, en sentido estricto, es una escuela constituida hacia 1866[10], pero en un sentido más amplio es una corriente literaria subjetiva que concibe el mundo como una trama misteriosa que presenta correspondencias entre los objetos que lo forman. Para sus representantes[11], la misión del poeta es sugerir esas alianzas por las que un objeto evoca a otro mediante un *lenguaje imaginativo lleno de símbolos* que el artista crea para nombrar una realidad que carece de nombre, para designar lo inefable. El poeta recurre a palabras cotidianas y las dota de un significado del que carecen en la lengua común.

Temas

Los autores modernistas desarrollan una actitud abierta hacia todo lo nuevo, es decir, promueven una *amplia libertad creadora*. Los artistas son ciudadanos del mundo que están por encima de la realidad cotidiana, son hombres cosmopolitas. Aman los temas exquisitos, pintorescos, decorativos y exóticos, la mitología, la Grecia antigua, Oriente, la Edad Media, etc. Tienen un sentido aristocrático del arte, rechazan la vulgaridad y persiguen la perfección formal.

Hay *correspondencia entre las artes*: la literatura se aproxima a la pintura, a la música y a la escultura. Se practica el *impresionismo descriptivo*: se concede una mayor importancia a las impresiones que causan las cosas que la descripción de las cosas mismas.

Estética

El Modernismo promueve la renovación de los recursos expresivos a través de la supresión de los vocablos gastados por el uso, la inclusión de vocablos musicales y de otros de uso poco frecuente, la simplificación de la sintaxis, el aprovechamiento de las imágenes visuales y la renovación de la versificación. El soneto adquiere mayor flexibilidad, se prefieren la versificación irregular, el verso libre y la libertad estrófica.

El arquitecto Antoni Gaudí (Reus, 1852-Barcelona, 1926) es uno de los máximos exponentes de la corriente artística del modernismo. Plasma estructuras fantásticas, nunca vistas, con formas enrevesadas, juegos geométricos y colores vivaces.

Escalera de caracol de la *Sagrada Familia,* Gaudí

Trascendencia

Se ha dicho que el Modernismo representa la inquietud de una época: el final del siglo XIX, el cambio histórico reflejado en el arte y en la religión. Pero el Modernismo literario, además, traerá consigo un *cambio definitivo en el manejo expresivo del idioma.*

En España el Modernismo toma también una segunda línea, más sobria y sencilla, que arraiga en los hombres preocupados por la decadencia nacional: es la vertiente conocida como "Generación del 98", que no deja de ser una línea del Modernismo.

El canto de los poetas modernistas constituye la primera expresión de autonomía literaria de los países hispanoamericanos.

El concepto de generación literaria

Para los historiadores, el concepto de generación se refiere a un conjunto de escritores más o menos coetáneos (nacidos con una diferencia de 15 años) que comparten problemas sociales e inquietudes existenciales. El concepto de generación literaria, en cambio, es algo más restringido y alude también a otros aspectos compartidos por los integrantes del grupo generacional:

1) Una formación intelectual semejante.
2) La existencia de relaciones personales o de amistad entre los miembros del grupo.
3) La organización o participación en actos culturales comunes.
4) Algún acontecimiento generacional que aúne sus voluntades.
5) La presencia de un guía, o "jefe" intelectual o artístico del grupo.
6) El hecho de compartir un lenguaje generacional, es decir, rasgos comunes de estilo que reflejen una ruptura con la estética de la generación anterior.

El método de las generaciones en el ámbito histórico se introduce en España en 1933 gracias a Ortega y Gasset[12], para quien es posible hablar de generación siempre que no haya más de 15 años de diferencia entre los autores que la integran y que éstos compartan un conjunto de creencias colectivas.

Sin embargo, al tratar a continuación de la Generación del 98, de la del 27 o de la Generación del 36, no es posible aplicar el término en su sentido más estricto. Muchas veces existe, junto a un grupo de perfil bien definido, una serie de escritores que comparten el mismo ambiente intelectual y algunas de las características arriba mencionadas, aunque no se pueden considerar miembros de la "generación" propiamente dicha.

Generación del 98

Situación político-social

A lo largo del siglo xix España vive una situación político-social conflictiva, que se manifiesta en la Revolución burguesa del 1868.

La posterior restauración borbónica (1875) no mejora la situación y este siglo, caracterizado por *revueltas sociales, alternancia de partidos políticos* y *cambios dinásticos*, alcanza su más profundo momento de crisis en 1898. Es el año de la guerra con EE.UU., que trae como consecuencia *la pérdida de las últimas colonias españolas* (Cuba, Puerto Rico y Filipinas) y consolida la fe en la clase dirigente y en los ideales nacionales.

Los escritores del 98 se acercan al *problema de España* indagando en sus causas e intentando buscar remedios para su regeneración. Empujados por el deseo de conocer el alma de su pueblo, desarrollan una nueva sensibilidad casi obsesivamente preocupada por lo que llaman el "problema español" y, de esta manera, redescubren la belleza del sobrio paisaje castellano, al mismo tiempo que aportan una renovación estilística de hondo calado.

Desde el mismo momento de su formulación, el concepto "Generación del 98" origina *problemas de delimitación*. Algunos estudiosos consideran que el grupo de los escritores del 98 pertenece a una corriente literaria mucho más amplia: el Modernismo. Otros, entre ellos Pedro Salinas, se oponen a esta identificación y consideran que ambos son fenómenos literarios independientes: la Generación del 98 y el Modernismo.

Bases ideológicas

Los jóvenes del 98 están animados por un marcado *espíritu de protesta* que concretan en verdaderas doctrinas revolucionarias. Entre ellos Pío Baroja (que simpatiza con el anarquismo), Ramiro de Maeztu (que profesa ideales socialistas) y José Martínez Ruiz, Azorín (que se declara anarquista), escriben juntos artículos que firman con el seudónimo de "Los tres". En 1901 difunden un Manifiesto, que representa un momento muy importante para la formación de la Generación del 98. Se proponen *"[...]aplicar los conocimientos de la ciencia general a todas las llagas sociales [...] poner al descubierto [...] las dificultades y tristezas de millares de hambrientos [...] señalar la necesidad de la enseñanza obligatoria [...] llevar a la vida las soluciones halladas [...] defenderlas con las palabras y con la pluma hasta producir un movimiento de opinión que pueda influir en los gobiernos"*[13].

También pertenecen a esta generación literaria Miguel de Unamuno, que militará en el Partido Socialista Obrero Español desde 1894 hasta 1897, Ramón María del Valle-Inclán, que se declara tradicionalista, y Antonio Machado, que se da a conocer como liberal progresista.

Los años de la madurez

En 1910, con el artículo "Dos generaciones" y más tarde en 1912, con "Generación de escritores", Azorín recogerá la idea de generación literaria, incluyendo en el grupo a Valle-Inclán, Baroja, Unamuno, Maeztu, Benavente y Darío. Señala además el idealismo y la rebeldía como *características de la generación*, que se traducen en una nueva visión de la realidad acompañada por la reinterpretación de la tradición y el interés por el paisaje.

Cada autor ha madurado una fuerte personalidad, con orientaciones, ideas políticas y sentimientos estéticos muy diferentes de los de su juventud. Así se configura lo que tradicionalmente se considera "mentalidad del 98", con su fuerte idealismo, plasmado en los temas que caracterizan las obras de sus escritores.

Temas

Las obras de los escritores del 98 se pueden agrupar en dos grandes bloques temáticos:

1. **La preocupación existencial** y el afán por conocer el destino y el significado de la vida del hombre, que se traducen en un malestar vital de carácter romántico (que coincide con el de los modernistas) que anticipa el existencialismo e intensifica el entronque con las corrientes irracionalistas europeas (Nietzsche, Schopenhauer, Kierkegaard...). Al preguntarse sobre el sentido de la vida humana, aparece el *problema religioso*: los noventayochistas, mayoritariamente agnósticos en su juventud, viven la lucha entre la razón y el deseo de creer en Dios, aunque a veces fuera de la ortodoxia católica.
2. **El tema de España**, que se enfoca desde los tintes subjetivos que caracterizan la exaltación redentora de Unamuno, la visión impresionista de Azorín o el escepticismo de Baroja. La preocupación del grupo no será tanto la resolución de los problemas prácticos del país, sino la regeneración de su "alma". De aquí el interés por sus paisajes, que todos describen con amor y dolor al mismo tiempo y por su historia, en la que los escritores intentan buscar los valores permanentes del país.

Estética

Los noventayochistas contribuyen a la *renovación literaria* de principios de siglo, repudiando la retórica y el prosaísmo de la generación anterior y desarrollando una profunda voluntad antirretórica. Su estilo es muy cuidado y comparten el *gusto por las palabras terruñeras y tradicionales.* Otro rasgo esencial de su estética es el *subjetivismo*, que desvela el sentir personal de los autores y hace a menudo difícil separar "lo visto" de "la manera de mirar".

Trascendencia

Con esta generación (y con la de los modernistas), la crítica considera inaugurada la *Edad de Plata* de la literatura española.

VANGUARDIAS

Características generales

El término de "vanguardias" surge en Francia durante los años de la Primera Guerra Mundial (1914-1917). Su origen está precisamente en la palabra francesa *avant-garde*, término de origen militar y político que viene a reflejar el *espíritu de lucha, de combate y de confrontación* que presenta el nuevo arte del siglo frente al llamado "arte decimonónico" o "arte académico".

Desde el principio, el arte vanguardista adquiere una *impronta provocadora contra lo antiguo*, lo naturalista o lo que se relaciona con el arte burgués. Todas las primeras manifestaciones de los vanguardismos están repletas de actos y gestos de impacto social como *expresión de un profundo rechazo a la llamada cultura burguesa*. La Primera Guerra Mundial es el período en que, junto a diversas actitudes de rechazo ante la lucha, afloran manifestaciones artísticas extraordinarias de una versatilidad y una agilidad desconocidas hasta entonces. Los llamados "ismos" se suceden uno tras otro a un ritmo acelerado: *Expresionismo, Futurismo, Cubismo, Dadaísmo, Surrealismo...* Muchos de ellos afectan por igual a las artes plásticas, al arte escénico y cinematográfico, a las letras y al pensamiento. Unos pasan casi sin dejar huella, otros quedan e influyen en los movimientos artísticos posteriores.

En esos años, los artistas vanguardistas se enfrentan al mundo de las ideas proveniente del pensamiento burgués: unos derivan hacia el antiburguesismo de tipo fascista, como por ejemplo el futurismo italiano de Marinetti; otros se adhieren a movimientos proletarios izquierdistas, como el surrealismo francés. De esta forma, los dos grandes movimientos que marcan el siglo xx, el fascismo-nazismo y el comunismo, se encuentran expuestos y cantados en sus años iniciales a través de una estética y unas formas vanguardistas. La confrontación ideológica y militar de la década de los cuarenta, la Segunda Guerra Mundial, *acaba con las vanguardias*, pero el objetivo de fundamentar un nuevo concepto de arte y de literatura ya se había logrado.

Bases ideológicas

Los movimientos de vanguardia literaria tienen en común lo que se conoce como "irracionalismo poético", que supone:

1. la rebeldía contra la tiranía de la razón y de los convencionalismos
2. el placer de transgredir la lógica y de cultivar el absurdo
3. el anhelo de la pura creación, del desarrollo de la imaginación y del juego libre con el lenguaje.

El Futurismo

Nace en 1909 con el *Manifiesto Futurista* del escritor italiano Marinetti. Es un movimiento antirromántico que exalta la civilización mecánica, las conquistas de la técnica, el deporte y la velocidad y se opone con *actitud iconoclasta* a las tradiciones y el arte del pasado. El estilo busca el *dinamismo*, rompiendo con la sintaxis para dejar "las palabras en libertad".

El Expresionismo

Aparece en Alemania en 1910. Es un *movimiento estético* que puede ser considerado como la tendencia espiritualista de la época. Se exagera la expresión, a veces violentamente, para "liberar" la *subjetividad*, como manifestación de vivencias y sentimientos íntimos, y la *espiritualidad*, como tendencia hacia lo ideológico y lo imaginativo.

El Dadaísmo

Nace en Zurich en 1916 encabezado por el poeta rumano Tristan Tzara. Su nombre procede de un balbuceo infantil, "da-da", que testimonia una actitud de *rebeldía pura, contra la lógica, contra las convenciones y contra el sentido común*. Los dadaístas rechazan una "racionalidad" y una sociedad que han llevado hasta al absurdo de la guerra; cultivando un lenguaje incoherente, se proponen "liberar la fantasía de cada individuo" y superar todas las inhibiciones. Muchos de ellos evolucionarán hacia el Surrealismo.

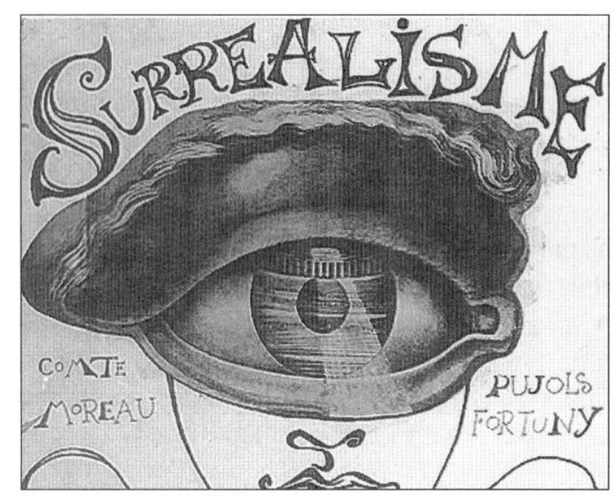

Surrealisme (detalle), Salvador Dalí

El Surrealismo

Es la revolución artística más importante del siglo xx. Nace en Francia, encabezado por André Breton, que en 1924 define sus características en el primer Manifiesto del Surrealismo. No se presenta sólo como una renovación estética: al irracionalismo poético mencionado añade un encuentro entre las doctrinas de Freud y de Marx, que lo transforman en un movimiento de liberación total del hombre, tanto de los impulsos reprimidos del subconsciente (Freud), como de las trabas y de las represiones impuestas por la sociedad burguesa sobre el hombre (Marx). Para los surrealistas, hay que descubrir una "súper-realidad", conquistar una verdadera vida, que se halla amordazada en el fondo del hombre, que se contenta con vivir "lo que llama vida", que no es sino la cara más gris de la realidad. Todo esto equivale a liberar el poder creador del hombre. Se defiende la libertad de imaginación contra el "reinado de la lógica". Se escribe al dictado de un pensamiento libre de toda vigilancia ejercida por la razón, utilizando diversas técnicas (escritura automática, transcripción de los sueños, etc.). De esta manera se produce una liberación del lenguaje con respecto a los límites de la expresión lógica, se crean asociaciones libres e inesperadas de palabras, aparecen metáforas insólitas e imágenes oníricas. Este nuevo lenguaje lleva consigo una densa carga humana, libera las pasiones reprimidas en el subconsciente, pone ante el lector una obra que hay que "sentir", más que "comprender", con emociones que pueden llegar a modificar el estado de ánimo. El Surrealismo supone la crisis del ideal de pureza y deshumanización que ha prevalecido durante algunos años; lo humano, lo social y lo político penetran nuevamente en la literatura y en las obras de arte en general.

El Vanguardismo en España

Las vanguardias españolas son un reflejo de las europeas. De éstas, entusiasma el Futurismo, que canta el progreso y exalta las máquinas. El Manifiesto Futurista se publica en español en 1910, en la revista *Prometeo,* traducido por Ramón Gómez de la Serna.

La presencia en España del chileno Vicente Huidobro (1893-1948) da a conocer la poesía de Reverdy, Apollinaire y Mallarmé y estimula a otros artistas, entre los que destacan Guillermo de Torre, que recoge sus poemas en el libro *Hélices* (1923)[14], y el sevillano Rafael Cansinos Asséns[15], que en 1918 publica el manifiesto "Ultra" en la revista *Cervantes.*

Nace el *Ultraísmo*, movimiento poético español que supone una *apertura hacia nuevas tendencias*, incluye nombres como Jorge Luis Borges y atrae a la gran mayoría de los poetas de esta época, aunque raras veces ofrecen una obra consistente dentro de la vanguardia. Su nombre indica el deseo de "ir más allá" del novecentismo reinante. Es un movimiento que se halla en la línea del *antisentimentalismo* y de la *deshumanización*, e incluye *temas maquinistas y deportivos.* Sus principales promotores son Cansinos Asséns y Guillermo de Torre. Su órgano de expresión es, entre otras, la revista *Ultra*, de principios de los años veinte.

En estos mismos años llega a España el *Creacionismo*, iniciado en París por Vicente Huidobro y Paul Reverdy. Los creacionistas no se proponen reflejar o imitar la realidad, sino "crearla" dentro del poema. Propugnan la *libertad creativa y la libertad de la imagen* y responden al más gratuito impulso creativo, al más puro gozo de crear. Los creacionistas quieren "hacer un poema como la naturaleza hace un árbol". Junto a Huidobro, hay que destacar a Juan Larrea[16] y Gerardo Diego[17], como fundadores del Creacionismo.

Trascendencia

Creacionismo y Ultraísmo son dos movimientos vanguardistas puramente españoles. Su proceso evolutivo se desarrolla entre 1918 y 1923. Pero el movimiento vanguardista que deja la huella más fuerte y más fecunda en España es el Surrealismo. Su difusión se debe en buena parte a Juan Larrea, que introduce el movimiento con sus poemas, traducidos por Gerardo Diego. En general, el Surrealismo español no es "ortodoxo", porque no se llega a los extremos de la creación inconsciente y queda, aunque desarrollada con un lenguaje nuevo y audaz, una intención global consciente. Lo que sí se producirá es la *liberación de la imagen* y el *enriquecimiento de la expresión poética*, que culminará en la obra de los escritores de la Generación del 27, entre los que el movimiento surrealista tendrá gran impacto.

La Generación del 27

Características generales

Al hablar de Generación del 27 hay que tener presente que no se cumplen todos los requisitos para poder aplicar este término en sentido estricto: por ejemplo, no tiene un verdadero "guía", ni los escritores así agrupados comparten una técnica o inspiración común, aunque a veces sus trayectorias coincidan accidentalmente. Falta también un acontecimiento nacional o internacional que los aúne. Por estas razones algunos críticos prefieren llamarlo "grupo del 27". Por lo tanto, podemos considerar a los escritores del 27 como un *grupo poético* dentro de una generación y es posible considerarlo un grupo compacto, aunque con diferencias muy notorias entre cada uno de los *miembros que lo integran*. Pedro Salinas, Jorge Guillén, Gerardo Diego, Dámaso Alonso, Vicente Aleixandre, Federico García Lorca, Luis Cernuda y Rafael Alberti son los escritores que se citan con mayor frecuencia, aunque podrían incluirse también algunos más que, por distintas razones, han quedado relegados a un segundo plano.

Femme Assise dans un fauteuil gris (detalle),
Pablo Picasso

El poeta campesino Miguel Hernández es considerado por muchos críticos miembro del grupo del 27, aunque en sentido estricto pertenece a la llamada "Generación del 36".

El *acontecimiento generacional* más relevante que servirá para consolidar su identificación como grupo será la celebración del tricentenario de la muerte de Góngora[18], cuya obra "difícil" aún no había sido redescubierta.

De este acto se conserva un documento excepcional: la foto que los retrata juntos en el Ateneo de Sevilla, en la fecha que da el nombre a la generación. Además, tienen *estrechas relaciones de amistad entre ellos* y algunos conviven en la Residencia de Estudiantes de la Institución Libre de Enseñanza de Madrid, lugar privilegiado donde conocen a exponentes de otras expresiones artísticas como el pintor Salvador Dalí o el director de cine Luis Buñuel. Asimismo, *colaboran en las mismas revistas* (la *Revista de Occidente* y la *Gaceta Literaria*, entre otras) y varios de ellos trabajan en el Centro de Estudios Históricos.

En 1932, Gerardo Diego compone una *Antología,* que incluye las mejores obras de los poetas del 27 hasta aquella fecha. Además, al frente de sus versos, cada uno expresa su ideal poético.

Dicha antología puede considerarse el *manifiesto de la nueva poesía*, y testimonio de la vida en común del grupo.

Bases ideológicas

Los escritores del 27, a diferencia de lo que sucedía con los vanguardistas, no se alzan contra ninguna corriente anterior. Más bien intentan encontrar un equilibrio poético que sintetice de algún modo sus diversas tendencias en el respeto a la tradición literaria española.

Entre sus preferencias caben desde los poetas tradicionales hasta los más actuales, estudian y veneran a poetas medievales y clásicos (Manrique, Garcilaso, Lope de Vega, Quevedo...), están influidos por las vanguardias europeas, sienten pasión por la poesía popular (es el llamado *neopopularismo*), y al mismo tiempo admiran a Góngora como modelo de la búsqueda de una lengua poética culta y radicalmente distinta del lenguaje usual.

Entre los poetas de los siglos XIX y XX admiran a Bécquer, Unamuno, Machado, Darío y sobre todo a Juan Ramón Jiménez.

De esta forma *logran integrar ejemplarmente tradición y renovación*, haciendo que en sus obras convivan armónicamente elementos tan distintos como lo español y lo universal, lo popular y lo culto, el mensaje minoritario y el deseo de comunicar con todo el mundo.

Evolución del grupo

Aunque los poetas del 27 tienen personalidades muy marcadas y cada uno presenta su propia evolución poética, es posible trazar una línea común con tres etapas fundamentales:

1. **Hasta 1927, aproximadamente**

Época de tanteos iniciales con evidentes *huellas de Bécquer y resabios posmodernistas*, que pronto dejan paso a los primeros *ecos vanguardistas*. Al mismo tiempo, siguiendo el ejemplo de Juan Ramón Jiménez, tienden hacia una *poesía pura* más atenta al trabajo de la forma que a la expresión de lo humano.

Usan mucho la *metáfora* para depurar el poema de todo lo anecdótico y de toda emoción que no sea puramente artística.

La sed de perfección formal los lleva al clasicismo, sobre todo de 1925 a 1927. Cultivan las estrofas tradicionales y veneran la obra de Góngora, pero nunca llegan a escribir una poesía "deshumanizada", ya que el elemento humano está constantemente presente en el influjo de la lírica popular y de los poetas románticos.

2. **Desde 1927 hasta la Guerra Civil**

Comienza a notarse cierto cansancio respecto al puro formalismo. Se inicia un *proceso de rehumanización poética* (más notorio en algunos autores que en otros, pero presente en todos). El grupo va abandonando poco a poco la línea de la perfección formal, al tiempo que irrumpe en toda Europa el Surrealismo, que se opone con fuerza al concepto de poesía pura. Pasan a primer término nuevos temas más humanos: el amor, el deseo de plenitud, las frustraciones, las inquietudes sociales o existenciales, la *protesta social*. Este último aspecto será el que alcanzará mayor desarrollo en los años de la República y, posteriormente, de la Guerra Civil.

En esta etapa humanizada, el grupo se acerca a escritores extranjeros, como por ejemplo Pablo Neruda. Nace la revista *Caballo verde para la poesía* (1935), donde aparece el "Manifiesto por una poesía sin pureza".

Debido a sus inquietudes sociales, algunos poetas *se interesan por la política* (a favor de la República, fundamentalmente).

3. **De 1936 en adelante**

La Guerra Civil ha disgregado el grupo, que ha vivido dramáticos acontecimientos: *Lorca, asesinado por los fascistas en 1936, y varios poetas, exiliados.* Aparece el tema de la patria perdida. Cada autor empieza un camino poético personal, pero todos siguen escribiendo obras profundamente humanas. Los que están desterrados se alzan contra los vencedores y escriben *poemas de protesta* y otros en los que expresan su nostalgia por la patria perdida. Los que se han quedado en España escriben una *poesía angustiada* donde predominan elementos existenciales.

Trascendencia

Los poetas del 27 aportan profundas *novedades a la lengua poética*, con novísimas y deslumbrantes audacias debidas al magistral uso de la metáfora, que aprenden tanto de los vanguardistas como de los poetas barrocos.

Por su capacidad de síntesis y su riqueza expresiva, ocupan un puesto destacado en las letras españolas y universales.

Guerra Civil y dictadura

La situación socio política de España en los años anteriores a la guerra

Por primera vez en la historia de España, el 14 de abril de 1931 la izquierda gana las elecciones. Así, con la proclamación de la *II República* se abre un período lleno de expectativas en los ámbitos político, social y cultural. En diciembre de 1931 se aprueba la *nueva Constitución*, según la cual España se constituye como "una República de trabajadores de toda clase, que se organiza en régimen de libertad y justicia". Niceto Alcalá Zamora es nombrado presidente y Manuel Azaña jefe del gobierno. Se emprenden las reformas para transformar y modernizar el país. Desde los primeros momentos se plantea *la cuestión religiosa* y algunos sectores de la sociedad se distancian del nuevo gobierno, que propugna la separación entre Iglesia y Estado, decreta la disolución de la Compañía de Jesús y prohíbe a las órdenes religiosas el ejercicio de la enseñanza. Con *la reforma del ejercito*, obra personal del jefe del gobierno, se conserva la obligatoriedad del servicio militar, pero se suprime la mitad de los regimientos. Asimismo, se deja al ejercito la responsabilidad de la guerra, pero se devuelven a la administración civil los poderes políticos que el ejército había acumulado en los cien años anteriores. Se crea la *Guardia de asalto* como fuerza de orden público. Pero el objetivo central del nuevo gobierno será la *reforma agraria,* orientada a la desaparición de los latifundios, la defensa de los derechos laborales de los jornaleros y la protección de los arrendatarios. Para ello se publican los *decretos de garantías sobre la propiedad privada*, de *implantación de la jornada laboral de ocho horas en el sector agrario* y de *cultivos forzosos.* Este último pretendía evitar que los grandes propietarios agrícolas dejasen improductivas sus tierras, que podían ser entregadas a jornaleros para su explotación.

La derecha conservadora, que rechaza sistemáticamente la reforma agraria, gana las elecciones en noviembre de 1933. El jefe del nuevo gobierno es el radical Alejandro Lerroux, que paraliza la reforma y frena las autonomías. El 5 de octubre de 1934 la UGT convoca la *Huelga revolucionaria* en todo el país. 8.000 obreros ocupan Asturias y proclaman la *Revolución socialista de los consejos obreros.* El gobierno reprime duramente el levantamiento: el sangriento balance es de más de 2.000 muertos y heridos, 30.000 encarcelados y peticiones de pena de muerte para los dirigentes obreros. En esta situación Alcalá Zamora convoca *nuevas elecciones para febrero de 1936*. Los partidos de izquierda se agrupan en el Frente Popular; las derechas se presentan divididas en CEDA[19] (con Gil Robles), Partido Radical (Lerroux) y Bloque Nacional (Calvo Sotelo).

1936-1939: la Guerra Civil española

El 13 de julio del 1936, el asesinato del dirigente conservador, Calvo Sotelo, es el pretexto para desencadenar un conflicto que se inicia cuatro días después en el Protectorado de Marruecos y en Canarias y se extiende en pocos días por todo el país. El alzamiento militar está encabezado por el general Francisco Franco y el ejército insurrecto es apoyado por carlistas, falangistas, monárquicos, organizaciones derechistas, grandes empresarios, terratenientes y sostenido por la jerarquía eclesiástica.

"Don Francisco Franco [...] hago saber: [...] el ejército se ha visto obligado a recoger el anhelo de la gran mayoría de los españoles [...] se trata de restablecer el imperio del orden dentro de la república [...] para ello precisa obrar con justicia, que no repara en clases ni categorías sociales, a las que ni se halaga ni se persigue, cesando de estar dividido el país en dos grupos: el de los que disfrutan del poder y el de los que eran atropellados en sus derechos [...]". (Declaración del estado de guerra, 18-7-1936)[20]

De hecho, la trágica muerte de Calvo Sotelo acelera un *golpe de Estado militar* que llevaba preparándose desde hacía algún tiempo.

El presidente de la República Manuel Azaña forma un Gabinete de Coalición encabezado por José Giralt, sucedido por otro con Largo Caballero al frente. Esto lleva a la CNT (Confederación Nacional del Trabajo, unión anarcosindicalista) a formar parte del gobierno, que se traslada a Valencia.

El 29 de septiembre la Junta de Defensa Nacional nombra a *Franco jefe de gobierno y comandante de las Fuerzas Armadas*. Para compensar estas circunstancias, el gobierno republicano crea un ejército popular y militariza las milicias. Ambos bandos reciben ayuda extranjera: las Brigadas Internacionales apoyan a la España republicana y las tropas alemanas e italianas a la España nacionalista.

En 1937 la lucha se extiende en el norte del país: uno de los incidentes más famosos ocurre en *Guernica*, en el País Vasco. En abril, la Luftwaffe alemana, en colaboración con los nacionalistas, bombardea esta pequeña ciudad que no tiene importancia militar.

En junio es tomada Bilbao, en agosto cae Santander y Gijón en octubre. La reacción de los republicanos es abrir frentes en Guadalajara (en marzo), Brunete (julio) y Belchite (agosto). A finales de año se inicia la *batalla de Teruel*.

Los nacionalistas trasladan sus esfuerzos a Aragón, recuperan Teruel y dividen la zona republicana en dos partes, tras entrar en Castellón en julio de 1938. El gobierno responde con la llamada *batalla del Ebro* (julio-noviembre de 1938) que termina con la derrota republicana y 70.000 bajas.

Comienza el exilio republicano con la huida de numerosos españoles a través de la frontera con Francia. Madrid es la única ciudad que resiste y las propuestas de paz de su Junta de Defensa (encabezada por Casado y Besteiro) son inútiles. Tras algunas sangrientas batallas, en las cuales la fortuna cambia de un bando a otro, *triunfan los nacionales*. La resistencia ha terminado. Las fuerzas nacionalistas ocupan la capital el 28 de marzo de 1939 y el 29 las tropas nacionales entran en Madrid. *El 1° de abril de 1939 termina la Guerra Civil con la derrota de los republicanos, después de 33 meses de sangrientas luchas.*

En los campos de batalla de Jarama, Brunete, Quinto, Belchite, Fuentes de Ebro, Teruel y el Ebro muere casi una generación entera de españoles.

Las consecuencias

En los años cuarenta la situación en España es terrible: entre 1936 y 1944 murieron entre 500.000 y 600.000 personas, 100.000 de éstas en la guerra y el resto en asesinatos políticos ejecutados por los dos bandos, perpetrados a veces con la ayuda de la autoridad judicial. Unas 400.000 personas salieron de España y se exiliaron. La economía sufrió fuertes daños y muchas fábricas fueron destruidas.

Los años de la dictadura

La victoria de los llamados "nacionales" lleva al gobierno, en octubre de 1936, al dictador *Francisco Franco* como *jefe del Estado Español y Generalísimo de los ejércitos.*

"El Jefe Nacional de la Falange Española Tradicionalista y de las Jons, Supremo Caudillo del Movimiento, personifica todos los valores y todos los honores del mismo. Como autor de la Era Histórica en que España adquiere las posibilidades de realizar su destino [...] el jefe asume, en su entera plenitud, la más absoluta autoridad. El jefe responde ante Dios y ante la Historia". (Estatutos de la Falange, julio de 1939)[21]

El nuevo Estado se apoya en las clases beneficiarias del triunfo, derrumba la obra de la II República y persigue a los opositores del régimen.

"Articulo 1°: constituye figura de delito, castigado conforme a las disposiciones de la presente ley, el pertenecer a la masonería, al comunismo y demás sociedades clandestinas a que se refieren los artículos siguientes: el Gobierno podrá añadir a dichas organizaciones las ramas o núcleos auxiliares que juzgue necesario y aplicarles las mismas disposiciones de esta ley [...]". (Ley de represión de la masonería y el comunismo,1 de marzo de 1940)[22]

En 1939 Franco comienza un *programa de reconstrucción* con el fin de lograr la independencia económica.

Para ello favorece la industria a costa de los campesinos y de las clases inferiores. En noviembre una orden del gobierno devuelve la tierra a sus antiguos propietarios. La lenta reconstrucción del país es dirigida por la clase empresarial (entre 1936 y 1946 los beneficios de los empresarios crecen en un 13,8 %).

En los primeros años del nuevo régimen se lleva a cabo una *dura represión de los vencidos*: en 1940 permanecen en la cárcel unos 300.000 presos políticos, y las estimaciones más bajas hablan de unas 30.000 ejecuciones. Universidades, enseñanza, administración pública y empresas son depuradas de las personas sospechosas de haber simpatizado con la República o los partidos obreros. Se prohíben los partidos políticos y se crea en su lugar el partido único (FET y de las JONS)[23] y un único sindicato, Central Nacional Sindicalista (C.N.S.). En 1947 se promulga la *Ley de Sucesión,* en la que se determina que España es un reino, una "Nueva Monarquía" nacida del "Alzamiento Nacional" del 18 de julio de 1936 y no de la restauración de la monarquía anterior. La jefatura de Franco tiene, por tanto, carácter vitalicio y al Generalísimo se le confiere la potestad de elegir a su sucesor.

"El jefe del Estado podrá proponer a las Cortes la persona que estima deba ser llamada en su día a sucederle [...] y podrá , asimismo, someter a la aprobación de aquéllas la revocación de la persona que hubiere propuesto [...]". (Ley de Sucesión a la Jefatura del Estado, 1947)[24]

En *política exterior*, el régimen franquista mantiene una neutralidad favorable a las potencias del eje durante la Segunda Guerra Mundial, porque el país necesita de un período de paz para recuperar las graves pérdidas sufridas tras la Guerra Civil. Sólo apoya el ataque alemán contra la Unión Soviética, con el envío de un pequeño ejército de voluntarios, denominado *División Azul.*

A menudo la recesión y los problemas económicos del país conducen a huelgas que se reprimen con la fuerza. Para salir de la profunda depresión económica, se recurre a la *autarquía*. Franco quiere aumentar la producción de la economía española y reducir las importaciones, con el intento de crear empleo. Pero la *sequía de 1946* frena sus propósitos y se convierte en una catástrofe para el país. Los alimentos básicos se racionan y se origina el "mercado negro", conocido con el nombre de "estraperlo".

En 1953, año de éxitos internacionales para el franquismo, España firma un nuevo *Concordato con la Santa Sede* y un *pacto militar y económico con Estados Unidos*.

Esta apertura al exterior permite un lento desarrollo económico y el gobierno elabora el primer *Plan de Desarrollo Económico y Social*, que dura desde 1964 hasta 1967 y al que seguirán dos más que se aplicarán hasta 1975. España empieza su lenta modernización, pero junto con el bienestar económico crece el descontento hacia el régimen riguroso de Franco, que en los inicios de 1969 tiene que proclamar el *estado de excepción* debido a una recesión que ha provocado una serie de huelgas y de disturbios en las universidades.

Se multiplican las acciones de ETA (Euskadi Ta Askatasuna – Euskadi patria y libertad, fundada en 1959), que comete algunos atentados contra funcionarios públicos. Entre estos se encuentra el *asesinato de Luis Carrero Blanco* (1973), presidente del gobierno. El gobierno de Arias Navarro, sucesor de Carrero Blanco, muestra las dificultades del régimen, que es incapaz de hacer frente al aumento del paro y de la inflación. Además, para frenar la creciente oleada de terrorismo, lleva a cabo una política duramente represiva, lo cual le supone la condena por parte de la opinión internacional.

El 20 de noviembre de 1975, después de una larga agonía, *muere Francisco Franco Bahamonde, el Caudillo*. Su último escrito es un testamento político, que refleja sus ideales: catolicismo, patriotismo, autoritarismo e identificación plena entre España y su persona. El día 22 de noviembre de 1975 *Juan Carlos I jura la Constitución*, lo que pone fin a la más larga dictadura de la historia contemporánea de España.

"*Establecer y organizar un régimen democrático y pluralista, con la estructura federal del Estado. Liberación inmediata de los presos políticos y sindicales y regreso de los exiliados. Restablecimiento de la libertad de asociación y el derecho de huelga, así como la libertad de expresión, reunión, manifestación y todos los demás derechos reconocidos en los textos de los organismos internacionales. Supresión de los tribunales especiales [...] adopción de medidas encaminadas a cambiar urgentemente las estructuras socioeconómicas y culturales, [...] para construir una sociedad progresiva y justa*" (programa de la Plataforma de Convergencia Democrática, julio de 1975).[25]

Literatura de la posguerra

En los años de la dictadura, muchos profesores, juristas, filósofos, artistas y escritores tienen que exiliarse. Eligen salir de España, entre otros, poetas como Rafael Alberti, Pedro Salinas, Luis Cernuda, Juan Ramón Jiménez y Manuel Altolaguirre. La creación literaria de la España del período posterior a la Guerra Civil sigue por tanto dos líneas paralelas: una que se desarrolla dentro de España, apoyada por los poetas que han decidido no exiliarse, como Dámaso Alonso y Vicente Aleixandre, y otra exterior, generalmente conocida bajo el nombre de "Literatura del exilio".

La literatura del exilio

La evolución de la obra de los escritores exiliados se ve condicionada, lógicamente, por la nueva situación. La mayoría de ellos, tras una breve estancia en Francia, se instala en las diversas repúblicas latinoamericanas, sobre todo en México, Venezuela y Argentina. La lengua común permite una integración relativamente fácil; además, "*La América hispana ofrece un horizonte inmejorable a los españoles para meditar sobre España, sobre su destino histórico y sobre su significado presente y futuro dentro de la cultura occidental*"[26]. Estas circunstancias se ponen de manifiesto con el término de "transterrados", más que "desterrados", que a menudo se aplica a estos exiliados.

Aunque en sus obras abordan también temas de carácter general, el exilio se convierte en el núcleo de la producción de los escritores expatriados, que nos ofrecen sus recuerdos de España, sobre todo de la anterior a 1939, sus reflexiones sobre la guerra, sus ansias de regreso, junto a la melancólica evocación de las tierras lejanas. Pero hay que subrayar que después de un período de desconcierto, ante la dramática experiencia histórica y personal, muchos de ellos reanudan su labor literaria sin que su trayectoria sufra sustanciales cambios de sentido. En los escritores que habían estado vinculados al vanguardismo de los años veinte, se advierte la *intensificación del proceso de rehumanización* iniciado poco antes de la guerra.

Incluso se puede advertir cómo estos escritores quedan alejados de ciertas tendencias de la narrativa contemporánea española, como por ejemplo el "tremendismo"[27].

A partir de 1937 todos van regresando, pero muchos de ellos seguirán viviendo un permanente exilio interior: "*El exilio es una situación perdurable; tanto que, en determinados estados de ánimo, siento que entre todos los exiliados que hemos vuelto después de uno cuantos años, intercambiamos miradas, silencios, extrañas y contadas palabras, que corroboran el hecho de que el exilio no termina, no puede terminar*"[28].

Campo di fiori, Rafael Alberti

La poesía desde 1939

Algunos de los nombres que destacan en el panorama de la literatura española de la inmediata posguerra, han empezado a escribir y a publicar algunos años antes. Son los escritores que se incluyen en la hipotética "Generación del 36", que los críticos suelen escindir en dos líneas debido a su orientación poética y existencial: poesía arraigada y poesía desarraigada, según la denominación de Dámaso Alonso.

En la línea de la *poesía arraigada* se sitúan los poetas que se autodenominan "Juventud creadora" y que publican en la revista *Garcilaso,* fundada en 1943. Estos jóvenes poetas ven la vida con optimismo y esperanza, expresan su conformidad con el mundo de forma serena, tienen voluntad de orden, armonía y claridad, utilizan un lenguaje depurado y prefieren las formas métricas clásicas. A ello se une un hondo sentido religioso y a veces ideales nacionalistas, vitalistas e historicistas.

La corriente de la *poesía desarraigada* nos presenta en cambio la subjetividad del poeta, su conflicto con el mundo exterior caótico y doloroso. Estos autores se agrupan en torno a la revista *Espadaña*, fundada en 1944 y considerada como la más importante continuación de la línea rehumanizadora de la poesía de los años treinta. El nacimiento de esta revista coincide con la publicación de *Hijos de la ira,* de Dámaso Alonso, que marca el camino de la nueva poesía de la posguerra española hacia un humanismo dramático que la relaciona con las corrientes existencialistas[29] y con el tremendismo.

Esta corriente de humanización deriva, a lo largo de la década siguiente, hacia una poesía de intenso compromiso social y político, que se convierte en mensaje y se dirige a la colectividad: la *poesía social.* Los poetas se solidarizan con las masas, denuncian las injusticias sociales y analizan los problemas de España. Desean llegar a un público amplio y utilizan un lenguaje claro y directo, dejando pospuestas las preocupaciones estéticas. *La poesía se convierte en instrumento para cambiar el mundo*, se descubren las posibilidades y los valores poéticos de la lengua cotidiana.

Hacia la *segunda mitad de la década de los cincuenta*, algunos poetas comienzan a despegarse de la poesía social. Sin renunciar a una postura inconformista frente a la realidad, ni a una actitud eminentemente ética, muestran una mayor preocupación por problemas humanos universales, como el amor y la soledad. Se vuelve al intimismo, en el que domina cierto escepticismo: es la *poesía de la experiencia*, que se desarrolla en los años sesenta.

Paralelamente a estas corrientes, numerosos poetas se desentienden del compromiso social y se adentran por terrenos audaces e innovadores. En 1945 nace el *Postismo*, un nuevo movimiento literario, con actitudes moderadamente iconoclastas, que puede contar con dos revistas: *Postismo* y *La Cerbatana*. Los postistas se enfrentan ala poesía existencial y social, reivindicando la libertad expresiva, lo subjetivo, la imaginación y la autonomía del lenguaje.

En 1970 José M. Castellet publica la antología *Nueve novísimos*, que incluye los nuevos nombres cuyas obras han sorprendido por su novedad y audacia. *"Su formación literaria es, fundamentalmente, extranjera [...] rechazan la tradición inmediata española, o mejor, la ignoran deliberadamente."*[30]

Los nuevos poetas rompen con el realismo de la poesía anterior, cultivan la libertad formal despreocupándose de las formas tradicionales, utilizan la escritura automática, las técnicas de sincopación y "collage"31, introducen elementos exóticos y artificiosidad. Se habla de "ruptura" y cambio radical; es la llamada "Generación de la marginación", o "del mayo francés". Hoy la denominación más acertada es la de "Poetas o Generación de los años setenta".

Los poetas consagrados denominan afectuosamente a estos nuevos escritores "los poetas de la coqueluche"[32], por ser irritantes, provocadores e insolentes. Su lenguaje, sarcástico y corrosivo, desemboca a veces en un barroquismo expresivo.

La novela desde 1939

El clima de los años cuarenta es poco propicio para el desarrollo de nuevas corrientes narrativas. Durante la guerra se ha escrito casi únicamente un tipo de literatura comprometida, que tiene principalmente el valor de documento histórico. En los años que siguen al conflicto, los intelectuales españoles quedan aislados del resto del mundo: algunos de los narradores más conocidos en la preguerra se encuentran en el exilio, las obras de los novelistas extranjeros que han apoyado a la República son prohibidas por la censura, que veda también la reedición de muchos clásicos. Buena parte de la producción de estos años es literatura de propaganda, en la que se exalta el nuevo Régimen y se cultivan temas como la guerra, la patria y la idea del héroe, con tono a menudo retórico y grandilocuente. Otros autores se mantienen fieles al realismo del siglo anterior. Abundan las obras que muestran la cara sórdida y gris de la realidad, con personajes inadaptados y frustrados. Esta visión pesimista se abre a los excesos del tremendismo con La familia de Pascual Duarte, de Camilo José Cela (1942). En 1944, con la creación del premio Nadal[33], los novelistas reciben un nuevo estímulo. Ese mismo año se publica Nada, de Carmen Laforet, una de las novelas más representativas de la época, que refleja la dura realidad de la vida cotidiana.

En la *década de los años cincuenta* la producción en el campo novelístico se multiplica y se hace más interesante. Los nuevos escritores no han conocido la guerra, porque han nacido pocos años antes del conflicto, son herederos morales de los vencidos, observan con espíritu crítico la realidad sociopolítica del momento y mantienen relaciones entre ellos. Se perfilan unas líneas más definidas y objetivos comunes: son los autores que se suele agrupar bajo el nombre de "Generación del medio siglo".

Estos escritores cultivan el *realismo social*, que se manifiesta en dos grandes vertientes: el *objetivismo*[34] y el *realismo crítico*[35], aunque a veces los límites entre ambos se difuminan. La realidad predomina sobre la imaginación, se reducen el espacio y el tiempo en los que se encuadran las obras, se descuida la forma y abundan los diálogos.

A principios de *los años sesenta*, algunos escritores se distancian de la fórmula narrativa del realismo social y experimentan *caminos más innovadores*. La censura continúa, pero se va suavizando cada vez más. Empiezan a penetrar en España corrientes críticas como el formalismo[36] y el estructuralismo[37], se publican obras hasta entonces desconocidas, se introducen innovaciones de la técnica narrativa.

Entre 1968 y 1975 se producen los intentos más innovadores que ha conocido la novela de la posguerra. Las *inquietudes experimentales* repercuten en los temas tratados (adquiere relevancia lo imaginario), en la estructura (en muchas obras desaparece el orden cronológico) y en las diversas técnicas narrativas, entre las que aparece el llamado "monólogo interior". Cobran importancia los relatos en primera persona, se introduce el uso de la segunda persona autorreflexiva (un desdoblamiento del narrador, que se dirige a sí mismo), como en *Cinco horas con Mario* (1966), de Miguel Delibes.

El teatro desde 1939

La historia del teatro español del primer tercio del siglo XX está dominada por las figuras de cuatro grandes dramaturgos: Benito Pérez Galdós, Ramón María del Valle-Inclán, Miguel de Unamuno y Federico García Lorca. Durante la guerra o al término de la misma, algunos autores que han iniciado su actividad dramática se ven obligados a exiliarse debido a las implacables barreras de la *censura*, la tendencia de los empresarios a evitar arriesgarse con experimentos renovadores y la *actitud conservadora del público*, que no quiere ver en escena situaciones y conflictos que pongan en duda sus principios morales, sociales y políticos.

Durante la mayor parte del período de la dictadura franquista la situación teatral se mantiene en la líneas ya trazadas y se continúan estrenando obras de viejas glorias (sobre todo Benavente y Marquina). El público mayoritario pide obras ligeras que le hagan olvidar los horrores recién vividos. Muchos autores se orientan hacia dramas trascendentes, de profundidad más aparente que real, defienden los valores tradicionales, pero sólo esporádicamente exaltan a los vencedores o sacan a relucir las viejas glorias imperiales. Otros cultivan la comedia de evasión, con una visión amable de la vida y quien se arriesga a emprender caminos nuevos, como por ejemplo Miguel Mihura con *Tres sombreros de copa*, ve rechazada la representación de su obra y abandona la línea experimentalista.

En 1949, con el estreno de *Historia de una escalera* de Buero Vallejo, ganadora del premio de teatro Lope de Vega, se *inicia una nueva época en el teatro español*. El público, harto de convenciones teatrales, ahora quiere representaciones de sentido más hondo. Las angustias existenciales y las preocupaciones sociales, penetran así en las obras de teatro. En 1945 Alfonso Sastre crea, junto con otros dramaturgos, el grupo "Arte nuevo", en contra del teatro de su tiempo, para un *teatro social y comprometido*. En 1950 José María de Quinto funda el "Teatro de agitación social".

Hacia la segunda mitad de los años cincuenta surge un grupo de dramaturgos, conocidos habitualmente como "Generación del realismo crítico", cuyas obras ponen al descubierto las injusticias y contradicciones de la sociedad española de la época. El teatro se hace crítico, comprometido y social. Estos autores se mantienen alejados del teatro del absurdo y de los experimentos vanguardistas, géneros que serán cultivados en España sólo a finales de los años sesenta. Son innovadores que nunca formarán un grupo homogéneo y amalgamarán en sus obras las tendencias más diversas. Junto a ellos, aparecen *grupos de teatro independiente*, que se lanzan por la vía de lo experimental con el deseo de llegar a públicos más amplios y de que el espectador participe activamente en el espectáculo, que tiende así a transformarse en vivencia, experiencia y a servirse de técnicas propias de la pantomima y de la comedia musical.

La democracia

Tras la muerte de Franco, la implantación de la democracia elimina la censura y la sociedad española se abre a profundas transformaciones. Muchos intelectuales regresan del exilio, se difunden las obras de autores extranjeros y las noticias circulan libremente gracias a los medios de comunicación. Para España se abre una nueva era de integración al resto de Europa en sentido cultural, económico y político.

La poesía desde 1975

En estos últimos años se ha dado a conocer un gran número de poetas, que han renovado el panorama poético español y al mismo tiempo han hecho imposible cualquier intento de clasificación. Provienen de distintas corrientes o tendencias literarias, que se suceden en entera libertad, al margen de escuelas y modas. Los temas tratados y las posibilidades estilísticas han aumentado considerablemente. Parece advertirse un alejamiento de los aspectos más llamativos de los "novísimos"[38] y una moderación de las experiencias. Aunque toda clasificación sólo puede tener carácter de orientación, caben señalarse como rasgos comunes la preocupación por el lenguaje, el deseo de entroncar con otros autores y con otras corrientes precedentes, el abandono de las formas tradicionales, la *interiorización de la forma poética* y cierto retorno a los *contenidos humanos*. Los poetas, en general, renuncian a los grandes temas encaminados a explicar el mundo y el más allá y prefieren expresar sus experiencias íntimas. Este signo individualista favorece la diversidad de tendencias: al lado del culturalismo y del hermetismo de las corrientes anteriores, se extienden nuevas corrientes, como la "poesía de la experiencia", que se caracteriza por su carácter urbano y su temática realista, expresa el desencanto y un comprometido interés por lo cotidiano. Junto a "la otra sentimental", un grupo de jóvenes poetas granadinos, forma la evolución que algunos críticos han definido "del culturalismo a la vida". Minimalismo y conceptualismo caracterizan la llamada "poesía del silencio", que muchos autores cultivan en estos últimos años. Estos poetas rechazan todo exceso verbal, buscan la esencia conceptual y se proponen sugerir por medio del silencio.

La novela desde 1975

En la narrativa ha proseguido, aunque con cierta moderación, la experimentación técnica de los años anteriores. Junto a esta tendencia, hay otro grupo de jóvenes novelistas en los que se advierte el deseo de volver a contar historias, crear personajes verosímiles, potenciar la anécdota. Se regresa a la concepción clásica del relato, que se concreta en la libertad de tendencias. Hay una gran variedad de temas y de estilos, que a menudo aparecen mezclados en la misma obra. Resurgen con vigor géneros como la *novela negra*[39], la de *aventuras*, la *policiaca* y la de *espionaje*. Los escenarios pueden ser exóticos, desaparecen las referencias locales y destaca cierto gusto por el intimismo. Hay que señalar el notable incremento de la presencia femenina, directamente en relación con la apertura cultural de los años de la democracia. Una manifestación de modernidad novelística es la *metanovela*, que contemporáneamente cuenta una historia y el proceso seguido en la narración de la misma. Otras tendencias muy fecundas son la de la *novela lírica*, que centra su interés en el texto y en la calidad poética de cada página y la *novela de personaje y de introspección psicológica*. Uno de los fenómenos de los años ochenta es el auge de la *novela histórica* y de las *crónicas y novelas generacionales*, con recreaciones verdaderas e invenciones fantásticas. Falta la gran novela sobre la realidad española de esta última década. Aunque se ha hablado de crisis de la novela contemporánea, el género sigue siendo la forma literaria más importante de nuestro tiempo y la que consigue el mayor número de lectores.

El teatro desde 1975

Con la muerte de Franco, el teatro alcanza plena libertad formal y de temas, aunque no se producen las profundas renovaciones que la desaparición de la censura parecía presagiar. Es más, se encuentra con la gran competencia de la televisión y el cine, medios que, en definitiva, derivan del propio teatro. Así, la figura del autor como centro de la producción teatral va desapareciendo a causa de los riesgos empresariales que corren las salas privadas. Los intentos experimentales no logran abrir nuevos caminos y la mayor parte de las veces no hacen sino repetir viejas fórmulas. Desde la década de los ochenta y noventa ha parecido conveniente la distinción de determinadas corrientes bajo diferentes denominaciones como la de *teatro "experimental"*, *"independiente"* o *"alternativo"*. Esto parece aludir a un nuevo tipo de público que, en cualquier caso, es minoritario. Los autores que siguen la vía realista y testimonial logran más audiencia y al lado del realismo convencional aparecen las técnicas renovadas del *sainete* y de la *farsa*, que tratan cuestiones y problemas actuales, aprovechando también procedimientos del esperpento y de la comedia costumbrista. Pero atraer al gran público al teatro sigue siendo bastante difícil.

La literatura hispanoamericana

Orígenes

La literatura hispanoamericana tiene sus comienzos con la llegada de Colón. En el Nuevo Mundo existían civilizaciones con culturas propias bien definidas que han influido de manera relevante las expresiones artísticas coloniales y el desarrollo del mundo literario hispanoamericano.

Las primeras muestras de estas nuevas literaturas hispanas se dan en las crónicas de los conquistadores y en los catecismos de los evangelizadores. Sigue un período de transformación con influencia española, donde la conciencia criolla[40] se desarrolla hacia la identidad nacional. De ahí en adelante en las literaturas de los diferentes países volverán a producirse transformaciones, y cada una de ellas, aunque con cierta influencia de sus vecinos, tomará su propio camino. Las circunstancias y los estímulos que contribuyen al desarrollo de estas literaturas son tan variados como las tierras del Nuevo Mundo y tan numerosos como su población, por lo que es imposible intentar hacer una valoración o un mapa interpretativo de lo que ha sido la literatura hispanoamericana durante cinco siglos.

El siglo XX

El siglo XX ha sido definido por la crítica el "Siglo de Oro" de la literatura latinoamericana (incluyendo la brasileña). El panorama literario nos ofrece una tradición poderosa, hay manuales que "censan" no menos de 1.500 escritores. Esta nueva literatura es la expresión de un continente muy extenso y variado, con diferentes condiciones climáticas, geográficas, económicas y culturales. La misma lengua española, debido a la influencia de muchas inmigraciones y a la presencia viva de lenguas autóctonas, sufre marcados procesos de diferenciación en las distintas regiones, convirtiéndose en un prodigioso instrumento expresivo y estético.

Aunque con ciertas reservas, se pueden establecer unas grandes etapas con tendencias dominantes.

La poesía

Los comienzos del siglo XX están caracterizados por la plenitud del *Modernismo*.

A partir de 1920, las temáticas y las formas modernistas comienzan a producir cierto cansancio y aparecen nuevas tendencias. La poesía adquiere un lenguaje más sencillo y se acerca a los problemas del alma humana. Paralelamente, se desarrolla la corriente de la *poesía vanguardista*, hondamente influida por el Surrealismo. En los años treinta algunos poetas se reúnen bajo el epígrafe de "Poesía pura". Los grupos que surgen, entre los que destacan el de los *Contemporáneos* (México) y el grupo *Piedra y Cielo* (Colombia), cultivan una poesía que presenta ciertos paralelismos con la de los poetas de la Generación del 27 española. Se mantienen al margen de los vanguardismos, admiran a los autores clásicos, buscan la perfección formal y tienen como maestro a Juan Ramón Jiménez. Junto a estas tendencias cosmopolitas, por esos mismos años se desarrolla en las Antillas la corriente de la "Poesía negra", enraizada en las peculiaridades étnicas y culturales de aquella zona, en la que se mezclan los elementos africanos y los españoles, lo popular y lo culto, los ritmos sonoros de la tradición oral de la cultura africana y la denuncia de los problemas sociales.

Desde 1940 hasta nuestros días, hay una *extraordinaria proliferación de grupos y corrientes*, que testimonian la gran variedad del horizonte geográfico y social de un continente tan extenso y complejo. La pervivencia de la poesía pura, la corriente de la poesía comprometida, la poesía de tono existencialista y las nuevas corrientes experimentales son algunas de las tendencias destacadas.

La narrativa

Desde principios del siglo XX, la mayoría de los escritores hispanoamericanos rompe con la tradición (romanticismo, naturalismo, costumbrismo) y se inserta en la *modernidad literaria*. El continente latinoamericano es afectado por importantes transformaciones sociales y culturales: la inmigración masiva de europeos, el crecimiento de las grandes ciudades, el surgimiento del proletariado industrial, el desarrollo de la clase media, la diversificación de las influencias culturales. Estos fenómenos favorecen el nacimiento de una nueva actividad literaria que comporta un cambio progresivo de la figura social del escritor. Dos obras fijan los que serán los principales campos temáticos de la *novela realista* que dominará hasta los años cuarenta: *Los de abajo*, de Mariano Azuela (1916, sobre la Revolución mexicana) y *Raza de bronce*, de Alcides Arguedas (1919, sobre la explotación de los indios). El indigenismo y el enfoque político-social se convierten en los principales campos temáticos de la novela realista, donde tienen cabida la lucha del hombre con la Naturaleza, la miseria de los campesinos, las dictaduras, la colonización económica, etc., ofreciéndonos personajes-tipo como el indio explotado, el campesino humilde, el tirano que no se deja ablandar en su rigor. A partir de 1940 la superación del realismo supone una *renovación en la novela*: se buscan nuevas técnicas y aparecen nuevos temas. Junto a los temas de la vida rural antes dominantes, se desarrollan los temas urbanos y se analizan los problemas humanos de la vida en las grandes ciudades. Junto a la realidad aparece la fantasía en la corriente denominada "realismo mágico"[41]. También hay una mayor preocupación por el estilo, debido en parte a la influencia de las innovaciones técnicas de los grandes autores americanos y europeos. La estructura del relato es objeto de una profunda experimentación que afecta de modo particular al lenguaje, con la superposición de estilos o registros, distorsiones sintácticas y léxicas y utilización del lenguaje poético. Los nuevos autores combinan estas innovaciones con los propósitos de testimonio y denuncia, confirmando la ampliación temática y enriqueciendo el lenguaje. Esta ruptura con la técnica realista no supone un alejamiento de la realidad, sino la voluntad de abordarla desde una perspectiva más rica y más válida estéticamente. Se asiste al llamado *"boom" de los años sesenta*, cuando los lectores europeos descubren la riqueza del panorama literario latinoamericano. Los rasgos que caracterizan esta "nueva novela " son la búsqueda de nuevos lenguajes narrativos y una particular experiencia de la realidad latinoamericana y de lo real en general.

En nuestros días, asistimos a la explosión demográfica de los novelistas hispanoamericanos y a una mayor divulgación de sus obras en el mercado europeo.

El teatro

La historia del teatro latinoamericano no puede compararse con la de los demás géneros literarios, aunque en las últimas décadas este género se ha consolidado y ha alcanzado cierta originalidad. En muchos países, hasta tiempos muy recientes, se han producido problemas de censura causados por las dictaduras. Actualmente se asiste a una renovación del panorama teatral, con el florecimiento de obras de autores que denuncian los desequilibrios sociales, recurriendo con frecuencia a la ironía, la sátira o el humor. La violencia es también, a menudo, el centro de las representaciones en obras de gran intensidad dramática que describen el mundo de los desheredados y el clima doloroso de la constante lucha por la vida. Otra tendencia del teatro hispanoamericano contemporáneo es la del género apocalíptico, la del relato mítico vinculado al tema de la muerte como expresión privilegiada de los más profundos temores y deseos de la humanidad. Puede señalarse la presencia del elemento grotesco en la producción de algunos autores, como por ejemplo Griselda Gambaro, que en su obra elabora una poderosa síntesis del momento histórico, "más allá de nuestro olvido o nuestra memoria"42. No faltan los grupos de teatro experimental que buscan nuevas estructuras teatrales, intentan renovar la expresión de los conceptos, las técnicas y el planteamiento escénico. En sus obras, estos autores rompen con el formulismo y se abren con desenvoltura a la expresión de una nueva sensibilidad, hasta llegar a veces a un extraño e incluso arbitrario sentido de las cosas. Se puede decir que, como sucede en el campo de la novela, Hispanoamérica está asistiendo, en estos últimos años, a un verdadero "boom" de la expresión dramática.

Autores

AMOR MÍO (POESÍA)

Romanticismo

Rosalía de Castro

Nace en Santiago de Compostela en 1837; es hija de una relación irregular entre una joven de buena familia y un sacerdote. Su infancia estuvo marcada por este hecho. Compone sus primeros versos a la edad de 12 años. A los 17 escribe su primer libro, *La flor*. Se casa con Manuel Martínez Murguía, erudito cronista de Galicia, con quien tiene siete hijos. Siempre en lucha con la enfermedad y a menudo con la penuria, vive dedicada a su hogar. Su marido la apoya y le insiste para que publique sus obras. En *Cantares gallegos* (1863), escrito en parte en Castilla, la inspiración fundamental es la añoranza de su tierra natal. *Follas novas* (1880) contiene su visión sombría de la existencia humana, en versos en los que dominan los sentimientos de dolor y desengaño, tanto íntimos como de su pueblo. Su obra maestra en castellano es *En las orillas del Sar* (1884), una atormentada confesión de su intimidad, de sus ideas sobre el amor, la soledad, el dolor, la muerte, la eternidad. Los versos son de tono íntimo, de honda penetración, cargados de melancólica belleza. Rosalía muere de cáncer en 1885 en su casa de Padrón, hoy convertida en museo. Todos sus hijos mueren antes que ella y, por tanto, no quedan herederos. Es considerada, junto con Gustavo Adolfo Bécquer, la precursora de una nueva manera de hacer poesía y la iniciadora de una nueva métrica castellana.

Gustavo Adolfo Bécquer

Vida

Gustavo Adolfo Domínguez Bastida nace en Sevilla en 1836 en el seno de una familia de pintores. Firma sus obras con el segundo apellido paterno, de origen flamenco: Bécquer. Queda huérfano pronto y se cría con su madrina. A los 18 años se instala en Madrid, donde realiza diferentes trabajos: periodista, escritor de obras de teatro y traductor. A los 21 años contrae la tuberculosis. En Madrid conoce a Julia Espín, que será su amor platónico y la inspiradora de varias rimas. Luego ama con pasión a Elisa Guillén, que lo abandona sumiéndolo en la desesperación. A partir de 1860 trabaja como redactor en *El Contemporáneo*, contando con la tutela de González Bravo, ministro de Isabel II. Su actitud política es conservadora. En 1861 se casa con Casta Esteban, con la que tiene dos hijos, pero el matrimonio se separa por problemas de convivencia. Delicado de salud, Bécquer pasa temporadas en el monasterio de Veruela, donde escribe *Cartas desde mi celda* y varias de sus leyendas. Lleva una vida bohemia y viste con desaliño. La muerte de su hermano Valeriano, pintor como su padre, lo sume en la desesperación y en diciembre de 1870 muere en Madrid a los 34 años.

Obra

Su producción poética, recogida posteriormente bajo el título de *Rimas*, consta de setenta y seis poemas, cuyo manuscrito se conserva en la Biblioteca Nacional de Madrid, bajo el título de *Libro de los gorriones*. En este libro se conservan también dibujos del autor y unas composiciones en prosa. Tras su muerte, sus amigos deciden publicarlas en 1871 ordenándolas según los temas tratados en:

- rimas sobre la creación poética y la inspiración (I-X),
- rimas de amor ilusionado y gozo del enamorado (XI- XXIX),
- rimas de amor desengañado o frustrado (XXX-LI),
- rimas sobre el dolor de vivir, la melancolía, la angustia y la muerte (LII-LXXVI).

Las rimas son de extensión variable y en muchas el poeta se vale del paralelismo entre las sucesivas estrofas. Su estilo no es grandilocuente ni utiliza palabras

> altisonantes. Para él, la poesía no debe agradar al oído y quedar en la superficie. "*Breve y seca, desnuda de artificio*", ha de ser, sobre todo, "*sentimental en grado subido*", tiene que "*hacer vibrar todas las fibras sensibles, cual si las tocase alguna chispa eléctrica*"[1]. Es una poesía que llega a lo más profundo, como la mirada del poeta, que tiene el poder de penetrar en la realidad, guardar la memoria de las sensaciones y escribir, "*como el que copia de una página ya escrita*"[2].

Bécquer escribe también obras en prosa que publica en varias revistas y periódicos. Entre ellas destacan *Cartas literarias a una mujer* (1860-1861), *Cartas desde mi celda* (1864) y *Leyendas* (1860-1864), en las que el autor logra crear ambientes fantásticos, llenos de misterio, inquietud y deslumbrante belleza, que evocan mundos impregnados de significados trascendentes. Están presentes los rasgos típicamente románticos de su obra: el amor imposible, lo misterioso, lo sobrenatural, lo exótico y lo costumbrista. Bécquer escribe cuando ya está en auge el Realismo, así que con respecto a su pertenencia al movimiento romántico hay que aclarar que desde un punto de vista cronológico pertenece a la época del posromanticismo. El estilo grandilocuente de los primeros románticos no es del agrado de Bécquer, que prefiere un lenguaje sencillo y lleno de lirismo, si bien su concepción de la vida, del amor y de la naturaleza es típicamente romántica.

Modernismo

Rubén Darío

Vida

Nace en Metapa, Nicaragua, en el año 1867. Su verdadero nombre es Félix Rubén García Sarmiento. Es periodista y diplomático. A los 21 años publica su primera obra, Azul. Se casa con Rafaela Contreras, que muere dos años después. Contrae un segundo matrimonio con Rosario Murillo, de la que se separa pronto. Vive, publica y actúa en Chile, Centroamérica y Argentina hasta 1898, año en el que viaja a España, donde conoce a los escritores más famosos de la época. Lleva una vida bohemia, cuyos desarreglos, junto con el abuso del alcohol, minan su salud. Debido a su trabajo de diplomático, desde 1900 viaja por Europa y América y vive en París, Madrid y otros países europeos. Hacia el final de su breve vida encuentra otra vez el amor con Francisca Sánchez, con la que viaja a Nueva York. Muere prematuramente en León, Nicaragua, en 1916.

Obra

Escribe prosa y poesía. Entre toda su producción destacan tres obras que ayudan a comprender la evolución del Modernismo: *Azul*, *Prosas profanas* y *Cantos de vida y esperanza*. *Los raros*, en prosa, y *El canto errante* son otras de sus obras.

Azul (1888) es su primera obra importante. Publicada en Valparaíso, está constituida por relatos breves y algunos poemas. Para su autor significa el reconocimiento en América y en España. Sus rasgos principales son: sensualidad, erotismo y musicalidad. En los sonetos que cierran la obra, Darío revela sus preferencias y su cosmopolitismo.

Prosas profanas: se publica en Buenos Aires, en 1896. Las variaciones temáticas y las audacias métricas provocan en América y en España grandes polémicas. En la obra predomina el tema erótico, envuelto en un arte cromático y perfecto.

Cantos de vida y esperanza (1903) trata los temas del paso del tiempo, de la misión del poeta, de la búsqueda de la fe y de la preocupación por el futuro de América.

Rubén Darío lleva hasta el límite todos los postulados del modernismo: originalidad, renovación métrica y estrófica, perfección formal, elevado número de figuras retóricas. Utiliza gran variedad de ritmos y metros y escribe poemas de elegancia refinada, con versos de cuidada musicalidad.

Declara que detesta la vida y el tiempo en que le tocó nacer y en sus últimas obras nos ofrece una poesía más íntima, preocupada por el hombre y angustiada, en la que la muerte se convierte, casi, en obsesión.

Juan Ramón Jiménez

Vida

Juan Ramón Jiménez nace en 1881 en Moguer (Huelva) en una familia de cultivadores y exportadores de vinos. Su infancia está marcada por ventanas y puertas por las que se asoma a ver el mundo, la vida, casi como si fuese algo de lo que él no participa.

Algunos de estos sentimientos y emociones perduran y se convierten en obsesiones, como por ejemplo la soledad y la constante introspección. Se matricula en la Facultad de Derecho de Sevilla, que abandona sin conseguir el título correspondiente para dedicarse por completo a la poesía.

En el verano de 1900 muere su padre y el temor a la muerte se convierte no sólo en el tema poético básico de Juan Ramón, sino también en un problema mental (sufrió fuertes depresiones durante muchos años de su vida). En 1913 se instala en la Residencia Libre de Enseñanza y ese mismo año conoce a Zenobia Camprubí, con la que tres años después viaja a Estados Unidos para casarse.

Tras su vuelta a Madrid encabeza los movimientos de renovación poética de la capital, dirige revistas y anima a los que después serán los grandes poetas del 27. El homenaje a Góngora, en el que se niega a participar, y otros equívocos marcan la ruptura con ese grupo. De ideas republicanas, abandona España en 1936 y, tras pasar por diferentes países del continente americano, en 1950 se instala definitivamente en Puerto Rico, donde escribe los libros de su última etapa. En 1956 se le concede el premio Nobel de Literatura. Ese mismo año muere Zenobia, hecho del que el poeta ya no se recuperará. Dos años después, fallece en medio de una desolación total.

Obra

En 1900 publica sus dos primeros libros: *Nínfeas* y *Almas de violeta*, cuyos títulos fueron sugeridos respectivamente por Valle-Inclán y Rubén Darío.

La publicación de sus *Rimas* supone su consagración en el ambiente literario madrileño y *Arias tristes* (1903) reafirma su naciente fama. En Moguer escribe *Platero y yo* (1905), a la vez que sigue escribiendo poemas amorosos inspirados en gran parte en el simbolismo francés. Entre ellos uno de los más conseguidos, *El viaje definitivo*. En 1913, inspirado por Zenobia, escribe el libro de poemas de amor *Estío* y tres años después, *Diario de un poeta recién casado*, que se considera la frontera entre las dos grandes etapas en que suele dividirse la obra de Juan Ramón Jiménez.

Eternidades (1918) es uno de los libros poéticos más influyentes del siglo xx en lengua castellana. El poeta empieza a aspirar a la inmortalidad frente a la fugacidad de la vida. La complejidad intelectual de su obra se acentúa en los libros que siguen: *Piedra y cielo* (1919), *Poesía* (1923) y *Belleza* (1923). De 1925 a 1935 publica sus *Cuadernos*, en los que da a conocer todo o casi todo lo que escribe en ese período. En Puerto Rico escribe los libros de su última etapa: *La estación total* (1946), *Romances de Coral Gables* (1948), *Animal de fondo* (1949), *Dios deseado y deseante* (1949) y el largo poema *Espacio* (1954).

Hay unos textos de Juan Ramón Jiménez que han ayudado a dividir su obra en fases o períodos. Didácticamente, el más conocido es el "Poema 5" de *Eternidades*:

Vino, primero, pura,
vestida de inocencia;
y la amé como un niño.
Luego se fue vistiendo
de no sé qué ropajes;
y la fui odiando sin saberlo.
Llegó a ser una reina,
fastuosa de tesoros...
¡Qué iracundia de yel y sin sentido!
... Mas se fue desnudando.
Se quedó con la túnica
de su inocencia antigua.
Creí de nuevo en ella.
Y se quitó la túnica,
y apareció desnuda toda...
¡Oh pasión de mi vida, poesía
desnuda, mía para siempre!

La mayoría de los críticos están de acuerdo en dividir su trayectoria poética en 3 etapas, según el esquema sugerido por el poeta mismo en *Animal de fondo*. En la primera época o sensitiva (1898-1915) su poesía es pura, sencilla y se advierte la influencia de Bécquer.

La segunda época o intelectual (1916-1936) corresponde a la fase modernista: los ritmos son amplios y el lenguaje aprovecha frecuentemente imágenes sensoriales, aunque el modernismo de Jiménez es de tipo intimista.

La tercera época, suficiente o verdadera (1937-1958), se da cuando el afán de renovación le lleva hacia una "poesía desnuda" en la que el léxico modernista deja paso a la concentración conceptual y emotiva.

Pero la obra de Juan Ramón Jiménez debe considerarse siempre como un único conjunto, donde vida y obra son una misma identidad. Su influencia sobre los poetas de las generaciones posteriores ha sido enorme, porque con él se abre el pórtico de la poesía pura y de la intelectualización de la lírica.

Antonio Machado

Vida

Nace en Sevilla en 1875 en una familia de intelectuales progresistas. Cuando tiene 8 años su familia se traslada a Madrid. Como sus hermanos, ingresa en la Institución Libre de Enseñanza, que dejará en él una huella profunda, con su liberalismo y su irrevocable austeridad. Tras la muerte prematura de su padre sobrevienen los problemas económicos. Antonio, con su hermano Manuel, se traslada a París, donde trabaja como traductor, conoce a Rubén Darío y entra en contacto con la vida literaria parisiense. En 1907 gana una cátedra de francés en el Instituto de Soria, ciudad en la que pasará una etapa fundamental de su vida. Dos años después se casa con Leonor Izquierdo, de 16 años, a la que ama profundamente. Se marchan juntos a París, pero su felicidad dura poco: Leonor muere en 1912. El poeta, desesperado, inicia una intensa actividad de compromiso social y político y se ocupa de la cultura popular. En 1927 es elegido miembro de la Real Academia Española. Conoce a Pilar Valderrama, que será la Guiomar de sus últimos poemas. En 1932 se instala en Madrid. Al estallar la Guerra Civil defiende firmemente la causa republicana. Tiene que refugiarse en un pueblecito cerca de Valencia, donde sigue escribiendo en defensa de sus ideales. En enero de 1939 se marcha al exilio con su madre. Los dos están muy enfermos y se establecen en un hotelito de Colliure, un pueblecito del sur de Francia, donde el poeta muere el 22 de febrero de 1939 y tres días después su madre.

Obra

En la obra de Antonio Machado destaca, a pesar de los cambios estilísticos y temáticos que en ella se producen, una gran coherencia y unidad. Permanece anclado a las formas tradicionales, en gran medida heredadas del siglo anterior. Su primer libro, *Soledades* (1903), aparece en años en los que triunfa el modernismo. Es una obra en la que dominan las angustias, las melancolías y las tristezas que serán típicas de Machado, aunque no faltan las delicadas evocaciones de su infancia y las descripciones del paisaje. En 1907 publica *Soledades, galerías y otros poemas*. Su modernismo es más intimista, los temas tratados conciernen al destino del hombre, la condición humana y el problema religioso. Destacan los valores simbolistas, que se convertirán en motivos temáticos característicos de la obra de Machado: la tarde, el camino, el agua, el laberinto, el sueño, que simbolizan realidades profundas y escondidas, llegando a veces a ser obsesiones íntimas. En 1912 publica *Campos de Castilla*, donde recoge lo escrito desde 1907. Son poemas intimistas, que siguen la línea de su poesía anterior, aportando nuevos cuadros de los paisajes y de las gentes de Castilla, junto con hondas meditaciones sobre la realidad española. El poeta establece una correlación entre el paisaje y sus estados anímicos, proyecta sus propios sentimientos sobre aquellas tierras, pero al mismo tiempo trata salir de sí mismo y reflejar el paisaje y los hombres de España, dando voz a su preocupación patriótica. Destaca el largo romance *La tierra de Alvargonzález*, donde revitaliza la vieja versificación con el intento de escribir un nuevo Romancero, que exprese la vida elemental del hombre, la dureza y la miseria de las tierras en que se desarrolla. La serie de *Proverbios y cantares* testimonia un aspecto de su creación que más tarde el poeta cultivará abundantemente: se trata de poemas brevísimos, de formas distintas, que reflejan hondas preocupaciones existenciales. En 1924 aparece *Nuevas canciones*, libro breve y heterogéneo que comprende un centenar de nuevos *Proverbios y cantares*, donde lo lírico cede el paso a lo conceptual y las inquietudes filosóficas pasan a primer término. En los años posteriores a 1924 la producción poética de Machado es escasa, aunque en las sucesivas ediciones de sus *Poesías completas* (1928, 1933, 1936) aparecen algunas composiciones nuevas, entre las que destacan las que componen el *Cancionero apócrifo* de Abel Martín y Juan de Mairena (poetas de su invención) y las *Canciones a Guiomar*, que testimonian su último amor. Al estallar la Guerra Civil, publica *Poesías de guerra,* en defensa de los ideales republicanos. Entre estas composiciones cabe citar *El crimen fue en Granada*, estremecedora elegía a Federico García Lorca.

Algunos días después de su muerte, su hermano José encuentra en un bolsillo del gabán del poeta un arrugado trozo de papel, con anotaciones escritas a lápiz . La primera es del monólogo de Hamlet: *"Ser o no ser"*; la segunda, un único verso: *"Estos días azules y este sol de la infancia"*; la tercera, una de las Otras canciones a Guiomar, con una ligera variante: *"Y te daré mi canción: 'Se canta lo que se pierde', con un papagayo verde que la diga en tu balcón"*.

Vanguardias

Ramón Gómez de la Serna

Vida

Nace en Madrid en 1888. A los 12 años prepara una revista, *El Postal*, donde ya surge su afán por salirse de las normas, principalmente en la literatura. Estudia Derecho en Oviedo y al terminar la carrera publica su producción en la revista *Prometeo*, que su padre funda y dirige en 1908. En "El concepto de la nueva literatura", de 1909, denuncia el "cansancio de las formas antiguas". En 1914 funda la famosa tertulia del café *Pombo,* que mantendrá casi sin interrupción hasta poco antes de la guerra. En 1931 conoce a Luisa Sofovich, con la que vivirá desde entonces. En su obra (que aborda todos los géneros literarios: ensayo, novela, teatro, biografía) cultiva el desbordamiento de la lógica, la asociación audaz de las intuiciones y la metáfora lúdica. La vida y la obra de Ramón Gómez de la Serna son una continua ruptura con las convenciones: pronuncia conferencias vestido de torero, celebra un banquete en un quirófano, cultiva lo extravagante, lo grotesco, lo provocativo, en cualquier terreno. Al estallar la guerra, después de numerosos viajes y estancias al extranjero, fija su residencia definitiva en Buenos Aires, donde muere en 1963. Es enterrado en Madrid en el Panteón de Hombres Ilustres. Entre las figuras de su generación es la que se encuentra más cerca del arte de vanguardia posterior a la Primera Guerra Mundial.

Obra

El eje de la obra de Ramón Gómez de la Serna es la "greguería", definida por él mismo como "Metáfora + Humor". Con la greguería, la metáfora se convierte en género literario, en el que se encuentran, en proporciones diversas, el concepto, el humor, el lirismo o el puro juego verbal. A veces son una condensación de imágenes y equivalen a poemas concentrados; otras son alteraciones de frases hechas, o intuiciones líricas muy libres. Algunos críticos las han relacionado con la literatura del Barroco español.

Además de varios tomos de *Greguerías*, la obra de Ramón Gómez de la Serna está formada por un centenar de volúmenes que comprenden relatos breves y novelas, entre las que destacan: *El doctor inverosímil* (1914, ampliada en 1921), *La viuda blanca y negra* (1917), *El incongruente* (1922), *Cinelandia* (1923), *El chalet de las rosas* (1923) y *El torero Caracho* (1926). También es autor de piezas de teatro de vanguardia, ensayos y memorias, pero en todos los géneros cultivados sus páginas son, a menudo, sucesiones de greguerías.

Generación del 27

Rafael Alberti

Vida

Rafael Alberti nace en Puerto de Santa María (Cádiz) en 1902. En 1917 se traslada con su familia a Madrid y abandona los estudios. Su vocación literaria se manifiesta desde muy joven, junto con su pasión por la pintura. En 1920, inspirado por la muerte de su padre, compone sus primeros versos (recogidos posteriormente) y expone sus primeros cuadros. Frecuenta el grupo de artistas de la Residencia de Estudiantes y es amigo íntimo de Federico García Lorca. En 1931 ingresa en el Partido Comunista de España (del que en 1983 llegará a ser fugaz diputado por Cádiz), viaja a Rusia y a Cuba y escribe poemas de tono político. Es la etapa del "poeta en la calle", de la "poesía civil". En los años 1936-1939, participa activamente en la Guerra Civil, en el bando republicano y dirige la revista

Octubre con su compañera María Teresa León. Al final de la guerra se exilia: vive en París y en Argentina hasta 1963, año en el que fija su residencia en Roma, continuando sus actividades literarias y de pintor. En 1965 se le concede el premio Lenin de la Paz. En 1977, dos años después de la muerte de Franco, vuelve a España y se reintegra en la vida cultural de la capital. Es diputado en las primeras elecciones democráticas. En 1983 se le otorga el *premio Miguel de Cervantes*. Es nombrado miembro de la Real Academia de Bellas Artes de San Fernando (1989), en reconocimiento a su actividad pictórica de dibujo en la línea surrealista. Muere en 1999.

Obra

En 1920, inspirado por la muerte de su padre, escribe algunos de los poemas recogidos luego en Poemas anteriores a Marinero en tierra (1969). En 1925 aparece Marinero en tierra, que lo consagra como poeta y le vale el premio Nacional de Literatura, compartido con Gerardo Diego. En esta obra se unen las experiencias personales con las influencias de Gil Vicente y de los cancioneros musicales. En 1929 escribe Sobre los ángeles, uno de sus títulos de referencia, fruto de una honda crisis moral y sentimental. Luego viene su etapa como "poeta en la calle", la etapa de la "poesía civil": Yo era un tonto y lo que he visto me ha hecho dos tontos y Con los zapatos puestos tengo que morir (1930). En 1931 ensaya el teatro vanguardista y comprometido, con el auto sacramental El hombre deshabitado y su "romance de ciego" escénico Fermín Calán. Tras la Guerra Civil, su obra está marcada por el sentimiento del destierro. Son de esta época Coplas de Juan Panadero, Retornos de lo vivo lejano y la obra en prosa La arboleda perdida, un libro de memorias. Para el teatro escribe El adefesio (1944) y Noche de guerra en el museo del Prado (1956). En su estancia en Roma escribe Roma, peligro para caminantes (1968) y publica Canciones del alto valle del Aniene. Y de vuelta a España, Abierto a todas horas (1979), Versos sueltos de cada día (1982) y Versos para Altair (1988). En 1978 estrena el "guirigay", según él mismo lo califica, La pájara pinta. En su producción se entremezclan el mito antiguo y la utopía del futuro, lo lúdico y lo burlesco, la influencia del gongorismo, la tradición popular y el surrealismo.

Luis Cernuda

Vida

Nace en noviembre de 1902 en Sevilla donde, en 1919, es alumno de Pedro Salinas. Durante el curso que realiza con él, tiene la oportunidad de leer los clásicos españoles, y entra en contacto con la poesía simbolista francesa. Más tarde conoce la obra de André Gide, cuya lectura le abre el camino para reconciliarse con su problema existencial: su tendencia homosexual. Esto explicará, en parte, su desacuerdo con el mundo, y la soledad, el dolor y la conciencia de ser un marginado, que serán las notas características de toda su obra.

Al terminar la universidad viaja a Madrid, donde en 1925 conoce a Juan Ramón Jiménez. En 1928 se traslada a Francia para trabajar como lector en la Universidad de Toulouse y un año después regresa a Madrid. En 1933 colabora con la revista *Octubre*, creada por Rafael Alberti. En 1935 lee la obra de Hölderlin y publica la traducción de algunos de sus poemas en la revista *Cruz y raya*. Durante la Guerra Civil sufre el exilio y trabaja como profesor de español en Inglaterra. En 1947 se marcha a Estados Unidos y en 1952 se instala en México, donde muere en 1963.

Obra

A partir de 1936, Cernuda recoge todas sus composiciones anteriores y posteriores a esa fecha bajo el título común de *La realidad y el deseo*. La colección se publica por primera vez, completa, en 1964. El título es muy significativo y tiene gran interés el hecho de que el mismo autor haya escogido esas dos palabras (realidad-deseo), que condensan el conflicto central de sus obras y nos ofrecen la clave de interpretación. En este texto se encuentran los conceptos fundamentales de la poesía de Cernuda: la "otredad" (o alteridad, sentirse otro, diferente) y la "verdad".

Se puede afirmar que el único tema de la poesía de Cernuda es el amor, que llega a ser una obsesión vital. El amor es una pasión que aspira a la posesión del otro. La pasión amorosa se manifiesta a través del deseo. La realidad de la posesión es efímera, imposible. El deseo es constante. El conflicto entre la realidad y el deseo es la causa de la personalidad dolorida y solitaria de Cernuda, de su sensibilidad aguda y vulnerable. En sus obras los temas dominantes son la añoranza de un mundo habitable, el ansia de belleza, la aspiración a realizarse en el mundo exterior mediante el amor y la imposibilidad de concretar estos deseos, frustrados por los límites de lo real, por la fugacidad del tiempo y por la soledad del hombre. *La realidad y el deseo* se compone de dos libros, que se pueden dividir en cuatro etapas cronológicas, que corresponde a su trayectoria poética.

Pertenecen a la etapa inicial: *Primeras poesías, Égloga, elegía, oda*. Se consideran surrealistas, *Un río, un amor* (1929) donde aparece el tema de la "otredad" y *Los placeres prohibidos* (1931), donde de la contemplación sensual brotan amargura y desengaño. Alcanza su madurez lírica con *Donde habite el olvido* (1932-1933), libro espléndido y desolado, que toma el título de un verso de la Rima LXVI de Bécquer y testimonia una actitud nihilista ante la vida y el amor. *Invocaciones* (1934-1935) amplía su concepción del mundo y de sí mismo: el amor no se reduce a un sentimiento hacia un ser particular y concreto, sino que es, en su sentido más amplio y universal, el "amor". En *Las nubes* (1936-1940) aparece la añoranza de su tierra lejana, una nostalgia por un exilio que no es sólo geográfico, sino también espiritual, e incluso puede considerarse "cósmico". Después de la guerra escribe *Como quien espera el alba* (1941-1944), *Ocnos* (1942), *Vivir sin estar viviendo* (1944-1949), *Con las horas contadas* (1950-1956), que incluye el apartado "Poemas para un cuerpo", expresión de su último amor, que no se limita a ser el amor hacia un cuerpo concreto sino que alcanza dimensiones que sobrepasan tiempo y espacio. *Desolación de la quimera* (1956-1962), su última composición, nos revela a un hombre desesperado, rebelde y resentido.

Luis Cernuda también es autor de ensayos y páginas de crítica.

Federico García Lorca

Vida

Nace en Fuentevaqueros, provincia de Granada, en 1898. En Granada inicia las carreras de Letras y Derecho, de las que termina sólo la segunda. Se dedica también a la música y es amigo del compositor Manuel de Falla. A los 21 años se instala en la Residencia de Estudiantes, en Madrid, y allí conoce a importantísimos personajes de la cultura española, como Juan Ramón Jiménez, el pintor Salvador Dalí, el director de cine Luis Buñuel y los poetas que constituirán su grupo generacional. Durante el curso 1929-1930, marcha a Nueva York como becario, experiencia fundamental en su trayectoria poética. En 1932 funda el grupo teatral universitario "La Barraca", con el que recorre los pueblos de España, representando obras del teatro clásico. Sus dramas también obtienen gran éxito en el extranjero y en 1932 hace un viaje triunfal a Buenos Aires. De vuelta a España, prosigue su infatigable trabajo, escribiendo obras poéticas y teatrales y dedicándose también a conferencias. Recibe numerosos homenajes, pero su postura "popular" le atrae el odio de las fuerzas reaccionarias y golpistas. Esto lleva a su trágico asesinato a comienzos de la Guerra Civil, en agosto de 1936.

Obra

Las obras de Federico García Lorca muestran claramente los dos aspectos de su personalidad: por un lado la vitalidad arrolladora, la desbordante simpatía; por el otro, el íntimo malestar, el dolor de vivir, la frustración latente, que casi anuncia su trágico destino. Ese malestar, esa imposibilidad de realización y el tema del *destino trágico*, están constantemente presentes tanto en su poesía como en sus obras de teatro. En sus versos conviven elementos aparentemente incompatibles, como lo popular y lo culto, la perfección formal y el sentimiento profundamente humano. Su actitud ante la creación poética es rigurosísima, él considera que el trabajo del poeta es una verdadera misión. En 1918 aparece su primer libro en prosa: *Impresiones y paisajes*. Todas las poesías que el poeta escribe desde los 19 hasta los 22 años están recogidas en *Libro de Poemas*, publicado en 1921. Su estilo está formándose: aún se identifican influencias de Bécquer, de los modernistas y de Machado, pero ya domina el profundo malestar que caracterizará su tono definitivo. Es frecuente la evocación de la infancia, de su "alma antigua de niño" que ha dejado paso a un "corazón nuevo, roído de culebra", que refleja su tremenda crisis juvenil.

Entre 1924 y 1927 escribe el *Romancero gitano*. Su fama se extiende al mundo entero. El poeta canta a una raza marginada, representa a una minoría, elevándola hasta convertirla en una especie de mito moderno, que ilustra el tema del destino trágico.

Su estancia en Estados Unidos es un hito crucial en la vida de Lorca, que le permite entrar en contacto con una realidad muy diferente. El mundo de *Poeta en Nueva York* es un mundo violento, en el que el ser humano pierde su personalidad: es la ciudad del dinero, con su poder deshumanizante. Después de 1930, Lorca se dedica preferentemente a la producción teatral, en la que vierte su nuevo acento social. No obstante, en este período nace una de sus piezas maestras: *Llanto por Ignacio Sánchez Mejías*, escrita por la muerte de su amigo torero y considerada por la crítica una de las más hermosas elegías de la literatura española.

Un elemento fundamental del teatro de Lorca es la profunda frustración del ser humano, incapaz de realizar sus deseos. Hay dos tipos de frustración: la metafísica, cuyos elementos son el tiempo y la muerte, y la social, impuesta por las reglas de la sociedad en que vivimos. Su producción, muy variada, empieza con *El maleficio de la mariposa* (1920), *Los títeres de cachiporra* (1922) y *Mariana Pineda* (1923), que le consagra como autor de teatro. En 1926 escribe *La zapatera prodigiosa*, a la que siguen *Amor de don Perlimplín con Belisa en su jardín* (1928) y *Retablillo de Don Cristóbal* (1931). A partir de esta época, Lorca empieza a escribir obras más audaces, debido a una doble crisis que está viviendo: por un lado personal, a causa de su homosexualidad, por el otro una crisis estética, en un momento de "cambio" en que el autor siente la influencia de la corriente surrealista. Así, aparecen *El público* (1930) y *Así que pasen cinco años* (1931). La ultima época de su trabajo teatral es la de "La Barraca", cuando se acerca a lo popular, a las pasiones puras y primitivas. *Bodas de sangre* (1933), basada sobre un hecho real, cuenta la huida de una novia con su amante, el mismo día de su boda. Es un sentimiento desbordante, incontenible, que se convierte en tragedia. En *Yerma* (1934), encontramos la desesperación de una mujer estéril, que vive frustrada pensando que su vida es inútil. *Doña Rosita la soltera o el lenguaje de las flores* (1935), es un drama sobre la imposibilidad de encontrar el amor; *La casa de Bernarda Alba* (1936), última obra acabada de Federico García Lorca, nos presenta unas hermanas prisioneras no sólo de las convenciones, sino también de las paredes de su propia casa, donde las obliga a vivir su madre que ha quedado viuda.

Entre 1935 y 1936 escribe los *Sonetos del amor oscuro*, once sonetos sobre la gloria y el dolor de amar que permanecieron inéditos hasta 1984.

Lo último que nos queda de Lorca, descubierto hace poco, es un borrador con el primer acto de una comedia sin título, en la que aparece la preocupación por la injusticia en la que viven muchos seres marginados.

Pedro Salinas

Vida

Pedro Salinas nace en Madrid en noviembre de 1891. Estudia Derecho y Letras y en 1914 empieza a trabajar como lector de español en la Sorbona. Regresa a España en 1917 y un año después obtiene la cátedra de Literatura Española en la Universidad de Sevilla. También ejerce como profesor en Cambridge (1922-1923) y en Murcia. En 1933 se inaugura la Universidad de Verano de Santander y Salinas ejerce como secretario general. En 1936 viaja a Estados Unidos, donde permanece exiliado a causa de la Guerra Civil, dedicándose a la enseñanza de la literatura española en varias universidades y escribiendo poesía y ensayos de crítica literaria. Viaja mucho y reside tres años en Puerto Rico (1943-1946). Muere en Boston en 1951.

Obra

En los versos de Salinas se hermanan la hondura del sentimiento y una asombrosa sutileza intelectual. Su obra revela un conjunto de afinidades con autores clásicos y contemporáneos (Bécquer, Juan Ramón Jiménez), sin olvidar los poetas franceses (Mallarmé y Valéry) y los surrealistas. Tomando como figura central la Guerra Civil, podemos dividir su trabajo literario en "antes" y "después" de la guerra.

Antes de 1936 podemos distinguir dos etapas: una inicial y otra de plenitud. En la primera (de 1923 a 1931), Salinas escribe tres libros: *Presagios*, *Seguro azar* y *Fábula y signo,* que algún crítico ha definido como "literatura de evasión". Son poemas ingeniosos, que muestran una actitud vanguardista, están caracterizados por una ironía constante y tienen, en general, un tono despreocupado.

La segunda etapa, la de la plenitud, empieza en 1931, con la publicación de *La voz a ti debida*, en que el autor expresa la voluntad de querer, porque en la unión amorosa nuestro destino de mortalidad diaria se convierte en ímpetu de vitalidad total. Salinas da un paso más, abordando el problema de mantener vivo el querer, y planteándose intrincadas cuestiones sobre el sentimiento humano. Este deseo de intentar entender el sentimiento del querer se advierte en *Razón de amor* (1936). No hay que aceptar la vida tal y como se nos ofrece, es necesario luchar conforme a nuestro "querer". Y el querer vivir no es una idea pura, ha de realizarse para sustentarse, y encuentra su necesaria expresión en la unión amorosa. En *Largo lamento* (1939) son inequívocas las referencias a un fracaso amoroso.

Raramente se ha ahondado con tanta sutileza en las experiencias amorosas como en la obra de Salinas. La amada saca al amante de su nada interior, lo salva del caos que le rodea. El ser humano está sumido en la dualidad: destino y libre arbitrio, inercia y voluntad, ser sociológico (que se manifiesta en la historia) y ser auténtico (que se revela en la esencia), y estas parejas están en constante pugna. El poeta busca el momento en que se revela el alma, se manifiesta la autenticidad del ser. Y esto es posible gracias al amor, que produce el milagro que permite a un "tú" y un "yo" juntarse y alcanzar la autenticidad, la esencia sin tiempo. La lengua empleada se caracteriza por el uso de pronombres y adverbios como expresión de esencialidad, que nunca designa el lugar concreto, y produce una sensación desligada de tiempos y espacios.

Pertenecen a la etapa posterior a la Guerra Civil tres libros de poesía: *El contemplado* (1946), *Todo más claro* (1949) y *Confianza* (1955) ; dos libros de crítica literaria, sobre Jorge Manrique y Rubén Darío; una novela, *La bomba increíble*; un libro de cuentos, *El desnudo impecable y otras narraciones*; un libro de ensayos, *El defensor y varios dramas*. En sus libros de poesía aparece la lucha entre su fe en la vida y los signos angustiosos que ve en el mundo, por ejemplo la amenaza atómica, tema de su poema "Cero".

Salinas destaca por su franqueza intelectual y su anhelo de conocer. La Generación del 27 lo consagra como poeta de amor.

Guerra civil y dictadura

Miguel Hernández

Vida

Nace en Orihuela, Alicante, el 30 de octubre de 1910, hijo de un comerciante de ganado. Su niñez y adolescencia transcurren por la sierra oriolana tras un pequeño hato de cabras. Es autodidacta y se forma con la lectura de numerosos libros; así empieza a escribir sencillos versos a la sombra de un árbol. En la tertulia de Orihuela conoce a Ramón Sijé, que le orienta en sus lecturas. Desde 1930 empieza a publicar sus versos en el semanario El Pueblo de Orihuela y en el diario El Día de Alicante. En diciembre de 1931 viaja a Madrid, donde entra en contacto con la vida literaria de la capital, pero no encuentra trabajo y tiene que regresar a Orihuela. En esta época conoce a Josefina Manresa y se enamora de ella. En 1934 se traslada a Madrid, donde empieza a ser admirado como poeta. Cuando estalla la guerra consagra totalmente su vida y su obra a la causa de la República, incorporándose al 5º Regimiento. En plena guerra logra escapar brevemente a Orihuela para casarse con Josefina Manresa. En la primavera de 1939 comienza su larga peregrinación por cárceles, con las dificultades y privaciones de la vida propias de las prisiones en los meses posteriores a la guerra.

Uno años después se le declara una tuberculosis pulmonar aguda que se extiende a ambos pulmones . El 28 de marzo de 1942, Miguel Hernández muere en una prisión de Alicante."*No hay cárcel para el hombre. no podrán atarme, no. [...] Libre soy, siénteme libre. Sólo por amor*"[3].

Obra

Perito en lunas (1933), escrito después de su primer viaje a Madrid, refleja la moda gongorina del momento. *El rayo que no cesa*, publicado en 1936, se compone de una serie de poemas, en su mayor parte sonetos amorosos, que testimonian un cambio de actitud: en Madrid, el poeta vive la lucha entre dos modos diferentes de ver la realidad y de entender la poesía. El amor humano y concreto adquiere acento de pasión, y choca contra las barreras impuestas por la moral provinciana. De ese choque nace la pena, el rayo que se clava incesante en el corazón. Además de los sonetos, a este libro pertenece la espléndida "Elegía a Ramón Sijé", que ha sido definido como el más grande poema de amistad de la literatura española.

En 1937 escribe *Viento del pueblo*, en que denuncia las angustias de la gente, su hambre y su pobreza. Destaca el romance "Vientos del pueblo me llevan", que da título al libro, y es una fervorosa invitación a la lucha "*Yugos os quieren poner/gentes de la hierba mala,/yugos que habéis de dejar/rotos sobre sus espaldas*"[A].

En 1939 escribe *El hombre acecha*, en el que el ímpetu juvenil deja el paso a un tremendo sentimiento trágico. En la cárcel compone *Cancionero y romancero de ausencias* (1938-1941), donde destaca el tema de España, personificada en el símbolo de un toro que "*tiene que despertarse y desencadenar sus furias*". En esta época escribe sobre el amor, el dolor de la ausencia y la guerra fratricida. Nace su primer hijo, que muere a los pocos meses. Hernández escribe el tríptico *Hijo de la luz y de la sombra*, y otros poemas, entre los que destacan las "Nanas de la cebolla". Para el teatro, en plena guerra, escribe *El labrador de más aires*, *Pastor de la muerte* y *Teatro de guerra*.

En su versos, Miguel Hernández sabe aunar las raíces populares y las técnicas cultas, con un estilo que destaca por su tono vigoroso y su humanismo, que brota directamente del corazón.

Su obra representa el giro que lleva de la poesía pura a una palabra hondamente humana, totalmente proyectada en el social, que abre el paso a la poesía de posguerra.

Blas de Otero

Vida

Nace en Bilbao en 1916 y recibe una formación religiosa con los jesuitas. Después de terminar el bachillerato se licencia en Derecho en Valladolid, pero nunca ejerce la carrera. Se dedica durante algún tiempo a la enseñanza y luego se consagra por entero a la poesía. Vive en Barcelona, París y Bilbao y viaja por casi todo el mundo dando conferencias y recitales. Se traslada luego a Madrid donde lleva una vida retirada.

Obtiene varios premios importantes: el Boscán de Poesía en 1950, el premio de la Crítica en 1959 y el Fastenrath de la Real Academia en 1961. Muere en Madrid, en 1979. Es uno de los más representativos e influyentes poetas de la posguerra española.

Obra

Blas de Otero es un riguroso trabajador del lenguaje. En sus obras abundan los recursos estilísticos: aliteraciones, juegos de sonidos (en el campo fonético), paralelismos, reiteraciones (en el campo sintáctico), juegos de palabras, gusto por lo popular (en el léxico). Todo ello pone de relieve el contenido conceptual y afectivo, siempre presente en la obra de Blas de Otero, que por su trayectoria poética resume la evolución de la poesía española de su tiempo, que pasa de la expresión de las angustias personales a la poesía social. En su primera obra, *Cántico espiritual* (1942), marcada por una gran religiosidad, se perciben las influencias de la mística española. Mantiene esta tendencia religiosa en sus libros siguientes, *Ángel fieramente humano* (1950) y *Redoble de conciencia* (1951), que en 1958 refunde en *Ancia*, palabra formada por la primera sílaba del primero y la última del segundo. Otero expresa su vacío interior ante la desolación del mundo: está entrando en un nihilismo existencialista sobre la realidad. *Pido la paz y la palabra* (1955) y *En castellano* (1960), hablan de la lucha social, real, concreta, se enfrentan con los problemas colectivos con una actitud de solidaridad. Se trata de la poesía social, que se dirige a la inmensa mayoría. *Con la inmensa mayoría* (1960) y *Hacia la inmensa mayoría* (1962), son su respuesta a la propuesta de Juan Ramón Jiménez, que decía escribir para la "inmensa minoría". Su poesía se carga de fe en la solidaridad humana. Otras obras que tienen estas características son *Esto no es un libro* (1963), *Qué trata de España* (1964) y *Expresión y reunión* (1969 y 1981), ediciones de sus obras escritas y publicadas entre 1941 y 1968. A partir de 1965 publica un libro de poemas en prosa, *Historias fingidas y verdaderas* (1970) y compone *Hojas de Madrid* (1968-1979), poesías en parte inéditas. Sin renunciar a la lucha política, amplía su temática, dando mayor presencia a la intimidad. Su lengua poética se enriquece, introduce ritmos nuevos, imágenes insólitas, incluso toques surrealistas. Su evolución se ha definido "del yo al nosotros", es decir, de la expresión de las angustias personales, de la "poesía desarraigada", a la poesía social.

Jaime Gil de Biedma

Vida y obra
Nace en Barcelona en 1929, donde se licencia en Derecho en 1959, y muere en 1990. Sus primeros poemas aparecen en 1953 bajo el título de *Según sentencia del tiempo.* A este libro siguen *Compañeros de viaje* (1959), *En favor de Venus* (1965), *Moralidades* (1966) y *Poemas póstumos* (1968), reunidos en *Las personas del verbo* (1982 y 1985). En 1960 publica *Cántico: el mundo y la poesía de Jorge Guillén*, libro que, junto con sus otras incursiones ensayísticas, conforma *El pie de la letra* (1980). *Diario del artista en 1956* (1991), publicado después de su muerte, es un libro de carácter autobiográfico.

Está considerado como uno de los poetas españoles más importantes del siglo XX. Su obra está marcada por el rigor, la lucidez y el hedonismo. Sus temas principales son el conflicto entre ética personal y realidad social, la construcción de una identidad personal propia con materiales rescatados del pasado cultural, histórico y familiar, el paso del tiempo y la experiencia amorosa.

Poesía actual

Amalia Bautista

Vida y obra
Nace en Madrid en 1962. Su poesía es inteligible y está llena de sentimiento, sus obras quieren causar emociones intensas en el lector. Sus títulos publicados son: *Cárcel de amor* (1988), *La mujer de Lot y otros poemas* (1995), *Cuéntamelo otra vez* (1999), *La casa de la niebla. Antología* (1985-2001), *Universitat de les Illes Balears, (*2002).

Ángel González

Vida y obra
Nace en Oviedo, en 1925. Estudia Magisterio y Derecho. Ejerce de maestro durante algún tiempo, luego se traslada a Madrid para estudiar periodismo. Vive en Sevilla, Barcelona y Madrid. Es uno de los más representativos poetas de la "Generación del 50". Entre sus obras destacan: *Sin esperanza, con convencimiento* (1961), *Grado elemental* (1965), *Tratado de urbanismo* (1967). Bajo el título *Palabra sobre palabra* (primera edición de 1968, segunda edición ampliada de 1972) recoge toda su obra poética. Existe también una *Antología* de su obra, editada por el propio González en 1982. En 1985 obtiene el premio Príncipe de Asturias de las Letras y al año siguiente el premio Reina Sofía de Poesía Iberoamericana. Es miembro de la Real Academia Española.

Clara Janés

Vida y obra
Nace en Barcelona, en 1940. Es hija del editor y poeta Josep Janés. Se licencia en Filosofía y Letras en Pamplona y también es Maitre de Lettres por la Universidad de La Sorbona en literatura comparada. Se dedica a la poesía, a la novela, a la biografía y al ensayo. Asimismo, es famosa por sus traducciones, sobre todo del checo. En 1997 recibe el premio Nacional de Traducción.

Sus libros de poesía son: *Las estrellas vencidas* (1964), *Límite humano* (1974), *Antología personal* (1979), *Libro de alineaciones* (1980) y *Arcángel de sombra* (1999). Entre sus obras en prosa destacan: *La vida callada de Federico Mompou* (1975), *Los caballos del sueño* (1989) *Jardín y laberinto* (1990) y *Espejos de agua* (1997). Al principio, su obra poética intenta conciliar el esencialismo y el existencialismo a través de la naturaleza; luego amplía sus horizontes hacia aspectos más etéreos del cosmos, tanto que titula *Paralajes* su última colección poética (2002).

Luis García Montero

Vida y obra
Luis García Montero nace en Granada en 1958. Se licencia en Filosofía y Letras en la Universidad de Granada; se doctora en la misma facultad con una tesis sobre Rafael Alberti. Con este gran poeta de la Generación del 27 mantiene una profunda relación de amistad y se encarga de preparar la edición de su *Poesía completa.* En los años ochenta, siguiendo las huellas de Alberti, encabeza el movimiento "La otra sentimentalidad" en defensa de una poesía realista y comprometida. Actualmente es profesor

titular de Teoría de la Literatura en la Universidad de Granada. Además de ser un notable poeta intimista, conocido a nivel internacional, es también ensayista y columnista de opinión.

Sus obras más famosas son las colecciones de poesía: *El jardín extranjero* (1983), *Diario cómplice* (1987), *Las flores del frío* (1991), *Habitaciones separadas* (1994) y *Casi cien poemas* (antología, 1997). La crítica ha resaltado su obra como entre las más significativas de la poesía española actual, sabiendo unir los elementos vanguardistas de la generación del 27 y los de la reflexión moral de la generación del 50. Octavio Paz define la obra poética de Luis García Montero como "poesía de la experiencia".

Felipe Benítez Reyes

Vida y obra

Nace en Cádiz, en 1960. Es uno de los jóvenes más galardonados e influyentes en el actual panorama poético de España. Ha obtenido varios premios, entre los cuales figura el premio Luis Cernuda, el premio de la Crítica y el premio Nacional de Literatura.

Es poeta, novelista y ensayista. Ha recibido también el premio Planeta de Novela. Entre sus obras destacan: *Los vanos mundos*, *Sombras particulares*, *El equipaje abierto* y *Escaparate de venenos*.

Claudio Rodríguez

Vida y obra

Nace en Zamora en 1934. En 1952 se traslada a Madrid, donde unos años después se licencia en Filosofía y Letras en la Universidad Central. A los 15 años publica su primer poema, *Nana de la Virgen María,* en el diario *El Correo de Zamora*. En 1951 empiezan a nacer los primeros versos de *Don de la ebriedad*, publicado en 1953. En 1958 aparece *Conjuros*, otro libro de poemas. Con la ayuda inicial de Dámaso Alonso y Vicente Aleixandre viaja a Inglaterra, donde trabaja como lector de español, primero en Nottingham y luego en Cambridge. En Inglaterra escribe su tercer libro, *Alianza y condena*, por el que obtiene el premio de la Crítica. En 1976, después de algunos años de silencio, publica *El vuelo de la celebración*, y en 1983 *Desde mis poemas*, un libro recopilatorio de toda su obra, con una introducción del propio Rodríguez, por el que recibe el premio Nacional de Literatura. Dos años después aparece *Reflexiones sobre mi poesía*, y en 1986 recibe el premio de las Letras de Castilla y León. En 1987 es elegido miembro de número de la Real Academia Española de la Lengua. Es nombrado Hijo Predilecto de la Ciudad de Zamora (1989) y en 1991 publica su último libro de poemas, *Casi una leyenda*. El 28 de mayo de 1993 recibe el premio Príncipe de Asturias de las Letras. Muere en Madrid el 22 de julio de 1999.

Poesía hispanoamericana

Nicolás Guillén

Vida y obra

Nace en Camaguey en 1902. Su padre, activista en favor de la Revolución cubana, tiene una gran influencia en su formación. Antes de la revolución de Fidel Castro, Nicolás Guillén lucha contra el gobierno cubano. En 1936 es encarcelado por haber publicado materiales subversivos. Después de su liberación, en 1937 viaja a España, donde participa en el Congreso Internacional para La Defensa de La Cultura. Algunos años después Guillén regresa a Cuba, donde reside hasta 1953, cuando el gobierno de Batista le exilia por sus actividades rebeldes. Se muda a Buenos Aires, hasta que Fidel Castro toma el poder en Cuba y permite su regreso. Muere en Cuba en 1989.

Sus primeros versos, *Motivos de son* (1931), se publican en la hoja dominical del *Diario de la Marina*; siguen otros libros, entre los que destaca *Sóngoro cosongo* (1931), que llama la atención de la crítica por la mirable fusión de lo negrista con lo social. En 1937 escribe *España, poema en cuatro angustias y una esperanza*, que canta la tragedia del pueblo español y constituye una ardiente profesión de amor a la libertad y a la justicia. En 1949 se publica la colección de versos *El son entero*, que sigue la línea temática de orientación social y política. En París, donde el poeta se encuentra exiliado, en 1955 aparece *Elegías antillanas* y tres años después *La paloma de vuelo popular*. El tema sigue siendo político-social, pero los versos se hacen más tiernos en el recuerdo del paisaje del lugar de origen, casi la idealización de un paraíso perdido. La poesía de Guillén se caracteriza por su musicalidad, su ritmo que sugiere significados profundos, la evocación de las atmósferas ancestrales y misteriosas de un mundo de compleja espiritualidad. Algunos de sus versos tienen el poder sugestivo de la evocación de un ritual, como *Sensemayá*, el canto para matar a una culebra. Ritmo y rito se funden con el problema de la convivencia racial, la protesta contra la miseria, la injusticia, la explotación imperialista. El triunfo de la Revolución castrista inaugura una nueva época, en la que parece afirmarse el anhelado ideal de justicia y de paz. El poeta vuelve a su país. Sus versos, especialmente *El gran zoo* (1967) están fundamentalmente al servicio de la Revolución y ridiculizan a la potencia de Estados Unidos. De tono muy diferente es *Poemas de amor* (1964), tierno y sensual como los versos amorosos diseminados por toda su obra.

Mario Benedetti

Vida y obra

Nace en Paso de los Toros, República Oriental de Uruguay, en 1920. Su familia se traslada a Montevideo, ciudad que se convertirá en el espacio privilegiado de su obra de ficción, cuando sólo tiene cuatro años. Hace sus estudios primarios en el Colegio Alemán de Montevideo, donde comienza a escribir poemas y cuentos. Desde muy joven entra en contacto con el mundo del trabajo, que le permite conocer a fondo una de las constantes que registra su literatura: el mundo gris de las oficinas montevideanas. En 1946 se casa con Luz López Alegre. Treinta años después evocará esa duradera relación en el poema "Bodas de perlas" recogido en *La casa y el ladrillo* (1977). En Montevideo, en 1948 dirige la revista literaria *Marginalia*, el año siguiente pasa a formar parte del consejo de redacción de la revista *Número*. Esta publicación es clave en la formación y el desarrollo de la llamada "Generación del 45" o "Generación crítica". En 1949 publica su primer libro de cuentos, *Esta mañana*, que obtiene el premio del Ministerio de Instrucción Pública, y un año más tarde los poemas de *Sólo mientras tanto*. En 1953 aparece su primera novela, *Quién de nosotros*. Entre 1954 y 1960 ocupa tres veces la dirección literaria de *Marcha*, el semanario más influyente de la vida política y cultural de Uruguay, clausurado tras el golpe de estado de 1973. A la memoria de su fundador y director, Carlos Quijano, Benedetti dedica el libro *El desexilio y otras conjeturas* (1985), conjunto de crónicas aparecidas en el diario *El País* de Madrid. Con *Poemas de la oficina* (1956), escrito de forma sencilla, directa y coloquial, se origina la popularidad y difusión de su obra. En 1959 viaja a Estados Unidos, y ese mismo año se produce un acontecimiento que marcará no sólo a Mario Benedetti sino a todos los intelectuales latinoamericanos: la Revolución cubana. En 1959 publica los ensayos *El país de la cola de paja*, y en 1960 *La tregua*, con que adquiere fama internacional. Ambos textos testimonian su denuncia y toma de conciencia frente a una sociedad en crisis, cuya manifestación extrema será el golpe de Estado en 1973 y su dolorosa secuela. La actividad posterior de Mario Benedetti se multiplica, y a su intensa labor de escritor y periodista se suma una activa participación en la vida política. En 1973 debe abandonar su país por razones políticas. Subsiguientes etapas de sus doce años de exilio son Argentina, Perú, Cuba y España. Su vasta producción literaria abarca todos los géneros, incluyendo famosas canciones, y más de sesenta obras, entre las que se destacan la novela *Gracias por el fuego* (1965), el ensayo *El escritor latinoamericano y la revolución posible* (1974), los cuentos de *Con y sin nostalgias* (1977) y los poemas de *Viento del exilio* (1981). En 1987 recibe el premio Llama de Oro de Amnistía Internacional por su novela *Primavera con una esquina rota*. Sus libros más recientes son *Despistes y franquezas* (1990), *Las soledades de Babel* (1991), *La borra del café* (1992), *Perplejidades de fin de siglo* (1993) y *Andamios* (1996).

Dulce María Loynaz

Vida y obra

Nace en La Habana, Cuba, en 1903. Después de doctorarse en Leyes, colabora con las más prestigiosas publicaciones de su país y viaja muchas veces por Europa, Asia y América. Su poesía, de tono íntimo, marca un hito en las letras cubanas.

En 1986 recibe el premio Nacional de Literatura de su país. Es directora de la Academia Cubana de la

Lengua y miembro correspondiente de la Real Academia Española.

Recibe múltiples condecoraciones, entre las que se destacan: la Cruz de Alfonso x el Sabio (España, 1947), el premio Miguel de Cervantes (España, 1992). Algunas de sus obras: *Versos* (1920-1938), *Juegos de agua*, *Poemas sin nombre*, *Carta de amor al Rey Tut-Ank-Amen*, *Últimos días de una casa*, *Poesías escogidas* y *Poemas Náufragos*. En prosa, citaremos la novela *Jardín* y *Un verano en Tenerife*. Muere en Cuba en 1997.

Pablo Neruda

Vida

Neftalí Ricardo Reyes Basoalto (quien escribirá posteriormente con el seudónimo de Pablo Neruda) nace en Parral (Chile) en 1904; es hijo de un obrero ferroviario y una maestra de escuela. Queda pronto huérfano de madre y en 1906 la familia se traslada a Temuco, donde su padre se casa con Trinidad Candia Marverde, a quien el poeta mencionará en diversos textos con el nombre de Mamadre. Realiza sus estudios en el Liceo de Hombres de esta ciudad, donde también publica sus primeros poemas en el periódico regional *La Mañana*. En 1921 se traslada a Santiago y estudia pedagogía de francés en la Universidad de Chile, donde obtiene *el* primer premio de la fiesta de la primavera con el poema "La canción de fiesta", publicado posteriormente en la revista *Juventud*. En 1920 adopta el seudónimo con que se le conocerá en todo el mundo, tomándolo del apellido de un poeta checo. En 1924 la Editorial Nascimento publica *Veinte poemas de amor y una canción desesperada*, la obra más conocida de Pablo Neruda, y también la que lo consagra como poeta. En estas composiciones se nota todavía la influencia del modernismo, que desaparece en los tres libros publicados en 1926, en los que se manifiesta un propósito de renovación formal de intención vanguardista: *El habitante y su esperanza*, *Anillos* (en colaboración con Tomás Lagos) y *Tentativa del hombre infinito*. En 1927 es nombrado cónsul en Birmania y así comienza su larga carrera diplomática. En sus múltiples viajes conoce en Buenos Aires a Federico García Lorca y en Barcelona a Rafael Alberti. En 1934 es nombrado cónsul en España, donde comparte con los escritores del grupo del 27 los entusiasmos republicanos. En Madrid conoce a Delia Carril, su segunda mujer, veinte años mayor que él, de la que se enamora profundamente. En 1935, Manuel Altolaguirre le entrega la dirección de la revista poética *Caballo verde*. Ese mismo año aparece la edición madrileña de *Residencia en la tierra* y el año siguiente *España en el corazón*. Al estallar la Guerra Civil española, es destituido de su cargo consular por sus ideas marxistas. Tiene que refugiarse primero en Francia, luego marcha a Chile, de donde, con la colaboración de Delia, organiza ayudas para los exiliados españoles. Entre 1940 y 1950 su actividad política es muy intensa y viaja mucho por América. En 1945 obtiene el premio Nacional de Literatura. Su poesía adopta una intención social, ética y política, hasta llegar a *Canto general* (1950), dedicado a las tierras y a los hombres del continente americano. Siguen *Los versos del capitán* (1952), *Las uvas y el viento* y *Odas elementales* (1954). En 1965 se le otorga el título de doctor honoris causa en la Universidad de Oxford, Gran Bretaña. A finales de los años cincuenta conoce a Matilde Urrutia, que será su tercera compañera. En 1958 aparece *Estravagario*, dedicado a Matilde Urrutía, que supone un nuevo cambio en su poesía, que vuelve a temas amorosos. En octubre de 1971 recibe el premio Nobel de Literatura.

Muere en Santiago el 23 de septiembre de 1973, a los pocos días del golpe de Estado del general Pinochet. Después de su muerte se publican sus memorias, con el título *Confieso que he vivido* (1974).

Neruda es un hombre de extraordinaria vitalidad, que vive con intensidad sus amores y sus ideales políticos, y canta al mismo tiempo lo social, lo humano y lo personal.

Octavio Paz

Vida y obra

Nace en México en 1914, cuando el país se encuentra en plena lucha revolucionaria. Pasa parte de su niñez en Estados Unidos y en su vida adulta vive en la India y Francia, debido a su actividad como diplomático mexicano. Publica sus primeros poemas en la revista *Barandal*. Edita su primer libro, *Luna silvestre*, en 1933. Es fundador, junto con otros poetas, de la revista *Taller*. Entre 1941-1942 se publican *Entre la piedra y la flor* y *A la orilla del mundo*.

En París hace amistad con André Bretón y otros escritores franceses y de otras nacionalidades. Publica *Libertad bajo palabra* (1949), que recoge su producción de aquella década y le consagra como autor de primera importancia, *El laberinto de la soledad* (1950), su libro más conocido, dedicado al tema de la identidad mexicana, *Semillas para un himno* y la obra de teatro *La hija de Rappaccini*, ambas de 1954, *El arco y la lira* (1956), *Las peras del olmo* (1957), *La estación violenta*, que recoge "Piedra de Sol" (1958), *Salamandra* (1962), y otros libros, entre los que cabe citar *Posdata*, *Conjunciones y disyunciones* (1970) y *El signo y el garabato* (1973). En 1974 publica *Los hijos del limo*, *El mono gramático* y *Versiones y diversiones*, donde recoge sus traducciones. En 1975 publica *Pasado en claro*. En 1979 *Poemas* y *El ogro filantrópico*. Su poesía se vuelve cada vez más hermética y fragmentaria. A los años 1982-1990 corresponden *Sombras de obras*, *Hombres en su siglo*, *Pasión crítica*, *Tiempo nublado*, *Sor Juana Inés de la Cruz* o *Las trampas de la fe*, en que relanza el interés en torno a la carismática figura del barroco mexicano, *Árbol adentro* y *México en la obra de Octavio Paz*. Es director de la revista *Plural* y creador de la revista *Vuelta*. Entre los premios que recibe se cuentan el Cervantes (1981) y el Nobel de Literatura (1990). Muere en Ciudad de México en 1998.

César Vallejo

Vida y obra

Nace en Perú en 1892. Crece en un hogar modesto, de tradición andina, lejos de la gran ciudad. No cursa estudios regulares, pero su talento poético se da a conocer muy pronto en los ambientes literarios peruanos con *Los heraldos negros* (1918).

Como mestizo, toma partido por los oprimidos y los desheredados, interpreta con otros ojos la patria, donde ve concretarse las injusticias sociales. Su lírica está presidida por un tono amargo; en sus versos dominan los colores sombríos y una honda sensación de soledad. En 1922 publica una de sus obras maestras, *Trilce*, que refleja su actitud de denuncia y rebeldía. Es periodista y militante comunista, conoce la cárcel por motivos ideológicos y colabora con los intelectuales de la España antifascista. Quiere cantar el sacrificio cotidiano del hombre en *Poemas humanos* (que se publica en 1939, un año después de su muerte), una desconcertante epopeya en la que el poeta comparte el dolor del mundo y testimonia su esencial solidaridad con el hombre. En toda su obra expresa tragedia, denuncia un vivir que sólo es pena, un exasperado sentido de la destrucción, canta la dureza de los golpes de la vida, el peso de la injusticia y la angustia de la soledad. Se le considera como una de las más altas expresiones de la lírica hispanoamericana de todos los tiempos.

Así es la vida (Narrativa)

Realismo

Juan Valera

Vida

Don Juan Valera y Alcalá-Galiano nace el 18 de octubre de 1824 en Cabra (Córdoba), en una distinguida familia aristocrática andaluza venida a menos. A los 13 años ingresa en el Seminario de Málaga para estudiar Lengua y Filosofía. Después cursa la carrera de Derecho entre Granada y Madrid. De esta época son sus primeros poemas, muchos de ellos dedicados a Gertrudis Gómez de Avellaneda, amor juvenil no correspondido.

En 1848 es nombrado Agregado sin sueldo en Nápoles, donde es embajador el Duque de Rivas. Allí amplia su formación humanística y estrecha amistad con Estébanez Calderón, quien influye decisivamente en su formación, convirtiéndose en su mentor. En estos años entra en contacto con Lucia Palladi, que dejará en el joven don Juan una imborrable y amarga huella. En 1851 es nombrado Secretario de la Legación de Brasil y en Río conoce a Dolores Delavat, que aún es una niña y que casi veinte años después se convertiría en su mujer.

Su vida transcurre entre Lisboa, Madrid y París, donde es oficial del Ministerio de Estado. En 1856 en pleno Golpe de Estado de O'Donell, forma parte como secretario de la Misión Extraordinaria a Rusia presidida por el Duque de Osuna. Allí tiene una turbulenta relación con la actriz Magdalena Broham. En 1861 ingresa en la Real Academia de la Lengua y colabora con distintos periódicos. En esta época se casa con Dolores Delavat en París, un matrimonio sin amor del que tiene tres hijos: Carlos, Luis y Carmen.

Tras la Revolución que destrona a Isabel II, es nombrado Subsecretario de Estado, pero cesa al año siguiente, cuando muere su madre y él se traslada a Cabra y Doña Mencía, donde es elegido Senador por la provincia de Córdoba. En este ambiente escribe su primera novela, *Pepita Jiménez*, y lleva a cabo sus primeras tentativas dramáticas.

Más tarde es nombrado Ministro de España en Lisboa y Senador Vitalicio. Es designado Ministro Plenipotenciario en Washington, donde Katherine Lee Bayard, hija del Secretario de Estado de los Estados Unidos, se enamora de él (ya sexagenario) de forma enfermiza. Valera, que no puede corresponderla, acepta un cargo de Ministro en Bruselas y tres días después Katherine se suicida.

Don Juan vuelve a Madrid, donde comienza una importante labor como crítico, aunque ya empieza a quedarse ciego. En este momento aparece su gran novela, *Juanita la Larga*. Valera se jubila de la diplomacia, inicia las tertulias de su casa de la Cuesta de Santo Domingo, publica sus últimas creaciones literarias e ingresa en la Academia de Ciencias Morales y Políticas. Muere en 1905, prácticamente ciego.

Obra

Juan Valera tiene una intensa actividad literaria: es ensayista, poeta, crítico y dramaturgo. Aún muy joven publica su primer poema en El Guadalhorce de Málaga y en 1844 su padre costea la publicación de sus Ensayos poéticos. Más tarde publica Poesías (1858), pero alcanza la notoriedad con su primera novela, Pepita Jiménez (1874), que inicia el género de la novela psicológica en España. Es la historia de un seminarista cuya vocación se va derrumbando ante los encantos de la protagonista. En 1878 publica su segunda gran novela, Doña Luz y en 1879 un tomo en el que recoge tres piezas: La venganza de Atahualpa, Lo mejor del tesoro y Asclepigenia, en la que satiriza a los grandes filósofos y ridiculiza a la sociedad española. En 1895 aparece Juanita la Larga, que relata del amor del cincuentón don Paco hacia una jovencita de dudosa reputación. También en esta obra aparece la cuestión religiosa, porque hay un "plan" para redimir a Juanita, llevándola a un convento.. Al final de su vida escribe historias breves y cuentos, que se caracterizan por la feliz conclusión de los amores ideales que narran: Elisa la Malagueña (1895), que queda inconclusa, Genio y figura (1897) y Morsamor (1897).

Su novelística se caracteriza por el uso reiterativo de elementos autobiográficos: escenarios andaluces, temas y personajes de sus experiencias, y sobre todo las mujeres a las que amó, que confieren a sus creaciones literarias un tinte de realidad.

Benito Pérez Galdós

Vida

Nace en 1843 en Las Palmas de Gran Canaria. Colabora desde muy joven en la prensa local con poesías satíricas, relatos fantásticos y breves ensayos. En 1862 se traslada a Madrid para estudiar Derecho. Trabaja como periodista en *La Nación,* donde realiza retratos literarios de muchas figuras célebres y en la *Revista del Movimiento Intelectual de Europa*. En 1868 le borran de las listas de la Facultad de Derecho por no asistir a clase. Como periodista acude a los debates sobre la Constitución de 1869. Viaja por varios países europeos, lee con voracidad a los autores realistas, vive modestamente dedicándose exclusivamente a escribir. En 1883 comienza su prolongada colaboración con *La Prensa* de Buenos Aires. Ideológicamente es liberal progresista y anticlerical, y participa activamente en la vida política. En 1894 ingresa en la Real Academia Española. Como escritor, cultiva todos los géneros literarios y su producción es muy amplia, aunque, por encima de todo, es un novelista, que pone su atención en las relaciones entre literatura y sociedad. A partir de 1910 va perdiendo la vista y sus últimos años de vida son difíciles: sus enemigos impiden que se le otorgue el premio Nobel, y vive en medio de problemas económicos. Muere en Madrid en 1920. En 1964 se inaugura su casa-museo en Las Palmas.

Obra

En 1873 empieza a escribir los *Episodios Nacionales*, una historia novelada de la España del siglo XIX, que se compone de cuarenta y seis volúmenes. El proyecto es ambicioso: presentar la vida cotidiana en su vertiente pública, y también la vida íntima de los protagonistas, dentro del marco de los acontecimientos históricos. Es un nuevo tipo de novela histórica, que tiene el interés narrativo de una novela, pero se basa en una rigurosa documentación. Entre 1870 y 1878 Galdós publica también sus primeras novelas, entre las que destacan *Doña Perfecta*, *Gloria* y *Marianela*. A diferencia de otros novelistas de su época, no se ocupa de la descripción del paisaje regional: le interesa la ciudad, el paisaje poblado de seres humanos. Cada personaje tiene su propio lenguaje ya menudo unos rasgos significativos ponen de relieve su personalidad. A partir de Galdós aparecen en la narrativa española características de la novela moderna, como el enfoque objetivo y crítico, el soliloquio y el monólogo interior. A partir de 1880, publica el ciclo de las *Novelas españolas contemporáneas*, monumental fresco del Madrid y de la España de su época, en que aparecen todas las clases sociales, a partir de la aristocracia hasta llegar a los marginados, con especial atención a las clases medias. El lenguaje se hace cada vez más realista, llega a reproducir el habla popular. La obra máxima de esta época es *Fortunata y Jacinta* (1886-1887), que narra la historia de los amores entre una joven mujer de la clase popular, Fortunata, y un joven acomodado, Juanito Santa Cruz, casado con una mujer de la clase media. La novela se desarrolla entre 1869 (año de la proclamación de la Constitución liberal) y 1876, poco antes de la aprobación de la Constitución de la Restauración monárquica. La historia personal de los protagonistas se desarrolla en paralelo con él de los acontecimientos históricos.

En 1897 Galdós publica otra de sus obras maestras: *Misericordia*, en que pone de manifiesto el contraste entre la bondad de la protagonista y el egoísmo de la sociedad. Su realismo es completo: nos muestra en detalle tanto lo ambiental como lo psicológico. La observación y la documentación son rigurosas. Muchas de sus obras han sido adaptadas al teatro, al cine y a la televisión.

Leopoldo Alas, "Clarín"

Vida y obra

Leopoldo Alas, escritor que usa el seudónimo de "Clarín", nace en Zamora en 1852 y pasa su infancia en León y Guadalajara debido al cargo de Gobernador Civil que desempeña por entonces su padre. Después del bachillerato se marcha a Madrid a estudiar Derecho y allí entra en contacto con la vida literaria y artística de la capital. Se siente inclinado hacia el krausismo, corriente de pensamiento filosófico caracterizada por su panteísmo idealista que Clarín conoce por Francisco Gineta de los Ríos[5]. En estos años empieza a escribir para diversas revistas. Una vez doctorado obtiene la cátedra de Derecho Canónigo en Oviedo, donde se establece y permanece hasta su muerte en 1901.
Entre sus grandes obras críticas figuran los *Solos de Clarín* (1881) y *Galdós* (1912), sobre el otro gran novelista del siglo XIX, que todavía se considera un libro fundamental sobre la obra galdosiana. Escribe también cuentos y dos grandes novelas: su obra cumbre, *La regenta* (1885), que trata el tema del adulterio y *Su único hijo* (1890), segunda y última novela larga de Clarín, sobre el mismo tema. Estas dos novelas forman un singular "díptico" sobre "Vetusta", reconstrucción literaria del Oviedo del siglo XIX.
Clarín es un intelectual preocupado por conjugar el idealismo con la filosofía positivista y la búsqueda del sentido metafísico o religioso de la vida. Es un perfeccionista que persigue el detalle y entiende la literatura como un trabajo constante y minucioso. Choca con su época por su mordacidad y por sus críticas literarias despiadadas: pretende elevar el nivel cultural de su país y por lo tanto censura el mal gusto y la vulgaridad.

Generación del 98

Pío Baroja

Vida y obra

Nace en San Sebastián en 1872. Estudia Medicina y que ejerce algunos años, antes de marcharse a Madrid para dedicarse totalmente a la literatura. En 1935 ingresa en la Real Academia. Es considerado por la crítica uno de los novelistas españoles más importantes del siglo XX. Su primera novela es *Vidas sombrías* (1900), a la que sigue el mismo año *La casa de Aizgorri*, que forma parte de la primera de las trilogías de Baroja, *Tierra vasca*, que también incluye *El mayorazgo de Labraz* (1903), una de sus novelas más admiradas, y *Zalacaín el aventurero* (1909). Con *Aventuras y mixtificaciones de Silvestre Paradox* (1901), inicia la trilogía *La vida fantástica*, donde expresa su individualismo anarquista y su filosofía pesimista, integrada por *Camino de per-*

fección (1902) y *Paradox Rey* (1906). La obra con que se hace conocer fuera de España es la trilogía *La lucha por la vida*, conmovedora descripción de los bajos fondos de Madrid. En 1911 publica *El árbol de la ciencia*, que pertenece a la trilogía *La raza*, y es considerada su novela más perfecta. Entre 1913 y 1935 aparecen los 22 volúmenes de *Memorias de un hombre de acción*, novela histórica basada en la vida del aventurero Eugenio de Avinareta, un antepasado del autor que participó en las Guerras Carlistas. Al estallar la Guerra Civil se exilia a Francia, de donde regresa en 1940, para instalarse definitivamente en Madrid, y llevar una vida alejada de cualquier actividad pública hasta su muerte, en 1956. Entre 1944 y 1948 aparecen sus *Memorias*, subtituladas *Desde la última vuelta del camino*. Baroja publica en total más de cien libros, que comprenden novelas, ensayos y memorias. Usa elementos de la tradición de la novela picaresca y elige como protagonistas a marginados de la sociedad. Sus personajes nos revelan sus reflexiones acerca de la vida y de la sociedad, con tono pesimista y humor amargo. Maestro del retrato realista, tiene un estilo vívido e impersonal impersonal el estilo de Baroja?, dinámico y expresivo. Se caracteriza por su escepticismo radical, en campo religioso y político. Los protagonistas de sus novelas son a menudo personages marginados,que reflejan su postura hostil a la sociedad, y nos revelan su actitud iconoclasta, su ética personal basada en la sinceridad, sin posibilidad de creer, ni en Dios, ni en el hombre. Su estilo sobrio, antirretórico y dinámico tendrá influencia sobre muchos escritores de la posguerra.

Miguel de Unamuno

Vida

Miguel de Unamuno, uno de los más grandes pensadores de la Generación del 98, nace en 1864 en Bilbao, en la región vasca. Estudia bachillerato en el Instituto Vizcaíno y continúa su formación en la Universidad de Madrid, donde se doctora en Filosofía y Letras. En 1891 gana la Cátedra de Griego en la Universidad de Salamanca, y diez años más tarde es nombrado rector de la misma universidad. En 1914 pierde su cargo por sus ataques a la monarquía de Alfonso XIII. En 1924, por sus ideas políticas y sus enfrentamientos con el general Primo de Rivera, es deportado a la isla de Fuenteventura. Ayudado por algunos amigos se refugia en Francia hasta 1930, año en el que regresa a su cargo de Rector en la Universidad de Salamanca. Al instaurarse la República en España, es elegido Diputado, pero pronto está también en contra de la República. Se jubila a los 70 años y recibe un homenaje en la misma universidad, que le nombra "Rector perpetuo". En 1936 la Universidad de Oxford le otorga el título de Doctor Honoris Causa. El 31 de diciembre de ese mismo año muere en Salamanca.

Obra

La vida, el pensamiento y la obra de Unamuno van íntimamente enlazados con las circunstancias españolas y con la lucha entre los "europeizantes" y los "hispanizantes", que él resucita con su tesis de la "hispanización de Europa". Todas sus obras están recorridas por dos grandes ejes temáticos: el problema de España y el sentido de la vida humana. El fundamento de todo su pensamiento, es la "doctrina del hombre de carne y hueso", que Unamuno expone al hilo de una polémica contra el hombre abstracto concebido por los filósofos. El hombre es un ser de carne y hueso, una realidad verdaderamente existente, un principio de unidad y de continuidad.

Como escritor, cultiva todos los géneros literarios, y esparce sus reflexiones en ensayos, poemas, novelas y dramas. Esta dispersión corresponde a su orientación filosófica: un "pensamiento vivo" frente a lo que llama "ideocracia" racionalista.

Entre sus obras sobresalen: *En torno al casticismo* (1895), donde plantea cuestiones del '98, como la valoración de Castilla, el españolismo, la europeización, la "intrahistoria" es decir, la historia construida por las personas y no por los acontecimientos. *Paz en la guerra* (1897), novela "intrahistórica" sobre la última guerra carlista, en la que Unamuno trabaja durante más de doce años.

Vida de Don Quijote y Sancho (1905), personal interpretación de la novela de Cervantes[6], como expresión del alma española. En esta obra, acaba por sustituir el anhelo de "europeizar a España" por la pretensión de "españolizar a Europa".

Su preocupación por España está presente en otras obras, entre ellas *Por tierras de Portugal y España* (1911), *Andanzas y visiones españolas* (1922).

Del sentimiento trágico de la vida (1913) contiene algunas de las formulaciones más intensas de su pensamiento "existencial". Encontramos el "hombre de carne y hueso", con sus ansias contradictorias de "*serse*" y "*serlo todo*" (expresiones del mismo autor), su anhelo de "ser cada uno lo que es, siendo a la vez todo lo que es". A esas ansias de plenitud se opone "la Nada", el posible "anonadamiento" del hombre tras la muerte. Así surge la angustia, el hombre despierta a su trágica condición, se plantea el problema de la inmortalidad, que es el tema de *Niebla* (1914), su obra maestra, en la que intenta renovar las técnicas narrativas (de ahí que el mismo autor prefiera llamarla "Nivola"). *Abel Sánchez* (1917), habla de la envidia, del odio, de la lucha del hombre anheloso de "serse".

En *La agonía del cristianismo* (1925), el autor nos habla de la lucha del hombre que "quiere creer"; el libro trata de la lucha del mismo Unamuno por el Cristianismo y la agonía del Cristianismo, su muerte y su resurrección con cada momento de su vida íntima. *La tía Tula*(1933) es una muestra de los sentimientos que se acompañan a la maternidad, uno de los anhelos esenciales del ser humano. *San Manuel Bueno, mártir* (1933), es una novela corta, considerada por muchos críticos como la más característica y perfecta dentro de la narrativa unamuniana. Recoge las reflexiones del autor ante los problemas que le han atenazado durante toda su vida. Su obra poética es amplísima, y compone una biografía de su espíritu, que empieza en *Poesías* (1907), y termina en *Cancionero* (póstumo), pasando por *El Cristo de Velásquez* (1920), que se compone de versos al margen de las tendencias, en los que el autor vierte su pasión por Jesús.

Sus obras teatrales, *Raquel encadenada* (1921), *Medea* (1933) y *El hermano Juan* (1954) no tienen mucho éxito, porque la densidad de ideas no va acompañada de fluidez escénica.

Además de cultivar todos los géneros, Unamuno se interesa de cualquier asunto de su tiempo, expresando las inquietudes de su generación. Su expresión refleja su personalidad: su lengua es la de un luchador intelectual, su estilo se despega de las viejas retóricas, busca la densidad de las ideas y la intensidad. Unamuno llega a dar nuevo sentido a las palabras, busca palabras rústicas o terruñeras, y las adapta a expresar las ideas más graves e intensas.

Vanguardias

Ramón Gómez de la Serna

(Véase la sección de autores de amor mío).

Guerra civil y dictadura

Camilo José Cela

Vida y obra

Nace en Iria Flavia (Galicia) en 1916. Estudia en la Universidad de Madrid y lucha en el bando franquista durante la Guerra Civil española. Posteriormente rechaza la dictadura de Franco y mantiene una actitud independiente y provocativa. Su primera obra es un libro de versos: Pisando la luz dudosa del día, escrito en 1936 y publicado en 1945. Pero el género en que se da a conocer al público es la novela. Su estilo inicial, conocido con el término de tremendismo7, caracteriza La familia de Pascual Duarte (1942), que constituye el primer gran acontecimiento novelístico de la posguerra. Es una novela muy violenta y amarga en la que Cela nos describe un cúmulo de atrocidades e ilustra su concepción del hombre como una criatura arrastrada por la doble presión de su herencia y del medio social en el que vive. En 1944 se casa con Rosario Conde Picavea, su mejor colaboradora durante muchos años. Con ella forma una sociedad que gestiona los intereses del escritor. La colmena (1951), una de sus novelas más celebradas, en la que presenta la vida miserable de unos seres en el Madrid de los años inmediatamente posteriores a la Guerra Civil, tiene que publicarse en Buenos Aires debido a problemas con la censura. La crítica ha señalado que esta obra, la más ambiciosa de Cela, supone la incorporación española a la novelística moderna. Sus obras posteriores, en general, se caracterizan por la experimentación con la forma y el contenido, como la novela San Camilo, 1936 (1969), que está escrita en forma de un monólogo interior continuo. Oficio de tinieblas-5 (1973) es su obra más arriesgada y vanguardista, un libro profundamente amargo, que se compone de 1194 párrafos de extensión variable, escritos con forma de fragmentos narrativos, monólogos y máximas. En Cristo versus Arizona (1988), abandona una vez más los moldes narrativos convencionales con un discurso de raíz muy española en una ambientación norteamericana.

En 1956 funda la revista literaria *Papeles de Son Armadans* de la que es director y donde publica las obras de muchos escritores españoles en el exilio durante la dictadura franquista. Escribe también libros de viaje, que son, en cierto modo, herederos del fervor noventayochista por gentes y paisajes y que abren el camino a una literatura que se hace testimonio crítico de la realidad. Entre ellos destacan *Viaje a la Alcarria* (1948), y *Del Miño al Bidasoa* (1952). Es autor, asimismo, de varios volúmenes de memorias y numerosos relatos, artículos periodísticos y trabajos de erudición, como su *Diccionario secreto* (1968 y 1971). En 1989 recibe el premio Nobel de Literatura y en 1995 el premio Cervantes. En 1991, contrae matrimonio con Marina Castaño, periodista con la que comparte sus últimos años. En 1996 es nombrado marqués de Iria-Flavia. Muere en Madrid en 2002.

Miguel Delibes

Vida y obra

Nace en 1920 en Valladolid, donde se licencia en Derecho. Compagina la literatura con la docencia como catedrático de Derecho Mercantil en la Escuela de Comercio de Valladolid y el periodismo profesional. Contrae matrimonio en 1946 con Ángeles de Castro, con la que tiene siete hijos y de la que queda viudo en 1974. Su primera novela, La sombra del ciprés es alargada, obtiene el premio Nadal de 1947. Después publica Aún es de día (1949), El camino (1950), Mi idolatrado hijo Sisí (1953), La hoja roja (1959), Las ratas (1962) y Parada y fonda (1963). En estas obras Delibes se muestra como un agudo observador de la realidad, en especial de la de las clases medias y del mundo de las zonas rurales.

En 1966 publica *Cinco horas con Mario*, considerada una de las obras maestras de la novela española de la posguerra, por su perfecta construcción formal y su comprensión del pasado inmediato. A partir de esta obra se acentúan su actitud crítica ante las injusticias sociales y su defensa de los valores humanos. A esta segunda etapa corresponden varios títulos, entre los cuales figuran *Parábola de un náufrago* (1969), *El disputado voto del señor Cayo* (1978) y *Los santos inocentes* (1981). En algunas de estas obras se sirve, aunque de forma moderada, de técnicas narrativas más innovadoras y audaces. Sus novelas se centran preferentemente en los espacios rurales de Castilla amenazados de destrucción y se sitúan cronológicamente en la España de las últimas décadas. Desde 1973 es Miembro de la Real Academia Española. Adapta al teatro tres de sus novelas: *Cinco horas con Mario*, *La hoja roja* y *Las guerras de nuestros antepasados*; y otras al cine: *El camino*, *Mi idolatrado hijo Sisí*, *El príncipe destronado*, *Los Santos Inocentes*, *El disputado voto del señor Cayo*, *La sombra del ciprés es alargada*. En 1997 Antonio Giménez Rico lleva a las pantallas *Las ratas*.

Recibe los más importantes premios de literatura en lengua castellana, entre ellos: Fastenrath de la Real Academia en 1957 por *Siestas con viento sur*, premio de la Crítica en 1962 por *Las ratas*, príncipe de Asturias en 1982, Nacional de las Letras en 1991, Miguel de Cervantes en 1993. En 1999 se le concede la Medalla de Oro al Mérito en el Trabajo.

Carmen Laforet

Vida y obra

Nace en Barcelona en 1921. En 1945 Obtiene el premio Nadal con su primer libro, *Nada*, que supone uno de los hitos fundamentales de la reciente historia de la literatura española y que revitaliza la creación narrativa dentro del país tras el trágico paréntesis de la Guerra Civil y el desconcierto que acompaña a la inmediata posguerra. Se trata de la narración de la vida cotidiana de una adolescente en Barcelona y refleja el ambiente real y conflictivo de una situación degradada por la miseria de la posguerra. El lenguaje es sencillo y espontáneo, la experiencia de la protagonista y su desencanto atestiguan la desolación y la miseria material y moral de alcance colectivo. Publica después *La isla y los demonios* (1952) y *La mujer nueva* (1955). En 1963 aparece *La insolación*, inicio de una proyectada trilogía hasta ahora sin continuación.

Ramón J. Sender

Vida

Ramón José Sender Garcés nace en Chalamera de Cinca (Huesca) el 3 de febrero de 1901. Desde muy joven, escribe en la prensa lugareña y nacional. El servicio militar (1922) supone para Sender el descubrimiento del Marruecos colonial en guerra, reciente todavía el desastre de Annual (1921). En 1924 se suma a la redacción de *El Sol*, uno de los principales periódicos de la época, fundado en Madrid en 1917. En el mismo año es encarcelado como conspirador contra el régimen por haber participado a una manifestación de calle contra Primo de Rivera.

Escribe en el diario cenetista de Barcelona *Solidaridad Obrera*. En enero de 1933, enviado por el periódico *La Libertad*, escribe un reportaje acerca de la sangrienta represión policial de la insurrección campesina de Casas Viejas. Por entonces, convencido de la eficacia revolucionaria soviética se acerca a las posiciones políticas comunistas.

En 1936 gana el premio Nacional de Literatura y se convierte en un ejemplo de "escritor comprometido" y en uno de los autores jóvenes de más porvenir en España. Al estallar la Guerra Civil oficia de protagonista en la tragedia nacional. En escasos meses pierde a su mujer, Amparo Barayón, y a su hermano Manuel, antiguo alcalde de Huesca, fusilados ambos por los rebeldes.

Participa en muchos actos de propaganda republicana y tras un tiempo en Francia, decide exiliarse a América. Comienza así su largo exilio marcado por la soledad, la distancia, la necesidad de la memoria, la reflexión sobre el pasado cercano y la obsesión por la violencia, que caracterizan sus obras de este período. A partir de 1942 trabaja como profesor de literatura española en diversas universidades americanas. En 1971 fija su residencia en San Diego, donde muere en enero de 1982. Sus cenizas son dispersadas en el océano Pacífico.

Obra

Sender es, ante todo, un periodista, un reportero. Después de su estancia en Marruecos, y con ocasión de la guerra colonial, escribe *Una hoguera en la noche*, y en 1930, su novela *Imán*, libro que hoy leemos como uno de los mejores de su tiempo. En 1924, desde la capital española ejerce de redactor de notas regionales y de crónicas sugestivas, como las que se refieren al llamado "crimen de Cuenca", que proporciona la trama principal de su novela *El lugar del hombre* (1939), luego titulada *El lugar de un hombre* (1958). En la época de la Guerra Civil escribe obras de "urgencia", como *Contraataque* (1938). Muchos de sus artículos aparecen en volumen: *Casas Viejas*, 1933, y *Viaje a la aldea del crimen*; *Madrid-Moscú. Notas de viaje*, *Proclamación de la sonrisa,* todos en 1934. En exilio, debido a desavenencias personales (las purgas contra los trosquistas españoles) que le hacen repudiar sus anteriores convicciones y distanciarse de manera traumática del comunismo de partido, se siente perseguido y vigilado por los antiguos correligionarios. La soledad, la culpa y la conciencia de ser acusado de algo que ignora le convierten en Federico Saila, el enigmático protagonista de *Proverbio de la muerte* (1939), que más adelante, en una nueva versión ampliada, se titula *La esfera* (1947). Evocando a su tierra lejana, a su propia infancia y juventud, escribe una serie de novelas fundamentales en la literatura española del siglo XX: *Epitalamio del prieto Trinidad* (1942), *Crónica del alba* (1942), *El rey y la reina* (1949), *El verdugo afable* (1952), *Réquiem por un campesino español* (el *Mosén Millán* de 1953 y la versión retitulada en 1960), que es considerada como su obra maestra.

Bernardo Atxaga

Vida y obra

Nace en Aesteasu (Guipúzcoa) en 1951. Su verdadero nombre es José Irazu Garmendia. Se licencia en Ciencia Económicas y en Filosofía y Letras por la Universidad de Barcelona. Antes de dedicarse completamente a la literatura trabaja como economista, librero, profesor de lengua vasca y guionista radiofónico.

Escribe en euskera poesía, narrativa, teatro y cuentos para niños. En 1988 gana el premio Nacional de Literatura por su libro *Obabakoak,* que ha sido traducido a varias lenguas.

Dulce Chacón

Vida y obra

Nace en Zafra (Badajoz) en 1954. Escribe poesía, novela y teatro. Ha ganado varios premios literarios como el premio Azorín de novela y el premio Ciudad de Irún de poesía. Actualmente vive en Madrid, pero mantiene una estrecha relación con su tierra como emerge en su novela *Cielos de barro.* Su primera novela *Algún amor que no mate* (1996) trata de la violencia doméstica y denuncia el conflicto de una mujer maltratada. Muere en 2003.

Carmen Martín Gaite

Vida y obra

Nace en Salamanca en 1925. Empieza a escribir en los años 50, publicando cuentos y poemas mientras estudia Filosofía y Letras. Se traslada a Madrid para doctorarse y empieza a publicar: *El balneario*, premio Café Gijón en 1954; *Entre visillos*, que en 1957 consigue el premio Nadal; *Las ataduras* (1960) y *Ritmo lento* (1963). En 1974, después de un silencio narrativo de casi doce años, publica Retahilas, novela estructurada en torno a un diálogo formado por dos monólogos encadenados y considerada por la crítica de la época como una novela subversiva por aludir al feminismo, a la igualdad de los sexos y criticar la situación de la mujer en la posguerra española. Es la primera mujer que recibe el premio Nacional de Literatura, en 1978, con *El cuarto de atrás*. En 1994 se le otorga el premio Nacional de Letras por el conjunto de su obra. En los años noventa publica, entre otras, *Caperucita en Manhattan*, *Nubosidad variable*, *La reina de las nieves* y *Lo raro es vivir*, esta última en 1996, ya con un éxito unánime de crítica y público. En sus obras desarrolla los temas de la rutina, la oposición pueblo/ciudad, las primeras decepciones infantiles, el desacuerdo entre lo que se hace y lo que se sueña, la incomunicación y el miedo. El tema de unión de todos ellos es el mundo femenino, en las mujeres de todas las clases sociales y edades. Carmen Martín Gaite no sólo cultiva la novela sino que también es autora de libros de ensayo e investigación histórica, así como autora de cuentos. Ha sido considerada una de las mejores escritoras españolas de este siglo, además de crítica literaria. También participó en la elaboración de guiones para Televisión Española (*Santa Teresa de Jesús* y la serie infantil *Celia*). Muere en Madrid el 23 de julio de 2000.

Almudena Grandes

Vida y obra

Nace en 1960 en Madrid, donde estudia Geografía e Historia en la Universidad Complutense y desempeña después trabajos editoriales. En 1989 gana el premio La Sonrisa Vertical de narrativa erótica por *Las edades de Lulú*, su primera novela, que la catapulta a la fama. Después vienen *Te llamaré Viernes* (1991), *Malena es un nombre de tango* (1994), el volumen de relatos *Modelos de mujer* (1996), *Atlas de geografía humana* (1998) y, su última novela, *Los aires difíciles* (2002). Su obra ha sido traducida a más de veinte idiomas y dos de sus novelas y uno de sus relatos han sido llevados al cine.

Elvira Lindo

Vida y obra

Nace en Cádiz en 1962. Es periodista, guionista de cine y escritora. En Madrid, su ciudad de elección, comienza la carrera de periodismo. En 1987 nace su personaje Manolito Gafotas interpretado por ella misma en la Radio, luego, en 1995, Manolito se transforma en un personaje de novela. En 1998 obtiene el premio Nacional de Literatura Infantil por su novela. Escribe también para el periódico *El País*.

Julio Llamazares

Vida y obra

Nace en la provincia de León en 1955. Es novelista, autor de libros de viaje, poeta y periodista. Sus relatos se construyen con una prosa de carácter esencial y marcado lirismo, que tiene como núcleo los temas del paso del tiempo, la soledad y la fuerza del recuerdo, que permite construir su universo narrativo. En sus obras cobran importancia la relación con la naturaleza y la esencia del ser humano. Entre su títulos publicados destacan: *La lluvia amarilla* (1988), *Escenas del cine mudo* (1994), *El entierro de Genarín* (1981) y *El río del olvido* (1990).

Juan Marsé

Vida y obra

Nace en Barcelona en 1933 y es uno de los raros casos de escritores autodidactas en la narrativa castellana de la segunda mitad de siglo. Proveniente de un hogar con estrecheces económicas, empieza a trabajar a los trece años como aprendiz de joyería. Entre 1957 y 1959 aparecen sus primeros cuentos en la revista madrileña *Ínsula*. A los veintitrés años, durante su servicio militar en

Ceuta, esboza el primer borrador de *Encerrados con un solo juguete*. Entre 1960 y 1962 trabaja de mozo de laboratorio en el Instituto Pasteur de París, además de enseñar español y traducir guiones para el cine. En 1962 escribe *Esta cara de la luna* y dos años después comienza la redacción de una de sus grandes novelas, *Últimas tardes con Teresa,* que gana en 1965 el premio Biblioteca Breve. En 1966 publica *La oscura historia de la prima Montse* y entre 1970 y 1972, en plena madurez creadora, se dedica a escribir la que sin duda es su mejor novela y una de las más brillantes de la narrativa castellana de la posguerra: *Si te dicen que caí*, bellísima suma de oficio y capacidad de reconstrucción de los olores, sabores y sensaciones físicas de los años cuarenta en Barcelona, que debe ser publicada en Méjico a causa de la censura, y recibe el premio Internacional de Novela de este país en 1973. Sucesivamente publica *La muchacha de las bragas de oro* (premio Planeta, 1978), *Un día volveré* (1982), *Ronda del Guinardó* (1984), y su volumen de cuentos *Teniente Bravo* (1987), en que aparecen ganadores y perdedores, pistoleros, falangistas arrepentidos, soldados llenos de honra cruel e inútil y muchachas necias de los años cincuenta. Entre sus últimas obras, hay que mencionar *El amante bilingüe* (1990), *El embrujo de Shangai* (1993) (llevada al cine por Fernando Trueba) y *Rabos de lagartija* (2002).

En su obra, Juan Marsé logra pintar un cuadro sórdido y a la vez poético de la vida cotidiana durante el franquismo.

Eduardo Mendoza

Vida y obra

Nace en Barcelona en 1943. Su talento de narrador se manifiesta ya en su primera novela *La verdad sobre el caso Savolta* (1975), que constituye una absoluta innovación en cuanto a técnicas narrativas, y su éxito se va consolidando hasta llegar a su obra cumbre, *La ciudad de los prodigios* (1986); su último libro, *La aventura del tocador de señoras*, publicado en 2001, retoma las extravagantes aventuras del loco protagonista de sus precedentes novelas, *El misterio de la cripta embrujada* (1979) y *El laberinto de las aceitunas* (1982), donde se dedica a la parodia del género policiaco.

Su estilo, que evidencia una gran habilidad humorística, sabe bien interpretar la perspectiva desencantada y divertida desde la cual él observa la realidad, como resulta evidente en *Sin noticias de Gurb* (1991), novela que primero aparece por entregas en *El País*.

En 1998 gana en París el premio al Mejor Libro Extranjero por su obra *Una comedia ligera* (1996). En 2002 publica *El último trayecto de Horacio Dos*, una comedia de enredo protagonizada por un militar incompetente.

Juan José Millás

Vida y obra

Nace en Valencia en 1946, pero pronto se traslada a Madrid. Es novelista, periodista y profesor en la Escuela de Letras de Madrid. En 1975 publica *Cerbero son las sombras*, que supone una ruptura radical con la narrativa realista de los años 60. Escrita en primera persona, se presenta como una carta escrita al padre, y propone algunos de los temas que serán constantes en la obra de Millás: la tensión entre lo interior y lo exterior, la angustia, la soledad, la sensación de desamparo. En 1988 aparece *El desorden de tu nombre*, que obtiene gran éxito y se puede incluir en el género de la metanovela. Dos años después publica *La soledad era esto*, que recibe el premio Nadal. Entre los otros títulos publicados destacan *Ella imagina* (1994), *No mires debajo de la cama* (1999). Su narrativa es una de las más personales de los últimos años.

Antonio Muñoz Molina

Vida y obra

Nace en Úbeda en 1956. Cursa estudios de periodismo en Madrid y se licencia en Historia del Arte en Granada. Se le considera uno de los mayores novelistas contemporáneos, y es académico desde 1995.

Su producción narrativa empieza con *Beatus ille*, su primera novela en 1986, que obtiene el premio Ícaro, mientras con *El invierno en Lisboa* en 1987, gana el premio de la Crítica y el premio Nacional de Literatura de narrativa en 1988; en 1989 escribe *Beltenebros*, y con *El jinete polaco*, en 1991, gana el premio Planeta y otra vez el premio Nacional de Narrativa en 1992. El 8 de junio de 1995 fue elegido para ocupar el sillón *U* de la Real

Academia Española. Su candidatura fue presentada por Torrente Ballester, Martín Municio y Luis Goytisolo. Su ingreso en la institución (de la que es el miembro más joven) se produjo el 16 de junio de 1996.

De 1998 es su novela *Plenilunio*; en *Carlota Fainberg*, novela escrita en 1999 y ampliación de un cuento publicado en *El País* años atrás, da muestra de su maestría de escritor.

Su prosa, emotivamente cargada, se caracteriza por una inusual densidad verbal y en muchas obras presenta una estrecha relación entre biografía personal e historia colectiva, mientras en otras predomina el carácter detectivesco y el corte de la novela policiaca.

También ha publicado recopilaciones de relatos y de artículos periodísticos y es columnista para el periódico *El País*.

Manuel Vázquez Montalbán

Vida y obra

Nace en Barcelona en 1939. Es autor polifacético, de hecho escribe ensayos, poemas y novelas. Es considerado uno de los autores más destacadamente renovadores de la poesía española contemporánea, como podemos ver en su Memoria y deseo (1986) que reúne integralmente su producción poética.

Su narrativa empieza en 1969 con *Recordando a Derdé*, pero es en los años noventa cuando se confirman su ductilidad y su coherencia de novelista. En 1990 publica *Galíndez*, novela de gran empeño sobre la ética de la resistencia, con la que gana el premio Nacional de las Letras; en 1994 publica *El estrangulador* que revela tensión creativa y libertad estilística.

Es el *padre* del famoso detective Pepe Carvalho que protagoniza una serie narrativa de muchos títulos entre los cuales recordamos *Los mares del Sur*, que gana el premio Planeta en 1979 y el premio Internacional en París en 1981, *Asesinato en el comité central* (1981), *Los pájaros de Bangkok* (1983), *La rosa de Alejandría* (1984), *El balneario* (1986), que gana el premio de la Crítica de la RFA en 1989.

También es ensayista y periodista, con títulos que abarcan diferentes aspectos de la sociedad, entre los cuales señalamos *Crónica sentimental de España* (1971) y *Mis almuerzos con gente inquietante* (1984).

Ha sido galardonado con muchos premios, algunos de los cuales internacionales; entre ellos recordamos el premio Recalmare, otorgado en Palermo por un jurado presidido por Leonardo Sciascia, en 1989.

Muere en octubre de 2003 en Bangkok a causa de un paro cardíaco.

Rosa Montero

Vida y obra

Nace en Madrid en 1951. Estudia periodismo y psicología y colabora con compañías teatrales. Desde 1976 trabaja en exclusiva para el periódico *El País* donde durante un período es redactora jefe del suplemento dominical. Ha ganado varios premios como periodista: Mundo de Entrevista (1978), premio Nacional de Periodismo en 1980 y el primer premio literario y periodístico Gabriel García Márquez en 1999.

Ha publicado varias novelas y cuentos y recopilaciones de entrevistas y artículos. También escribe guiones para Televisión Española. En 1997 recibió el primer premio Primavera de Novela por su novela *La hija del caníbal*.

Soledad Puértolas

Vida y obra

Soledad Puértolas Villanueva nace en Zaragoza en noviembre de 1947. Comienza Políticas en Madrid, pero por problemas políticos se le impide continuar los estudios. Se va a estudiar Económicas a Bilbao pero no termina la carrera. Finalmente estudia periodismo. Colabora en varias publicaciones con artículos de crítica literaria. Gana el premio Sésamo en 1979 con *El bandido doblemente armado*, el premio Planeta en 1989 con *Queda la noche*, y el premio Anagrama de Ensayo en 1993 con *La vida oculta*. Entre sus obras cabe citar además: *Una enfermedad moral* (1982), *La sombra de una noche* (1986), *Una vida inesperada* (1997) y *Adiós a las novias* (2000).

Arturo Pérez Reverte

Vida y obra

Nace en Barcelona en 1943. Licenciado en Ciencias Políticas y Periodismo, durante más de 20 años (1973-1994) trabaja como reportero de prensa, radio y televisión. Con su asombrosa labor da a conocer las realidades de los conflictos internacionales más diferentes y lejanos (Guerra de Líbano, de Eritrea, del Sahara, de las Malvinas, El Salvador, Nicaragua, el Chad, Sudán, Mozambique, Angola, del Golfo, de Croacia, de Bosnia...). Ha ganado varios premios de periodismo como el premio Asturias por sus reportajes en la guerra de la exYugoslavia y el premio Ondas (1993) por su programa en Radio Nacional de España "La ley de la calle".

Desde hace algunos años se dedica en exclusiva a escribir novelas; su producción literaria conoce gran éxito de público y sus libros se convierten en *best-sellers* (su obra ha sido traducida a 25 idiomas y se vende en más de treinta países). Es premio Jean Monnet de literatura europea y Caballero de las Artes y las Letras de Francia. Desde Enero de 2003 miembro de la Real Academia de la Lengua.

Ha conseguido combinar de manera excelente el periodismo de acción y la literatura. Uno de sus rasgos característicos como novelista es el profundo conocimiento con que él trata los diferentes argumentos alrededor de los cuales construye la historia y su capacidad para construir historias apasionantes.

Entre sus éxitos destacan: *El húsar* (1986), *El maestro de esgrima* (1988), *La tabla de Flandes* (1990), *El club Dumas* (1993), *Territorio comanche* (1994), *La piel del tambor* (1995), *La carta esférica* (2000) y *La reina del Sur* (2002).

Manuel Rivas

Vida y obra

Nace en La Coruña en 1957. Empieza su actividad periodística a los quince años. Se licencia en Ciencias de la Información en Madrid. Es autor de libros de poesía y de narrativa en lengua gallega y ejerce también una brillante actividad de columnista en el periódico *El País*.

Ha sido galardonado con el premio de la Crítica gallega por su obra *En salvaje compañía*, mientras que por su libro de relatos *¿Qué me quieres, amor?* (1996), ha ganado el premio Torrente Ballester. Entre sus obras destaca *Un millón de vacas* (1989).

Mercè Rodoreda

Vida y obra

Nace en Barcelona en 1909. Se considera como la mayor novelista en lengua catalana. Muere en Girona en 1983.

Muy pronto inicia a dedicarse a la literatura y al periodismo, siendo colaboradora en las revistas más importantes en Cataluña antes de la Guerra civil. Alcanza la plena madurez como narradora en la posguerra durante el largo exilio.

Con su obra de narrativa ha ganado los más importantes premios de la literatura catalana: el Creixelles de 1937, el Víctor Catalá de 1957, el premio de Honor de las Letras Catalanas de 1980 y el Ciudad de Barcelona de 1981. Con su obra *La plaza del diamante* en 1962, considerada el mayor éxito de la narrativa catalana contemporánea, obtiene reconocimiento también en el extranjero. De su producción se aprecia la variedad del registro novelístico y se destaca su estilo intimista donde se mezclan ternura, agudeza y dimensión trágica.

Entre sus obras destacan además *La calle de las camelias* (1966), *Mi Cristina y otros cuentos* (1967), *Mirall trencat* (1974) y *Cuánta, cuánta guerra* (1980).

Maruja Torres

Vida y obra

Nace en Barcelona en 1943. A los 20 años empieza a trabajar en el diario La Prensa. En 1981 se traslada a Madrid donde comienza su colaboración como articulista en el periódico *El País*. Es famosa también como reportera en conflictos de varios países del mundo. Su libro *Mujeres en guerra* de 1999 recoge sus memorias como periodista. Ha publicado dos novelas de humor *Ceguera de amor* (1992) y *¡Oh, es él!* (1994) y un libro de viajes *Amor América* (1994).

Su creación narrativa tiene raíces autobiográficas como en las novelas *Un calor tan cercano* (1997) y *Mientras vivimos* con la que en 2000 gana el premio Planeta.

Sus artículos como columnista se caracterizan por la sutil ironía de su personalísimo estilo.

Narrativa hispanoamericana

Isabel Allende

Vida y obra

Nace en 1942 en Lima, Perú, donde su padre se encuentra destinado como diplomático. Asiste a diversos colegios privados y viaja por varios países antes de regresar a Santiago de Chile, donde termina sus estudios y trabaja en la Organización para la Agricultura y la Alimentación (FAO), organismo de las Naciones Unidas. Trabaja como periodista, hace cine y televisión. En 1962, se casa con Miguel Frías, con el que tiene dos hijos: Paula y Nicolás. En 1973, a la muerte de su tío, Salvador Allende, se exilia y busca refugio en Venezuela, donde escribe su primera novela *La casa de los espíritus* (1982), una crónica familiar ambientada en el torbellino de cambios políticos y económicos acontecidos en Latinoamérica, que nos lleva desde los comienzos de siglo hasta la actualidad. Esteban Trueba, su mujer, sus hijos y nietos, son una dinastía de personajes sobre los que va gravitando alternativamente la narración, sin que los demás se pierdan nunca de vista, ni siquiera después de muertos. En 1984 publica *De amor y de sombra*, donde narra la aparición en una mina del norte de Chile de los cuerpos de campesinos asesinados por los servicios de seguridad de la dictadura. Otra de sus novelas son *Eva Luna* (1987), ambientada en Venezuela, y *Cuentos de Eva Luna* (1992), en las que por primera vez no aparece directamente reflejada la temática de la dictadura. En 1991 publica *El plan infinito*, basada en la vida de William Gordon, su actual marido. Su exilio concluye en 1988. En 1992 muere por una enfermedad su hija Paula, a la que en 1995 dedica la novela homónima. En 1998 presenta *Afrodita*, y un año después L*a Hija de la Fortuna*. Sigue *Retrato en sepia*, su última novela hasta ahora. Ha ganado varios premios, entre los cuales figura el Colima (México, 1986), Autora del Año (Alemania, 1986), Bancarella (Italia,1993) y Sara Lee Foundation (USA, 1998). Es la novelista latinoamericana más leída en el mundo y algunos de sus libros encabezan la lista de bestsellers en varios países de América y Europa.

Jorge Luis Borges

Vida

Nace en Buenos Aires el 23 de agosto de 1899. Pasa su infancia en el barrio de Palermo, en el que conoce las andanzas de los diversos *compadritos* que poblarán sus ficciones.

En 1914 su padre se jubila y emprende con la familia un viaje a Europa. Después de recorrer Londres y París, se establecen en Ginebra al no poder regresar a Argentina por el estallido de la Primera Guerra Mundial. En 1919 la familia se traslada a Lugano y más tarde a España, donde Borges frecuenta las tertulias del café Colonial de Madrid y forma parte del movimiento ultraísta.

En 1921 regresa a Buenos Aires y descubre los suburbios que aparecen en sus primeros libros de poesía. En 1946 es nombrado miembro de la Academia Argentina de Letras.

En 1956 recibe el premio Nacional de Literatura y es nombrado Doctor Honoris Causa por la Universidad de Cuyo. Desde este momento los médicos oftalmólogos le prohíben la lectura y pasa a depender de su madre y un círculo de amistades que se presta a llevar a cabo tareas de amanuense. En 1961 recibe el premio Formentor compartido con Samuel Beckett. En 1967 se casa con Elsa Astete Millán, de la que se separa tres años después. Realiza numerosos viajes alrededor del mundo acompañado por María Kodama y recibe premios y distinciones. En 1980 firma junto a otras personalidades una "Solicitada sobre los desaparecidos" en el diario *Clarín*. Fallece en Ginebra el 14 de junio de 1986, poco después de haberse casado con María Kodama.

Obra

Su primer libro de poesías, *Fervor de Buenos Aires*, aparece en 1923; siguen *Luna de enfrente* (1925) y *Cuaderno San Martín* (1929). Funda, junto a otros escritores, las revistas *Prisma* y la segunda época de *Proa* y en 1925 publica su primer libro de ensayos, *Inquisiciones*, tras el que vendrán *El tamaño de mi esperanza* (1927) y *El idioma de los argentinos* (1928), excluidos de sus *Obras Completas*.

En 1932 aparece un nuevo libro de ensayos, *Discusión*, y la colección de relatos *Historia universal de la infamia* (1935). En 1940 compila unto a Adolfo Bioy Casares y Silvina Ocampo la *Antología de la literatura fantástica* y, al año siguiente, la *Antología poética argentina*. En 1942 publica *Seis problemas para don Isidro Parodi*, en colaboración con Bioy Casares. Su libro *Ficciones* (1944), que recoge los cuentos de *El jardín de senderos que se bifurcan* y agrega otros bajo el título de "Artificios", es premiado por la Sociedad Argentina de Escritores con el Gran Premio de Honor. En 1949 publica *El Aleph*, uno de sus más importantes libros de narrativa y en 1952 sus ensayos *Otras inquisiciones*. Con Margarita Guerrero publica en México en 1957 el *Manual de zoología fantástica*.

Durante la década del setenta publica volúmenes de poesía (*El oro de los tigres*, *La rosa profunda*, *La moneda de hierro* e *Historia de la noche*), dos libros de cuentos (*El informe de Brodie* y *El libro de arena*) y varios tomos en colaboración con otros autores. En 1974 reúne por primera vez en un volumen sus *Obras Completas*. Su último libro de poemas, *Los conjurados*, aparece en 1985.

Jorge Luis Borges es considerado un escritor universal, con sus personajes y escenarios tomados de cualquier parte del mundo. Rechaza las fronteras que delimitan las literaturas *nacionales* y postula un acercamiento literario y lingüístico a los problemas filosóficos universales. Su estilo, que se construye a partir de la lengua de los argentinos, tiene una sintaxis contagiada por otras lenguas, sobre todo el inglés, por lo que se le considera uno de los modernizadores de la lengua literaria del siglo XX.

Julio Cortázar

Vida y obra

Nace en Bruselas en 1914, de padres argentinos. En 1918 se traslada con su familia a Argentina, donde estudia las carreras de Magisterio y Letras. En 1938 publica, bajo el seudónimo Julio Denis, el librito de sonetos *Presencia*. En 1949 aparece su obra dramática *Los reyes*, a la que siguen *Bestiario* (1951), *Final de Juego* (1956) y *Los premios* (1960). En 1963 publica *Rayuela*, una novela con técnicas narrativas revolucionarias, estructurada en secuencias sueltas que se pueden leer en órdenes diferentes y que de inmediato se convierte en un gran éxito. En los años siguientes aparecen *Todos los fuegos el fuego* (1966), *Último round* (1969), *Alguien anda por ahí* (1977), *Territorios* (1978), *Queremos tanto a Glenda* (1980). En 1983 aparece *Nicaragua tan violentamente dulce*. Fiel amante de la música (especialmente del jazz, que con frecuencia aparece en sus obras), para Cortázar la actitud del escritor en el momento de escribir cuentos es similar a la de un músico a la hora de improvisar. Muere en París, en 1984. *Divertimento* (1986) y *Adiós Robinson* (1995) son sus obras póstumas.

Gabriel García Márquez

Vida

Nace en Aracataca, un pueblito en el norte de Colombia, en 1928. Su familia se había establecido ahí como consecuencia de un duelo en el que su abuelo, el coronel Nicolás Ricardo Márquez, había matado a Merardo Pacheco. Abandona la carrera de leyes y se convierte en periodista. Colabora en *El Espectador* y *El Heraldo* en su país natal, al tiempo que inicia su carrera como escritor. Vive del periodismo, en el que se desenvuelve como un experto en varios géneros: entrevista, artículo de fondo, columna de opinión, crónica, reportaje. Por esta época también escribe guiones a sueldo. Incluso llega a dirigir en México dos revistas de prensa del corazón, mientras se prepara para iniciar la redacción de su obra maestra. En aquellos años de penuria, en París, también conoce la cárcel. Una noche un policía lo confunde con un argelino y acaba en una jaula de la comisaría de Saint-Germain-des-Près. La experiencia le sirve para entrar en contacto con el Frente de Liberación Nacional de Argelia.

Mientras conduce su Opel por una carretera de Ciudad de México a Acapulco, un día de enero de 1965 siente toda la soledad de Latinoamérica y comprende que ha llegado el momento de encerrarse con sus fantasmas y fundar Macondo. Desde aquel día, Macondo y las estirpes condenadas a cien años de soledad, comienzan a tomar cuerpo en su mente. La sombra de su abuelo materno, el coronel Nicolás Ricardo Márquez Mejía, la figura más importante de su vida le va suministrando los materiales con los que construirá aquel mágico mundo.

En 1982, gana el premio Nobel de Literatura, con *Cien años de soledad*, cuya publicación, en 1967, supone uno de los mayores acontecimientos en la historia de la novela contemporánea.

Obra

Hasta 1967, Márquez publica *Ojos de perro azul*, *La hojarasca*, *Relato de un náufrago*, *El coronel no tiene quien le escriba*, *La mala hora* y *Los funerales de la Mamá Grande*, que pasan desapercibidos para el gran público. De ser un escritor exclusivamente conocido en reducidos círculos literarios pasa a ser uno de los novelistas más traducidos, más leídos, y más famosos de este siglo a raíz de la publicación de *Cien Años de soledad* (1967) y la posterior concesión del premio Nobel de Literatura en 1982. Cien años de soledad se ha traducido a más de treinta y cinco idiomas y se calcula que se han vendido más de treinta millones de ejemplares. La historia se desarrolla en Macondo, una aldea con casas de paredes de espejo pulidas y enormes piedras como huevos prehistóricos. Aquí todo empieza por la mitad de los recuerdos y los nombres de los hombres se repiten durante cien años. En el fondo, es una gran saga americana, en la que Macondo puede ser cualquier pueblecito, pero a la vez es toda Hispanoamérica. Asistimos a su fundación, su desarrollo, a revoluciones y contrarrevoluciones. Hay una fascinante fusión entre realidad y fantasía, porque la realidad, que puede parecer muy cruda, es traspasada por fuerzas sobrenaturales, soplos mágicos. Posteriormente Márquez ha publicado varios volúmenes de cuentos y varias novelas, entre las que destacan *Crónica de una muerte anunciada* (1981) y *El amor en los tiempos del cólera* (1986), la historia de una pasión amorosa nacida entre dos jóvenes que sólo se consumará en la vejez tras "cincuenta y tres años,siete meses y once días de espera".

Gabriel García Márquez , con su "realismo mágico", consigue una insuperable síntesis entre los temas tradicionales y las inquietudes renovadoras de la narrativa hispanoamericana de nuestra época. En sus obras se combinan realidad y fantasía, hondura humana y altura estética, en una prosa de carácter vigoroso y sintético, que tiene la capacidad de conectar con un amplísimo sector de lectores.

Laura Esquivel

Vida y obra

Nace en ciudad de México en 1950. Desde pequeña se siente atraída por el mundo de la imaginación e inventa cuentos que no escribe, porque aquellos mundos son tan delicados que apuntándolos en un libro se derrumbarían. Las fantasías crecen, se perfeccionan, y encuentran su concreción con la imagen en movimiento: el cine. Empieza a estudiar cine, y trabaja al lado de quien será su marido, el actor Alfonso Arau. En 1985 se estrena como guionista con Guido Guán y Tacos de oro, nominada por la Academia de Ciencias y Artes Cinematográficas de México para el premio Ariel. La situación cinematográfica mejicana es muy mala, hay una baja terrible de presupuesto para producciones independientes o apoyadas por el Estado y Laura Esquivel se ve confinada a un pequeño retiro. Entonces empieza a poner en papel algunas de sus historias. Su obra *Como agua para chocolate* posee una estructura netamente cinematográfica y se publica en 1989. En la historia existe algún vestigio personal: una tía solterona que cuida de su madre hasta la muerte. Todo lo demás es fantasía, incluso algunas recetas. A partir de la filmación de la película basada en el libro se venden millones de copias y se hacen traducciones a varios idiomas. Su segundo gran proyecto literario, *La ley del amor*, publicado en 1995 y anunciado como la primera novela multimedia, no tiene el éxito esperado. En 1998 edita *Íntimas suculencias* y un año después *Estrellita marinera*. Su última novela, *Tan veloz como el deseo*, llega a las librerías en 2001. Está inspirada en la figura de su padre, no tanto en su vida, cuanto en la enfermedad que le quita poco a poco sus capacidades. Hasta hoy Laura Esquivel no ha repetido el éxito de su primera novela. Actualmente reside en Nueva York y pasa breves períodos en México.

Mario Vargas Llosa

Vida y obra

Nace en la ciudad peruana de Arequipa en 1936 y no conoce a su padre hasta los diez años. El reencuentro le hace descubrir que no quiere cambiar los mimos de su madre por la férrea disciplina paterna y, al mismo tiempo, algo que él mismo suele considerar como segundo gran móvil de su existencia: el ansia de libertad. Años más tarde, estos conflictos se reflejan magistralmente en la novela que lo da a conocer internacionalmente, *La ciudad y los perros*, que obtiene los premios Biblioteca Breve y de la Crítica (España, 1963). En 1955 se casa con su tía política, Julia Urquidi, con quien viaja hacia Europa en busca del terreno que considera más estimulante para su ya decidida carrera de escritor. Diez años después contrae matrimonio por segunda vez en Lima con su prima Patricia Llosa, y con ella emprende de nuevo el viaje a Europa. Hasta 1974, París, Londres y Barcelona son sus lugares de residencia. Sus datos biográficos contribuyen en gran medida en las tramas, personajes y argumentos de algunas de sus grandes novelas, como *La casa verde* (1966), ambientada en la atmósfera sórdida y sorprendente de un burdel de Piura; *Conversación en la catedral* (1969), que recrea la opresión de la dictadura de Odría en los ambientes estudiantiles, y *La tía Julia y el escribidor* (1977), una polémica ficción autobiográfica sobre su primer matrimonio. En 1993 escribe su libro de memorias *El pez en el agua* y en 1994 *Contra viento y marea* y *Desafíos a la libertad*. Prefiere el anonimato que Londres le procura para proseguir su tarea de escribir, también como crítico literario, columnista de prensa y autor teatral. En la actualidad, tras su participación como candidato a la presidencia de Perú en 1990, Vargas Llosa se dedica plenamente a la literatura, que compagina eventualmente con los artículos que publica en El País.

Entre sus últimas novelas figuran: *Lituma en los Andes*, premio planeta 1993 y *La fiesta del chivo* (2000) sobre el dictador dominicano Leonidas Trujillo.

Ángeles Mastretta

Vida y obra

Ángeles Mastretta nace en Puebla (México) el 9 de octubre de 1949. En 1971 se muda a Ciudad de México, donde estudia periodismo en la facultad de Ciencias Políticas y Sociales. Colabora ocasionalmente en periódicos y revistas como *Excélsior*, *Unomásuno*, *La Jornada* y *Proceso*. En 1974 recibe una beca del Centro Mexicano de Escritores para participar en un taller literario al lado de escritores como Juan Rulfo y Salvador Elizondo. Más tarde, de 1975 a 1977, es directora de Difusión Cultural de la ENEP-Acatlán y de 1978 a 1982 del Museo del Chopo.

En la actualidad (1999), sigue colaborando con su columna "Puerto libre" en *Nexos*, además de hacerlo esporádicamente en periódicos extranjeros. En 1985 recibe el premio Mazatlán por su primera novela, *Arráncame la vida*, que ha sido traducida al italiano, al inglés, al alemán, al francés y al holandés. La obra representa la contextualización del pensamiento feminista mexicano de los años setenta y ochenta. La escritora asume una posición liberadora de la mujer oprimida que logra tener control de su destino, rechazando la posición de periferia en que la sociedad patriarcal insiste en querer instalarla. La protagonista de *Arráncame la vida* se hace dueña de su propio destino, siente la necesidad de realizarse como ser humano y como mujer.

El segundo libro de Ángeles Mastretta, *Mujeres de ojos grandes* (1990), está compuesto por treinta y siete viñetas y cada una muestra la vida de mujeres que rompen con los cánones que la sociedad les ha impuesto. *Puerto libre* (1993), está conformado de una mezcla de relatos cortos, ensayos periodísticos, autobiográficos y filosóficos que la autora publica a partir de 1991. En 1997 recibe el premio Rómulo Gallegos por *Mal de amores* (1996), su segunda novela y cuarto libro. Esta es la primera vez que una mujer recibe dicho premio. Igual que las de su primera novela, las mujeres de *Mal de amores* están ubicadas en el pasado. Son mujeres extraordinariamente fuertes e independientes que tienen la suerte de vivir rodeadas de hombres que las comprenden y las aceptan. En 1999 publica *Ninguna eternidad como la mía*, que nos traslada nuevamente a la época del México posrevolucionario de la segunda década del siglo XX, con la historia de una chica de diecisiete años que emigra a México D.F. a estudiar baile. Esta joven mujer tiene, como las protagonistas de las novelas precedentes, una indomable pasión por la vida independiente y libre de ataduras sociales. La obra de Ángeles Mastretta desarrolla una evolución de la problemática feminista general y pasa de la reflexión teórica ensayística a la creación de personajes que buscan una liberación personal, con reflexiones políticas y sociales que están ligadas a los mismos problemas que enfrentan las mujeres en la sociedad actual.

Augusto Monterroso

Vida y obra

Augusto Monterroso nace en Tegucigalpa, Honduras, el 21 de diciembre de 1921 y desde 1944 fija su residencia habitual en México, país al que se traslada por motivos políticos. Desde muy joven se implica en la actividad política de su país, que compagina con la temprana actividad en el campo de la literatura. Participa en la fundación de la revista *Acento*, uno de los núcleos intelectuales más inquietos de Guatemala en la época de la controvertida presidencia del liberal Jorge Ubico Castañeda, de los alzamientos populares de 1944 y de la presencia en todos los órdenes de la vida nacional de la compañía estadounidense United Fruit Company. Cubre los cargos de vicecónsul de Guatemala en México; primer secretario de la Embajada y cónsul de Guatemala en Bolivia. En 1952 gana el premio de Cuento Nacional Saker Ti en Guatemala. En el exilio, Augusto Monterroso comienza a publicar sus textos a partir de 1959, cuando entrega a la imprenta *Obras completas (y otros cuentos)*, colección de historias donde ya se prefiguran los rasgos fundamentales de lo que será su prosa: concisa, sencilla y accesible, en la que late una abierta inclinación hacia la parodia, la fábula y el ensayo. Aparece su universo inquietante, cuyo idioma oscila entre el *nonsense*, el humor negro y la paradoja.

Otros títulos de su producción, signada siempre por la brevedad, son: *La oveja negra y demás fábulas* (1969), que gana en 1970 el premio Magda Donato, *Movimiento perpetuo* (1972), la novela *Lo demás es silencio* (1978), *La letra e: fragmentos de un diario* (1987), *Viaje al centro de la fábula* (1981) y *La palabra mágica* (1983). Su composición "El dinosaurio" está considerado como el relato más breve de la literatura universal. En 1996, año en el que termina su exilio, se le otorga el premio Juan Rulfo de narrativa y reúne el conjunto de su obra de ficción en *Cuentos, fábulas y lo demás es silencio*. Actúa como intermediario en las negociaciones de paz entre el Gobierno y la guerrilla revolucionaria de su país.

Muere el 7de febrero de 2003 a consecuencia de un paro cardíaco.

Juan Rulfo

Vida y obra

Juan Rulfo nace el 16 de mayo de 1918 en Acapulco, México. Al comenzar sus estudios primarios muere su padre, y pocos años después pierde también a su madre, y vive en un orfanato de Guadalajara. En 1945 publica los cuentos "Nos han dado la Tierra" y "Macario" en la revista Pan de Guadalajara, dirigida por Antonio Alatorre y el propio Rulfo. En 1934 se establece en México, y comienza a escribir sus trabajos literarios y a colaborar en la revista América en la que publica su cuento "La cuesta de las Comadres". En 1953 publica El llano en llamas (obra a la que pertenece el cuento "Nos han dado la tierra") y en 1955 aparece Pedro Páramo, que se traduce a varios idiomas.

En la revista *América* publica los cuentos "Talpa", "¡Diles que no me maten!" y "El día del derrumbe". En 1967 se rueda la versión cinematográfica de Pedro Páramo. Incansable viajero, Rulfo participa en varios congresos y encuentros internacionales, y obtiene el premio Nacional de Literatura en México en 1970 y el Príncipe de Asturias en España en 1983. Muere en México tres años después.

Es considerado uno de los escritores latinoamericanos más importantes del siglo XX. Pertenece al movimiento literario denominado "realismo mágico". En sus obras nos presenta una combinación de realidad y fantasía, cuya acción se desarrolla en escenarios americanos, con personajes que representan y reflejan el tipismo del lugar y las grandes problemáticas socio-culturales entretejidas con el mundo fantástico. Muchos de sus textos han servido de base para producciones cinematográficas.

Luis Sepúlveda

Vida y obra

Nace en Ovalle (Chile) en 1949. Recorre desde muy joven casi todos los territorios posibles de la geografía y de las utopías, de la selva amazónica al desierto, de la Patagonia a Hamburgo. Y de esa vida nos da cuenta en relatos y novelas.

En 1993 publica su primera obra *El viejo que leía novelas de amor*, con la que gana el premio Tigre Juan. En esta novela nos presenta los efectos de la tala de los árboles descontrolada y la consecuente destrucción del ambiente. Siguen *Mundo del fin del mundo*, un libro entre la investigación y la denuncia; *Nombres de torero*, su particular novela negra; *Patagonia Express*, un libro de viajes autobiográficos, en el que hace descripciones detalladas de lugares remotos y personajes misteriosos; *Historias de una gaviota y del gato que la enseñó a volar*, una narración para niños que trata el problema de los vertidos de petróleo en el mar y su efecto sobre las aves; *Desencuentros*, recopilación de todos los cuentos predilectos del autor anteriores a 1993 y *Diario de un killer sentimental* seguido de *Yacaré*, sus dos últimos relatos (publicados previamente por entregas). Desde hace varios años reside en Gijón (Asturias). En sus obras aborda el tema del medio ambiente desde la perspectiva narrativa y lleva al lector a tomar conciencia de los problemas ecológicos que sufre nuestro planeta. Presenta cómo el ser humano puede destruir el medio ambiente, flora y fauna por dinero sin sentir remordimientos. Su lectura es liviana, rápida y al alcance de todos los públicos. En la actualidad, es uno de los autores hispanoamericanos más leídos en el mundo.

VIVA LA LIBERTAD (TEATRO)

Generación del 98

Ramón María del Valle-Inclán

Vida

Ramón Valle Peña (su verdadero nombre) nace en Puebla de Caramiñal (Villanueva de Arosa, Pontevedra), en 1866. Comienza la carrera de Derecho, pero su inquietud le impulsa a marcharse y a viajar por México y otros países de Hispanoamérica antes de acabar sus estudios. En 1895, de regreso a Madrid, lleva una vida bohemia y llama la atención por su extravagante vestimenta. Luego reside alternativamente en Madrid y en Galicia. En una disputa con Manuel Bueno, un amigo periodista, recibe un bastonazo en la muñeca del brazo derecho y, a consecuencia de ello, tienen que amputárselo para evitar la gangrena. Se casa con la actriz Josefina Blanco, y tienen varios hijos, aunque, debido a temperamentos divergentes, el matrimonio termina en separación. En Roma desempeña el cargo de director de la Academia de Bellas Artes para pensionados españoles. Es tal la fantasía que prodiga en todo que con mucha dificultad un biógrafo cuidadoso podría descifrar lo que en la vida de Valle-Inclán es historia de lo que es pura fantasía. Su trayectoria ideológica es, desde el principio, abiertamente antiburguesa. Considera la sociedad burguesa mecanizada y fea y ensalza los viejos valores de la sociedad rural. A partir de 1915 su postura se radicaliza, acercándose a posiciones revolucionarias. Se enfrenta a la dictadura de Primo de Rivera e ingresa en el Partido Comunista y hay testimonios de cierta admiración suya hacia Mussolini, si bien es difícil separar lo que hay de posturas políticas y estéticas en todo ello. Su conciencia innovadora y el afán de crear una obra nueva, deslindada totalmente de los marcos tradicionales, hacen de él un verdadero asceta del texto literario. Su dedicación a la literatura es absoluta y no le detienen las privaciones que sufre con su familia. En 1935, enfermo de cáncer, regresa a Santiago de Compostela, donde muere en enero de 1936.

Obra

Los dos primeros libros de Valle-Inclán pasan desapercibidos. En 1895 sale *Femeninas* en Pontevedra, y en 1897, su producción llega a Madrid con *Epitalamio*. En 1902 publica *Sonata de otoño,* a la cual siguen *Sonata de estío* (1903), *Sonata de primavera* (1904) y *Sonata de invierno* (1905). Estas cuatro obras narran las memorias del Marqués de Bradomín, caricatura esperpéntica del *don Juan* español, descrito por Valle como "*feo, católico y sentimental*"[9]. La aparición de las sonatas supone un tratamiento nuevo y original del género de la novela en las letras españolas. Sigue el ciclo de las *Comedias Bárbaras*, ambientadas en la campaña gallega, con toda su miseria. Sus personajes son extraños, violentos o tarados, las pasiones tienen una fuerza alucinante y se expresan con un lenguaje fuerte, incluso agrio. En la trilogía de novelas *La guerra carlista*, escritas entre 1908-1909, Valle-Inclán destaca el heroísmo romántico de las partidas carlistas y la brutalidad de la guerra. Aparece un lenguaje desgarrado, acentuado por un léxico rústico. Este es el momento desde el que comienza a tener configuración el esperpento, que se intensifica poco a poco hasta llegar a su culminación en *Luces de Bohemia*, que aparece en 1920. Todo es símbolo y realidad al mismo tiempo, la risa se satura de absurdo y amargura, de verdad y de mito, de sublimación y deformación. *Divinas Palabras*, del mismo año, es un violento drama en el que a las deformidades morales y sociales corresponde un lenguaje brutal y desgarrado. En los años siguientes Valle-Inclán escribe numerosos esperpentos, que revelan su visión ácida y violentamente disconforme con la realidad, que se complace en degradar y agredir con una carcajada que muchas veces oculta el llanto en su fondo. Con *El ruedo ibérico*, que se compone de tres novelas escritas entre 1932 y 1936, Valle-Inclán anticipa la novela de personaje colectivo.

Generación del 27

Federico García Lorca

(Véase la sección de autores de AMOR MÍO)

Enrique Jardiel Poncela

Vida y obra

Nace en Madrid en 1901. Estudia en la Institución Libre de Enseñanza y luego en el Liceo Francés. Escribe desde muy joven, aunque como autor "serio" y no como el formidable humorista que después resultará. El público empieza a conocerle cuando colabora en revistas de la época como Buen Humor. En 1927 publica Amor se escribe sin hache, su primera novela. Luego, en pocos años, aparecen Espérame en Siberia, ¡vida mía!, Pero... ¿hubo alguna vez once mil vírgenes? y La tourneé de Dios, ésta última en 1932.

Muy joven abandona la novela y se dedica casi exclusivamente a escribir para el teatro. Entre sus comedias destacan: *Usted tiene ojos de mujer fatal* (1933), *Angelina o el honor de un brigadier* (1934), *Cuatro corazones con freno y marcha atrás* (1936), *Eloísa está debajo de un almendro* (1940), *Los ladrones somos gente honrada* (1944). En sus obras son constantes la acumulación de equívocos y paradojas y los juegos de palabras. A veces se divierte con búsquedas insólitas, como en el relato *Un marido sin vocación*, en el que nunca utiliza la letra "e". Admirado por el público, los críticos no siempre aprecian sus trabajos, acusándolo de escribir para grandes masas. Viaja mucho, realiza una película en Hollywood, "Angelina", da conferencias y presenta sus comedias. Enfermo de cáncer, muere en Madrid en 1952, casi olvidado y en la pobreza. Actualmente, se ha revalorizado su obra.

Guerra civil y dictadura

Miguel Mihura

Vida y obra

Nace en Madrid en julio de 1905; hijo del actor, autor y empresario teatral Miguel Mihura Álvarez. Desde su infancia vive el mundo apasionado de la farándula. A los dieciocho años comienza a colaborar en la prensa como dibujante, autor de historietas, artículos y cuentos. En 1932 escribe *Tres sombreros de copa*, que no se estrenará hasta 1952. Dirige *La ametralladora* (1936-1939), revista que populariza en España un nuevo tipo de humor, séctico, imaginativo y desencantado, que convierte en farsa los aspectos trágicos de la vida y en 1941 funda la revista de humor *La codorniz*. Escribe guiones y diálogos para más de cincuenta películas y varias de sus comedias han sido llevadas al cine y a la televisión, dentro y fuera de España. Dirige y monta sus propias obras teatrales. Recibe en tres ocasiones el premio Nacional de Teatro, con *Tres sombreros de copa* (1952), *Mi adorado Juan* (1956), *Maribel y la extraña familia* (1959). En 1964 se le otorga el premio Nacional de Literatura "Calderón de la Barca" por *Ninette y un señor de Murcia*. Para el teatro escribe también: *A media luz los tres* (1953), *¡Sublime decisión!*, *La canasta* (1955), *Carlota* (1957), *Melocotón en almíbar* (1958), *La bella Dorotea* (1963) y *La tetera* (1965). En 1976 es elegido miembro de la Real Academia Española. Muere en Madrid en 1977. Es uno de los autores españoles más importantes del siglo XX.

Alfonso Sastre

Vida y obra

Nace en Madrid en 1926. Es cofundador en 1945 del grupo de teatro de vanguardia Arte Nuevo, con el que estrena *Uranio 235*. En 1953 y 1954 estrena dos de sus textos más importantes: *Escuadra hacia la muerte* y *La mordaza*. Entre textos originales y adaptaciones de teatro extranjero, compone más de setenta y cinco obras, de las que se pueden destacar *La sangre y la ceniza*, *Guillermo Tell tiene los ojos tristes*, *La taberna fantástica* y *El viaje infinito de Sancho Panza*. Además, escribe ensayos, libros de poemas y narrativos. Recibe el premio

Nacional de Teatro en 1985 por *La taberna fantástica*; en 1991 se le concede el premio Nacional de Literatura en su modalidad teatral por *Jenofa Juncal, la roja gitana de Jaizkibel.*

Antonio Buero Vallejo

Vida

Nace en 1916 en Guadalajara, donde realiza sus estudios de bachillerato. Pronto manifiesta una decidida vocación para el dibujo. En 1934, se traslada a la capital con su familia y cursa estudios en la Escuela de Bellas Artes de San Fernando. Al estallar la Guerra Civil trabaja en el taller de propaganda plástica de la F.U.E. hasta que es destinado a un batallón de infantería. Al terminar la guerra es detenido, conducido a un campo de concentración y condenado a muerte, pena que le es conmutada ocho meses después. Tras un largo peregrinar por diversas cárceles, sale en libertad condicional en el año 1946. En 1949 recibe el premio Lope de Vega con *Historia de una escalera* y el premio de la Asociación de Amigos de los Quinteros por su acto único: *Las palabras en la arena*. Desempeña una actividad intelectual y literaria intensa, acude a diversas ciudades extranjeras para dar conferencias, debates o abrir coloquios. En 1971 ingresa en la Real Academia Española. En 1986 recibe el premio Cervantes y diez años más tarde es distinguido con el premio Nacional de las Letras por el conjunto de su obra. Muere en Madrid el 28 de abril de 2000.

Obra

Rebelde a las clasificaciones, la obra dramática de Buero Vallejo se integra en una serie de planos (lo simbólico y lo realista, lo existencial y lo social), que aparecen superpuestos en sus primeras obras y que evolucionan a lo largo de su trayectoria dramática. En la evolución artística de Buero Vallejo podemos distinguir tres épocas: en la primera, hasta 1957, predomina el enfoque existencial y las obras se ajustan a una técnica realista (espacio escénico tradicional, progresión clásica de la acción, etc...). Es de este período *Historia de una escalera* (1949), el drama de la frustración social visto a través de tres generaciones de la clase media baja, que marca un hito en el teatro español de la posguerra. *La ardiente oscuridad* (1950) trata sobre una institución de ciegos. En ella se plantea el dilema de si debemos aceptar nuestras propias limitaciones, tratando de ser felices con ellas, o debemos rebelarnos trágicamente. Siguen otras obras, entre las cuales cabe citar *La tejedora de sueños* (1952), basada en una original interpretación del mito de Ulises y Penélope, *La señal que se espera* (1952), donde se exalta el poder creativo de la fe, *Casi un cuento de hadas* (1953), que trata del valor que supone para el hombre la posesión del amor, e *Irene o el tesoro* (1954) sobre la diferencia abismal entre el mundo real y la fantasía de la protagonista. *Hoy es fiesta* (1955) y *Las cartas boca abajo* (1957), marcan la transición hacia la segunda época, en la que predomina el enfoque social. *Un soñador para un pueblo* (1958) es, en cierto sentido, un "drama histórico" sobre Esquilache, ministro de Carlos III que, en nombre de la razón, pretende sacar al país del oscurantismo tradicional en el que se encuentra, pero termina derrotado por el propio pueblo. *Las Meninas* (1960), sobre Velázquez y *El sueño de la razón* (1970), sobre Goya, son dos dramas de tipo histórico. A ellos se unen *La detonación* (1977), que gira en torno a la figura de Larra y *El concierto de San Ovidio* (1962), en el que se recrea el ambiente de los ciegos del Hospicio Quince-Veinte en el París del siglo XVIII. En este ciclo, la historia es el pretexto del que se vale el autor para plantear problemas de actualidad evitando la censura. *El tragaluz* (1967) alude a la historia de la Guerra Civil y enfrenta dos mundos paradójicos: vencedores y vencidos. *La doble historia del doctor Valmy* (escrita en 1964, pero estrenada en 1976 por problemas de censura), trata el tema de la tortura. Con estas obras se supera la escenificación realista: la construcción es abierta, la acción más compleja, fragmentada en cuadros y secuencias. *La llegada de los dioses* (1971), abre la tercera etapa de la producción de Buero Vallejo. Se intensifican los rasgos de la producción anterior, vuelve a aparecer la ceguera del protagonista como símbolo de la rebelión contra las injusticias que le rodean. *La fundación* (1974) presenta a varios presos políticos que buscan la libertad. Hay que destacar las modernidades técnicas del dramaturgo: el público ve la realidad escénica a través de la fantasía del personaje principal. *Jueces en la noche* (1979) se ambienta en la situación política de fines de los setenta. *Caimán* (1981), vuelve a los planteamientos sociales de su comienzo. La obra dramática de Buero Vallejo es considerada como la más relevante de la postguerra en España, que resume como ninguna otra sus preocupaciones existenciales, sociales y estéticas.

Teatro actual

Ana Diosdado

Vida y obra

Ana Isabel Álvarez Diosdado Gisbert nace en Buenos Aires en 1938, aunque es de nacionalidad española. Su padre es el director y actor Enrique Diosdado. Desde niña comienza su relación con el teatro. A los 5 años de edad actúa en *Mariana Pineda* con la compañía de Margarita Xirgu de quien es ahijada. Regresa a España en 1950 y actúa en la compañía de Enrique Diosdado y Amalia de la Torre. En 1970 escribe su primera obra teatral, *Olvida los tambores*, que obtiene el premio Maite y el Foro Teatral. En 1973 consigue el premio Fastenrath de la RAE por la innovación en el lenguaje de los personajes con Usted también podrá disfrutar de ella. En 1979 adapta *La gata sobre el tejado de zinc*, de Tennessee Williams, y durante los ensayos conoce al actor Carlos Larrañaga, con quien se casará. En 1896 publica *Los ochenta son nuestros*; dos años más tarde estrena la versión teatral. Protagoniza cuatro series televisivas e interpreta *Camino de plata* junto a su marido. Con *Anillos de oro* recibe varios premios en España y en Hispanoamérica y "Segunda enseñanza" es seleccionada en Estados Unidos como una de las 10 mejores series extranjeras del año.

Fernando Fernán Gómez

Vida y obra

Nace en Lima en 1921. Es actor, director de cine, novelista y autor teatral. Obtiene sus primeros éxitos con producciones locales de posguerra como *La mies es mucha* (1948), de José Luis Sáenz de Heredia, en la que interpreta a un misionero español que sucumbe heroicamente, o *Botón de ancla* (1947), de Ramón Torrado, en la que encarna a un guardiamarina. Después interpreta personajes más profundos y extraños, como el profesor de derecho autoesclavizado de *Stico* (1984), sátira de Jaime de Armiñán, por la que el actor obtiene un oso de plata del Festival de Berlín. Logra sus mejores frutos en el terreno de la dirección, con varias películas entre las que sobresalen *El viaje a ninguna parte* (1986), basada en su novela homónima publicada en 1985, *Mambrú se fue a la guerra* (1986), o *El mar y el tiempo* (1989), que también interpreta. En 1987, en la primera edición de los premios Goya, consigue cuatro de estos galardones: a la mejor película, al mejor guión y a la mejor dirección por *El viaje a ninguna parte*, y a la mejor interpretación por *Mambrú se fue a la guerra*. Como autor teatral, obtiene un gran éxito con *Las bicicletas son para el verano*, premio Nacional Lope de Vega en 1978, adaptada al cine en 1983 por Jaime Chávarri.

José Luis Alonso de Santos

Vida y obra

Nace en Valladolid en 1942. En 1959 se traslada a Madrid, donde se licencia en Ciencias de la Información y en Filosofía y Letras. Comienza su carrera teatral en 1964 en el seno de distintos grupos de teatro independiente, en los que trabaja como actor, director y dramaturgo. Realiza versiones de diversos títulos entre los que destacan: *El auto del hombre*, sobre textos de Calderón y *El horroroso crimen de Peñaranda*, de Pío Baroja. Como director escénico se hace cargo de algunas obras suyas: *¡Viva el duque, nuestro dueño!* (1975), *La estanquera de Vallecas* (1985) o *El álbum familiar* (1982) entre otras, y de varias de sus versiones.

Se estrenan numerosas piezas suyas, entre las que destacan: *Bajarse al moro* (1985), *La última pirueta* (1986), *Fuera de quicio* (1987), *Trampa para pájaros* (1990), *Dígaselo con valium* (1993) y *Salvajes* (1998). Recibe numerosos premios, entre los cuales el premio Nacional de Teatro en 1986.

En junio de 2000 es nombrado director de la Compañía Nacional de Teatro Clásico.

José Sanchís Sinisterra

Vida y obra

Nace en 1940 en Valencia, donde comienza su actividad teatral dirigiendo a grupos de teatro universitario e independiente. En 1960 crea el Aula y el

Seminario de Teatro de la Universidad, que funcionan hasta 1966. Es profesor del Instituto de Teatro de Barcelona, luego de Teoría e Historia de la Representación Teatral en la Universidad Autónoma de la misma ciudad. En 1977 funda el Teatro Fronterizo de Barcelona. Imparte diversos seminarios de dramaturgia en diferentes ciudades españolas y latinoamericanas y publica ensayos y artículos de teoría teatral y pedagogía en varias revistas. Como director teatral monta textos de Cervantes, Lope de Rueda, Lope de Vega y de los más conocidos autores extranjeros. Asimismo, realiza diversas dramaturgias sobre textos narrativos de Joyce, Kafka, Melville, Beckett, entre otros, y adaptaciones del *Edipo rey* de Sófocles, *Cuento de invierno* de Shakespeare y *La vida es sueño* y *Los caballos de Absalón* de Calderón de la Barca. Es autor de más de una treintena de textos teatrales, muchos de los cuales lleva él mismo a los escenarios. Entre ellos se pueden destacar: *Tú, no importa quién* (1962), *Demasiado frío* (1965), *Tendenciosa manipulación del texto de la Celestina* (1974). Entre 1979 y 1982, desarrolla en sus obras la temática de la ambigüedad, acompañada por la destrucción de los sentimientos. Pertenecen a esta época *La Noche de Molly Bloom* (1979), *Ñaque o de piojos y actores* (1980). En 1984 escribe *El retablo de Eldorado* y dos años después *¡Ay, Carmela!*, en las que explora, como en el resto de las obras de esta época, los criterios de la realidad y de la ficción en la obra teatral. *Los figurantes* (1988), es una síntesis de esta experiencia de metateatro, al servicio de una temática política: la revolución.

Continúa su investigación sobre la problemática del tiempo y del espacio en sus obras más recientes: *Perdida en los Apalaches* (1990), *Naufragios de Álvar Núñez* (1992), *Valeria y los pájaros* (1993), *El cerco de Leningrado* (1994), *Bienvenidas* (1995) y *Marsal Marsal* (1995).

La obra de José Sanchís Sinisterra se caracteriza por su afán de experimentar las posibilidades del teatro llevándolo a sus límites. Ha recibido los premios Carlos Arniche (1968), Nacional de Teatro (1990) y Lorca (1991).

Carmen Resino

Vida y obra

Carmen Resino nace en Madrid en 1941. Después de licenciarse en Historia en la Universidad Complutense cursa estudios de Estética Teatral en la Universidad de Ginebra. En 1969 publica su primer drama, *El Presidente*, donde ya se revela su capacidad de análisis psicológica de los personajes. En 1974 obtiene el accésit del premio Lope de Vega con *Ulises no vuelve*, original inversión del mito clásico en que desarrolla el tema del destino inexorable. Desde 1983 toma posición activa ante el aislamiento de la dramaturgia femenina y tres años después cofunda la Asociación de Dramaturgas Españolas, de la que es miembro y presidenta. Desde entonces sigue escribiendo y publicando obras, que tienen como núcleos temáticos los problemas de carácter general y en particular el tema de la posición de la mujer en una sociedad organizada por los hombres. Entre sus obras destacan: *La nueva historia de la princesa y el dragón* (1989), *Los eróticos sueños de Isabel Tudor*, *Los mercaderes de belleza*, *Pop y patatas fritas* (1992), *Las niñas de San Ildefonso* (1996) y *La recepción*, con la que obtiene el premio ciudad de Alcorcón, en 1994. Es miembro de la Junta Directiva de la Asociación de Autores de Teatro.

Alfonso Zurro

Vida y obra

Nace en Salamanca en 1953. Cursa estudios de Arte Dramático y Arquitectura Técnica en Sevilla, donde colabora normalmente con la compañía Teatro de La Jácara como dramaturgo y director de escena.

Como autor, sus obras estrenadas son: *El canto del gorrión* (1982), *Pasos largos* (1983), *Farsas Maravillosas* (1985), *Carnicerito, torero* (1987), *Por narices* (1990), *Retablo de comediantes* (1993), *Quién mal anda* (1995), *A solas con Marilyn* (1998), algunas de las cuales han sido traducidas y representadas en otros idiomas, así como en diversos países de Sudamérica. Es también director de puestas en escenas, y ha ganado varios premios, entre los cuales el premio Asociación de Directores de Escena de España de Dirección (1994), por *Pasodoble*, el premio Ercilla al Mejor Espectáculo (1996), por *Los borrachos*, el premio a la Mejor

Dirección por *Mascarada Canalla*, en el Festival de Palma del Río (2000).

Teatro hispanoamericano

Griselda Gambaro

Vida y obra

Nace en Buenos Aires en 1928. Comienza a escribir tempranamente, dedicándose en un principio a la narrativa, género que después alterna con la dramaturgia. Durante la dictadura militar argentina, un decreto del general Videla prohíbe su novela *Ganarse la muerte* por encontrarla contraria a la institución familiar y al orden social. Debido a ésto y a la situación imperante, se exilia en España, estableciéndose en Barcelona. Seguidora de Ionesco y de Brecht, pero también muy próxima a Pirandello, en sus obras denuncia la condición del hombre en la sociedad contemporánea, como en *Las paredes* (1963), *Viejo matrimonio* (1965), *El desatino* (1965), *Los siameses* (1967) y *El campo* (1968). Su obra critica cada vez más la docilidad del ser humano, la falta de libertad para elegir. Entre otros títulos, destacan *Nada que ver*, *La mala sangre*, y la novela *Una felicidad con menos penas*, que ha recibido el premio del Fondo Nacional de las Artes.

Actualmente reside en un barrio suburbano de la provincia de Buenos Aires.

Cronología

SIGLO XIX

En el siglo XIX se producen profundos cambios en España: la agricultura se renueva, surge una industria moderna, la monarquía parlamentaria y constitucional sustituye a la monarquía absolutista, desaparece la Inquisición y la sociedad feudal deja paso a una sociedad de clases. Dichos cambios, aunque necesarios para que España no fuese ajena al proceso de modernización que se estaba produciendo en Europa occidental, comportan enfrentamientos ideológicos, inestabilidad política y conflictos sociales. Sin embargo, a finales de siglo la economía se modernizará, empezarán a desarrollarse algunas industrias (como la textil en Cataluña), comenzará la explotación de las minas y mejorarán las comunicaciones.

Encontramos tres hitos fundamentales:
1808: año de la guerra de Independencia contra Napoleón;
1868: se produce una revolución, conocida como "La Gloriosa", que destronará a Isabel II;
1898: España pierde sus últimas colonias: Cuba, Puerto Rico y Filipinas.

En el ámbito literario, entre las dos primeras fechas se desarrolla el *Romanticismo* como una larga etapa de transformación social, sentimental, ideológica y literaria. Entre 1868 y 1898 domina el *Realismo*, que comporta el renacimiento de la novela española, que cuenta con una insuperable tradición: Cervantes, la novela picaresca y el costumbrismo. El fin de siglo se caracteriza por un anhelo de renacimiento artístico y espiritual, del que se hacen portavoces los escritores de la llamada "Generación del 98". Se considera que con ella comienza la época contemporánea.

Cronología

1808. Napoleón nombra a su hermano, José Napoleón, nuevo rey de España. El 2 de mayo el pueblo madrileño se amotina. Pronto el alzamiento se extiende por diversas partes del territorio de la Península. Empieza la guerra de Independencia.

1812. Derrota definitiva de los franceses. Se celebran las Cortes de Cádiz y se promulga la Primera Constitución Española.

1814. Golpe de Estado y restauración de la monarquía bajo la autoridad de Fernando VII.

1814-1833. Fernando VII comienza su reinado con seis años de rígido absolutismo, al que sigue un trienio liberal, para terminar con una nueva etapa absolutista.

1820. Levantamiento de Riego. Fernando VII se ve obligado a jurar la Constitución de Cádiz.

1821. Se inicia el trienio liberal de su reinado y se ensaya el gobierno constitucional.

1823. Nueva etapa absolutista en el reinado de Fernando VII, más moderada que la primera.

1824. Nace Juan Valera.

1833. Muere Fernando VII y hereda el trono su hija Isabel, de tres años de edad. Actúan como regentes su madre, María Cristina (hasta 1840) y el general Espartero (hasta su mayoría de edad, en 1843).

1833-1839. Primera Guerra Carlista, entre los partidarios de Isabel y los seguidores del hermano de Fernando VII, Carlos. Termina con el acuerdo de Vergara, firmado por el general carlista Maroto y el isabelino Espartero.

1836. Nace Gustavo Adolfo Bécquer.

1837. Constitución progresista, tras el "Pronunciamiento de los sargentos de La Granja" de 1836. La nueva Constitución adopta el sistema de las dos cámaras: Senado y Congreso. Se suicida Mariano José de Larra.

1843. Levantamiento militar contra Espartero, que había gobernado dictatorialmente aplicando las ideas del partido progresista. El poder pasa al partido moderado, encabezado por el general Narváez. Mayoría de edad de Isabel II. Empieza la década moderada. Nace Benito Pérez Galdós.

1845. Constitución moderada. Soberanía compartida por el monarca y las Cortes.

1854. El movimiento revolucionario da a conocer el "Manifiesto de Manzanares", redactado por Cánovas del Castillo, que contiene reivindicaciones favorables tanto para los progresistas como para los moderados. La reina Isabel II entrega el poder al general progresista Espartero y comienza el Bienio Progresista.

1856. Reacción moderada; el general Espartero es sustituido por el general O' Donnell apoyado por el partido que había formado: la Unión Liberal.

1864. Nace Miguel de Unamuno.

1866.Nace Ramón María del Valle-Inclán.

1868. "La Gloriosa", revolución que destrona a Isabel II y que pone fin a 25 años de régimen moderado interrumpidos solamente por el bienio liberal. La reina se exilia a Francia. Se consolidan los movimientos obreros por influencia del movimiento obrero internacional.

1869. Nueva Constitución, que establece la soberanía nacional, el sufragio universal, las libertades individuales, la libertad de culto y enseñanza, y que mantiene la monarquía como forma de Estado. Es nombrado regente el general Serrano.

1871. Amadeo de Saboya es nombrado rey de España, bajo el nombre de Amadeo I. Encuentra grandes dificultades para ejercer sus funciones. Dos años después abdica y abandona España.

1873. Las Cortes, en reunión conjunta de Senado y Congreso, proclaman la Primera República Española (258 votos frente a 32). Estanislao Figueras es nombrado presidente.

1874. Pronunciamiento del general Martínez Campos y proclamación de Alfonso XII como rey de España. Comienza el período conocido como Restauración. Se publica *Pepita Jiménez*, de Juan Valera.

1875. Nace Antonio Machado.

1875- 1885. Reinado de Alfonso XII. Su objetivo principal es la pacificación del país. Con la constitución de 1876, se establece que la soberanía no reside en la nación, sino en las "Cortes con el rey". España se constituye como una monarquía parlamentaria y los dos grandes partidos, Liberal Conservador (aparecido en 1876) y Liberal Fusionista (1881), se van turnando en el ejercicio del poder.

1879. Pablo Iglesias funda el Partido Socialista Obrero Español (PSOE).

1881. Nace Juan Ramón Jiménez.

1885. Muere Alfonso XII y su esposa, María Cristina, asume la regencia. El turno de partidos asegura la continuidad política sin violencia. Se publica *La Regenta*, de "Clarín".

1888. Nace la Unión General de Trabajadores, asociación sindical del PSOE.

1892. Nace Pedro Salinas.

1895. Segunda guerra de Cuba. Nueva insurrección colonial, que se extiende a Filipinas. Estados Unidos apoya a los insurrectos.

1897. Benito Pérez Galdós publica *Misericordia*.

1898. Derrota española: Cuba se hace independiente, Puerto Rico y Filipinas pasan a Estados Unidos. Se produce la "Crisis de 1898". Nace Federico García Lorca.

SIGLO XX

En el siglo XX se produce en todo el mundo el fenómeno conocido como "aceleración de la historia": guerras mundiales, nuevas ideas y movimientos políticos y un rápido desarrollo de la ciencia y la tecnología. España vive uno de los siglos más atormentados de su historia. En los primeros cuarenta años, la grave crisis política amenaza el sistema de la monarquía parlamentaria, basado en el pacífico turno de los gobiernos. La dictadura y la República no logran detenerla. El país se sumerge en una tragedia colectiva: la Guerra Civil de 1936. Junto a los cambios políticos, se producen profundas transformaciones en el tejido social, que marcan definitivamente el futuro de España: grandes transformaciones urbanas, éxodo del campo a la ciudad y cambios en los medios de transporte y comunicación. Entre 1939 y 1975 España vive el período más largo de Dictadura militar de su historia contemporánea. A partir de 1975 se acelera su modernización y se efectúan grandes cambios en el mundo de la educación y de las costumbres. La economía, después de un período de crisis profunda, se adapta a los cánones modernos y competitivos.

En literatura, las primeras décadas son unas de las más fecundas, de modo especial en los primeros treinta años, conocidos como la "Edad de Plata", o "Segunda Edad de Oro" de las letras españolas.

Los movimientos que se desarrollan son: el *Modernismo*, el *Novecentismo* (o "Generación del 14"), las llamadas *vanguardias*, la "Generación del 27", la *Literatura de posguerra* (o de la "España peregrina"), hasta llegar a la *literatura contemporánea.*

Cronología

1902. Reinado de Alfonso XII. Nace Luis Cernuda.

1904-1909. Primera experiencia regeneracionista, de carácter conservador, liderada por el político mallorquín Antonio Maura (reformismo autoritario).

1909. Semana trágica de Barcelona, originada con ocasión del embarque de tropas para la guerra de África. El 29 de junio, huelga general en Barcelona con enfrentamientos entre los obreros y el ejército. A la derrota de los trabajadores sigue una fuerte represión.

1910. Se constituye la agrupación sindical anarquista Confederación Nacional de Trabajadores (CNT).

1910. Nace Miguel Hernández.

1910-1912. Segunda experiencia regeneracionista de carácter liberal, encabezada por el progresista Canalejas.

1912. Asesinato de Canalejas a manos de un anarquista, hecho que precipita la desintegración de la monarquía parlamentaria, atacada por burguesía, el ejército y el proletariado.

1914. Se publica *Platero y yo*, de Juan Ramón Jiménez.

1916. Nace Blas de Otero.

1917. Crisis general. Se reúne en Barcelona una "Asamblea de Parlamentarios" de toda España para iniciar una reforma constitucional. En el mismo año las "Juntas Militares de Defensa" (JMD), que agrupan a parte de la oficialidad descontenta, se erigen como portavoces del ejército ante el gobierno. Los sindicatos de la UGT y la CNT promueven una huelga general. El ejército se pone de lado del gobierno.

1917-1923. Inestabilidad política; aumento de la conflictividad social, que se extiende a las zonas agrarias. Es promulgada la "Ley de fugas" (disparar contra los detenidos que huyen); aparecen sindicatos antirrevolucionarios y cuerpos de seguridad.

1921. Escisión en el PSOE. Se crea el Partido Comunista de España (PCE). Desastre militar de Annual, en Marruecos, en el que pierden la vida más de 12.000 soldados españoles.

1923. Pronunciamiento militar del general Primo de Rivera, fin de la Constitución de 1876.

1924. Pablo Neruda publica *Veinte poemas de amor y una canción desesperada.*

1925. Rafael Alberti gana el premio Nacional de Literatura con *Marinero en tierra.*

1923-1930. Dictadura de Primo de Rivera (Directorio Militar), disolución de las Cortes, supresión de las elecciones, prohibición de la huelga. El Partido de la Unión Patriótica se convierte en partido único.

1925. El Directorio Civil sustituye al Directorio Militar; segunda etapa de la Dictadura de Primo de Rivera. Se crean las Corporaciones (asociaciones laborales) que sustituyen a los partidos políticos.

1931. Proclamación de la Segunda República y aprobación de la nueva Constitución. Se implanta el sufragio universal, que por primera vez incluye el voto de las mujeres y el de los soldados. Niceto Alcalá Zamora es elegido presidente y Manuel Azaña jefe del gobierno.

1933. La derecha conservadora gana las elecciones. Dura represión de la sublevación obrera en Asturias. Federico García Lorca escribe *Bodas de sangre.*

1936. El presidente Zamora convoca nuevas elecciones. Calvo Sotelo, jefe del Bloque Nacional, es asesinado el 12 de julio. El 18 de ese mismo mes se produce un alzamiento militar y el general Francisco Franco declara el estado de guerra. En agosto es asesinado Federico García Lorca. Miguel Hernández publica *El rayo que no cesa.* Sender gana el premio Nacional de Literatura.

1936-1939. Guerra Civil Española.

1939-1975. Dictadura del general Franco.

1940. España se declara neutral en la Segunda Guerra Mundial.

1942. Camilo José Cela publica *La familia de Pascual Duarte.* Muere Miguel Hernández.

1944. Dámaso Alonso escribe *Hijos de la ira.*

1945. *Nada*, de Carmen Laforet, recibe el primer premio Nadal.

1949. Buero Vallejo estrena *Historia de una escalera.* Borges publica *El Aleph.*

1955. Blas de Otero escribe *Pido la paz y la palabra.*

1956. Juan Ramón Jiménez gana el premio Nobel de Literatura.

1960. Mario Benedetti publica *La tregua.*

1965. Rafael Alberti recibe el premio Lenin de la Paz.

1969. El príncipe Juan Carlos es nombrado sucesor a la jefatura del Estado a título de rey.

1971. Pablo Neruda recibe el premio Nobel de Literatura.

1973. El presidente del gobierno Carrero Blanco es asesinado por un comando de la organización terrorista ETA.

1975. Muerte de Franco. Juan Carlos I presta juramento como rey ante las Cortes. Arias Navarro preside el primer gobierno de la nueva monarquía. Le sucederá Adolfo Suárez.

1977. Primeras elecciones generales libres desde 1936. Triunfa la Unión de Centro Democrático. Jorge Guillén recibe el premio Cervantes y Vicente Aleixandre el Nobel de Literatura.

1978. Es aprobada la nueva Constitución. F. Fernán Gómez es galardonado con el premio Nacional Lope de Vega por *Las bicicletas son para el verano.*

1979. Nuevas elecciones, con resultados similares a los de 1977. El argentino Jorge Luis Borges recibe el premio Cervantes.

1982. Elecciones generales ganadas por el PSOE. El nuevo gobierno socialista es presidido por Felipe González. El colombiano Gabriel García Márquez recibe el premio Nobel de Literatura. Isabel Allende publica *La casa de los espíritus.*

1984. Camilo José Cela recibe el premio Nacional de Literatura.

1986. España entra en el Mercado Común. Se aprueba mediante referéndum la permanencia en la OTAN. Buero Vallejo recibe el premio Cervantes. Muere Jorge Luis Borges.

1988. Huelga general.

1989. España preside la CEE. Camilo José Cela recibe el premio Nobel de Literatura.

1990. Octavio Paz recibe el premio Nobel de Literatura.

1992. Ley de Reforma General del Sistema Educativo. Exposición Mundial de Sevilla. Olimpiada en Barcelona.

1993. Visita del Papa a España. Miguel Delibes gana el premio Cervantes.

1996. El Partido Popular gana las elecciones generales. José María Aznar es el nuevo presidente del gobierno.

1998. ETA proclama unilateralmente una tregua indefinida. Julio Llamazares publica *La lluvia amarilla*.

1999. Se decide la integración de las monedas nacionales europeas en el euro. En noviembre, ETA anuncia el fin de la tregua.

2000. El PP vuelve a ganar las elecciones. Segundo mandato de José María Aznar. Muere Buero Vallejo.

2002. A partir del 1 de enero el euro es la moneda única europea. Muere Camilo José Cela. En noviembre, en las costas de Galicia se hunde el petrolero *Prestige*, provocando una terrible catástrofe ecológica.

2003. Millones de españoles se manifiestan en las calles para protestar contra el apoyo del gobierno español a la invasión de Irak por parte de Estados Unidos. Mueren Manuel Vázquez Montalbán y Dulce Chacón.

2004. El 11 de marzo se produce un atentado terrorista en la capital española en el que mueren 192 personas. El Partido Socialista gana las elecciones generales tras ocho años de gobierno del Partido Popular.

Bibliografía

Amor mío (Poesía)

Alberti, Rafael. "La amante". En Varios autores. *Antología de la Generación del 27.* Madrid: Anaya, 1987.

Bautista, Amalia. *Cuéntamelo otra vez.* Granada: La Veleta, 1999.

Bécquer, Gustavo Adolfo. *Leyendas.* Madrid: Club internacional del libro, 1983.

Benedetti, Mario. *El amor, las mujeres y la vida.* Madrid: Santillana, 2002.

Benítez Reyes, Felipe. "La desconocida". En *Mundopoesía en la red* [en línea]. [Consulta: 23/11/03]. Disponible en: <http://members.fortunecity.es/mundopoesia/autores/felipe_benitez.htm>

Castro, Rosalía de. *Poesía.* Madrid: Alianza editorial, 1980.

Cernuda, Luis. *La realidad y el deseo.* Madrid: Clásicos Castalia, 1991.

Esquivel, Laura. *Como agua para chocolate.* Barcelona: Mondadori, 2002.

García Lorca, Federico. *Obras completas.* Edición del cincuentenario. Tomo III. Madrid: Aguilar, 1987.

García Lorca, Federico. *Obras completas.* Edición del cincuentenario. Tomo I. Madrid: Aguilar, 1987.

García Montero, Luis. *Habitaciones separadas.* Madrid: Visor, 1994.

Gil de Biedma, Jaime. *Las personas del verbo.* Barcelona: Seix Barral, 1993.

Gómez de la Serna, Ramón. *Greguerías.* Madrid: Cátedra, 1989.

González, Ángel. *101+19= 120 poemas.* Madrid: Visor libros, 2001

González, Ángel. *Tratado de Urbanismo.* Madrid: Visor libros, 2001.

Guillén, Nicolás. "Un poema de amor". En *Poesía en español* [en línea]. [Consulta: 24/11/03]. Disponible en: <http://www.poesia-inter.net>

Hernández, Miguel. *Obra poética completa.* Madrid: Zero, 1979.

Janés, Clara. *Paralajes.* Barcelona: Tusquets, 2002.

Jiménez, Juan Ramón. *Diario de un poeta recién casado.* Edición del centenario. Madrid: Taurus, 1982.

Loynaz, Dulce María. "Quiéreme entera...". En *A media voz* [en línea]. [Consulta: 24/11/03]. Disponible en: <http://www.amediavoz.com>

Loynaz, Dulce María. "Abrazo". En *Poesía castellana. Poetas cubanos* [en línea]. [Consulta: 24/11/03]. Disponible en: <http://poesia-infantil.com/cuba>

Neruda, Pablo. *Antología poética de Pablo Neruda.* Madrid: Santillana, 1997.

Paz, Octavio. *Libertad bajo palabra.* Madrid: Cátedra, 1988.

Rodríguez, Claudio. *Poesía completa (1953-1991).* Barcelona: Tusquets, 2001.

Salinas, Pedro. *La voz a ti debida. Razón de amor.* Madrid: Clásicos Castalia, 1984.

Valera, Juan. *Pepita Jiménez.* Madrid: Alambra, 1984.

Vallejo, César. *Antología poética.* Madrid: Alianza editorial, 2001.

Así es la vida (Narrativa)

Alonso De Santos, José Luis. *Bajarse al moro.* Madrid: Cátedra, 1989.

Allende, Isabel. *La casa de los espíritus.* Barcelona: Plaza y Janés, 1996.

Atxaga, Bernardo. *Obabakoak.* Barcelona: Ediciones B, 1990.

Atxaga, Bernardo. *Obabakoak.* Donostia: Ediciones Erein, 1989.

Baroja, Pío. *El árbol de la ciencia.* Madrid: Alianza Editorial, 1985.

Benedetti, Mario. "Buzón de tiempo". En *La página de los cuentos* [en línea]. [Consulta: 28/11/2003]. Disponible en: <http://www.loscuentos.net>

Borges, Jorge Luis. "Ficciones". En *Obras completas.* Barcelona: Emecé, 1989.

Borges, Jorge Luis. *Obras completas.* Buenos Aires: Emecé, 1989.

Cela, Camilo José. *La familia de Pascual Duarte.* Barcelona: Destino, 1984.

Clarín, Leopoldo Alas. *La Regenta*. Madrid: Espasa-Calpe, 1984.
Cortázar, Julio. "Historias de Cronopios y de Famas". En *La página de los cuentos* [en línea]. [Consulta: 28/11/2003]. Disponible en: <http://www.loscuentos.net>
Cortázar, Julio. *Pasajes.* Madrid: Alianza Editorial, 1988.
Cortázar, Julio. *Rayuela*. Barcelona: Seix Barral, 1984.
Chacón, Dulce. *Algún amor que no mate.* Barcelona: Planeta, 2002.
Darío, Rubén. "Lo fatal". En *Cantos de vida y esperanza.* Madrid: Espasa Calpe, 1983.
Delibes, Miguel. *El príncipe destronado*. Barcelona: Destino libro, 1983.
García Lorca, Federico. *Canciones 1921-1924*. Madrid: Alianza Editorial, 1982.
García Márquez, Gabriel. *Cien años de soledad.* Madrid: Cátedra, 1987.
García Márquez, Gabriel. *Relato de un náufrago.* Barcelona: Tusquets, 1989.
Gómez De La Serna, Ramón. *España cuenta*. Madrid: Edelsa, 1990.
Grandes, Almudena. *Malena es un nombre de tango.* Barcelona: Tusquets, 1994.
Hernández, Miguel. "Cancionero y Romancero de ausencias". En *Obra poética completa*. Madrid: Zero, 1979.
Laforet, Carmen. "Al colegio". En *Madres e hijas.* Barcelona: Anagrama, 1996..
Lindo, Elvira. *Cómo molo.* Madrid: Alfaguara, 1999.
Llamazares, Julio. *La lluvia amarilla*. Barcelona: Seix Barral, 1992.
Machado, Antonio. "Proverbios y cantares". En *Poesías completas.* Madrid: Espasa Calpe, 1984.
Machado, Antonio. *Poesías completas.* Madrid: Espasa Calpe, 1984.
Martín Gaite, Carmen. *Nubosidad variable.* Barcelona: Anagrama, 1996.
Martín Gaite, Carmen. *Lo raro es vivir*. Barcelona: Anagrama, 1996.
Mastretta, Ángeles. *Arráncame la vida.* Barcelona: Seix Barral, 2000.
Mastretta, Ángeles. *Mujeres de ojos grandes.* Barcelona: Seix Barral, 1995.
Mendoza, Eduardo. *Sin noticias de Gurb.* Barcelona: Seix Barral, 1991
Millás, Juan José. "Están locos". En *Cuentos a la intemperie*. Madrid: Acento Editorial, 1997.
Millás, Juan José. *El desorden de tu nombre.* Barcelona: Destino, 1994.
Montero, Rosa. "Juana la loca y Felipe el hermoso". En *Pasiones.* Madrid: Santillana, 2000.
Monterroso, Augusto. *El eclipse y otros cuentos.* Madrid: Alianza Cien, 1995.
Muñoz Molina, Antonio. *El Jinete polaco.* Barcelona: Planeta, 1991.
Pérez Galdós, Benito. *Tristana*. Madrid: Alianza Editorial, 1978.
Pérez Reverte, Arturo. *La piel del tambor*. Madrid: Alfaguara, 1995.
Pérez Reverte, Arturo. *Un asunto de honor*. Madrid: Suma de letras, 2001.
Puértolas, Soledad. *Queda la noche*. Barcelona: Anagrama, 1998.
Rivas, Manuel. *¿Qué me quieres, amor?* Madrid: Suma de letras, 2001.
Rivas, Manuel. *¿Que me queres, amor?* Vigo: Galaxia, 2001.
Rodoreda, Mercè. *Mi Cristina y otros cuentos.* Madrid: Alianza tres, 1982.
Rodoreda, Mercè. *La meva Cristina i altres contes.* Barcelona: Edicions 62, 2001.
Rulfo, Juan. *Pedro Páramo.* Barcelona: Bruguera, 1981.
Sender, Ramón José. *Réquiem por un campesino español.* Barcelona: Destino, 1988.
Sepúlveda, Luis. *Desencuentros.* Barcelona: Tusquets Editores, 1997.
Sepúlveda, Luis. "Café". En *Desencuentros.* Barcelona: Tusquets Editores, 1997.
Torres, Maruja. "Una, dos, tres, cuatro, una". En *El País semanal*, nº 1315,diciembre, 2001.
Unamuno, Miguel de. *Niebla*. Madrid: Taurus, 1977.
Unamuno, Miguel de. *San Manuel Bueno, mártir.* Madrid: Alianza Editorial, 1986.
Valle-Inclán, Ramón María del. *Sonata de estío.* Madrid: Espasa Calpe, 1986.
Vargas Llosa, Mario. *La tía Julia y el escribidor.* Barcelona: Seix Barral, 1987.
Vázquez Montalbán, Manuel. *Los mares del Sur*. Barcelona: Planeta, 1988.

Viva la libertad (Teatro)

Alonso De Santos, José Luis. *Cartas de amor a Mary. Teatro breve.* León: Everest, 2000.

Alonso De Santos, José Luis. *La estanquera de Vallecas.* Madrid: Ediciones Antonio Machado, 1986.

Benedetti, Mario. "Hombre preso que mira a su hijo". En *Patria grande* [en línea]. [Consulta: 24/11/03]. Disponible en: <http://www.patria-grande.net/uruguay/mario.benedetti/poemas/hombre.preso.que.mira.a.su.hijo.htm>

Benedetti, Mario. *Primavera con una esquina rota.* Madrid: Alfaguara, 1986.

Buero Vallejo, Antonio. *Historia de una escalera.* Madrid: Espasa Calpe, 1985.

Cela, Camilo José. *La colmena.* Barcelona: Noguer, 1984.

Constitución Española. Ed. Comentada. Madrid: Centro de Estudios Constitucionales, 1979.

Otero, Blas de. *Verso y Prosa.* Madrid: Cátedra, 1989.

Adaptación anónima teatral de la novela de Delibes, Miguel. *Cinco horas con Mario.* Madrid: texto manuscrito.

Delibes, Miguel. *Cinco horas con Mario.* Barcelona. Destinolibro. 1985.

Diosdado, Ana. *Olvida los tambores.* Madrid: Escelicer, 1972.

Fernán Gómez, Fernando. *Las bicicletas son para el verano.* Madrid: Espasa Calpe, 1991.

Gambaro, Griselda. *"Cuatro ejercicios para actrices".* En *Teatro.* Buenos Aires: Ediciones de la Flor, 2001.

Gambaro, Griselda. Teatro I. Buenos Aires: Ediciones de la Flor, 2001.

García Lorca, Federico. *La Casa de Bernarda Alba.* Madrid: Cátedra, 1985.

García Lorca, Federico. *Obras completas.* Edición del cincuentenario. Tomo III. Madrid: Aguilar, 1987.

Hernández, Miguel. *Cancionero y Romancero de ausencias. Obra poética completa.* Madrid: Zero, 1979.

Jardiel Poncela, Enrique. *Eloisa está debajo de un almendro.* Madrid: Espasa Calpe, 1989.

Marsé, Juan. *Últimas tardes con Teresa.* Barcelona: Seix-Barral, 1990.

Mihura, Miguel. *Tres sombreros de copa.* Madrid: Cátedra, 1988.

Mora, Miguel."Sara Baras descubre a "Mariana Pineda". *El País.* Madrid: 24 de agosto 2002, págs. 23-24.

Resino, Carmen. "Ulises no vuelve". En *Teatro diverso 1973 – 1992.* Cádiz: Publicaciones de la Universidad de Cádiz, 2001.

Sanchis Sinisterra, José. *¡Ay, Carmela!* Madrid: Cátedra, 1993.

Sastre, Alfonso. *Escuadra hacia la muerte.* Madrid: Clásicos Castalia, 1988.

Sender, Ramón J. *Réquiem por un campesino español.* Barcelona: Destino, 1988.

Sepúlveda, Luis. *Desencuentros.* Barcelona: Tusquets, 1997.

Valle-Inclán, Ramón María del. *Luces de Bohemia.* Madrid: Espasa-Calpe, 1984.

Zurro, Alfonso. *Bufonerías.* Sevilla: Galaor, 1994.

Notas y soluciones

AMOR MÍO (POESÍA)

1. Adaptado de Cano, González, Alonso. *Curso de Literatura. Técnicas de comprensión y expresión.* Madrid: Coloquio, 1993 y Díez Borque. *Comentario de textos literarios. Método y Práctica.* Madrid: Playor, 1989.
2. En nuestra opinión en la primera estrofa el poeta está exponiendo su condición: expresa su deseo y lo motiva; así sigue en la segunda, que mantiene exactamente la misma estructura que la primera, por lo menos en los dos primeros versos, donde expresa su anhelo justificándolo, hasta tal punto que las dos estrofas empiezan por el mismo verbo de voluntad *quiero* y siguen con una oración final, *para que*. La tercera estrofa presenta una exhortación a la que se ata la íntima esperanza del poeta; es una proposición: el poeta propone que *nunca se acabe...*, utilizando una forma verbal imperativa. Es ésta la estrofa que encierra el mensaje de fondo. Finalmente en la última concluye reflexionando sobre el tema central: expresa una previsión futura, casi una predestinación, llegando a llamar en causa a la muerte. Si queremos insistir un poco más sobre la estructura de este poema concluimos que cada estrofa cumple una función semántica determinada: en la primera estrofa se concentra la exposición, que continúa en la segunda; en la tercera, que es donde se concentra el mensaje de fondo, se manifiesta la proposición; en la cuarta se llega a una conclusión.Vemos también que las primeras tres estrofas presentan períodos sintácticos relacionados entre sí, mientras la última se queda aislada, separada del resto de la composición. Pero esto no significa que no haya relación entre las primeras tres estrofas y la cuarta: están todas relacionadas entre sí gracias al significado, al campo semántico, o campo de palabras conceptualmente relacionadas, o mejor dicho, a la *isotopía*.
   Además notamos que la estructura del poema es lineal y adopta la forma textual expositiva argumentativa, típica del soneto (Adaptado de *Curso de literatura española*, op. cit.)
3. 1, 3, 6 y 7
4. En la literatura hay muchos ejemplos de prosa poética, que supone una forma distinta de expresarse poéticamente.
5 Cohen, Jean. *Estructura del lenguaje poético.* Madrid: Gredos (Biblioteca Románica Hispánica), 1977.
6 Pedro, que en ese momento pasaba por ahí, no por casualidad, se ofreció a ayudarla.
La cercanía de Pedro la ponía muy nerviosa.
Nunca olvidaría el roce accidental de sus manos cuando ambos trataron torpemente de tomar la misma charola al mismo tiempo.
7 Díez Borque. *Comentario de textos literarios. Método y Práctica.* Madrid: Playor, 1989.

ASÍ ES LA VIDA (NARRATIVA)

1. Violeta Parra (1917-1967).
2. Martín Duque; Fernández Cuesta. *Iniciación a los estudios literarios: Método y práctica.* Madrid: Playor, 1988.
3. *Curso de Literatura. Educación secundaria Obligatoria.* Ed. Coloquio. Págs. 77 y 84.
4. Lázaro Carreter. *Cómo se comenta un texto literario.* Madrid: Cátedra, 1985.
5. Traducido y adaptado de: Sensini. *Le parole e il testo.* Torino: Mondadori, 1994.
6. Lázaro Carreter. Cómo se comenta un texto literario. Madrid: Cátedra, 1985. Pág. 34.
7. Martín Duque; M. Fernández Cuesta, *op. cit.*,.. pág. 102..
8. Martín Duque; M. Fernández Cuesta, *op. cit.*,pág.166.
9. A: Analepsis; B: Prolepsis; C: Orden lineal
10. *Curso de Literatura, op. cit.*, págs.101 y 102.
11. Grosser, *Narrativa.* Milano: Principato, 1988 pág. 98.

12. *Malena es un nombre de tango*: 4; *Réquiem por un campesino español*: 2; *Juana la loca y Felipe el hermoso*:3; "Casa tomada": 4.
13. Grosser, *op. cit.*, pág. 47.
14. El abuelo se durmió al sol con la boca abierta, Manolito y su amigo el Orejones se fueron a bucear y estuvieron a punto de ahogarse varias veces de la risa. El pobre Imbécil se quedó solo jugando con el cubo y la pala al sol sin crema de protección 18... Total, tuvieron que llevarlo al hospital por estar rojo como un cangrejo.
15. El primer y el segundo bloque de esta tarea están inspirados en el *Corso per Formatori P.S.L.S. di lingua spagnola.* Sonsoles Fernández, Castelsardo, 1996.
16. Todos los materiales utilizados provienen de la revista mensual *Qué leer,* año 7, número 68, especial verano, 2002.

Viva la libertad (Teatro)

1. La exposición llega hasta la frase de Joe "Me lo pasó el cabo Johnson ayer. Está muy usado". El desarrollo, empieza desde la reflexión de Mac sobre la vida "Lo que es la vida...", hasta el momento en que Mac, consciente de que está muriendo, dicta la carta para Mary. El clímax lo introduce Joe cuando descubre algo de pronto " [...] Oye, debajo de ti hay sangre. Un charquito.", va subiendo hasta el desenlace de la última frase que Joe grita a Mac y se va apagando en la acotación final.
2. Las definiciones de la ficha se han adaptado de Cano, González, Alonso, *Curso de Literatura Técnicas de comprensión y expresión.* Madrid Ed. Coloquio, 1993.
3. Adaptado de Cano, González, Alonso, *op. cit.*
4. (1895-1952) Poeta francés, primero dadaísta y luego uno de los creadores del surrealismo, se distinguió por una poesía preocupada por la realidad social. Es muy famoso su poema "Liberté": 1 Sur mes cahiers d'écolier/sur mon pupitre et les arbres/sur le sable sur la neige/J'écris ton nom (siguen 20 estrofas con la misma estructura y con distintos lugares que tienen todas como verso final J'écris ton nom) [...] 71 Sur le murs de mon ennui [...] 81 Et par le pouvoir d'un mot /Je recommence ma vie/Je suis né pour te connaître/ Pour te nommer/Liberté. En Lagarde ,A.; Michard, L., *XX siècle*. Paris: Bordas, 1973.
5. Paulino y Carmela son dos actores de varieté que, durante la Guerra Civil española se ven obligados a representar un espectáculo teatral para celebrar la conquista de un pueblo por parte del ejército nacional. Entre el público, además de los soldados victoriosos, hay un grupo de prisioneros polacos de las brigadas internacionales a los que, antes de ser fusilados, se les humilla, teniendo que presenciar esta obra. Inexplicablemente, durante la representación se oyen las notas de la canción republicana "Ay Carmela" y ésta es la ocasión para que Carmela, que ya había madurado su rechazo por lo que estaban haciendo, se rebele y empiece a cantar esa canción, provocando que los nacionales la maten. El primer acto arranca tras la muerte de Carmela y la mayor parte de la obra es un retroceso sobre lo que ha sucedido.
6. Adaptado de Cano, González, Alonso, *Curso de Literatura. Técnicas de comprensión y expresión.* Madrid Ed. Coloquio, 1993 y de Duque; Cuesta, *Géneros literarios: Iniciación a los estudios literarios. Método y práctica.* Madrid: Playor, 1988.
7. Adaptado de *Curso de Literatura*, op. cit.
8. Diccionario enciclopédico Santillana, Madrid: Santillana, 1992.
9. Cano, González, Alonso, *op. cit.,* págs. 215, 216.
10. Unidades dramáticas de acción, lugar y tiempo: sólo se puede representar un hecho, la acción debe suceder en un único lugar y la acción debe transcurrir en un solo día. Adaptado de Cano, González, Alonso, *op.cit.*
11. 1-3=A 2-4=B 5=D 6=C
12. De *Manual Práctico Larousse, Análisis y Comentario de Texto.* Barcelona: Larousse-Planeta, 1994.
13. Sic en el texto.

Anexo

Autores

1. G. A. Bécquer, en López Estrada, *Poética para un poeta: Las cartas literarias a una mujer de Bécquer.* Madrid: Gredos, 1972.
2. Ibid.
3. Miguel Hernández, en *Poesías de Miguel Hernández.* México: Editores Mexicanos Unidos, 1992.

4. Ibid.
5. Filósofo, pedagogo y escritor (1839-1915), junto a un grupo de profesores universitarios funda, en 1876, la Institución Libre de Enseñanza, que funciona como Universidad y como Centro de Segunda Enseñanza. Esto significa el progreso de la corriente cultural racionalista y laica frente al dominio eclesiástico en la educación.
6. Miguel de Cervantes (1547-1616) publica el Quijote en 1605. La obra tiene un éxito fulminante, pero en el siglo XVII se lee simplemente como un libro humorístico, que se burla de los libros de caballerías.
7. Se da el nombre de tremendismo a una corriente literaria de los años 40 que se caracteriza por presentar los aspéctos más sórdidos y violentos de la realidad, con una técnica aparentemente objetivista.
8. Salvador Allende, socialista, es presidente de Chile desde 1970 hasta 1973, cuando muere en combate durante el golpe militar encabezado por el general Augusto Pinochet.
9. Valle-Inclán. Nota a: *Sonata de primavera*. Madrid: Alianza Editorial, 1994.

Movimientos literarios

1. Novelista francés (1840-1902).
2. Revolución que destrona a Isabel II, hija de Fernando VII.
3. Nueva visión del mundo, desarrollada en forma de doctrina filosófica por Auguste Comte (1798-1857).
4. Nuevo método experimental, Claude Bernard (fisiólogo francés, 1813-1878); herencia biológica, Gregor Mendel (naturalista bohemio, 1822-1884); evolución de las especies Charles Robert Darwin (naturalista inglés, 1809-1882).
5. Catedrático español que difunde estas ideas entre sus alumnos en las aulas universitarias.
6. Fundada en 1876, por Francisco Giner de los Ríos y un grupo de profesores universitarios, desarrolla una educación integral y defiende el laicismo frente al dominio eclesiástico, proclama la libre discusión frente a la enseñanza memorística, representa el progreso de la corriente cultural racionalista.
7. José María de Pereda (1833-1906), en sus obras ataca las ideas liberales y el ateísmo.
8. José de Echegaray (1832-1916) primer escritor español en recibir el premio Nobel, en 1904.
9. Maestro del Parnasianismo francés (1811-1872).
10. Fecha de publicación del *Manifeste du Symbolisme*.
11. Son simbolistas, entre otros: Baudelaire (1821-1867), Verlaine (1844-1896), Rimbaud (1854-1891) y Mallarmé (1842-1898).
12. Autor novecentista (1883-1955). Su obra se centra en la filosofía, la crítica literaria y la reflexión sociopolítica. Sobre el arte en general y sobre la literatura en particular, escribe *Ideas sobre la novela* y *La deshumanización del arte* (ambas de 1925), fundamentales en la constitución y consagración de la poética vanguardista en España.
13. Baroja, Azorín, Maeztu. "Manifiesto de los escritores de la "Generación del 98", 1901.
14. *Hélices* (1923) libera la poesía de la lógica y de las ataduras formales, a través del caligrama, poema cuyos versos se disponen dibujando imágenes.
15. Rafael Cansinos Asséns (1883-1964).
16. Juan Larrea (Bilbao, 1895-1980), admirador de Huidobro, reúne su obra poética bajo el nombre de *Versión Celeste*. Escribe sobre todo en francés, pero es traducido por Gerardo Diego.
17. Gerardo Diego (1896-1987), obtiene en 1925 el premio Nacional de Literatura, ex aequo con Rafael Alberti. Su obra es una síntesis entre tradición y renovación.
18. Luis de Góngora (1561-1627) es el máximo representante del culteranismo (o gongorismo) español, estilo literario barroco que busca la belleza formal en la obra, que suele tener un tema mínimo desarrollado en un estilo suntuoso, en que abundan las metáforas violentas, los neologismos y los latinismos.
19. Confederación Española de Derechas Autónomas
20. En: Prats, Castelló, Fernández, García, Izuzquiza, Loste, *Geografía e historia de España*. Madrid: Anaya, 1991.
21. Véase nota 20.
22. Véase nota 20.
23. Falange Española Tradicionalista de las Juntas de Ofensiva Nacional-Sindicalista.
24. Véase nota 20.
25. Véase nota 20.

26. José Luis Abellán. En: Ramoneda. *Antología de la Literatura Española del siglo XX*. Madrid: SGEL, 1996.
27. Corriente literaria de los años 40 que se caracteriza por evidenciar los aspectos más miserables y violentos de la realidad, con una técnica aparentemente objetivista.
28. Benguerel. *Los vencidos*. Barcelona: Alfaguara, 1972.
29. El existencialismo es un movimiento filosófico que exalta el papel crucial de la existencia, de la libertad y de la elección individual y goza gran influencia en los escritores de los siglos XIX y XX.
30. Castellet. *Nueve novísimos*. Barcelona: Barral, 1970.
31. En la técnica del collage, los poetas toman palabras o frases al azar para evitar el discurso lógico, con un gusto pop de la composición.
32. Tos convulsiva infantil.
33. Fundado por Ignacio Agustí, personaje destacado de la cultura de la posguerra, que también funda y dirige varias publicaciones.
34. Los cultivadores del objetivismo o conductismo pretenden reflejar la realidad sin entrometerse en lo que describen. El lector, sin intermediarios, debe extraer sus propias conclusiones.
35. Con el realismo crítico se propone la denuncia directa de las desigualdades y de las injusticias sociales, a veces hasta se aventuran posibles soluciones para los problemas planteados.
36. Doctrina estética que proclama la autonomía del lenguaje poético en contraposición al coloquial.
37. Teoría que parte del concepto según el cual cualquier objeto de estudio es un conjunto de elementos interdependientes. Para descubrir las reglas de sus relaciones internas el estudioso debe desmontar los elementos que componen la estructura.
38. Grupo de poetas nacidos entre 1939 y 1948 cuyas obras aparecen en la antología de J.M.Castellet *Nueve novísimos*, publicada en 1970. Expresan una nueva sensibilidad, fruto también de frecuentes viajes al extranjero, que les ponen en contacto con las tendencias culturales del momento.
39. Trata de la novela policiaca. Generalmente la novela negra española es un pretexto para expresar otras temáticas, como por ejemplo la soledad, los problemas del individuo frente a la sociedad, etc..
40. Criollo, derivado del portugués "crioulo"(negro nacido y criado en la casa del señor), se aplica a los hispanoamericanos nacidos o descendientes de padres españoles.
41 El realismo mágico, mezcla la realidad con ficción, reescribe las viejas mitologías, junta personas verdaderas con personajes apócrifos. Hoy es una costumbre arraigada que siguen muchos jóvenes escritores.
42. Griselda Gambaro. En: *La Nación*, 24 de marzo de 2001.

Greguerías para la actividad 22 de la tarea 3 del proyecto Amor mío:

La frase que más reúne la vida y la muerte es / la de "¡Estoy hecho polvo!"
Los bancos públicos son / los pentagramas de las iniciales del Amor.
En la vida se pierden / hasta los imperdibles.
La cabeza es / la pecera de las ideas
Templar bien el agua del baño es / como preparar un buen té.
El poeta se alimenta / con galletas de luna.
La luna de los rascacielos / no es la misma luna de los horizontes.
La T es / el martillo del abecedario.
El cocodrilo es / una maleta que viaja por su cuenta.
El beso es / una nada entre paréntesis.
Queremos ser de piedra / y somos de gelatina.
El sueño es / un depósito de objetos extraviados.
La S es / el anzuelo del abecedario.
El cerebro es / un paquete de ideas arrugadas que llevamos en la cabeza.
La i es / el dedo meñique del alfabeto.
La vida es / decirse adiós en un espejo.
El estornudo / es la interjección del silencio.
Frente al yo y al súper yo/ está el "qué sé yo".
La o es / el bostezo del alfabeto.
El calzador es / la cuchara de los zapatos.
Los recuerdos encogen / como las camisetas.
Los negros tienen / voz de túnel.
Al ombligo / le falta el botón.
El niño intenta sacarse / las ideas de la nariz.
El murciélago es / el enmascarado de la noche.